D0262380

# Het tijdperk van de levende computers

Ray Kurzweil

# Het tijdperk van de levende computers

## Een vooruitblik op onze computergestuurde 21ste eeuw

Bezoek onze website
www.lannoo.com
Oorspronkelijke titel *The age of spiritual machines*
Oorspronkelijk gepubliceerd door Viking Penguin
Uit het Engels vertaald door Hans van den Broek
Redactie en productie Asterisk*

D/2000/45/159 - ISBN 90 209 3975 0 - NUGI 661

# Een opmerking voor de lezer

Wanneer een foton zich een weg baant door een opstelling van glazen panelen en spiegels dan blijft zijn pad ambigu. Het neemt noodzakelijkerwijs ieder mogelijk pad dat beschikbaar is (blijkbaar hebben deze fotonen het gedicht 'The Road Not Taken' van Robert Frost niet gelezen). Deze ambiguïteit blijft totdat het waarnemen van een bewuste waarnemer het deeltje dwingt te kiezen welk pad het genomen heeft. Dan wordt de onzekerheid – met terugwerkende kracht – opgelost en is het alsof het geselecteerde pad altijd al genomen was.

Net zoals deze kwantumdeeltjes kunt u – de lezer – keuzes maken over de weg die u wilt nemen in dit boek. U kunt de hoofdstukken lezen zoals ik het heb bedoeld, in de volgorde van het boek. Of u kunt na lezing van de inleiding besluiten dat de toekomst niet kan wachten, en dat u direct naar de hoofdstukken in deel 3 over de eenentwintigste eeuw overgaat (de inhoudsopgave op de volgende pagina's vertelt u meer over de inhoud van ieder hoofdstuk). U kunt zich dan een weg terug banen naar de eerdere hoofdstukken die de natuur en de oorsprong van de trends en krachten die zich zullen manifesteren in de komende eeuw beschrijven. Uw pad kan natuurlijk ook ambigu blijven tot het einde. Maar wanneer u bij de epiloog aankomt zal iedere resterende tweeledigheid worden opgelost, en het zal zijn alsof u altijd al van plan was het boek te lezen op de manier die u heeft gekozen.

# Inhoud

## Deel drie: De toekomst onder ogen zien

# Dankwoord

Ik zou graag mijn dank willen betuigen aan de vele personen die mij van inspiratie, geduld, ideeën, commentaar, inzicht en hulp op allerlei wijzen voor dit project hebben voorzien. In het bijzonder wil ik de volgende mensen bedanken:

Mijn vrouw, Sonya, voor haar lieve geduld tijdens het hele creatieve proces met al zijn voor- en tegenspoed.
Mijn moeder voor de lange, onderhoudende wandelingen met mij als kind in de bossen van Queens (ja, er waren bossen in Queens, New York toen ik jong was) en voor haar enthousiaste interesse in en ondersteuning van mijn niet altijd even realistische ideeën.
Mijn redacteuren bij Viking, Barbara Grossman en Dawn Drzal, voor hun inzichtvolle begeleiding en hun redactionele expertise, en aan het toegewijde team bij Viking Penguin, inclusief Susan Petersen, uitgever; Ivan Held en Paul Slovak, marketing managers; John Jusino, bureauredacteur; Betty Lew, ontwerper; Jariya Wanapun, redactieassistent en Laura Ogar, registermaker.
Jerry Bauer voor zijn geduldige fotografie.
David High voor het daadwerkelijk uitvinden van een spirituele machine voor de omslag
Mijn literair agent, Loretta Barrett, voor het assisteren bij het vormgeven aan het project
Mijn bewonderenswaardig kundige onderzoekers, Wendy Dennis en Nancy Mulford, voor hun toewijding en vindingrijke verrichtingen, en Tom Garfield voor zijn waardevolle assistentie
Rose Russo en Robert Brun voor het omzetten van illustratie-ideeën in schitterende visuele presentaties
Aaron Kleiner voor zijn aanmoediging en steun
George Gilder voor zijn stimulerende ideeën en inzichten
Harry George, Don Gonson, Larry Janowitch, Hannah Kurzweil, Rob Pressman en Mickey Singer voor onderhoudende en nuttige discussies over deze onderwerpen

Mijn lezers: Peter Arnold, Melanie Baker-Futorian, Loretta Barrett, Stephen Baum, Bryan Bergeron, Mike Brown, Cheryl Cordima, Avi Coren, Wendy Dennis, Mark Dionne, Dawn Drzal, Nicholas Fabijanic, Gil Fischman, Ozzie Frankell, Vicky Frankell, Bob Frankston, Francis Ganong, Tom Garfield, Harry George, Audra Gerhardt, George Gilder, Don Gonson, Martin Greenberger, Barbara Grossman, Larry Janowitch, Aaron Kleiner, Jerry Kleiner, Allen Kurzweil, Amy Kurzweil, Arielle Kurzweil, Edith Kurzweil, Ethan Kurzweil, Hannah Kurzweil, Lenny Kurzweil, Missy Kurzweil, Nancy Kurzweil, Peter Kurzweil, Rachel Kurzweil, Sonya Kurzweil, Jo Lernout, Jon Lieff, Elliot Lobel, Cyrus Mehta, Nancy Mulford, Nicholas Mullendore, Rob Pressman, Vlad Sejnoha, Mickey Singer, Mike Sokol, Kim Storey en Barbara Tyrell voor hun complimenten en kritieken (waarvan de laatste zeer nuttig bleken) en vele waardevolle suggesties
Tot slot, alle wetenschappers, technici, ondernemers en artiesten die bezig zijn met het creëren van het tijdperk van de spirituele machines.

Inleiding

# Een onverbiddelijk uitvloeisel

De gokker had niet verwacht dat hij hier terecht zou komen. Maar nu hij er nog eens over nadacht: hij was in zijn tijd toch ook best wel eens aardig geweest. En deze plek was zelfs nog mooier en genoeglijker dan hij ooit gedacht had. Overal hingen prachtige kristallen kroonluchters, er lagen de fijnste handgeknoopte tapijten, er waren de meest copieuze gerechten, en, jawel, er waren ook de knapste vrouwen die bovendien geïnteresseerd leken in hun nieuwe maatje in de hemel. Hij probeerde zijn geluk eens aan de roulettetafel, en tot zijn verbazing viel het balletje steeds op zijn nummer. Hij probeerde de speeltafels en zijn geluk was meer dan opmerkelijk: hij won spel na spel. Zijn aanhoudende winst zorgde voor nogal wat opwinding en trok de aandacht van het attente personeel en de leuke dames.

Het ging maar door, dag na dag, week na week. De gokker won elk spel en zijn winsten liepen steeds verder op. Alles ging precies zoals hij het wilde. Hij bleef maar winnen, en zijn succes hield week na week, maand na maand aan.

Na een tijdje begon het saai te worden. De gokker werd rusteloos; het winnen begon zijn betekenis te verliezen. Toch bleef alles lopen zoals het liep en bleef hij elk spel winnen tot de inmiddels gekwelde gokker zich tot de engel richtte die de leiding scheen te hebben en zei dat hij er niet meer tegen kon. Achteraf gezien bleek die hemel niet echt je dat voor hem. Bovendien had hij eigenlijk altijd al het idee gehad dat hij voor 'die andere plaats' was bestemd, en daar wilde hij dan ook zijn.

'Maar dit ís die andere plaats,' luidde het antwoord.

In mijn gedachten speelde op die manier een aflevering van *The Twilight Zone* die ik als kind ooit zag. Ik herinner me de titel niet meer, maar ik zou de aflevering 'Weet wat je verlangt'[1] noemen. Zoals gewoonlijk bij deze meeslepende serie illustreerde deze aflevering een van de paradoxen van de menselijke aard: we lossen problemen wel graag op, maar we willen ze niet allemaal opgelost zien, en zeker niet te snel. We hechten meer aan de problemen dan aan de oplossingen.

Neem nu de dood. Een belangrijk deel van alles wat we doen is erop gericht de dood te ontlopen. We spannen ons vreselijk in om hem uit te stellen, en vaak beschouwen we zijn tussenkomst als een tragische gebeurtenis. Maar toch zouden we niet makkelijk zonder de dood kunnen leven. De dood geeft zin aan het leven. Hij maakt tijd waardevol en belangrijk. Tijd zou zinloos zijn als er een overdaad aan was. Mocht de dood tot in het oneindige worden uitgesteld, dan zou het met de menselijke psyche aflopen zoals, inderdaad, zoals met de gokker uit die aflevering van *The Twilight Zone*.

Maar zo hachelijk is het nog niet. We hebben vandaag nog geen tekort aan dood of menselijke problemen. Maar weinig critici zijn van mening dat de twintigste eeuw ons te veel van het goede heeft nagelaten. Weliswaar neemt de welvaart toe – en het is geen toeval dat die door de informatietechnologie wordt gevoed – maar de menselijke soort wordt nog steeds getart door kwesties en problemen die feitelijk nauwelijks verschillen van de kwesties en problemen waar de mensheid al mee worstelt vanaf het begin van haar geschiedenis.

De eenentwintigste eeuw wordt anders. De mensheid zal dan, samen met de computertechnologie die ze heeft ontwikkeld, in staat zijn eeuwenoude problemen op te lossen die samenhangen met haar behoeften, zoniet verlangens, en ze zal in een positie verkeren dat ze de aard van de sterfelijkheid in een postbiologische toekomst verandert. Zijn wij psychologisch voldoende toegerust voor alle goede dingen die ons te wachten staan? Waarschijnlijk niet. Maar dat zou nog kunnen veranderen.

Voor de volgende eeuw voorbij is zal de mens niet meer het meest intelligente of begaafde wezen op deze planeet zijn. Hoewel, dat neem ik terug. In hoeverre die stelling waar is hangt af van de manier waarop we de 'mens' definiëren. Hier zien we een van de wezenlijke verschillen tussen beide eeuwen: de voornaamste politieke en filosofische kwestie van de eenentwintigste eeuw zal de definitie worden van wie we zijn.[2]

Maar ik loop op mezelf vooruit. In de afgelopen eeuw zagen we enorme technologische veranderingen, maar ook de sociale onrust die daarmee gepaard gaat, en die werd rond 1900 door maar weinig deskundigen voorzien. Veranderingen gaan steeds sneller, al sinds de eerste uitvindingen (in het eerste hoofdstuk zal ik duidelijk maken dat deze versnelling een kenmerk is dat inherent is aan technologie). Het resultaat van die versnelling is dat de veranderingen die in de eerste twee decennia van de eenentwintigste eeuw zullen plaatsvinden vele malen groter zullen zijn dan alles wat we in de hele twintigste eeuw hebben gezien. Maar voor een beter begrip van de onverbiddelijke logica waarheen de eenentwintigste eeuw ons voert, moeten we eerst een stap terugdoen en beginnen bij het heden.

## De overgang naar de eenentwintigste eeuw

Op allerlei intellectuele maar beperkte gebieden, zoals schaken, het diagnosticeren van bepaalde medische afwijkingen, het handelen in aandelen en het besturen van kruisraketten zijn computers tegenwoordig intelligenter dan de mens. Over het algemeen blijft de intelligentie van de mens echter flexibeler. Computers kunnen nog altijd niet zeggen wat er allemaal op een overvolle keukentafel staat, ze kunnen geen samenvatting van een film geven, veters knopen, het verschil tussen een hond en een kat aangeven (hoewel ik geloof dat dat wapenfeit met de moderne neurale netwerken – computersimulaties van menselijke zenuwcellen – langzamerhand mogelijk is),[3] humor herkennen, of al die andere subtiele dingen doen waarin hun menselijke scheppers uitblinken.

Eén van de redenen voor deze ongelijkheid in mogelijkheden is dat onze meest geavanceerde computers nog steeds eenvoudiger zijn dan het menselijk brein – op dit moment ongeveer een miljoen keer eenvoudiger (met een marge van een of twee grootteordes, afhankelijk van de gebruikte aannamen). Maar die ongelijkheid blijft niet zo naarmate we verder komen in het eerste deel van deze eeuw. In het begin van de twintigste eeuw verdubbelde de snelheid van computers elke drie jaar, in de jaren vijftig en zestig elke twee jaar, en tegenwoordig verdubbelt de snelheid elke twaalf maanden. Deze trend zal zich doorzetten waardoor computers rond het jaar 2020 de geheugencapaciteit en rekensnelheid van de menselijke hersenen zullen hebben.

Als de computers de minimumcomplexiteit en -capaciteit van de menselijke hersenen zullen hebben bereikt, betekent dat niet automatisch dat ze ook de flexibiliteit van de menselijke intelligentie zullen evenaren. De organisatie en de inhoud van die rijkdommen – de programmatuur van de intelligentie – zijn net zo belangrijk. Een van de manieren waarop de software van de hersenen kan worden geëvenaard is met behulp van de reversietechniek – waarbij de hersenen van een mens worden gescand (dat zal in het begin van deze eeuw uitvoerbaar zijn)[4] en het zenuwstelsel naar een neurale computer (een computer die is ontworpen om een zeer groot aantal menselijke zenuwcellen na te bootsen) met voldoende capaciteit wordt gekopieerd.

Er is een ontelbaar aantal waarschijnlijke scenario's om in een machine intelligentie op menselijk niveau te bereiken. We zullen een systeem kunnen ontwikkelen en trainen dat enorme parallelle neurale netwerken met andere modellen combineert om taal te begrijpen en kennis te rangschikken, waaronder de vaardigheid om geschreven documenten te lezen en te begrijpen. Hoewel de computers die wij kennen maar in zeer beperkte mate in staat zijn om kennis te halen uit documenten in een natuurlijke taal en daar dan weer van te leren, gaan hun vaardigheden op dit gebied met rasse schreden vooruit. Computers zullen in het tweede decennium van deze eeuw zelfstandig kunnen lezen en kunnen begrijpen en fatsoeneren wat ze hebben gelezen. Op dat moment kunnen we computers de hele wereldliteratuur laten lezen – boeken, tijdschriften, wetenschappelijke bladen en ander beschikbaar materiaal. Uiteindelijk zullen machines op eigen houtje kennis gaan vergaren door zich in de fysieke wereld te wagen, waarbij ze gebruik kunnen maken van het hele spectrum van media en informatiediensten, en zullen ze die informatie onderling gaan uitwisselen (en dat kunnen machines veel gemakkelijker dan hun scheppers van vlees en bloed).

Heeft een computer eenmaal het intelligentieniveau van een mens bereikt, dan dendert hij daar noodzakelijkerwijs ook overheen. Al vanaf het eerste moment waren computers de mens de baas als het ging om het kunstje om informatie te onthouden en te verwerken. Een computer kan miljarden, zelfs biljoenen, feiten perfect onthouden, terwijl wij er al moeite genoeg mee hebben om een paar telefoonnummers te onthouden. Een computer kan snel, in een fractie van een seconde, een gegevensbestand met miljarden gegevens doorzoeken. Computers hebben hun kennisbestanden ieder moment beschikbaar. Als er in een machine intelligentie op menselijk niveau gecombineerd kan worden met de intrinsieke superioriteit van een computer wat betreft snelheid, nauwkeurigheid en het vermogen om geheugens uit te wisselen, dan zal het resultaat formidabel zijn.

De zenuwcellen van zoogdieren zijn prachtige scheppingen, maar wij zouden ze niet op die manier bouwen. Een groot deel van hun complexiteit spitst zich toe op het handhaven van hun eigen levensproces, niet op hun vaardigheden om informatie te verwerken. Bovendien zijn zenuwcellen verschrikkelijk langzaam; elektronische schakelingen zijn minstens een miljoen keer sneller. Heeft een computer eenmaal een menselijk niveau bereikt als het gaat om het begrijpen van abstracte concepten, het herkennen van patronen en andere kenmerken van de menselijke intelligentie, dan kan hij deze vaardigheid toepassen op een bestand van alle zowel door mensen als door machines vergaarde kennis.

Over het algemeen wordt het schrikbeeld dat computers werkelijk zullen kunnen wedijveren met menselijke intelligentie verworpen, en men baseert zich dan voornamelijk op wat ze nu kunnen. Per slot van rekening lijkt het als ik op mijn computer werk alsof zijn intelligentie beperkt en broos is, zo hij al intelligent lijkt. We kunnen het ons moeilijk voorstellen dat onze computer gevoel voor humor heeft, er een mening op nahoudt, of een vertederende eigenschap van menselijk denken vertoont.

Toch zijn de laatste ontwikkelingen in de computertechnologie alles behalve statisch. Op dit moment rollen er computers van de band die een of twee decennia geleden nog voor onmogelijk werden gehouden. Te denken valt aan spraakherkenning, het begrijpen van natuurlijke talen en daar intelligent op reageren, het met een nauwkeurigheid die die van menselijke artsen evenaart, herkennen van patronen in medische handelingen zoals elektrocardiogrammen en bloedonderzoeken, en, natuurlijk, schaken op het niveau van een wereldkampioen. In dit decennium zullen we vertaaltelefoons gaan zien die *real-time* de ene menselijke taal in de andere kunnen omzetten, intelligente gecomputeriseerde medewerkers die zich verstaan met de kennisbestanden van de wereld en die in minder dan geen tijd kunnen doorzoeken en begrijpen, en een overvloed aan andere machines met een steeds bredere en flexibelere intelligentie.

In het volgende decennium zal het steeds moeilijker worden om een duidelijk verschil aan te wijzen tussen de kwaliteiten van menselijke en machine-intelligentie. De voordelen van computerintelligentie op het gebied van snelheid, nauwkeurigheid en capaciteit zijn duidelijk. Daar staat tegenover dat de voordelen van de menselijke intelligentie steeds moeilijker te onderscheiden zullen zijn.

Computersoftware kan al veel meer dan men over het algemeen beseft. Als recente ontwikkelingen in bijvoorbeeld spraak- of schriftherkenning worden gedemonstreerd, dan sta ik vaak verbaasd over hoe ver men nu al is. Neem bijvoorbeeld de meest recente ervaring met spraakherkenningstechnologie van een doorsnee computergebruiker. Hij is waarschijnlijk nooit verder gekomen dan een gratis, verouderd programmaatje dat hij een paar jaar geleden kreeg en dat maar een beperkt aantal woorden herkende, dat pauzes tussen woorden nodig had en bovendien zijn werk niet goed deed. Die gebruiker staat dan versteld als hij de huidige systemen ziet die lopende spraak herkennen, een woordenschat van 60 000 woorden hebben, en die wat betreft nauwkeurigheid niet onderdoen voor een typiste van vlees en bloed.

Het is ook belangrijk dat we ons blijven realiseren dat de computerintelligentie onstuitbaar voortuitgaat. Een voorbeeld daarvan is het vertrouwen dat Gary Kasparov er in 1990 in had dat een computer nooit een schijn van kans zou krijgen om hem te verslaan. Per slot van rekening had hij tegen de beste computers gespeeld, en die hadden het er op schaakgebied – vergeleken met hem – allerbelabberdst van afgebracht. Maar computerschaak ging gestaag vooruit en steeg vijfenveertig ELO-punten per jaar. In 1997 streefde een computer Kasparov voorbij, tenminste wat schaken betreft. Toen kwam het commentaar dat andere menselijke bezigheden veel moeilijker te evenaren zijn dan schaken. Dát valt niet te ontkennen. Op allerlei terreinen – neem het schrijven van een boek over computers – presteren computers nog steeds onder de maat. Maar naarmate computers hun capaciteiten exponentieel vergroten, zullen wij op die andere terreinen hetzelfde ervaren als Kasparov bij het schaken. In de loop van de volgende decennia zullen machines in staat zijn om willekeurig welke menselijke vaardigheid te evenaren – en die uiteindelijk voorbijstreven –, met inbegrip van die wonderbaarlijke vaardigheid die wij bezitten om onze ideeën in allerlei verschillende contexten te plaatsen.

De evolutie is altijd gezien als een proces dat miljarden jaren duurde en dat onverbiddelijk leidde tot haar allerbelangrijkste schepping: de menselijke intelligentie. Dat er aan het begin van de eenentwintigste eeuw een nieuwe vorm van intelligentie op aarde verschijnt, die met de menselijke intelligentie kan wedijveren en haar uiteindelijk zal overtreffen, zal een belangrijkere ontwikkeling zijn dan alle andere gebeurtenissen die de menselijke geschiedenis hebben gevormd. Die ontwikkeling zal niet minder belangrijk zijn dan de schepping van de menselijke intelligentie die deze nieuwe intelligentie schiep, en ze zal een diepgaande invloed hebben op het leven en de werken van de mens, zoals het karakter van de arbeid, het menselijke leerproces, de overheid, oorlogvoering, kunst, en het begrip van onszelf.

Dit schrikbeeld is nog geen werkelijkheid, maar met de komst van computers die de menselijke geest in zijn complexiteit ook echt kunnen evenaren, en voorbijstreven, ligt ook een daarmee corresponderende vaardigheid van machines in het verschiet om abstracties en subtiliteiten te begrijpen en erop te reageren. Dat de mens ingewikkeld in elkaar lijkt te zitten komt ten dele vanwege onze innerlijke doelstellingen die met elkaar wedijveren. Waarden en emoties vertegenwoordigen doelstellingen die vaak met elkaar in strijd zijn, en zijn een onvermijdelijk bijproduct van de abstractieniveaus waar wij als mensen mee te maken hebben. Naarmate computers een vergelijkbaar – en hoger – niveau van complexiteit bereiken en naarmate ze, voor een deel, steeds meer worden afgeleid van modellen van menselijke intelligentie, zullen ook zij noodzakelijkerwijs gebruik gaan maken van doelstellingen met impliciete waarden en emoties, hoewel niet per se dezelfde waarden en emoties als mensen.

Er zullen allerlei filosofische kwesties opduiken. Denken computers, of rekenen ze alleen maar? En omgekeerd, denken menselijke wezens of rekenen ze alleen maar? Het menselijk brein volgt vermoedelijk de wetten van de fysica en moet dus een machine zijn, zij het een erg ingewikkelde. Bestaat er een inherent verschil tussen het denken van een mens en dat van een machine? Om de vraag anders te stellen: moeten wij computers een bewustzijn toekennen op het moment dat ze net zo complex zijn als het menselijk verstand en daarmee kunnen wedijveren in subtiliteit en complexiteit van denken? Die vraag is al moeilijk te stellen, en bepaalde filosofen vinden het ook geen zinnige vraag. Anderen denken dat het de enige zinvolle vraag binnen de filosofie is. Eigenlijk gaat de vraag terug tot in de tijd van Plato, maar met het verschijnen van machines die werkelijk wilskracht en emotie lijken te bezitten wordt deze kwestie steeds boeiender.

Neem nu iemand die zijn hersenen scant met behulp van een eenentwintigste-eeuwse oppervlakte-scantechniek (bijvoorbeeld een geavanceerde magnetische resonantiebeeldscanner), en zijn brein in zijn computer opslaat. Is de 'persoon' die in de machine opduikt dezelfde geest als de persoon die werd gescand? Die 'persoon' zou jou op overtuigende wijze kunnen vertellen dat 'hij' in Brooklyn opgroeide, in Massachusetts naar de universiteit ging, op de ene plek een scanner binnenwandelde en op de andere in een machine wakker werd. De oorspronkelijke persoon die werd gescand, zal aan de andere kant bevestigen dat de persoon in die machine inderdaad zijn geschiedenis, geheugen en persoonlijkheid met hem gemeen heeft, maar dat hij voor de rest een charlatan is, een andere persoon.

Zelfs als we onze discussie beperken tot computers die niet direct zijn afgeleid van een bepaald menselijk brein, dan nog zullen ze steeds vaker de indruk wekken dat ze hun eigen persoonlijkheid bezitten, en dat aantonen met reacties die we niet anders dan emoties kunnen noemen en door hun eigen doelstellingen en plannen te uiten. Het zal lijken alsof ze hun eigen vrije wil hebben. Ze zullen beweren dat ze spirituele ervaringen hebben. En de mensen – die nog steeds hun op koolstof gebaseerde zenuwcellen of anderszins gebruiken – zullen hen geloven.

Hoe vaak lees je niet voorspellingen over de volgende zoveel decennia waarin een verscheidenheid aan demografische, economische en politieke trends aan de orde komen en waarin voor een belangrijk deel wordt voorbijgegaan aan de revolutionaire impact van machines met hun eigen agenda en hun eigen meningen. Toch moeten we, om de wereld die voor ons ligt te begrijpen, nadenken over het feit dat het hele spectrum van het menselijk denken even geleidelijk als onontkoombaar aan concurrentie onderhevig zal zijn.

Deel een

# Onderzoek naar het verleden

Hoofdstuk een

# De wet van chaos en tijd

## Een (zeer korte) geschiedenis van het heelal: de tijd vertraagt

*Het heelal is gemaakt uit verhalen, niet uit atomen.*
Muriel Rukeyser

*Is het heelal een enorm mechanisme, een enorme berekening, een enorme symmetrie, een enorm ongeval of een enorme gedachte?*
John D. Barrow

Als we beginnen bij het begin dan valt ons een ongebruikelijke eigenschap op aan de aard van de tijd, een eigenschap die van uitzonderlijk belang is voor onze reis door de eenentwintigste eeuw. Ons verhaal begint mogelijkerwijs 15 miljard jaar geleden. Er bestond op dat moment nog geen bewust leven om de geboorte van ons heelal op waarde te kunnen schatten. Maar aangezien we dat tegenwoordig wel kunnen, heeft zij dus met terugwerkende kracht plaatsgevonden. (Achteraf gezien kunnen we, uitgaande van één aspect van de kwantummechanica, stellen dat het nooit zo kan zijn dat een heelal dat er niet in slaagt bewust leven te ontwikkelen om zijn bestaan te begrijpen om te beginnen nooit heeft bestaan).

Pas $10^{-43}$ seconde (een tiende van een miljoenste van een biljoenste van een biljoenste van een biljoenste van een seconde) na de geboorte van het heelal[1] was de toestand voldoende afgekoeld (tot 100 miljoen biljoen biljoen graden) om een duidelijke kracht – de zwaartekracht – tot ontwikkeling te laten komen.

De volgende $10^{-34}$ seconde (dat is ook een zeer kleine fractie van een seconde, maar een miljard keer langer dan $10^{-43}$ seconde) gebeurde er niet veel, maar toen kon er in een nog verder afgekoeld heelal (nu slechts een miljard miljard miljard graden) materie in de vorm van elektronen en quarks opduiken. Om de zaak in evenwicht te houden ontstond er ook antimaterie. Het was een opwindende tijd toen er kort na elkaar nieuwe krachten ontstonden. We hadden er nu drie: de zwaartekracht, de sterke wisselwerking[2], en de elektrozwakke wisselwerking.[3]

Na nog eens $10^{-10}$ seconde (een tiende van een miljardste seconde) splitste de elektrozwakke wisselwerking zich in elektromagnetisme en de zwakke wisselwerking[4] die we tegenwoordig zo goed kennen.

Na nog eens $10^{-5}$ seconde (tienmiljoenste van een seconde) begon de zaak ingewikkeld te worden. De temperatuur was nu gezakt tot een betrekkelijk milde biljoen graden, en de quarks sloten zich aaneen om protonen en neutronen te vormen. De antiquarks deden hetzelfde en vormden antiprotonen.

Op de een of andere manier kregen de materiedeeltjes een geringe voorsprong. Het is niet helemaal duidelijk hoe dat is gebeurd. Tot dat moment leek alles zo... in evenwicht. Maar als alles zo goed in balans was gebleven dan zou het een nogal saai heelal zijn geweest. In de eerste plaats zou het leven zich dan nooit hebben ontwikkeld, en daarom kunnen we de conclusie trekken dat het heelal om te beginnen niet zou hebben bestaan.

Voor elke 10 miljard antiprotonen waren er in het heelal 10 miljard + 1 protonen. De protonen en antiprotonen kwamen met elkaar in botsing wat leidde tot het verschijnen van een ander belangrijk fenomeen: licht (fotonen). Op die manier werd bijna alle antimaterie vernietigd en werd materie dominant. (Zo zie je maar weer hoe gevaarlijk het is om je tegenstander ook maar het geringste voordeel te gunnen.)

Het is natuurlijk wel zo dat als de antimaterie het had gewonnen, de afstammelingen ervan dat materie hadden genoemd en materie juist antimaterie, en we dan weer bij het begin zijn aangeland (misschien is het zo wel gegaan).

Nog een seconde later (een seconde is een erg lange tijd vergeleken met een aantal eerdere hoofdstukken uit de geschiedenis van het heelal: het is duidelijk dat de tijdsgewrichten exponentieel toenemen) volgden de elektronen en anti-elektronen (de zogenaamde positronen) het voorbeeld van de protonen en antiprotonen en vernietigden ze elkaar op vergelijkbare wijze, zodat vooral elektronen overbleven.

Een minuut later begonnen de neutronen en protonen zich samen te voegen tot zwaardere kernen als helium, lithium en zware vormen van waterstof. Op dat moment was de temperatuur nog slechts een miljard graden.

Ongeveer 300 000 jaar later (vanaf nu gaat alles in rap tempo langzamer) ontstonden, bij een gemiddelde temperatuur van maar 3000 graden, de eerste atomen omdat de kernen dichtbij gelegen elektronen in hun macht kregen.

Een miljard jaar later vormden deze atomen grote wolken die geleidelijk aan tot melkwegstelsel in elkaar draaiden.

Nog eens twee miljard jaar later smolt de materie in die sterrenstelsels nog verder samen en werden aparte sterren gevormd, die vaak weer een eigen zonnestelsel hadden.

Drie miljard jaar later werd een onopvallende planeet geboren die we aarde noemen en die rond een onopvallende ster in een zijarm van een doodgewoon melkwegstelsel cirkelt.

Voor we nu verder gaan moeten we wijzen op een opmerkelijke eigenschap van het voortschrijden van de tijd. In het begin van de geschiedenis van het heelal volgden de gebeurtenissen elkaar snel op. In de eerste miljardste seconde alleen al kenden we drie paradigmaverschuivingen. Later waren er voor een verandering van enig kosmologisch belang miljarden jaren nodig. Het is de onvervreemdbare aard van de tijd dat hij op een exponentiële manier verstrijkt – hetzij exponentieel sneller, hetzij, zoals in de geschiedenis van ons heelal, exponentieel langzamer. Tijd lijkt alleen lineair te verlopen in die perioden dat er niet veel gebeurt. Daarom geldt dat het lineair verstrijken van de tijd voor het grootste gedeelte van die tijd zijn verloop redelijk benadert. Maar toch is dat niet de intrinsieke aard van de tijd.

Waarom is dit van belang? Niet als je vastzit in de perioden dat er niet veel gebeurt, maar absoluut wel als je je bevindt in de 'knie van de curve'. Dat zijn de perioden waarin de exponentiële aard van de tijdcurve hetzij naar binnen, hetzij naar buiten explodeert. Je valt als het ware in een zwart gat (de tijd versnelt dan exponentieel sneller tijdens het vallen).

## De snelheid van tijd

Maar hoe kunnen we dan zeggen dat de tijd zijn 'snelheid' verandert? We kunnen het over de snelheid van een proces hebben, in termen van zijn voortgang per seconde, maar kunnen we stellen dat de tijd zijn snelheid verandert? Kan de tijd in bijvoorbeeld twee seconden per seconde gaan bewegen?

Dat is wat Einstein beweerde – tijd is relatief ten opzichte van de entiteiten die hem ervaren.[5] Een seconde voor de ene mens kan voor de ander veertig jaar zijn. Einstein geeft het voorbeeld van een man die met een snelheid die zeer dicht tegen de lichtsnelheid aan ligt naar een ster reist die, laten we zeggen, op twintig lichtjaren van de aarde ligt. Vanuit onze positie op aarde gezien duurt die reis iets meer dan twintig jaar in elke richting. Als de man terugkeert is zijn vrouw veertig jaar ouder geworden. Maar voor hem is het niet meer dan een heel kort reisje geweest, want als hij maar dicht genoeg tegen de lichtsnelheid aan heeft gereisd dan was het een tochtje van een seconde of minder (vanuit praktisch oogpunt zouden we een aantal beperkingen moeten overwegen, bijvoorbeeld de tijd om te accelereren en om af te remmen zonder zijn lichaam te verpletteren). Wiens tijd is de juiste? Einstein zegt dat ze allebei juist zijn en slechts relatief ten opzichte van elkaar bestaan.

Bepaalde vogelsoorten leven maar een paar jaar. Als je hun snelle bewegingen observeert dan lijkt het erop dat ze het verstrijken van de tijd op een andere schaal ervaren. Dat ervaren wij ook tijdens ons eigen leven. Een kind ervaart het tempo waarin veranderingen zich voltrekken en de tijd anders dan een volwassene. Van bijzonder belang is dat we zullen zien dat de tijdsversnelling van de evolutie zich in een andere richting beweegt dan die van het heelal waaruit ze is ontstaan.

Het ligt in de aard van exponentiële groei dat gebeurtenissen die zeer lange tijdsperioden in beslag nemen, zich zeer langzaam ontwikkelen. Maar als je door de 'knie van de curve' glijdt dan breken gebeurtenissen met een steeds onstuimigere snelheid door. En dat maken we mee bij het binnenstappen van de eenentwintigste eeuw.

## Evolutie: de tijd versnelt

*In den beginne was het Woord en het Woord was bij God en het Woord was God.*
Johannes 1:1

*Een groot deel van ons heelal hoeft niet te worden uitgelegd. Neem nu olifanten. Zodra moleculen hebben geleerd te strijden, en andere moleculen naar hun evenbeeld gaan bouwen, zul je te zijner tijd olifanten, en dingen die op olifanten lijken, over het platteland zien zwerven.*
Peter Atkins

*Hoe verder je terugkijkt des te verder kun je in de toekomst kijken.*
Winston Churchill

We komen nog terug op de 'knie van de curve', maar laat ons eerst verder spitten in de exponentiële aard van de tijd. In de negentiende eeuw werd een reeks verenigende wetten gepostuleerd, de zogeheten wetten van de thermodynamica.[6] Zoals de naam al zegt, gaan ze over de dynamische aard van warmte, en ze waren de eerste belangrijke verbeteringen van de wetten van de klassieke mechanica zoals die door Isaac Newton een eeuw eerder waren geperfectioneerd. Terwijl Newton een wereld had beschreven die werkte met de perfectie van een uurwerk waarin deeltjes en objecten van allerlei afmetingen zeer gedisciplineerde, voorspelbare patronen volgden, beschrijven de wetten van de thermodynamica een wereld van chaos. En dat is precies wat warmte is. Warmte is de chaotische – onvoorspelbare – beweging van de deeltjes waaruit de wereld bestaat. Een uitvloeisel van de tweede hoofdwet van de thermodynamica is dat in een gesloten systeem (entiteiten en krachten die met elkaar in wisselwerking staan en die niet onderworpen zijn aan invloeden van buitenaf; het heelal bijvoorbeeld) de wanorde (ook 'entropie' genoemd) toeneemt. Een systeem zoals de wereld waarin wij leven, dat aan zijn lot wordt overgelaten, wordt derhalve steeds chaotischer. Veel mensen vinden dat dit een redelijk adequate beschrijving is van hun leven. Maar in de negentiende eeuw vond men de wetten van de thermodynamica een verontrustende ontdekking. Aan het begin van die eeuw leek het erop dat de basisprincipes die de wereld regeerden zowel begrijpelijk als ordelijk waren. Er moesten nog wel wat details worden ingevuld, maar het basisidee was in beeld. De thermodynamica vormde de eerste tegenspraak met dit zelfgenoegzame plaatje. En ze zou niet de laatste zijn.

De tweede hoofdwet van de thermodynamica, die ook wel de 'wet van de toenemende entropie' wordt genoemd, leek erop te duiden dat het natuurlijke ontstaan van intelligentie onmogelijk is. Intelligent gedrag is het tegenovergestelde van willekeurig gedrag, en elk systeem dat in staat is tot intelligent reageren is noodzakelijkerwijs zeer geordend. De chemie van het leven, met name die van intelligent leven, bestaat uit uitzonderlijk ingewikkelde patronen. Uit de steeds chaotischer draaikolk van deeltjes en energie op de wereld verrezen op de een of andere manier buitengewone patronen. Hoe kunnen we dan het ontstaan van intelligent leven in overeenstemming brengen met de 'wet van de toenemende entropie'?

Daarop zijn twee antwoorden mogelijk. Ten eerste zijn de twee fenomenen niet noodzakelijkerwijs strijdig met elkaar, alhoewel de 'wet van de toenemende entropie' het streven van de evolutie naar een steeds ingewikkeldere orde lijkt tegen te spreken. De ordening van het leven vindt plaats in een enorme chaos, en het bestaan van levensvormen beïnvloedt niet waarneembaar de hoeveelheid entropie in het grotere systeem waaruit het leven is ontstaan. Een organisme is geen gesloten systeem. Het is deel van een groter systeem dat we 'milieu' noemen, en dat een hoge entropie blijft houden. Met andere woorden, de orde die wordt vertegenwoordigd door het bestaan van levensvormen is in termen van de totale entropie onbelangrijk.

Terwijl de chaos in het heelal dus toeneemt, is het mogelijk dat er gelijktijdig evolutieprocessen bestaan die steeds ingewikkeldere, meer geordende patronen scheppen.[7] De evolutie is een proces, en niet een gesloten systeem. De 'wet van de toenemende entropie' sluit dus het ontstaan van leven en intelligentie niet uit.

Voor het tweede antwoord moeten we de evolutie dus aan een nader onderzoek onderwerpen aangezien zij de oorspronkelijke schepper van intelligentie is.

## De exponentiële versnelling van de evolutie

U zult zich herinneren dat de onopvallende planeet aarde na miljarden jaren werd gevormd. Gekarnd door de energie van de zon vormden de elementen steeds ingewikkeldere moleculen. Uit de natuurkunde werd de scheikunde geboren.

Twee miljard jaar later begon het leven. Dat wil zeggen, *patronen van energie en materie die zichzelf in stand konden houden en konden overleven, hielden zichzelf in stand en overleefden.* Dat deze schijnbare tautologie pas een paar eeuwen geleden werd opgemerkt is op zich opmerkelijk.

In de loop van de tijd werden de patronen ingewikkelder dan alleen maar een keten van moleculen. Structuren van moleculen die afgebakende functies vervulden organiseerden zich in kleine gemeenschappen van moleculen. Uit de scheikunde werd de biologie geboren.

Op die manier ontstonden ongeveer 3,4 miljard jaar geleden op aarde de eerste organismen: anaërobe (heeft geen zuurstof nodig) prokaryoten (eencellige wezens) met een elementaire methode om hun eigen ontwerpen in stand te houden. Andere vroege vernieuwingen waren een eenvoudig genetisch systeem, de mogelijkheid om te zwemmen en de fotosynthese, die de weg bereidden voor geavanceerdere, zuurstofverbruikende organismen. De belangrijkste ontwikkeling van de volgende paar miljard jaar was de op DNA gebaseerde genetica die vanaf dat moment de ontwikkeling van de evolutie zou sturen en vastleggen.

*Een eerste vereiste voor een evolutieproces is een 'geschreven' verslag van de verrichtingen,* omdat het proces anders steeds weer oplossingen moet vinden voor problemen die al zijn opgelost. Voor de vroegste organismen werd dat verslag geschreven in hun lichaam (het werd 'belichaamd') en direct gecodeerd in de chemische eigenschappen van hun primitieve celstructuren. Met de uitvinding van de op DNA gebaseerde genetica heeft de evolutie een digitale computer ontworpen om haar handwerk vast te leggen. Door dit ontwerp konden ingewikkeldere experimenten worden uitgevoerd. De samenvoegingen van moleculen die we cellen noemen, organiseerden zichzelf ongeveer 700 miljoen jaar geleden in gemeenschappen van cellen toen de eerste meercellige planten en dieren verschenen. De volgende 130 miljoen jaar kwam het basisontwerp van het lichaam van de moderne dieren tot stand, dat onder andere een skelet bevatte dat was gebaseerd op een ruggengraat waardoor de eerste vissen een efficiënte zwemstijl kregen.

Terwijl de evolutie dus miljarden jaren nodig had om de eerste primitieve cellen te ontwerpen, volgden de opvallende gebeurtenissen elkaar daarna op in perioden van honderden miljoenen jaren, een onmiskenbare versnelling.[8] Nadat de dinosaurussen 65 miljoen jaar geleden na een of andere ramp uitstierven, erfden de zoogdieren de aarde (hoewel de insecten het hiermee wellicht niet eens zijn).[9] En toen de primaten eenmaal verschenen werd de vooruitgang nog maar in tientallen miljoenen jaren gemeten.[10] De hominiden verschenen 15 miljoen jaar geleden; ze vielen op omdat ze op hun achterste poten liepen. In het vervolg rekenen we in miljoenen jaren.[11]

Vermoedelijk pas 500 000 jaar geleden verscheen onze eigen soort, *Homo sapiens*, met zijn grotere hersenen, vooral in het gebied van de sterk geplooide hersenschors die verantwoordelijk is voor het rationele denken. *Homo sapiens* verschilt wat betreft zijn genetische erfenis niet veel van andere hoogontwikkelde primaten. Zijn DNA is voor 98,6 procent gelijk aan die van de laaglandgorilla en voor 97,8 procent gelijk aan de orang-oetan.[12] Vanaf dat moment concentreert het verhaal van de evolutie zich op een door de mens bevorderde variant van de evolutie, de technologie.

## Technologie: evolutie met andere middelen

*Als een wetenschapper stelt dat iets mogelijk is dan heeft hij bijna zeker gelijk. Als hij stelt dat iets onmogelijk is dan heeft hij zeer waarschijnlijk ongelijk.*

*De enige manier om de grenzen van het mogelijke te ontdekken is door je een stukje voorbij die grenzen in het onmogelijke te wagen.*

*Een technologie die geavanceerd genoeg is, is niet te onderscheiden van magie.*
*De drie technologiewetten van Arthur C. Clarke*

*Een machine is net zo kenmerkend, briljant en uitdrukkelijk menselijk als een vioolsonate of een stelling van Euclides.*
Gregory Vlastos

De technologie sluit naadloos aan op de exponentiële versnelling van de evolutie. Hoewel *Homo sapiens* niet het enige dier is dat gereedschap gebruikt, onderscheidt hij zich doordat hij in staat is een technologie te creëren.[13] Technologie gaat verder dan alleen maar het maken en gebruiken van gereedschappen. Er moet worden vastgelegd hoe het gereedschap wordt gemaakt en iedere verbetering moet worden bijgehouden. Voor technologie zijn uitvindingen nodig en in feite is de technologie een voortzetting van de evolutie met andere middelen. De 'genetische code' van het evolutieproces van de technologie is het verslag dat wordt bijgehouden door de soort die gereedschap maakt. En zoals de genetische code van de vroege levensvormen bestond uit de chemische compositie van het organisme, zo bestond het geschreven verslag van vroeg gereedschap uit dat gereedschap zelf. Later ontwikkelden de 'genen' van de technologische evolutie zich tot verslagen die gebruikmaakten van geschreven taal en die tegenwoordig meestal worden opgeslagen in gegevensbestanden die door computers worden beheerd. Uiteindelijk zal de technologie zelf nieuwe technologie scheppen. Maar nu lopen we op de zaken vooruit.

Vanaf hier zal ons verhaal zich ontrollen in tijdvakken van tienduizenden jaren. Er hebben diverse ondersoorten bestaan van de *Homo sapiens*. Zo verscheen ongeveer 100 000 jaar geleden de *Homo sapiens neanderthalensis* in Europa en het Midden-Oosten om vervolgens op mysterieuze wijze 35 000 à 40 000 jaar geleden te verdwijnen. Ondanks hun nogal grove imago bezaten de Neanderthalers een cultuur waarin men onder andere ingewikkelde begrafenisrituelen kende. Ze begroeven hun doden met versieringen, waaronder bloemen. We weten niet zeker wat er met onze neven de Neanderthalers is gebeurd, maar kennelijk kregen ze problemen met onze directe voorvaderen, de *Homo sapiens sapiens*, die ongeveer 90 000 jaar geleden ten tonele kwamen. Diverse soorten en ondersoorten van de mensachtigen gaven een eerste aanzet tot een vorm van technologie, en alleen de slimste en meest agressieve ondersoort zou overleven. Dit patroon zou zich gedurende de hele geschiedenis van de mensheid herhalen, in die zin dat de technisch meest vergevorderde groepen dominant werden. We kunnen dat nauwelijks als een aantrekkelijk voorteken zien, wetend dat in deze eeuw intelligente machines ons voorbij zullen streven wat betreft intelligentie en technische perfectie.

Onze ondersoort de *Homo sapiens sapiens* bleef dus ongeveer 40 000 jaar geleden als enige van de mensachtigen over.

Onze voorzaten hadden van eerdere mensachtige soorten en ondersoorten al uitvindingen geërfd als het vastleggen van gebeurtenissen op muren van grotten, illustratieve kunst, muziek, dans, religie, geavanceerd taalgebruik, vuur en wapens. Tienduizenden jaren lang vervaardigden mensen gereedschap door één kant van een steen scherp te maken. Het kostte onze soort tienduizenden jaren om erachter te komen dat een veel bruikbaarder stuk gereedschap ontstond als je beide kanten van de steen slijpt en zo een scherpe snijkant krijgt. Maar belangrijk is dat die innovaties plaatsvonden en ook standhielden. Want van geen enkel ander dier op aarde dat gereedschap gebruikt is namelijk bekend dat eventuele verbeteringen aan het gereedschap ook overgeleverd worden.

Een ander belangrijk punt is dat de technologie een intrinsiek versnellend proces is, net als de evolutie van de levensvormen die haar hebben voortgebracht. Het kostte een eeuwigheid om de fundamenten van de technologie – zoals het slijpen van een scherpe snijkant aan een steen – te perfectioneren, hoewel we, als het om de door de mens geschapen technologie gaat, die eeuwigheid eerder als duizenden jaren moeten zien, in tegenstelling tot de evolutie van levensvormen, die miljarden jaren nodig had om op gang te komen.

Het tempo van de technologie versnelde, net als de evolutie van levensvormen, in de loop van de tijd enorm.[14] De vooruitgang van de technologie was in de negentiende eeuw bijvoorbeeld veel groter dan in de daaraan voorafgaande eeuwen. Men bouwde kanalen en grote schepen, legde verharde wegen en spoorwegen aan, ontwikkelde de telegraaf en vond de fotografie, de fiets, de naaimachine, de schrijfmachine, de telefoon, de grammofoon, de bioscoopfilm en de auto uit. En dan was er natuurlijk ook nog de gloeilamp van Thomas Edison. En in eerste twee decennia van de twintigste eeuw evenaarde de steeds maar exponentieel groeiende technologie die van de hele negentiende eeuw. Tegenwoordig zien we om de paar jaar belangrijke veranderingen. Een van de vele voorbeelden, het *World Wide Web,* de nieuwste omwenteling op het gebied van communicatie, bestond een paar jaar geleden nog niet.

## Wat is technologie?

Omdat technologie de voortzetting van de evolutie met andere middelen is, kent ook zij het verschijnsel van de exponentiële versnelling. Het woord is ontleend aan het Griekse *tekhné* dat 'handwerk' of 'kunst' betekent, en *logia* dat 'de studie van' betekent. Op die manier kan het woord technologie dus worden uitgelegd als de studie van het handwerken, waarbij 'handwerken' verwijst naar het vormgeven van hulpbronnen ten behoeve van een praktisch doel. Ik gebruik liever de term *hulpbronnen* dan *materialen* aangezien technologie zich ook uitstrekt tot het vormgeven van immateriële hulpbronnen zoals informatie.

Technologie wordt vaak gedefinieerd als het scheppen van gereedschap teneinde de omgeving te kunnen beheersen. Maar deze definitie voldoet niet helemaal. Mensen zijn niet de enigen die gereedschap gebruiken en zelfs niet de enigen die het maken. Orang-oetans in het Suaq Balimbing moeras op Sumatra maken gereedschap van lange stokken om er termietennesten mee open te breken. Kraaien maken gereedschap van stokjes en bladeren. De parasolmier mengt droge bladeren met zijn speeksel om er een papje van te maken. Krokodillen gebruiken boomwortels om er dode prooi mee te verankeren.[15]

Maar wat de mens nu uniek maakt is dat hij zijn kennis – kennis die is vastgelegd – inzet om gereedschap aan te passen. Deze basiskennis is de genetische code van de zich ontwikkelende technologie. En naarmate de technologie zich verder ontwikkelde zijn de mogelijkheden om deze basiskennis uit te breiden ook toegenomen, van de mondelinge overleveringen uit de Oudheid, via de handgeschreven ontwerpverslagen van de negentiende-eeuwse vaklieden tot de computergestuurde ontwerpprogramma's uit de jaren negentig van de twintigste eeuw.

Technologie impliceert ook een transcendentie van de samenstellende materialen waaruit ze is opgebouwd. De elementen van een uitvinding die op de juiste wijze zijn samengevoegd produceren een betoverend effect dat de losse onderdelen overstijgt. Toen Alexander Graham Bell in 1875 toevallig twee bewegende bussen en solenoïdes (metalen kernen gewikkeld in metaaldraad) met een draad verbond oversteeg het resultaat de materialen waarmee hij werkte. Voor de eerste keer werd de stem van een mens naar een verder gelegen locatie overgebracht. Het leek wel tovenarij. De meeste samengevoegde voorwerpen zijn niet meer dan dat: toevallige samenvoegingen. Maar als materialen – in het geval van de moderne technologie is dat informatie – op exact de juiste wijze worden samengevoegd dan is er sprake van transcendentie: het object dat door samenvoeging is ontstaan overstijgt de som van zijn onderdelen.

Ook in de kunst treedt het verschijnsel van de transcendentie op, want strikt genomen kan ook kunst worden gezien als een vorm van menselijke technologie. Als hout, laklagen en snaren op de goede manier worden samengevoegd dan is het resultaat wonderbaarlijk: een viool, een piano. Wordt een dergelijk instrument vervolgens op precies de goede manier gehanteerd dan ontstaat er een magie van een andere soort: muziek. Muziek overstijgt het gewone geluid. Ze roept een reactie op bij de luisteraar, een cognitieve, emotionele, wellicht spirituele reactie: nog een vorm van transcendentie. Alle kunstvormen hebben hetzelfde doel: ze willen communiceren tussen de kunstenaar en zijn publiek. Bij die communicatie gaat het niet over kale informatie, maar worden belangrijkere onderwerpen uit de fenomenologische tuin behandeld: gevoelens, ervaringen, verlangens. In het

Grieks valt onder de *tekhné logia* ook de kunst als sleuteluiting van de technologie.
Taal is weer een andere vorm van technologie die door de mens is gecreëerd. Een van de belangrijkste toepassingen van technologie is communicatie, en taal levert de basis voor de communicatie van de *Homo sapiens*. Communicatie is een onontbeerlijke vaardigheid om te kunnen overleven. Families en stammen van mensen konden er strategieën mee ontwikkelen om samen te werken en zo hindernissen en tegenstanders te overwinnen. Andere dieren communiceren ook. Apen en mensapen gebruiken ingewikkelde gebaren en gegrom om allerhande boodschappen over te brengen. Bijen voeren complexe dansen uit in de vorm van het cijfer acht om door te geven waar de voorraden nectar zich bevinden. Vrouwelijke boomkikkers in Maleisië voeren tapdansjes uit om aan te geven dat ze beschikbaar zijn. Sommige krabben zwaaien op een bepaalde manier met hun scharen om tegenstanders te waarschuwen, maar ze gebruiken een ander ritme voor hun hofmakerijen.[16] Maar al met al lijkt het erop dat deze methoden alleen via de gebruikelijke, op DNA gebaseerde evolutie verder worden ontwikkeld. Deze soorten missen een mogelijkheid om hun communicatiemiddelen vast te leggen, waardoor hun methoden van de ene generatie op de volgende statisch blijven. De menselijke taal ontwikkelt zich daarentegen wel, net als alle andere vormen van technologie. Parallel aan de zich ontwikkelende vormen van de taal heeft de technologie in steeds betere middelen voorzien om de menselijke taal op te slaan en te distribueren.
*Homo sapiens* is uniek in zijn gebruik en cultivering van alle vormen van wat ik als technologie beschouw: kunst, taal en machines, die alledrie de evolutie met andere middelen vertegenwoordigen. Van de jaren zestig tot en met de jaren negentig van de twintigste eeuw werd in geruchtmakende artikelen beweerd dat een aantal primaten in staat was op zijn minst kindertaal te gebruiken. De chimpansees Lana en Kanzi drukten op een reeks knoppen met symbolen en de gorilla's Washoe en Koko zouden de Amerikaanse gebarentaal gebruiken. Veel linguïsten staan daar sceptisch tegenover en merken op dat veel van de 'zinnen' van primaten een janboel waren, zoals 'Nim eet, Nim eet, drink eet me Nim, mij kletsen mij kletsen, kietel me, Nim speelt, jij mij banaan mij banaan jij.' Zelfs als we dit fenomeen met de grootst mogelijke welwillendheid bekijken lijkt het erop dat hier de uitzondering de regel bevestigt. Genoemde primaten hebben de taal die ze volgens sommigen gebruiken niet zelf uitgedacht. Kennelijk ontwikkelen ze deze vaardigheden niet spontaan, en is hun gebruik van deze vaardigheden zeer beperkt.[17] In het gunstigste geval doen ze marginaal mee met wat nog steeds een unieke uitvinding is van de mens – communiceren met gebruikmaking van de recursieve (naar zichzelf verwijzende), symbolische, *zich ontwikkelende* middelen die we taal noemen.

### De onontkoombaarheid van technologie

We mogen er zonder twijfel van uitgaan dat er, zodra leven grip krijgt op een planeet, een technologie ontstaat. Om te overleven is het duidelijk nuttig dat je over de vaardigheid beschikt om het bereik van je fysieke vermogens, om maar te zwijgen over je geestelijke talenten, door middel van technologie uit te breiden. Middels de technologie is onze ondersoort in staat zijn ecologische leefmilieu te domineren. Technologie vereist twee eigenschappen van degene die haar creëert: intelligentie en de fysieke vaardigheid om de omgeving te manipuleren. In hoofdstuk 4, 'Een nieuwe vorm van intelligentie op aarde', over het wezen van intelligentie, zullen we daar nader op ingaan, maar het getuigt duidelijk van een vaardigheid als men beperkte hulpbronnen – waaronder tijd – optimaal kan gebruiken. En aangezien die vaardigheid onvervreemdbaar nuttig is om te overleven krijgt ze dus de voorkeur. Maar ook de vaardigheid om de omgeving te manipuleren is nuttig omdat een organisme anders voor veiligheid, voedsel en de bevrediging van zijn andere behoeften afhankelijk is van zijn omgeving. Vroeg of laat moet er een organisme ontstaan dat over beide eigenschappen beschikt.

## De onvermijdelijkheid van computers

*Het is nog niet zo slecht om de mens te definiëren als een dier dat gereedschap maakt. De eerste handigheidjes die hij bedacht om zijn onbeschaafde leven te verlichten was zeer eenvoudig en ruw gereedschap. Zijn laatste prestaties bij het vervangen van machines, niet alleen voor de vaardigheden van de menselijke hand, maar ook om het menselijk intellect te ontlasten, zijn gebaseerd op het gebruik van gereedschap van een nog hogere orde.*
Charles Babbage

De diverse basisprocessen die we onder de loep hebben genomen, zoals de ontwikkeling van het heelal, de evolutie van levensvormen en de daaropvolgende evolutie van de technologie, hebben zich soms vertragend, en soms versnellend ontwikkeld, maar steeds exponentieel. Waar loopt in dit geval de rode draad? Waarom vertraagde de kosmologie exponentieel en versnelde de evolutie? De antwoorden daarop zijn verbazingwekkend, en ze zijn van fundamenteel belang om de eenentwintigste eeuw te begrijpen.

Voor ik echter een antwoord op deze vragen zal proberen te formuleren, wil ik nog een vrij essentieel voorbeeld van versnelling onder de loep nemen: de exponentiële groei van computers.

Toen de evolutie van levensvormen nog maar net op gang gekomen was, ontwikkelden gespecialiseerde organen de vaardigheid om de inwendige

## De levenscyclus van een technologie

Technologieën vechten om te overleven, zich te ontwikkelen, en hun eigen karakteristieke levenscyclus te doorstaan. We kunnen zeven afzonderlijke stadia onderscheiden. Tijdens het *voorbereidende stadium* zijn de vereisten voor een technologie al aanwezig, en zijn er al dromers die met de gedachte lopen dat deze elementen samenkomen. Overigens moeten dromen niet verward worden met uitvindingen, zelfs niet als die dromen worden opgeschreven. Leonardo da Vinci schetste aannemelijke plaatjes van vliegtuigen en auto's, maar wordt toch niet gezien als de uitvinder van een van beide.

Aan het volgende stadium, het *uitvinden*, wordt in onze cultuur veel waarde gehecht. Het duurt maar kort en lijkt in een aantal aspecten vrij veel op een geboorteproces na langdurige barensweeën. In dit stadium mengt de uitvinder nieuwsgierigheid, wetenschappelijke vaardigheden, vastberadenheid en meestal een dosis publiciteit om methoden op een nieuwe manier te combineren en zo een nieuwe technologie in het leven te roepen.

Het volgende stadium heet *ontwikkeling*, als de uitvinding wordt verdedigd en ondersteund door toegewijde beschermers (tot wie de uitvinder zelf soms ook gerekend kan worden). Dit stadium is vaak doorslaggevender dan de uitvinding zelf en er kunnen bijkomende scheppingen plaatsvinden die belangrijker zijn dan de oorspronkelijke uitvinding. Veel goedbedoelende amateurs hadden al precieze, met de hand gemaakte karren waar geen paard bij nodig was in elkaar gezet, de uitvinding van de massaproductie door Henry Ford stelde de automobiel in staat volwassen te worden en te bloeien.

Het vierde stadium is de *volwassenheid*. Hoewel de technologie zich blijft ontwikkelen leidt ze nu een eigen leven en is ze een onafhankelijk en gevestigd onderdeel van de maatschappij geworden. Hier en daar lijkt ze zo verstrengeld geraakt met het leven dat velen de indruk krijgen dat ze het eeuwige leven heeft. Dat zorgt voor een interessant schouwspel als we bij het volgende stadium aankomen. Ik noem dat het stadium van de *troonopvolgers*. Op dat moment dreigt eën nieuweling de oudere technologie te overschaduwen, maar kraaien zijn aanhangers te vroeg victorie. Want hoewel de nieuwere technologie duidelijke troeven heeft, blijkt ze bij nader inzien een aantal sleutelelementen te missen als het gaat over kwaliteit en functionaliteit. Als de nieuweling er inderdaad niet in slaagt de gevestigde orde te verdrijven, dan zien conservatieven binnen de technologie dat als een bewijs van het feit dat de oorspronkelijke benadering inderdaad het eeuwige leven heeft.

Meestal is die overwinning van de technologie op leeftijd maar van korte duur, want het is exemplarisch dat een andere nieuwe technologie er niet lang daarna in slaagt de originele technologie naar het stadium van de *veroudering* te verwijzen. De technologie slijt zijn laatste jaren in een geleidelijk verval, waarbij haar oorspronkelijke doel en functionaliteit worden opgeslokt door een kwiekere concurrent. Dit stadium, dat soms 5 tot 10 procent van de totale levenscyclus in beslag neemt, leidt uiteindelijk tot *antiquiteit* (hedendaagse voorbeelden: paard en wagen, de klavecimbel, de schrijfmachine, en de elektromechanische rekenmachine).

Neem nu de grammofoonplaat. In het midden van de negentiende eeuw bestonden er diverse voorlopers, zoals de fonautograaf van Édouard-Léon Scott de Martinville, een instrument dat geluidsgolven opnam als een gedrukt patroon. Maar uiteindelijk voegde Thomas Edison in 1877 alle elementen samen waardoor het eerste apparaat ontstond dat geluid kon opnemen en afspelen. Er waren echter meer verfijningen nodig om de fonograaf commercieel levensvatbaar te maken. Toen Colombia in 1948 de 33-toeren per minuut (rpm) langspeelplaat (LP) en RCA Victor de single introduceerden werd de fonograaf een volwassen technologie. De troonopvolger was het cassettebandje dat in de jaren zestig werd geïntroduceerd en in de jaren zeventig populair werd. Vroege enthousiastelingen voorspelden dat de tamelijk grote en gemakkelijk te beschadigen plaat snel verouderd zou raken met de komst van het kleine cassettebandje dat ook nog de mogelijkheid bood om geluid op te nemen.

Ondanks deze duidelijke voordelen hebben cassettebandjes de slechte eigenschap dat ze niet direct toegankelijk zijn (keuzes kunnen niet in de gewenste volgorde worden afgespeeld) en dat ze bovendien lijden aan vervorming en geluid minder natuurgetrouw weergeven. Aan het einde van de jaren tachtig en het begin van de jaren negentig deelde de digitale compact disk (cd) het cassettebandje de nekslag toe. Doordat met de cd selecties in de gewenste volgorde kunnen worden afgespeeld en zijn kwaliteitsniveau dicht bij de grenzen van het menselijke gehoor ligt, bereikt de fonograaf in de eerste helft van de jaren negentig het stadium 'verouderd'. Hoewel er nog steeds in kleine hoeveelheden grammofoonplaten worden geproduceerd heeft de technologie die Edison meer dan een eeuw geleden het licht liet zien het stadium 'antiek' nu bijna bereikt.

Een ander voorbeeld is het gedrukte boek, in onze dagen een behoorlijk volwassen technologie. Het bevindt zich nu in het stadium van de troonopvolgers, waarbij het op software gebaseerde 'virtuele' boek de troonopvolger is. De huidige generatie van het virtuele boek dat de scherpte, het contrast, het gebrek aan geflikker en andere eigenschappen van papier en inkt ontbeert kan de papieren publicaties niet verdringen. Toch zal die overwinning van het papieren boek slechts van korte duur zijn omdat toekomstige generaties computerschermen erin zullen slagen een volkomen bevredigend alternatief voor het papier te bieden.

status in stand te houden en distinctief te reageren op impulsen van buitenaf. Vanaf dat moment bestond er een tendens naar steeds ingewikkeldere en meer bruikbare zenuwstelsels die konden beschikken over uitgebreide geheugens, die patronen konden herkennen in visuele, auditieve en tactiele prikkels en die zich konden bezighouden met steeds gecompliceerdere redeneerniveaus. De vaardigheid om te kunnen onthouden en om problemen op te lossen – calculatie – vormde de voorhoede in de evolutie van meercellige organismen.

Diezelfde calculatiewaarde geldt voor de evolutie van de door mensen gecreëerde technologie. Producten zijn nuttiger als ze hun interne toestand kunnen handhaven en distinctief kunnen reageren op veranderende omstandigheden en situaties. Naarmate machines zich verder ontwikkelden, en niet langer alleen maar hulpmiddelen waren om het bereik en de kracht van de mens te vergroten, nam ook hun vaardigheid toe om te onthouden en logische bewerkingen uit te voeren. De eenvoudige nokken, takels en hefbomen uit de Middeleeuwen werden samengevoegd tot de ingewikkelde automaten uit de Renaissance. Mechanische rekenmachines, die voor het eerst opdoken in de zeventiende eeuw, werden steeds ingewikkelder en bereikten hun toppunt in ingewikkeldheid bij de eerste geautomatiseerde Amerikaanse volkstelling in 1890. Computers speelden op zijn minst op één oorlogsterrein van de Tweede Wereldoorlog een doorslaggevende rol, en hebben zich vanaf dat moment in een versnellende spiraal ontwikkeld.

## Het ontstaan van de wet van Moore

Gordon Moore, uitvinder van de geïntegreerde schakeling en destijds directeur van Intel, merkte in 1965 op dat het oppervlak van een transistor (zoals die op een geïntegreerde schakeling werd geëtst) elke twaalf maanden ongeveer halveerde. In 1975 zei men dat hij zijn waarneming had bijgesteld naar achttien maanden. Zelf houdt Moore vol dat zijn herziening uit 1975 vierentwintig maanden betrof, en dat lijkt meer in overeenstemming met de feiten.

Hieruit blijkt dat er elke twee jaar twee keer zoveel transistors op een geïntegreerde schakeling geperst werden. Een verdubbeling dus van zowel het aantal componenten op een chip als de snelheid. En omdat de prijs van een geïntegreerde schakeling redelijk constant bleef, koop je om de twee jaar voor hetzelfde bedrag twee keer zoveel schakeling en verdubbelt de snelheid. Voor veel toepassingen betekent dat feitelijk een verviervoudiging van de waarde. En dat geldt voor iedere schakeling, van geheugenchip tot computerprocessor.

**De wet van Moore in de praktijk**

| Jaar | Aantal transistors in de nieuwste computerchip van Intel* |
|---|---|
| 1972 | 3500 |
| 1974 | 6000 |
| 1978 | 29 000 |
| 1982 | 134 000 |
| 1985 | 275 000 |
| 1989 | 1 200 000 |
| 1993 | 3 100 000 |
| 1995 | 5 500 000 |
| 1997 | 7 500 000 |

* Bron: Consumer Electronics Manufacturers Association

Dit volstrekt doorzichtige feit ging Moore's wet van de geïntegreerde schakelingen heten, en het opmerkelijke verschijnsel van de wet heeft de laatste veertig jaar de versnelling van computers voortgedreven. Maar hoeveel langer kan het zo nog doorgaan? Chipfabrikanten vertrouwen erop dat Moore's wet nog vijftien à twintig jaar zijn geldigheid zal behouden zolang zij in staat zullen zijn om steeds hogere resoluties optische lithografie (een elektronisch proces dat lijkt op fotografisch afdrukken) te gebruiken om de afmetingen – tegenwoordig gemeten in miljoensten van een meter – van transistors en andere sleutelcomponenten te verkleinen.[18] Na bijna zestig jaar zal het paradigma dan zijn geldigheid echter verliezen. De isolatoren van de transistors zijn dan nog maar een paar atomen dik en de conventionele methode om ze nog meer te verkleinen werkt dan niet meer.

*Hoe nu verder?*

Ten eerste moge duidelijk zijn dat de exponentiële groei van de computertechnologie niet met Moore's wet van de geïntegreerde schakelingen begon. In de tabel 'De exponentiële groei van de computertechnologie 1900 – 1998',[19] heb ik 49 belangrijke computers uit de twintigste eeuw uitgezet op een exponentiële curve met op de verticale as de tiende machten in computersnelheid per prijs per eenheid (zoals gemeten in het aantal 'berekeningen per seconde' die kunnen worden gekocht voor duizend dollar). De machines zijn weergegeven met een getal. De eerste vijf machines maakten gebruik van mechanische technologie, daarna komen drie computers die waren gebaseerd op elektromechanica (ze werkten met relais), vervolgens elf vacuümbuismachines en dan twaalf machines die aparte transistors gebruikten. Alleen de laatste achttien computers maken gebruik van geïntegreerde schakelingen.

Vervolgens heb ik door de punten een curve getrokken – een zogenaamde polynoom van de vierde orde waarbij vier krommingen mogelijk zijn. Ik heb dus niet geprobeerd om de punten middels een rechte lijn te verbinden, maar ik heb alleen de best passende curve van de vierde orde gekozen. Toch kwam ik heel dicht in de buurt van een rechte lijn. In een exponentiële grafiek staat een rechte lijn voor exponentiële groei. Als je de vorm van de curve nauwkeurig bekijkt dan zie je dat die eigenlijk licht naar boven buigt, wat duidt op een geringe exponentiële groei binnen de exponentiële groei zelf. Dat kan het resultaat zijn van de samenwerking van twee verschillende exponentiële tendensen. Ik kom daar in hoofdstuk 6 'Nieuwe hersenen bouwen...' op terug. Een alternatief is dat er inderdaad twee niveaus van exponentiële groei bestaan. Maar zelfs als we uitgaan van het conservatievere inzicht dat er maar één acceleratieniveau is, dan nog zien we dat de exponentiële groei van de computertechnologie niet met Moore's wet van de geïntegreerde schakelingen begon, maar uit de tijd van de komst van elektrische computers in het begin van de twintigste eeuw stamt.

---

*Mechanische rekenmachines*

| | | |
|---|---|---|
| 1. | 1900 | Analytical Engine |
| 2. | 1908 | Hollerith Tabulator |
| 3. | 1911 | Monroe Calculator |
| 4. | 1919 | IBM Tabulator |
| 5. | 1928 | National Ellis 3000 |

*Elektromechanische (gebaseerd op relais) computers*

| | | |
|---|---|---|
| 6. | 1939 | Zuse 2 |
| 7. | 1940 | Bell Calculator Model 1 |
| 8. | 1941 | Zuse 3 |

*Vacuümbuiscomputers*

| | | |
|---|---|---|
| 9. | 1943 | Colossus |
| 10. | 1946 | ENIAC |
| 11. | 1948 | IBM SSEC |
| 12. | 1949 | BINAC |
| 13. | 1949 | EDSAC |
| 14. | 1951 | Univac 1 |
| 15. | 1953 | Univac 1103 |

| | |
|---|---|
| 16. 1953 | IBM 701 |
| 17. 1954 | EDVAC |
| 18. 1955 | Whirlwind |
| 19. 1955 | IBM 704 |

*Computers met afzonderlijke transistors*

| | |
|---|---|
| 20. 1958 | Datamatic 1000 |
| 21. 1958 | Univac II |
| 22. 1959 | Mobidic |
| 23. 1959 | IBM 7090 |
| 24. 1960 | IBM 1620 |
| 25. 1960 | DEC PDP-1 |
| 26. 1961 | DEC PDP -4 |
| 27. 1962 | Univac III |
| 28. 1964 | CDC 6600 |
| 29. 1965 | IBM 1130 |
| 30. 1965 | DEC PDP -8 |
| 31. 1966 | IBM 360 Model 75 |

*Computers met geïntegreerde schakelingen*

| | |
|---|---|
| 32. 1968 | DEC PDP -10 |
| 33. 1973 | Intellec-8 |
| 34. 1973 | Data General Nova |
| 35. 1975 | Altair 8800 |
| 36. 1976 | DEC PDP -11 Model 70 |
| 37. 1977 | Cray 1 |
| 38. 1977 | Apple II |
| 39. 1979 | DEC VAX 11 Model 780 |
| 40. 1980 | Sun-1 |
| 41. 1982 | IBM PC |
| 42. 1982 | Compaq Portable |
| 43. 1983 | IBM AT-80286 |
| 44. 1984 | Apple Macintosh |
| 45. 1986 | Compaq Deskpro 386 |
| 46. 1987 | Apple Mac II |
| 47. 1993 | Pentium PC |
| 48. 1996 | Pentium II PC |
| 49. 1998 | Pentium III PC |

DE EXPONENTIËLE GROEI VAN DE COMPUTERTECHNOLOGIE, 1900 – 1998

VOOR DUIZEND DOLLAR KOOP JE

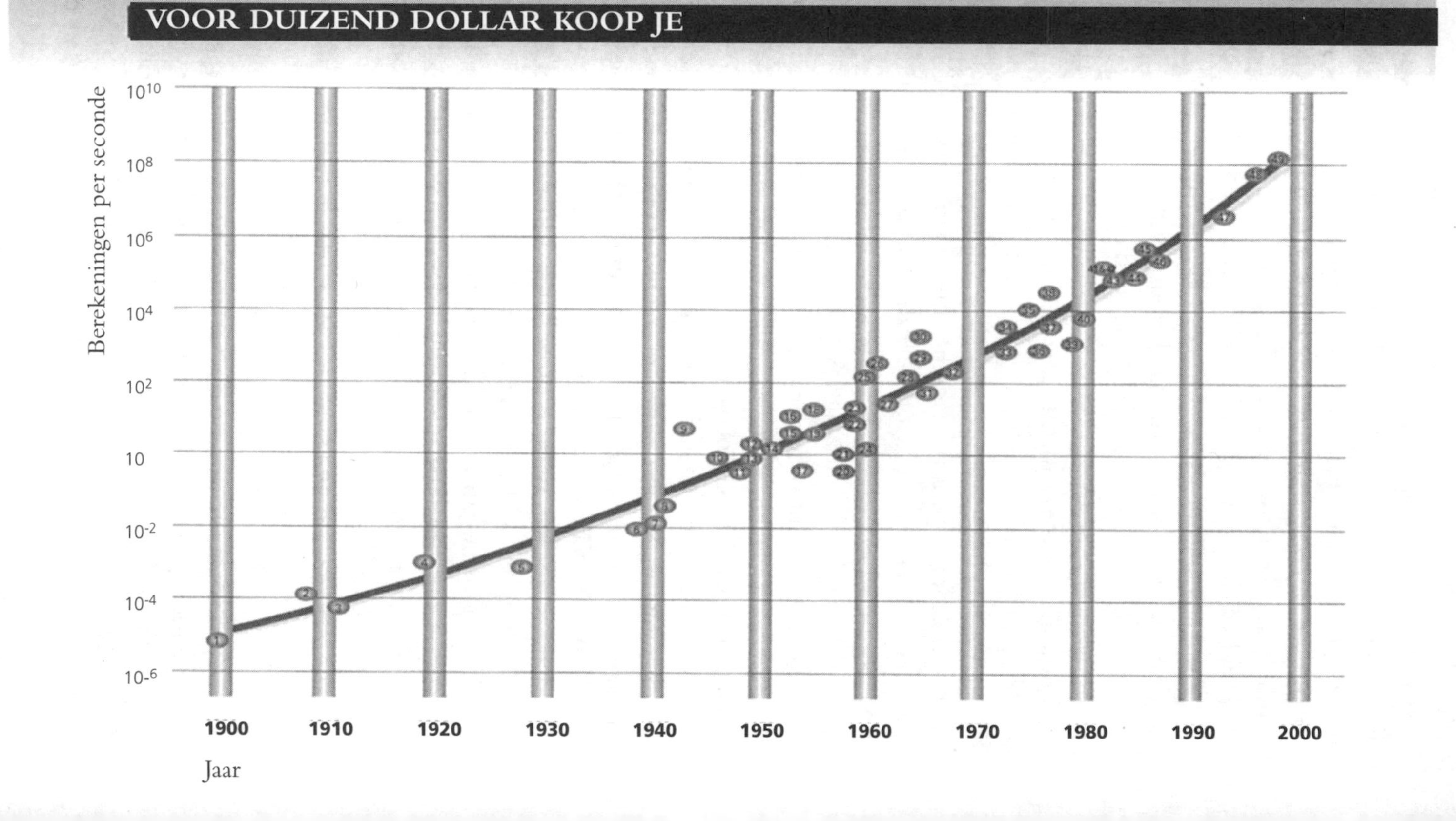

In de jaren tachtig constateerde een aantal onderzoekers, onder wie professor Hans Moravec van de Carnegie Mellon universiteit, David Waltz van Nippon Electronic Company en ikzelf, dat computers al lang voor de uitvinding van de geïntegreerde schakeling in 1958 en zelfs al voor de uitvinding van de transistor in 1947 exponentieel in kracht toenamen.[20] De snelheid en de compactheid van computers verbeterde, onafhankelijk van het soort apparatuur dat werd gebruikt, elke drie (aan het begin van de twintigste eeuw) tot één jaar (aan het eind van de twintigste eeuw) met een factor twee. Het is frappant dat deze 'exponentiële wet van de computertechnologie' minstens een eeuw standhield, van de elektrische computertechnologie die werkt met de mechanische invoer van ponskaarten, via de op relais gebaseerde computers die de Enigmacode van de nazi's kraakten en de op vacuümbuizen gebaseerde computers uit de jaren vijftig, tot de met transistors uitgeruste machines uit de jaren zestig en de diverse generaties computers van de laatste vier decennia, die op geïntegreerde schakelingen zijn gebaseerd. Bij dezelfde kosten per eenheid zijn computers tegenwoordig ongeveer honderd miljoen keer krachtiger dan een halve eeuw geleden. Had de auto-industrie de afgelopen vijftig jaar evenveel vooruitgang geboekt, dan zou een auto nu eenhonderdste cent kosten en zou hij sneller dan het licht kunnen.

Zoals bij elk fenomeen dat exponentieel groeit is de toename in het begin nogal gering en valt ze amper op. Hoewel de eerste elektrische rekenapparatuur bij de Amerikaanse volkstelling in 1890 werd gebruikt en er sedertdien heel wat vooruitgang werd geboekt, duurde het nog tot in het midden van de jaren zestig voordat het fenomeen werd opgemerkt (hoewel Alan Turing het in 1950 al enigszins in de gaten kreeg). Maar zelfs toen werd het door nog maar een kleine groep computertechnici en geleerden op waarde geschat. Tegenwoordig hoef je alleen maar de computer- of speelgoedadvertenties in de lokale krant door te bladeren om te zien hoe de prijs-prestatieverhouding van computers nu elke maand omhoogschiet.

Moore's wet van de geïntegreerde schakelingen was dus niet het eerste maar het vijfde paradigma, waarmee de nu een eeuw oude exponentiële groei in computertechnologie werd voortgezet. Elk nieuw paradigma kwam precies op het tijdstip dat we het nodig hadden. Vermoedelijk zal de exponentiële groei dan ook niet stoppen op het moment dat de wet van Moore zijn geldigheid verliest. Toch is het antwoord op onze vraag naar de voortzetting van de exponentiële groei van de computertechnologie essentieel voor ons begrip van de eenentwintigste eeuw. Derhalve moeten we voor een beter begrip van de ware aard van deze trend teruggaan naar onze eerdere vragen over het exponentiële karakter van tijd.

# De wet van chaos en tijd

*Is het stromen van de tijd reëel of zou het kunnen zijn dat ons gevoel van de voortgang van de tijd niet meer dan een illusie is die het feit verbergt dat het reële alleen maar één grote verzameling van losse momenten is?*
Lee Smolin

*Tijd is de manier waarop de natuur voorkomt dat alles tegelijk gebeurt.*
Graffitti

*De dingen lijken meer op wat ze nu zijn dan wat ze ooit waren.*
Dwight Eisenhower

Vergelijk de volgende exponentiële tendensen eens:

- De exponentieel *afnemende* snelheid van het heelal, waarin drie belangrijke gebeurtenissen in de eerste miljardste seconde plaatsvonden en latere opvallende gebeurtenissen miljarden jaren kostten.
- De exponentieel *afnemende* snelheid in de ontwikkeling van een organisme. In de eerste maand na de bevruchting ontwikkelen we een lichaam, een hoofd en zelfs een staart. In de eerste paar maanden ontwikkelen we onze hersenen. Na de bevalling verloopt onze ontwikkeling aanvankelijk snel, zowel fysiek als mentaal. In het eerste jaar maken we ons de beginselen eigen van het bewegen en communiceren. Ongeveer elke maand bereiken we een mijlpaal. Later verlopen sleutelgebeurtenissen nog langzamer, eerst kosten ze jaren, daarna decennia.
- De exponentieel *toenemende* snelheid van de evolutie van levensvormen op aarde.
- De exponentieel *toenemende* snelheid van de evolutie van door de mens geschapen technologie die de snelheid van de evolutie van levensvormen aannam.
- De exponentiële *groei* van de computertechnologie. Merk op dat de exponentiële groei die een proces in de loop van de tijd doormaakt slechts een andere manier is om een exponentieel versnellend tempo uit te drukken. Er was bijvoorbeeld negentig jaar nodig alvorens de eerste MIP (miljoen instructies per seconde) voor duizend dollar werd bereikt. Tegenwoordig voegen we dagelijks per duizend dollar een MIP toe. Ook versnelt het totale innovatietempo duidelijk.
- Moore's wet van de geïntegreerde schakelingen. Zoals ik eerder uiteenzette was die wet het vijfde paradigma om de exponentiële groei van computertechnologie te bereiken.

**De wet van chaos en tijd**

In een proces neemt het tijdsinterval tussen opvallende gebeurtenissen (gebeurtenissen die de aard van het proces veranderen of de toekomst van het proces in belangrijke mate beïnvloeden) in gelijke mate toe of af met de hoeveelheid chaos.

**De wet van de toenemende chaos**

Naarmate de chaos exponentieel toeneemt vertraagt de tijd exponentieel (het tijdsinterval tussen opvallende gebeurtenissen neemt bij het voortschrijden van de tijd toe).

**De wet van de toenemende chaos toegepast op het heelal**

Het heelal begon als een 'singulariteit', een alleenstaand ongedifferentieerd punt zonder afmetingen en zonder chaos, waarin de eerste gebeurtenissen enorm snel gingen. In de loop van de tijd nam de chaos in het heelal toe. Daarom vertraagde de tijd (het tijdsinterval tussen opvallende gebeurtenissen neemt in de loop van de tijd exponentieel toe).

**De wet van de toenemende chaos toegepast op het leven van een organisme**

De ontwikkeling van een organisme, van de conceptie als een enkele cel tot de volwassenheid, is een proces dat zich in de richting van een grotere diversiteit en dus een grotere wanorde beweegt. Het tijdsinterval tussen opvallende gebeurtenissen neemt in de loop van de tijd toe.

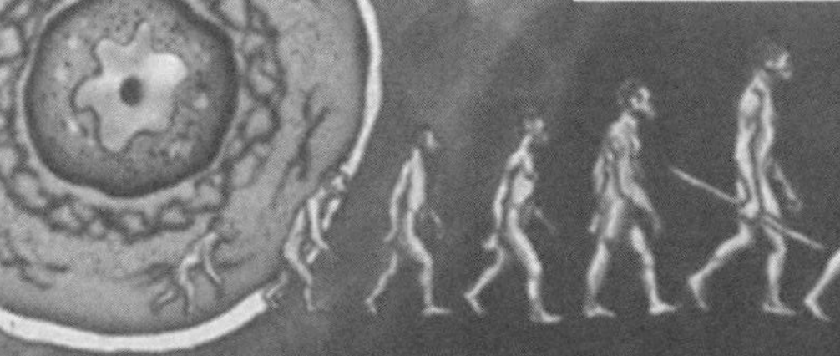

**De wet van de versnellende opbrengsten**

Naarmate de orde exponentieel toeneemt versnelt de tijd exponentieel (het tijdsinterval tussen opvallende gebeurtenissen neemt af met het verstrijken van de tijd).

**De wet van de versnellende opbrengsten toegepast op een evolutieproces**

Een evolutieproces is geen gesloten systeem; daarom maakt evolutie om verder te kunnen diversifiëren gebruik van de chaos in het grotere systeem waarin ze plaatsvindt.

- Evolutie ontwikkelt zich via de toegenomen orde die ze zelf in het leven heeft geroepen.

**Daarom:**

- neemt de orde in een evolutieproces exponentieel toe.

**Daarom:**

- versnelt de tijd exponentieel.

**Daarom:**

- versnellen de opbrengsten (de waardevolle producten van het proces).

**De wet van de versnellende opbrengsten toegepast op de evolutie van levensvormen**

Het tijdsinterval tussen opvallende gebeurtenissen (bijvoorbeeld een belangrijke nieuwe afsplitsing) neemt in de loop van de tijd exponentieel af.

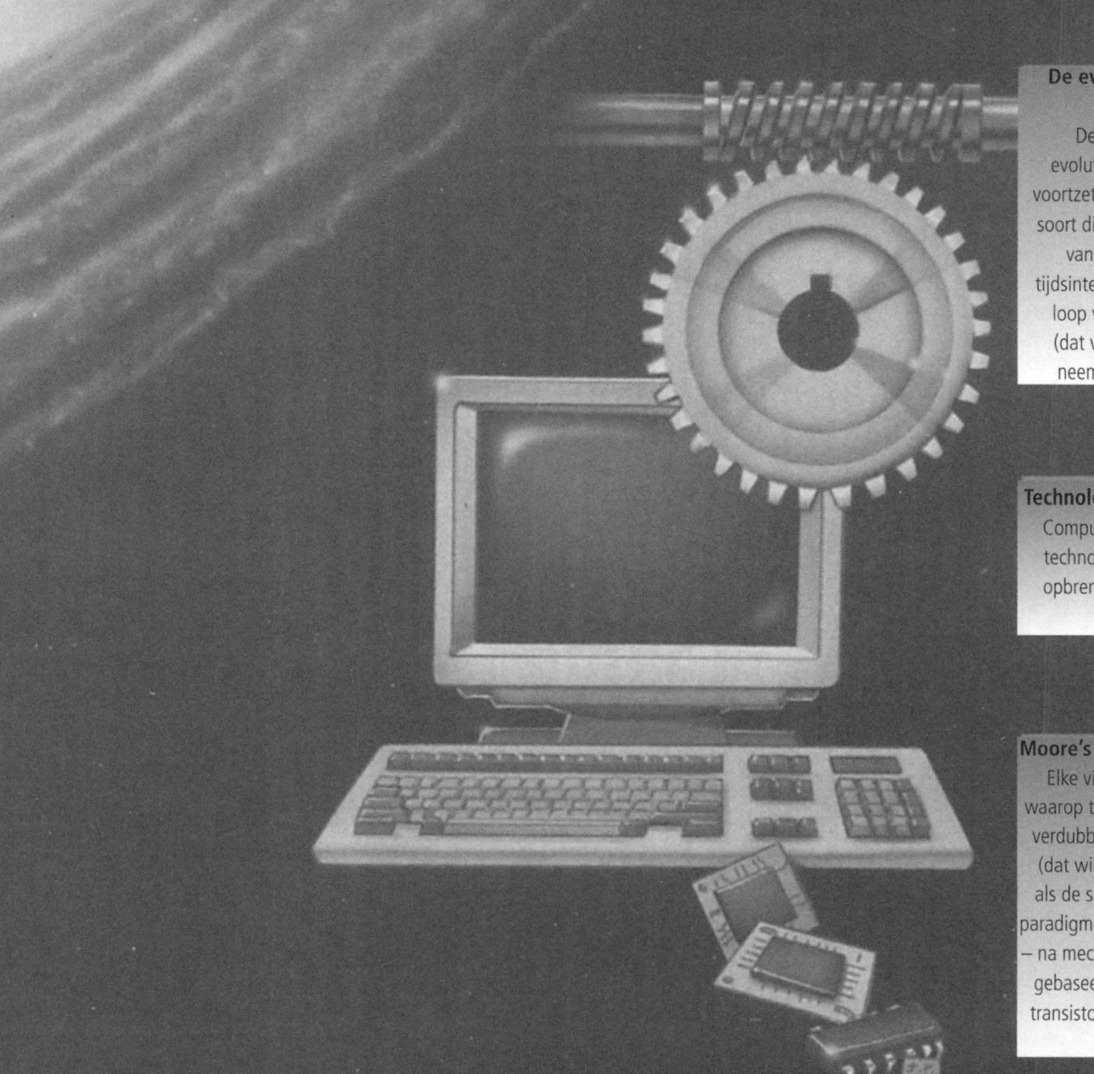

**De evolutie van levensvormen leidt tot de evolutie van de technologie**

De vooruitgang van de technologie is een evolutieproces op zichzelf. Sterker nog, het is de voortzetting van het evolutieproces dat leidde tot de soort die die technologie creëerde. Conform de wet van de versnellende opbrengsten neemt het tijdsinterval tussen opvallende ontwikkelingen in de loop van de tijd exponentieel af. De 'opbrengst' (dat wil zeggen de waarde) van de technologie neemt in de loop van de tijd exponentieel toe.

**Technologie brengt computertechnologie voort**

Computertechnologie is het wezen van orde in de technologie. Conform de wet van de versnellende opbrengsten neemt de waarde (kracht) in de loop van de tijd exponentieel toe.

**Moore's wet van de geïntegreerde schakelingen**

Elke vierentwintig maanden wordt het oppervlak waarop transistors worden geëtst gehalveerd. Daarom verdubbelen elke twee jaar zowel de rekencapaciteit (dat wil zeggen, het aantal transistors op een chip) als de snelheid van iedere transistor. Dit is het vijfde paradigma sinds het begin van de computertechnologie – na mechanische, elektromechanische (dat wil zeggen gebaseerd op relais), vacuümbuis-, en afzonderlijke-transistorstechnologie – dat de computertechnologie versnellende opbrengsten brengt.

Er rijzen nog veel vragen:

Welke rode draad loopt door al deze exponentiële tendensen?

Waarom versnellen sommige van deze processen terwijl andere vertragen?

En wat zegt ons dit over de voortgang van de exponentiële groei van de computertechnologie op het moment dat er een einde komt aan de wet van Moore?

Omvat de wet van Moore alleen maar een handvol industriële verwachtingen en doelstellingen, zoals Randy Isaac van IBM beweert? Of is hij onderdeel van een ingewikkelder fenomeen dat veel verder reikt dan de fotolithografie van geïntegreerde schakelingen?

Nadat ik een aantal jaren over de relatie tussen deze kennelijk verschillende tendensen had nagedacht werd me een verrassend gemeenschappelijk thema duidelijk.

Wat bepaalt of de tijd versnelt dan wel vertraagt? Het juiste antwoord is dat *de tijd beweegt in relatie tot de hoeveelheid chaos.* We kunnen de wet van chaos en tijd als volgt verwoorden:

*De wet van chaos en tijd: In een proces is de mate waarin tijdsintervallen tussen opvallende gebeurtenissen (dat wil zeggen, gebeurtenissen die de aard van het proces veranderen of in belangrijke mate de toekomst van het proces beïnvloeden) toe- of afneemt gerelateerd aan de hoeveelheid chaos.*

Als in een proces veel chaos heerst, dan is er meer tijd nodig voor er belangrijke gebeurtenissen plaatsvinden. En omgekeerd neemt de orde toe naarmate de perioden tussen opvallende gebeurtenissen korter worden.

Onze definitie van chaos vereist hier enige nauwkeurigheid. Chaos verwijst in dit geval naar de hoeveelheid wanordelijke (oftewel willekeurige) gebeurtenissen *die relevant zijn voor het proces.* Warmte is een geschikte maat als we te maken hebben met de willekeurige bewegingen van atomen en moleculen in een gas of een vloeistof. Als we te maken hebben met het evolutieproces van levensvormen dan vertegenwoordigt chaos de onvoorspelbare gebeurtenissen die organismen tegenkomen en de willekeurige mutaties die in de genetische code plaatsvinden.

Laten we eens kijken hoe de wet van chaos en tijd van toepassing is op onze voorbeelden. Als de chaos toeneemt dan houdt de wet van chaos en tijd de volgende onderwet in:

*De wet van de toenemende chaos: Neemt de chaos exponentieel toe dan vertraagt de tijd exponentieel (dat betekent dat het tijdsinterval tussen opvallende gebeurtenissen in de loop van de tijd toeneemt).*

Dat past tamelijk goed bij het heelal. Toen het heelal niet meer dan een 'naakte' singulariteit was – een enkel perfect geordend punt in ruimte en tijd – bestond er geen chaos, en kostten opmerkelijke gebeurtenissen nauwelijks tijd. Naarmate het heelal groter werd nam de chaos exponentieel toe en tegelijkertijd ook de tijdschaal voor baanbrekende veranderingen. Nu er miljarden sterrenstelsels over een afstand van biljoenen lichtjaren zijn verspreid, bevat het heelal enorme gebieden met chaos, en kost het inderdaad miljarden jaren om alles te organiseren zodat een verschuiving in het model kan plaatsvinden.

In de ontwikkeling van het leven van een organisme voltrekt zich een soortgelijk fenomeen. De mens begint als een enkele bevruchte cel. In die situatie is er dus betrekkelijk weinig chaos. Als we uiteindelijk biljoenen cellen bezitten is ook de chaos enorm toegenomen. Als onze structuren op het einde van ons leven afbreken dan veroorzaakt dat nog meer willekeur. Daarom neemt de periode tussen opvallende biologische gebeurtenissen toe naarmate we ouder worden. En dat ervaren we dan ook.

Maar voor ons doel is de tegenovergestelde spiraal van de wet van chaos en tijd de belangrijkste en meest relevante. Kijk eens naar de tegenovergestelde onderwet die ik de wet van de versnellende opbrengsten heb gedoopt:

*De wet van de versnellende opbrengsten: Neemt de orde exponentieel toe dan versnelt de tijd exponentieel (dat betekent dat het tijdsinterval tussen opvallende gebeurtenissen in de loop van de tijd kleiner wordt).*

De wet van de versnellende opbrengsten (ter onderscheid van een bekendere wet volgens welke opbrengsten verminderen) is met name van toepassing op evolutieprocessen. Bij een evolutieproces neemt de orde – het tegenovergestelde van chaos – toe. En versnelt de tijd, zoals we hebben gezien.

## Wanorde

Hierboven heb ik opgemerkt dat in de wet van chaos en tijd het concept chaos alleen niet voldoende is – in ons geval vereist wanorde een willekeur die relevant is voor het proces waar wij ons mee bezighouden. Het tegenovergestelde van wanorde – dat ik hierboven in de wet van de versnellende opbrengst 'orde' heb genoemd – is zelfs nog lastiger.

Laten we beginnen met onze definitie van wanorde om vervolgens terug te werken. Als wanorde een willekeurige volgorde van gebeurtenissen voorstelt dan moet het tegenovergestelde van wanorde 'niet willekeurig' impliceren. En als willekeurig 'onvoorspelbaar' betekent, dan mogen we daaruit concluderen dat orde 'voorspelbaarheid' betekent. Maar dat zou verkeerd zijn.

We spelen even leentjebuur bij de informatietheorie,[21] en nemen het verschil tussen informatie en ruis in ogenschouw. Informatie is een reeks gegevens die betekenis heeft voor een bepaald proces, zoals de DNA-code van een organisme of de bits in een computerprogramma. Ruis is daarentegen een willekeurige reeks. *Ruis noch informatie zijn voorspelbaar.* Ruis is intrinsiek onvoorspelbaar, maar draagt geen informatie. Informatie is daarentegen ook onvoorspelbaar. Als we toekomstige gegevens zouden kunnen voorspellen met behulp van gegevens uit het verleden dan zouden die toekomstige gegevens niet langer informatie zijn. Neem bijvoorbeeld een reeks die bestaat uit een keurige rij nullen en enen (01010101...). Een dergelijke reeks zou je absoluut geordend en voorspelbaar noemen. Juist omdat de reeks zo voorspelbaar is vinden we dat ze na de eerste paar bits geen informatie meer draagt.

Derhalve vormt ordelijkheid geen orde, aangezien orde informatie vereist. Moeten we dan wellicht het woord *informatie* gebruiken in plaats van *orde*? Voor onze doeleinden is informatie alleen echter ook niet voldoende. Neem het telefoonboek. Het moge duidelijk zijn dat daar een hoop informatie in staat en dat er ook nog sprake is van enige orde. Maar als we het telefoonboek twee keer zo dik maken dan hebben we weliswaar de hoeveelheid gegevens vergroot, maar we hebben niet een hoger niveau van orde bereikt.

*Orde is daarom informatie die geschikt is voor een bepaald doel.* De mate van orde is de mate waarin die informatie geschikt is voor haar doel. In de evolutie van levensvormen is het doel overleven. In een evolutiealgoritme (een computerprogramma dat de evolutie nabootst om een probleem op te lossen) dat wordt toegepast op het investeren op de beurs, is het doel geld verdienen. Het simpelweg beschikken over meer informatie leidt niet noodzakelijkerwijs tot een beter resultaat. Een betere oplossing voor een bepaald doel kan best minder informatie vereisen.

De laatste tijd wordt het concept 'complexiteit' gebruikt om de aard van de informatie die bij een evolutieproces wordt geschapen te beschrijven. Complexiteit komt redelijk dicht in de buurt van het concept van orde dat ik beschrijf. De ontwerpen die door de evolutie van levensvormen op aarde worden gecreëerd lijken in de loop van de tijd immers ingewikkelder te zijn geworden. Maar ook complexiteit is geen perfecte term. Soms wordt een hogere orde – die beter geschikt is voor een doel – bereikt door vereenvoudiging in plaats van een nog grotere complexiteit. Om met Einstein te spreken: 'Alles moet zo eenvoudig mogelijk worden gemaakt, maar niet eenvoudiger.' Een voorbeeld: een nieuwe theorie die schijnbaar ongelijksoortige ideeën aaneensmeedt tot een bredere en meer coherente theorie vermindert de complexiteit wel, maar kan desondanks de 'orde voor een doel' die ik beschrijf vergroten. Desalniettemin heeft de evolutie aangetoond dat de trend naar meer orde over het algemeen leidt tot meer complexiteit.[22]

Daarom neemt de orde toe als de oplossing voor een probleem – dat zowel de complexiteit kan vergroten als verkleinen – verbetert. Nu hoeven we alleen nog maar het probleem te definiëren. En zoals we zullen zien is het op een juiste wijze definiëren van een probleem vaak de sleutel tot de oplossing ervan.

## De wet van de toenemende entropie versus de toenemende orde

Een ander punt van overweging is hoe de wet van chaos en tijd samenhangt met de tweede hoofdwet van de thermodynamica. De wet van chaos en tijd is, in tegenstelling tot de tweede wet, niet noodzakelijkerwijs beperkt tot een gesloten systeem, maar heeft juist te maken met processen. Aangezien het heelal een gesloten systeem is (het is niet onderhevig aan invloeden van buitenaf omdat er buiten het heelal niets is), neemt de chaos overeenkomstig de tweede hoofdwet van de thermodynamica dus toe en vertraagt de tijd. De evolutie is daarentegen juist geen gesloten systeem. Ze vindt plaats temidden van chaos en is inderdaad *afhankelijk van de wanorde in haar omgeving waaruit ze haar mogelijkheden om te diversifiëren put*. En uit deze opties snoeit een evolutieproces voortdurend zijn keuzes om zodoende een nog grotere orde te creëren. Zelfs een crisis die naar een omvangrijke nieuwe bron van chaos lijkt te voeren mondt waarschijnlijk uit in het vergroten – uitdiepen – van de orde die door een evolutieproces was geschapen. Neem de asteroïde die, naar men aanneemt, 65 miljoen jaar geleden grote organismen als de dinosaurussen uitroeide. Het neerstorten van die asteroïde veroorzaakte plotseling een enorme toename van de chaos (en ook een hele hoop stof). Toch lijkt het erop dat die gebeurtenis de opkomst van de zoogdieren in een milieu dat tot dan toe werd gedomineerd door grote reptielen heeft bespoedigd en zo uiteindelijk leidde tot de komst van een soort die in staat bleek om de technologie in het leven te roepen. Toen het stof (letterlijk) was neergedwarreld bleek dat de orde door de crisis die de asteroïde had veroorzaakt was toegenomen.

Zoals ik al eerder heb gesteld kan van maar een zeer klein deel van de materie in het heelal, zelfs op een planeet als de aarde met haar leven en haar technologie, worden gezegd dat het deel uitmaakt van de uitvindingen van de evolutie. En dus is evolutie niet in tegenspraak met de wet van de toenemende entropie. Sterker nog, de evolutie is ervan afhankelijk omdat de wet een eindeloze toevoer van opties verschaft.

Zoals ik eerder heb opgemerkt is het ontstaan van een technologiescheppende soort – en van technologie – onvermijdelijk gezien het ontstaan van het leven. Technologie is de voortzetting van de evolutie met andere middelen en is zelf eveneens een evolutieproces. Dus versnelt ook zij.

Een hoofdreden waarom de evolutie – van levensvormen of van technologie – versnelt is dat *ze op haar eigen toenemende orde bouwt.* Innovaties die door de evolutie zijn ingezet versnellen de evolutie en maken haar mogelijk. In het geval van de evolutie van levensvormen is het opvallendste voorbeeld het DNA met een vastgelegde en beschermde transcriptie van het ontwerp van het leven van waaruit nieuwe experimenten worden gelanceerd.

In het geval van de evolutie van de technologie kunnen we stellen dat de technologie is opgestuwd door de steeds betere methoden die de mens had om informatie op te slaan. De eerste computers werden op papier ontworpen en met de hand gebouwd. Tegenwoordig worden ze met behulp van computers ontwikkeld, waarbij die computers zelf een groot deel van de details van het ontwerp van de volgende generatie uitwerken. Vervolgens worden ze in volledig geautomatiseerde fabrieken geproduceerd, waarbij de mens het proces wel begeleidt, maar slechts op beperkte schaal ingrijpt.

Het evolutieproces van de technologie probeert potentiële kwaliteiten op een exponentiële manier te verbeteren. Vernieuwers proberen dingen in veelvoud te verbeteren. Vernieuwing is vermenigvuldigend, niet toevoegend. Technologie bouwt net als elk ander evolutieproces voort op zichzelf. Dit aspect zal blijven versnellen als de technologie haar eigen vooruitgang volledig onder controle heeft.

Met betrekking tot de evolutie van levensvormen en technologie kunnen we dus het volgende concluderen:

*De wet van versnellende opbrengsten zoals ze is toegepast op een evolutieproces:*

- *Een evolutionair proces is geen gesloten systeem; daarom kan evolutie voor haar mogelijkheden om te diversifiëren putten uit de chaos in het grotere systeem waarin ze plaatsvindt; en*

- *Evolutie bouwt voort op haar eigen toenemende orde.*

*Dus:*

- *In een evolutionair proces neemt de orde exponentieel toe.*

*Dus:*

- *De tijd versnelt exponentieel.*

*En dus:*

- *De opbrengsten (dat wil zeggen, de waardevolle opbrengsten van het proces) versnellen.*

Het fenomeen van de tijd die vertraagt en versnelt komt tegelijkertijd voor. Kosmologisch gezien vertraagt het heelal nog steeds. Evolutie, tegenwoordig het meest zichtbaar in de vorm van de door de mens in het leven geroepen technologie, versnelt nog steeds. Dat zijn de twee kanten – twee in elkaar gedraaide spiralen – van de wet van chaos en tijd.

Door de spiraal waar wij het meest in zijn geïnteresseerd – de wet van de versnellende opbrengsten – ontstaat er steeds meer orde in de technologie, hetgeen onvermijdelijk tot het ontstaan van computertechnologie leidt. Computertechnologie is het wezen van orde. Een technologie kan er op een variabele en geschikte manier mee op haar omgeving reageren en zo haar opdrachten uitvoeren. Computertechnologie is ook een evolutieproces dat voortbouwt op haar eigen vooruitgang. De tijd om een gesteld doel te bereiken wordt exponentieel korter (bijvoorbeeld: negentig jaar voor de eerste MIP per duizend dollar tegenover één dag voor een extra MIP tegenwoordig). Dat de kracht van computers in de loop van de tijd exponentieel toeneemt is niet meer dan een andere manier om hetzelfde te zeggen.

## En welke gevolgen heeft dat dan voor de wet van Moore?

Tja, feitelijk is het nog steeds zo dat het daarmee in het jaar 2020 afgelopen zal zijn. De wet van Moore dook in 1958 op, precies toen ze van pas kwam, en in 2018 heeft ze er zestig dienstjaren opzitten; tegenwoordig is dat redelijk lang voor een paradigma. Maar in tegenstelling tot de wet van Moore is de wet van de versnellende opbrengsten niet zomaar een tijdelijke methode. Zij maakt een wezenlijk onderdeel uit van de aard van chaos en tijd – een onderwet van de wet van chaos en tijd – en beschrijft een groot aantal kennelijk verschillende verschijnselen en trends. Overeenkomstig de wet van de versnellende opbrengsten zal een andere computertechnologie de draad zonder onderbreking oppikken waar de wet van Moore hem liet vallen.

## De leercurve: de slak tegen de mens

De 'leercurve' beschrijft de wijze waarop een vaardigheid in de loop van de tijd beheerst gaat worden. Als een wezen – een slak of een mens – een nieuwe vaardigheid verwerft, dan bouwt die pas verworven vaardigheid voort op zichzelf en gaat de leercurve er dus uitzien als de curve van de exponentiële groei die we kennen van de wet van de versnellende opbrengsten. Maar aangezien vaardigheden de neiging hebben om begrensd te zijn, treedt op het moment dat de nieuwe bekwaamheid verworven is de wet van verminderende opbrengsten op en neemt de groei in het beheersingsniveau af. We omschrijven de leercurve vaak als een soort S-curve omdat exponentiële groei gevolgd door stabilisatie lijkt op een S die wat naar rechts leunt: ⟋

Die leercurve komt opmerkelijk veel voor: de meeste meercellige wezens kennen haar. Slakken volgen de leercurve bijvoorbeeld als ze leren hoe ze in een nieuwe boom moeten klimmen op zoek naar bladeren. Mensen leren natuurlijk voortdurend nieuwe dingen.

Er bestaat hier echter een opmerkelijk verschil tussen mensen en slakken. Mensen kunnen innoveren – nieuwe vaardigheden en kennis verwerven – en die innovaties ook vasthouden. Innovatie is de drijvende kracht achter de wet van de versnellende opbrengsten en ze slokt het stabiele deel van de S-curve op. Innovatie verandert de S-curve dus in een onbegrensde exponentiële expansie.

Het overwinnen van de S-curve is een andere manier om de unieke positie van de menselijke soort uit te drukken. Het lijkt erop dat geen enkele andere soort dat kan. Waarom zijn we hier uniek in, hoewel andere primaten in hun genetische materiaal zo sterk op ons lijken?

Dat komt omdat de vaardigheid om de S-curve te overwinnen een nieuw ecologisch leefmilieu definieert. Zoals we al zagen hebben er inderdaad andere mensachtige soorten en ondersoorten geleefd die tot innovatie in staat waren, maar het natuurlijke leefmilieu schijnt maar één overlevende concurrent te hebben toegestaan. In de eenentwintigste eeuw krijgen we echter gezelschap: dan zullen machines zich bij ons aansluiten in dit exclusieve milieu.

### De meeste exponentiële trends lopen stuk... deze niet

Een vaak gehoorde kritiek op toekomstvoorspellingen is dat ze berusten op een gedachteloze extrapolatie van huidige trends zonder rekening te houden met krachten waardoor die trend wel eens zou kunnen stoppen of veranderen. Die kritiek is vooral relevant in het geval van exponentiële trends. Een klassiek voorbeeld is dat van een diersoort die bij toeval terechtkomt in een gastvrije habitat, mogelijkerwijs daarheen gebracht door menselijk ingrijpen (zoals de konijnen in Australië). Aanvankelijk zal de soort exponentieel toenemen, maar aan die groei zal snel een einde komen als de explosief toenemende bevolking stuit op een nieuw roofdier of op de grenzen van zijn omgeving. Op dezelfde manier vormde onze eigen steeds maar toenemende soort een bron van zorg. Maar onder invloed van veranderende sociale en economische factoren, zoals de toenemende welvaart, is die groei fors vertraagd, zelfs in ontwikkelingslanden.

Sommige waarnemers die zich op deze feiten baseren haasten zich om het einde van de exponentiële groei van computers te voorspellen.

Maar de groei die wordt voorspeld door de wet van versnellende opbrengsten vormt een uitzondering op de vaak aangehaalde grenzen aan de exponentiële groei. Zelfs een catastrofe, zoals die aan het einde van het Krijt kennelijk onze reptielachtige planeetgenoten overkwam, zet het evolutieproces slechts tijdelijk aan de kant. Het evolutieproces lijmt de brokstukken vervolgens en gaat onverminderd door (tenzij het hele proces is vernietigd). Een evolutieproces versnelt omdat het voortbouwt op de eigen prestaties uit het verleden, zoals de verbeteringen van de eigen middelen om verder te evolueren. Als het over de ontwikkeling van levensvormen gaat dan was het de ontwikkeling van de seksuele voortplanting die er naast de op DNA gebaseerde genetische codering voor zorgde dat er beter kon worden geëxperimenteerd met de verschillende kenmerken binnen een overigens homogene populatie. Doordat tijdens de 'explosie in het Cambrium', zo'n 570 miljoen jaar geleden, de basis werd gelegd voor het lichaam van de moderne dieren, kon de evolutie zich vervolgens toeleggen op kenmerken van een hoger niveau, zoals een uitbreiding van het functioneren van de hersenen. De uitvindingen die de evolutie in het ene tijdperk doet, verschaffen de middelen, en vaak de intelligentie, voor vernieuwingen in een volgend tijdperk.

De wet van de versnellende opbrengsten is evenzeer van toepassing op het evolutieproces van computers dat, daarmee samenhangend, exponentieel en absoluut grenzeloos zal groeien. De twee hulpbronnen die daarvoor nodig zijn – de toenemende orde van de zich ontwikkelende technologie zelf, en de chaos waaruit een evolutieproces zijn opties voor een grotere diversiteit haalt – zijn onbeperkt. Uiteindelijk zal de vernieuwing die voor een verdere vooruitgang nodig is van de machines zelf komen.

Hoe zal de kracht van de computertechnologie blijven versnellen als de wet van Moore al ter ziele is gegaan? We staan bij het ontwerpen van chips nog maar in de kinderschoenen als het gaat om het bestuderen van de derde dimensie. De overgrote meerderheid van de hedendaagse chips is plat, terwijl onze hersenen in drie dimensies zijn georganiseerd. Waarom zouden we die derde dimensie niet gebruiken als we al in een driedimensionale wereld leven? Als we de materialen van halfgeleiders, zoals supergeleiders die geen warmte genereren, verbeteren, dan zullen we chips – blokjes liever – met duizenden lagen schakelingen kunnen gaan ontwikkelen die, in combinatie met veel kleinere afmetingen van de componenten, in staat zullen zijn om onze rekenkracht met een factor van vele miljoenen te doen toenemen. En er staan meer dan genoeg nieuwe computertechnologieën in de startblokken – nanotube-, optische, kristal-, DNA-, en kwantumtechnologieën (we zullen ze in hoofdstuk 6 'Nieuwe hersenen bouwen...' nader onderzoeken) – om de wet van de versnellende opbrengsten nog een lange tijd in de wereld van computers te laten gelden.

## Een zaak van de planeet

Toen de technologie haar intrede deed op aarde was dat niet zomaar de privé-aangelegenheid van één van de ontelbare soorten op aarde, maar een doorslaggevende gebeurtenis in de geschiedenis van de planeet. Verreweg de belangrijkste schepping van de evolutie – de intelligentie van de mens – levert de middelen voor het volgende stadium van de evolutie, de technologie. Dat de technologie zou verschijnen is voorspeld door de wet van de versnellende opbrengsten. De ondersoort *Homo sapiens* ontstond niet meer dan enkele tienduizenden jaren na zijn menselijke voorzaten. Volgens de wet van de versnellende opbrengsten diende voor de opvallende gebeurtenissen in het daaropvolgende stadium van de evolutie in de orde van grootte van duizenden jaren te worden gedacht, te snel voor een evolutie die is gebaseerd op DNA. Deze volgende stap in de evolutie was noodzakelijkerwijze door de menselijke intelligentie zelf in het leven geroepen, en was wederom een voorbeeld van de exponentiële motor achter de evolutie, die haar vernieuwingen uit de ene periode (de mensheid) gebruikte om de volgende te creëren (intelligente machines).

De evolutie baseert zich bij haar keuzen voor vernieuwing op de enorme chaos waarin ze zich bevindt – de steeds toenemende entropie die wordt bepaald door de keerzijde van de wet van chaos en tijd. Deze twee elementen van de wet van chaos en tijd – de tijd die exponentieel vertraagt als gevolg van de steeds toenemende chaos die wordt voorspeld door de tweede hoofdwet van de thermodynamica, en de tijd die exponentieel versnelt vanwege de steeds toenemende orde die door de evolutie wordt gecreëerd – bestaan naast elkaar en zetten zich eindeloos voort. *Met name de hulpbronnen van de evolutie, de orde en de chaos zijn onbegrensd.* Ik leg de nadruk op dat punt omdat het zo wezenlijk is voor een beter begrip van de evolutionaire, en de revolutionaire, aard van de computertechnologie.

Met het ontstaan van de technologie werd een mijlpaal bereikt in de ontwikkeling van de intelligentie op aarde omdat de evolutie vanaf dat moment haar eigen ontwerpen ging vastleggen. Een volgende mijlpaal zal worden bereikt als een technologie haar eigen volgende generatie creëert zonder tussenkomst van de mens. Dat er maar enkele tienduizenden jaren tussen deze twee mijlpalen liggen is een ander voorbeeld van de exponentiële versnelling die we evolutie noemen.

## De uitvinder van het schaakspel en de keizer van China

Willen we de gevolgen van deze (of willekeurig welke andere) geometrische ontwikkeling beter begrijpen dan is het nuttig om de legende van de uitvinder van het schaakspel en zijn patroon, de keizer van China, weer eens in de herinnering te roepen. De keizer was zo verrukt over zijn nieuwe spel dat hij de uitvinder een beloning aanbood. Met uitzondering van het keizerrijk mocht die kiezen wat hij wilde.

'Niet meer dan één rijstkorrel, Majesteit, op het eerste veld.'

'Maar één rijstkorrel?'

'Zeker, Majesteit, slechts één rijstkorrel op het eerste veld en twee op het tweede.'

'Is dat alles, één plus twee rijstkorrels?'

'Welnu, goed dan, en vier rijstkorrels op het derde veld en zo verder.'

De keizer willigde het schijnbaar nederige verzoek van de uitvinder onmiddellijk in. Volgens een van de versies van het verhaal ging de keizer bankroet omdat er door de verdubbeling van het aantal rijstkorrels op het laatste veld uiteindelijk achttien miljoen biljoen rijstkorrels lagen. Uitgaande van het feit dat je 10 rijstkorrels per 6 vierkante centimeter kunt oogsten, heb je voor al die rijstkorrels zoveel rijstvelden nodig dat de oppervlakte van de aarde, inclusief de oceanen, twee keer bedekt is.

In een andere versie van het verhaal wordt de uitvinder simpelweg onthoofd. Het is nog niet duidelijk in welke versie wij leven.

Maar één ding staat vast: zolang de keizer en de uitvinder nog op de eerste helft van het schaakbord waren was het verhaal tamelijk monotoon. Na tweeëndertig velden had de keizer de uitvinder ongeveer vier miljard rijstkorrels geschonken. Dat is redelijk wat – zeg de oogst van een fors rijstveld – en langzaam begon de keizer dan ook iets te dagen. Maar toch was de keizer nog steeds keizer, en de uitvinder had nog steeds zijn hoofd op zijn romp. Pas naarmate ze verder op de tweede helft van het schaakbord kwamen, raakte ten minste één van de twee in de penarie.

En wat gaat er nu met ons gebeuren? Nadat in de jaren veertig de eerste werkende computers werden gebouwd hebben ongeveer tweeëndertig verdubbelingen van snelheid en capaciteit plaatsgevonden. We zijn nu op het punt beland waar we de eerste helft van het schaakbord hebben afgewerkt. En inderdaad, er gaat de mensheid iets opvallen.

Nu we zijn aangeland in een volgende eeuw zetten we koers richting tweede helft van het schaakbord. En op dat punt begint het interessant te worden.

---

*Dus als ik het goed begrijp dan had mijn conceptie als bevrucht eicelletje wel iets weg van de oerknal. Ja, nou nee, uh, ik bedoel dat de gebeurtenissen in het begin heel snel gingen, toen wat vertraagden, en dat ze nu echt heel langzaam gaan.*

Zo kun je het wel stellen, ja. De tijd die ligt tussen belangrijke gebeurtenissen is nu heel wat groter dan toen je een kleuter was, en al helemaal niet te vergelijken met de periode toen je een foetus was.

*Je zei dat het heelal in de eerste miljardste seconde drie paradigmaverschuivingen heeft gekend. Voltrokken de gebeurtenissen zich ook zo snel toen mijn leven begon?*

Nou, niet zó snel. Het heelal begon als singulariteit, een enkel punt dat geen ruimte in beslag nam en daarom geen chaos kende. Daarom kostte de eerste gebeurtenis, de schepping van het heelal, ook geen tijd. En daarna, toen het heelal erg klein was, voltrokken de gebeurtenissen zich nog steeds verschrikkelijk snel. Daar staat tegenover dat wij niet als één enkel punt beginnen, maar als een behoorlijk ingewikkelde cel. En hoewel die cel orde kent, kun je toch zeggen dat er vergeleken met een enkel punt in de ruimte sprake is van een groot aantal willekeurige activiteiten binnen die cel. Onze eerste belangrijke gebeurtenis als organisme, de eerste mitose van ons bevruchte eicelletje, wordt gemeten in uren, niet in biljoensten van seconden. Vanaf dat moment gaat alles langzamer.

*Maar ik heb juist het gevoel dat de tijd sneller gaat. De jaren gaan nu zo veel sneller voorbij dan toen ik een kind was. Heb je de zaak niet omgekeerd?*

Ja, kijk eens, de subjectieve ervaring is het tegenovergestelde van de objectieve realiteit.

*Maar natuurlijk! Waarom ben ik daar zelf niet op gekomen?*
Laat me het uitleggen. De objectieve realiteit is de realiteit van de waarnemer, een buitenstaander die het proces observeert. Als we de ontwikkeling van een individu observeren, dan voltrekken de opvallende gebeurtenissen zich in het begin verschrikkelijk snel. Maar de subjectieve waarneming is de ervaring van het proces zelf, als we tenminste aannemen dat het proces bewust verloopt. In jouw geval is dat zo. Althans, dat neem ik aan.

*Je wordt bedankt.*

Subjectief gezien wordt ons beeld van de tijd beïnvloed door de afstand tussen mijlpalen.

*Mijlpalen?*

Ja, het ontwikkelen van een lichaam en hersenen bijvoorbeeld.

*En de geboorte?*

Natuurlijk, dat is ook een mijlpaal. En daarna, leren rechtop zitten, lopen, praten...

*Ja, juist.*

We kunnen van iedere subjectieve tijdseenheid zeggen dat die gelijk is aan de afstand tussen twee mijlpalen. Omdat onze mijlpalen naarmate we ouder worden verder uit elkaar staan, staat een subjectieve eenheid bij een volwassene voor een langere periode dan bij een kind. Daarom lijkt het alsof de tijd sneller gaat naarmate we ouder worden. Anders gezegd: een tijdsinterval van een paar jaar voor een volwassene kan worden vergeleken met een interval van een paar maanden voor een jong kind. En dus vertegenwoordigen voor een volwassene een lang interval en voor een kind een kort interval dezelfde subjectieve tijd afgemeten naar het voorkomen van opvallende gebeurtenissen. Natuurlijk vertegenwoordigen lange en korte intervallen ook vergelijkbare delen van hun respectievelijke voorbije levens.

*Verklaart dat dan waarom de tijd sneller voorbijgaat als ik het naar mijn zin heb?*

Nou, voor één verschijnsel lijkt het wel degelijk op te gaan. Als iemand iets meemaakt waarin van alles gebeurt, dan kan het zijn dat een dergelijke ervaring veel langer lijkt te duren dan een rustigere periode. Maar nogmaals, we meten subjectieve tijd in termen van opvallende ervaringen.

*Als ik nu ervaar dat de tijd versnelt, terwijl hij objectief gezien vertraagt, heb ik dan gelijk als ik stel dat de evolutie subjectief gezien ervaart dat de tijd vertraagt, terwijl hij objectief gezien versnelt?*

Ja, althans als de evolutie een bewustzijn heeft.

*En, heeft ze dat?*

Dat kun je onmogelijk weten, maar de tijdsspiraal van de evolutie beweegt zich tegenovergesteld aan die van entiteiten die we over het algemeen als bewuste wezens beschouwen, mensen bijvoorbeeld. De evolutie begint met andere woorden langzaam, maar versnelt in de loop van de tijd, terwijl de ontwikkeling van een mens snel begint en vervolgens vertraagt. De tijdsspiraal van het heelal daarentegen beweegt zich in dezelfde richting als die van ons, organismen, zodat we met meer zekerheid kunnen zeggen dat het heelal bewust is. En nu ik daar toch aan denk, dat werpt wel enig licht op wat er vóór de oerknal gebeurde.

*Dat vroeg ik me nu ook net af.*

Als we terugkijken in de tijd en dichter bij de oerknal komen dan neemt de chaos af tot nul. Vanuit een subjectief perspectief rekt de tijd zich dus uit. En inderdaad, als we teruggaan in de tijd en de oerknal naderen dan benadert de subjectieve tijd de oneindigheid. Daaruit volgt dat het onmogelijk is om terug te gaan tot voorbij een subjectieve oneindigheid van de tijd.

*Een pak van mijn hart. Maar moet je horen: je zei dat de exponentiële vooruitgang van een evolutionair proces eeuwig doorgaat. Is er iets dat dat kan stoppen?*

Alleen een catastrofe die het hele proces om zeep helpt.

*Een volledige atoomoorlog bijvoorbeeld?*

Dat is een mogelijk scenario, maar in de volgende eeuw zullen we een overvloed aan allerlei 'foutprocedures' tegenkomen. Daarover zullen we het in latere hoofdstukken hebben.

*O, spannend! Maar nu iets anders. Wat heeft de wet van de versnellende opbrengsten te maken met de eenentwintigste eeuw?*

Exponentiële trends zijn even krachtig als bedrieglijk. Ze kunnen eeuwenlang treuzelen en weinig effect sorteren, maar als ze eenmaal de 'bocht in de knie' bereiken exploderen ze onverbiddelijk en knalhard. En die knie komt in het nieuwe millennium steeds dichterbij als het gaat om computertechnologie en haar invloed op de menselijke maatschappij. Maar ik wil jou eens iets vragen.

*Ga je gang.*

Wie ben jij eigenlijk?

*Gewoon, ik ben de lezer.*

Ach, ja, natuurlijk. Het is mooi dat je een bijdrage aan het boek levert nu we er nog iets mee kunnen doen.

*Met veel plezier. Zeg, je hebt dat verhaal van die keizer nooit afgemaakt. Verliest hij zijn keizerrijk of verliest de uitvinder zijn hoofd?*

Ik heb twee eindes, ik weet het echt niet.

*Misschien komen ze tot een compromis en wil de uitvinder wel genoegen nemen met, laten we zeggen, slechts één provincie van China.*

Ja, dat zou een mooie afloop zijn. En misschien een nog betere gelijkenis voor de eenentwintigste eeuw.

Hoofdstuk twee

# De intelligentie van de evolutie

Nog een kritische vraag om de eenentwintigste eeuw te kunnen begrijpen: *Kan een rationeel wezen een ander rationeel wezen scheppen dat intelligenter is dan hijzelf?*

Laten we eerst het intelligente proces dat ons heeft geschapen, de evolutie, aan een nadere beschouwing onderwerpen.

De evolutie is een overkoepelende moederprogrammeur die enorm vruchtbaar is en miljoenen zeer verschillende en adembenemend vindingrijke soorten heeft geschapen. En dan spreken we alleen nog maar over de aarde. De programmatuur is van voor tot achter vastgelegd en als digitale gegevens verankerd in de chemische structuur van een vernuftige molecule die deoxyribonucleïnezuur of DNA wordt genoemd. In 1953 waren J.D. Watson en F.H.C. Crick de eersten die het DNA beschreven als een dubbele spiraal die bestaat uit een paar in elkaar gedraaide strengen polynucleotiden met twee stukjes informatie die op elke trede van een wenteltrap worden gecodeerd door de gekozen nucleotiden.[1] Dit 'read only'-moedergeheugen leidt de enorme organisatie van het leven.

De DNA-molecule die wordt ondersteund door een gedraaide ruggengraat van suikerfosfaat, bestaat uit enkele tientallen tot enkele miljoenen dwarsbalkjes die allemaal worden aangeduid met een van de vier nucleotideletters van paren basen (adenine-thymine, thymine-adenine, cytosine-guanine, guanine-cytosine). Het menselijk DNA is een lange molecule – als hij zou worden uitgerold kan hij wel 1,80 meter lang zijn – maar is opgerold slechts een miniem spoeltje met een diameter van niet meer dan een duizendste centimeter.

Het mechanisme om kopieën van de DNA-code 'af te pellen' bestaat uit andere gespecialiseerde machines: organische moleculen die enzymen worden genoemd en die elk paar basen splitsen om ze vervolgens tot twee identieke DNA-moleculen te assembleren door de afgesplitste paren basen weer bij elkaar te passen. Vervolgens controleren weer andere chemische machientjes de juistheid van de kopie door te checken of de paren basen volledig zijn. De foutmarge bij de handelingen van deze chemische informatieverwerking bedraagt ongeveer één fout op een miljard kopieën van paren basen. En omdat er in de gegevens zelf nog andere overtolligheids- en foutcorrectiecodes zijn ingebouwd komen er zelden belangrijke fouten voor. Toch slippen er nog wel fouten doorheen, die meestal in niet meer dan één cel afwijkingen veroorzaken. Fouten die al vroeg in een cel van een foetus voorkomen kunnen in het organisme van de pasgeborene geboorteafwijkingen veroorzaken. Heel af en toe zorgen de afwijkingen juist voor een voordeel, en kan de nieuwe codering de voorkeur krijgen omdat er voor het organisme en zijn afstammelingen een verhoogde kans op overleven bestaat.

De DNA-code regelt de belangrijke details van de bouw van elke cel in het organisme zoals de vormen en processen van de cel, en van de organen die uit de cellen zijn opgebouwd. In een proces dat we 'vertalen' noemen zetten andere enzymen de DNA-gecodeerde informatie om door proteïnen te bouwen. Die proteïnen bepalen op hun beurt de structuur, het gedrag en de intelligentie van elke cel en van het organisme.[2]

Deze rekenmachine is tegelijkertijd bijzonder ingewikkeld en verbazingwekkend eenvoudig. Niet meer dan vier paren basen zorgen voor de gegevensopslag van de miljoenen ingewikkelde levensvormen op aarde, van primitieve bacteriën tot de mens. Ribosomen – kleine moleculen die de taak van een bandrecorder vervullen – lezen de code en bouwen proteïnen uit niet meer dan twintig aminozuren. Het gelijktijdig samentrekken van onze spiercellen, de ingewikkelde biochemische wisselwerkingen in ons bloed, de structuur en het functioneren van onze hersenen, en al die ontelbare andere functies van de schepselen der aarde worden volgens deze efficiënte code geprogrammeerd.

De toepassing van het verwerken van genetische informatie vormt een bestaansbewijs van de nanotechniek (het atoom voor atoom opbouwen van machines) omdat het mechanisme van het leven ontegenzeggelijk op het niveau van atomen plaatsvindt. Kleine molecuulfragmenten die uit niet meer dan enkele tientallen atomen bestaan, coderen elk stukje en voeren de transcriptie, de foutopsporing en de correctiefuncties uit. Door het bouwen van aminozuurketens wordt het feitelijke bouwen van het organische materiaal atoom voor atoom uitgevoerd.

Zoveel begrijpen we inmiddels van de *hardware* van de motor die het leven op aarde aandrijft. Maar het ontrafelen van de *software* staat nog in de kinderschoenen. Want hoewel de evolutie vruchtbaar bleek, was ze een slordige programmeur. Ze gaf ons wel de objectcode (gecodeerde data die uit miljarden bits bestaan), maar er is geen broncode van een hogere orde (beweringen in een taal die wij kunnen begrijpen), er zijn geen verhelderende opmerkingen, en er is ook geen 'help'-file, documentatie of gebruikershandleiding. In het Human Genome Project leggen we op dit moment de code van zes miljard bits vast die de genetische code van de mens is, naast de codes van duizenden andere soorten.[3] Maar het nabouwen van het genoom (*reverse engineering*) – begrijpen hoe het werkt – is een langzaam en bewerkelijk proces waarmee we nog maar net zijn begonnen. Gaandeweg dat proces leren we echter over de informatieverwerkende fundamenten van ziekten, het volwassen en het oud worden, en krijgen we de beschikking over de middelen om die onvoltooide schepping van de evolutie te verbeteren en te verfijnen.

Naast het feit dat de evolutie slecht documenteert, programmeert ze ook nog eens erg inefficiënt. Het grootste deel van de code – 97 procent volgens de huidige schattingen – rekent niet; oftewel, de meeste onderdelen produceren geen proteïnen en lijken daarom nutteloos. Dat houdt in dat het actieve deel van de code niet meer dan zo'n 23 megabyte bedraagt, minder dan de code voor Microsoft Word. De code zit bovendien vol met overbodige rimram. Een kennelijk zinloos onderdeel met de naam Alus bestaat bijvoorbeeld uit 300 nucleotide letters, komt in het menselijke genoom 300.000 keer voor en vertegenwoordigt meer dan drie procent van ons genetische programma.

Volgens de evolutietheorie worden veranderingen in programma's in wezen zonder systematiek ingevoerd. Van de veranderingen wordt steeds bekeken of ze behouden kunnen worden aan de hand van het feit of het hele organisme kan overleven en of ze het vermogen bezitten om zich voort te planten. Toch beheerst het genetische programma niet alleen dat ene kenmerk waarmee 'geëxperimenteerd' wordt, maar ook miljoenen andere kenmerken. Natuurlijke selectie blijkt een grove techniek te zijn die zich op één of hooguit een paar karakteristieken tegelijkertijd kan concentreren. Aangezien de overgrote meerderheid van de veranderingen een verslechtering betekent, is het verbazingwekkend dat deze techniek feitelijk ook nog werkt.

Dit is tegengesteld aan de manier waarop de mens gewoonlijk computerprogramma's benadert, want in dat geval worden veranderingen doelbewust ontworpen, kunnen diverse veranderingen op hetzelfde tijdstip worden geïntroduceerd, en worden de veranderingen getest door de aandacht te richten op elke afzonderlijke verandering in plaats van op het overleven van het programma als geheel. Als we zouden proberen onze computerprogramma's te verbeteren op de manier waarop de evolutie zijn ontwerp kennelijk verbetert, dan zouden onze programma's bezwijken onder een steeds grotere willekeur.

Het is opmerkelijk dat ingewikkelde structuren als het menselijk oog hebben kunnen ontstaan als maar één verfijning tegelijkertijd kon worden doorgevoerd. Volgens sommige waarnemers kan een dergelijk ingewikkeld ontwerp onmogelijk zijn verwezenlijkt door de incrementele verfijningsmethode die de evolutie gebruikt. Een ingewikkeld ontwerp als het oog of het hart kan volgens hen alleen maar in één keer zijn ontworpen.

Het feit echter dat in ontwerpen als het oog veel aspecten met elkaar reageren, sluit niet uit dat ze zijn geschapen middels een ontwerproute die kleine verfijningen per keer heeft aangebracht. De menselijke foetus blijkt in de baarmoeder een evolutieproces te doorlopen, hoewel er geen overeenstemming over heerst of dit een resultaat is van de evolutiefasen die tot onze soort hebben geleid. Desalniettemin leren studenten dat de ontogenese (de ontwikkeling van de foetus) de fylogenese (de evolutie van een genetisch verwante groep organismen, zoals een fylum) in het kort herhaalt. We blijken in de baarmoeder eerst te lijken op een embryo van een vis, vervolgens op een amfibie, dan op een zoogdier, en zo verder. Ongeacht die controverse over de fylogenese vinden we in de geschiedenis van de evolutie de tussenliggende ontwerpschetsen terug die de evolutie doorliep bij het ontwerpen van ogenschijnlijk 'complete' mechanismen als het menselijk oog. Hoewel de evolutie zich op niet meer dan één probleem per keer concentreert, lukt het haar toch te komen tot opmerkelijke ontwerpen met complexe onderlinge structuren.

Maar er zit een keerzijde aan deze incrementele manier van ontwerpen van de evolutie: ze is niet in staat eenvoudig complete herontwerpen te maken. Zo zit ze bijvoorbeeld opgescheept met de uiterst trage rekensnelheid van het neuron van de zoogdieren. Zoals we in hoofdstuk zes 'Nieuwe hersenen bouwen...' echer zullen zien kan dit omzeild worden.

## De evolutie van de evolutie

De evolutie heeft ook haar eigen manieren ontwikkeld om te evolueren. De op DNA gebaseerde code is daar een duidelijk voorbeeld van. Binnen de code hebben zich eigen manieren ontwikkeld. Bepaalde elementen van de ontwerpen, zoals de vorm van het oog, zijn zo gecodeerd dat mutaties weinig waarschijnlijk zijn. De foutdetectie en de correctiemechanismen die zijn ingebouwd in de op DNA gebaseerde code zorgen ervoor dat veranderingen in die gebieden uiterst onwaarschijnlijk zijn. Dat voor bepaalde belangrijke kenmerken de ontwerpintegriteit gehandhaafd bleef, kwam omdat het een voordeel opleverde – veranderingen van deze kenmerken zouden in de meeste gevallen catastrofaal zijn. Bij andere elementen van het ontwerp, zoals het aantal en de indeling van lichtgevoelige staafjes en kegeltjes in het netvlies, is een stringent vasthouden aan het ontwerp minder van belang. Als we het verloop van de evolutie onder de loep nemen dan zien we dat de indeling van het netvlies recenter is veranderd dan de vorm van de oogbal. De strategieën van de evolutie hebben zich dus op een bepaalde manier ontwikkeld. De wet van de versnellende opbrengsten stelt dat dat zo moet zijn omdat het ontwikkelen van eigen strategieën de voornaamste manier is waarop een evolutieproces op zichzelf kan voortbouwen.

Als we de evolutie nabootsen vinden we er een bevestiging van dat ingewikkelde ontwerpen, waarin een groot aantal elementen met elkaar in wisselwerking staan, 'stap voor stap' worden gebouwd. Een voorbeeld van een softwaresimulatie van de evolutie van levensvormen is Network Tierra dat werd ontworpen door de bioloog Thomas Ray, die zich heeft gespecialiseerd in het regenwoud.[4] De 'schepsels' van Ray zijn softwaresimulaties van organismen waarin elke 'cel' zijn eigen, op DNA lijkende genetische code heeft. De organismen wedijveren met elkaar om de beperkte gesimuleerde ruimte en energiebronnen van hun gesimuleerde milieu.

Wat deze kunstmatige wereld zo uniek maakt, is dat de schepsels vrijelijk gebruik kunnen maken van 150 computers op het Internet, 'als eilanden in een archipel' zoals Ray zegt. Met dit onderzoek probeert Ray te begrijpen hoe het mogelijk was dat er tijdens het Cambrium, zo'n 570 miljoen jaar geleden, zoveel verschillende lichaamsontwerpen op aarde opdoken. 'Het is ongelofelijk spannend om te zien hoe de evolutie zich ontvouwt,' riep Ray toen hij zag hoe zijn schepsels zich ontwikkelden van ongespecialiseerde eencellige organismen tot meercellige organismen met een bescheiden toename in diversiteit. Naar verluidt heeft Ray de equivalenten van parasieten, immuniteiten en een primitieve sociale interactie vastgesteld. Keerzijde van de medaille is echter dat de gesimuleerde wereld van Ray wel erg plat is. Wil men dergelijk onderzoek namelijk naar behoren uitvoeren, dan dient dat te gebeuren in een omgeving die genoeg chaos kent zodat de evolutie voor haar voortgang daaruit kan putten. En die chaos is in de echte wereld ruimschoots voorhanden.

Een praktische toepassing van de evolutie vinden we bij de evolutiealgoritmen. Daar wedijveren miljoenen zelflerende computerprogramma's in een gesimuleerd evolutieproces met elkaar, en gebruiken ze de inherente intelligentie van de evolutie om problemen van de echte wereld op te lossen. Aangezien de intelligentie van de evolutie gering is, concentreren en versterken we haar op dezelfde manier als een lens de spaarzame straaltjes van de zon samenbindt. We zullen het in hoofdstuk vier 'Een nieuwe vorm van intelligentie op aarde' nader over deze krachtige invulling van het ontwerp en van programma's hebben.

## Het IQ van de evolutie

Laten we de evolutie eerst loven. Ze heeft een overvloed aan ontwerpen van onbeschrijfelijke schoonheid, complexiteit en elegantie, om maar te zwijgen van doeltreffendheid, voortgebracht. Sommige theorieën over de esthetiek definiëren schoonheid zelfs als de mate waarin de natuurlijke schoonheid die de evolutie heeft voortgebracht succesvol wordt geëvenaard. Ze heeft de mens met zijn intelligente menselijke verstand voortgebracht, een wezen dat slim genoeg is om zijn eigen intelligente technologie te scheppen.

De evolutie lijkt vreselijk intelligent te zijn. Of toch niet? Ze kent in ieder geval één tekortkoming – ze is *verschrikkelijk* langzaam. Hoewel niet valt te ontkennen dat ze een aantal opmerkelijke ontwerpen heeft voortgebracht, moeten we ook vaststellen dat ze daar verschrikkelijk lang over heeft gedaan. Het duurde een eeuwigheid om het proces op gang te brengen, en met betrekking tot de evolutie van levensvormen stond die eeuwigheid voor miljarden jaren. Onze menselijke voorouders hadden er ook een eeuwigheid voor nodig voor ze hun eerste schreden op het gebied van de technologie zetten. Voor ons is een eeuwigheid niet meer dan enkele tienduizenden jaren, onmiskenbaar een verbetering.

Is de hoeveelheid tijd die nodig is om een probleem op te lossen of om een intelligent ontwerp te scheppen relevant om intelligentie te kunnen beoordelen? De makers van IQ-tests bij de mens denken kennelijk van wel, en dat is ook de reden waarom bij de meeste IQ-tests gemeten wordt hoeveel tijd de proefpersoon nodig had. Wij vinden het beter om een probleem in een paar seconden dan in een paar uur of een paar jaar op te lossen. Het verschil van mening over het tijdsaspect van IQ-tests duikt regelmatig op, maar daar is feitelijk geen reden voor. Snelheid is een steekhoudend aspect bij de beoordeling van een intelligent proces. Als in mijn linkerooghoek plotseling op de tak van een boom een groot ineengedoken katachtig beest opduikt, dan is het een stuk handiger als ik in een paar seconden een ontwijkstrategie weet op te stellen dan dat ik een paar uur over die uitdaging ga zitten peinzen. Als je chef je vraagt om een marketingplan op te stellen, dan mag je ervan uitgaan dat ze daar niet een jaar of wat op wil zitten te wachten. Mijn Amerikaanse uitgever wilde dat ik dit boek afleverde voor het einde van het tweede millennium, niet het derde.[5]

De evolutie mag dan een opmerkelijke reputatie hebben als het gaat over

## Het einde van het heelal

Wat zegt de wet van chaos en tijd ons over het einde van het heelal?
Volgens een theorie zal het heelal eeuwig uitdijen. Maar de kracht van de zwaartekracht van het heelal kan, als er genoeg materie is, het uitdijen ook stoppen waarna het heelal zal eindigen in een 'eindkrak'. Tenzij er natuurlijk een antizwaartekracht bestaat. Of als de 'kosmologische constante', Einsteins 'onzinfactor', groot genoeg is. De laatste paar maanden heb ik deze passage drie keer moet herschrijven omdat de natuurkundigen niet tot een besluit kunnen komen. De meest recente speculatie gaat uit van een oneindig uitdijen.
Zelf geef ik er de voorkeur aan dat het heelal weer inkrimpt omdat een dergelijk einde esthetisch meer verantwoord is. Het zou betekenen dat het heelal zijn uitdijen zou omkeren en de singulariteit weer zou bereiken. Vervolgens zou het dan weer kunnen uitdijen en inkrimpen en zo in een eindeloze cyclus terechtkomen. De meeste dingen in het heelal lijken cyclisch te verlopen, dus waarom het heelal zelf ook niet? In dat geval zou het heelal kunnen worden gezien als een klein golfdeeltje in een of ander ander heel groot heelal, en dat grotere heelal zou zelf een trillend deeltje zijn in weer een ander, nog groter heelal. En omgekeerd zouden golfdeeltjes in ons heelal kunnen worden gezien als kleine heelallen waarvan elke trilling die in ons heelal een fractie van een biljoenste seconde duurt voor miljarden jaren van uitdijen en inkrimpen in dat kleine heelal staat. En ieder deeltje in zo'n klein heelal zou dan weer... Ja, ik weet het, ik laat mezelf te veel gaan.

### Hoe gooi je een kopje weer heel?

Laten we aannemen dat het heelal zijn proces van uitdijen omkeert. De fase van het samentrekken heeft dan de omgekeerde kenmerken van de fase van uitdijen waarin wij ons nu bevinden. Het is duidelijk dat de chaos in het heelal zal afnemen naarmate het heelal kleiner wordt. Ik begrijp dat dat zo is als ik naar het eindpunt kijk, want dat is weer een singulariteit zonder afmetingen en dus zonder wanorde.
In onze ogen beweegt de tijd zich in één richting omdat processen in de tijd over het algemeen onomkeerbaar zijn. Als we een kopje stukgooien dan is het moeilijk om het vervolgens weer heel te gooien. De reden daarvoor is gelegen in de tweede hoofdwet van de thermodynamica. Als we een kopje stukgooien dan verhoogt dat de willekeur. Als we een kopje heelgooien dan zou dat tegen de tweede hoofdwet van de thermodynamica indruisen. Toch neemt de chaos in de inkrimpende fase van het heelal af en moeten we de richting van de tijd dus als omgekeerd gaan beschouwen.
Alle processen zijn dan in de tijd omgekeerd en evolutie is veranderd in involutie.

In de tweede helft van de tijdspanne van het heelal beweegt de tijd achteruit. Mocht je dus ooit je lievelingskopje aan diggelen willen gooien, doe dit dan als we dicht bij het midden van de tijdspanne van het heelal zijn. Je komt je kopje dan weer heel tegen als we zijn omgekeerd en ons in de samentrekkende fase van het heelal bevinden.

Als we er dus van uitgaan dat de tijd in deze fase van het samentrekken achteruit loopt, dan is datgene waar wij (die in de periode leven dat het heelal uitdijt) naar uitkijken als de eindkrak in feite de oerknal voor diegenen e (in de omgekeerde tijd) in de samentrekkende fase leven. Beeld je dan eens situatie in van die omgekeerde-tijdschepselen, die leven in wat wij beschouwe als de samentrekkende fase van het heelal. Vanuit hun standpunt is dat wat als de tweede fase zien de eerste fase, en gaat de tijd achteruit. Als de theorie het heelal uiteindelijk samentrekt dus juist is, dan kunnen we met recht stell dat het heelal in de tijd begrensd wordt door twee oerknallen, waarbij de gebrtenissen zich vanuit de beide oerknallen in tegengestelde richting ontwikkelen elkaar in het midden tegenkomen. In beide fasen kan men stellen dat men de eerste fase van de geschiedenis van het heelal leeft omdat beide fasen de ee lijken te zijn voor diegenen die erin leven. En in beide helften van de tijdspar van het heelal gelden de wet van de entropie, de wet van chaos en tijd en det van de versnellende opbrengsten, alleen beweegt de tijd zich in tegengest richtingen.[6]

## Het einde van de tijd

En wat als het heelal nu eens eindeloos uitdijt? Dat zou betekenat de sterren en melkwegstelsels uiteindelijk hun energie zullen opgebruiken, na er slechts een eeuwig uitdijend heelal met dode sterren rest. Dat laat dan hoop troep achter – veel willekeur – en geen zinnige orde, zodat er volgens vet van chaos en tijd langzaam een eind aan de tijd komt. Als we daarop voorduren en een dood heelal betekent dat er geen bewuste wezens zullen om het naar waarde te schatten, dan lijken zowel de kwantummechanische subjectieve standpunten van het Oosten[7] te impliceren dat het heelal opho bestaan. Volgens mij is geen van deze beide conclusies helemaal juist. At einde van dit boek zal ik u mijn standpunt meedelen van wat er op het ei het heelal gebeurt. Maar niet vast naar de laatste bladzijde gaan.

ontwerpen, toch heeft ze er ook opmerkelijk lang over g Als we haar prestaties afzetten tegen haar slepende tempo dan denkt we tot de conclusie moeten komen dat haar IQ maar een oneindig fractie groter dan nul is. Een IQ dat maar een fractie groter is dan nurbij we volkomen willekeurig gedrag als nul definiëren) is voor de evolutie genoeg om de entropie te verslaan en prachtige ontwerpen te scheppen, op voorwaarde dat er genoeg tijd is. Op dezelfde manier was een bijzonder kleine asymmetrie in het evenwicht tussen materie en antimaterie voldoende voor de materie om haar tegenhanger vrijwel volledig voorbij te streven.

Evolutie is dus maar een kwantum slimmer dan volkomen onintelligent gedrag. Dat de door ons mensen ontworpen evolutiealgoritmen zo effectief zijn, komt an ook doordat wij de tijd met een factor miljoen of miljard versnellen 1 op die manier haar anders zo omslachtige kracht bundelen en concen eren. Daar staat dan weer tegenover dat mensen heel wat slimmer zijn d slechts één kwantum boven de volstrekte stompzinnigheid (natuurlijk ku je daar, afhankelijk van de laatste nieuwsberichten, anders over denken).

Kijk eens h wij *onze* scheppingen over een periode van maar een paar tienduizende aren hebben verfijnd. Uiteindelijk zullen onze machines de menselijke in ligentie evenaren en voorbijstreven, ongeacht hoe we deze moeilijk te va n term definiëren of meten. Ook al zit ik er met mijn tijdsbestekken w cht naast, dan nog zijn er weinig mensen die zich met deze zaak hebben ziggehouden die vinden dat computers de menselijke intelligentie n zullen evenaren en overtreffen. Daarom zullen mensen de evolutie ver terend verslaan en in niet meer dan een paar duizend jaar net zoveel eer bereiken als de evolutie in miljarden jaren. De menselijke intellig e, een product van de evolutie, is dus aanzienlijk intelligenter dan haa epper.

En op d de manier zal de intelligentie die wij scheppen de intelligentie van schepper overtreffen. Dat is nu nog niet het geval. Maar zoals verdero dit boek betoogd wordt, zal dat heel binnenkort gaan gebeuren – z gezien vanuit het perspectief van de evolutie als van de geschiedenis le mens –, nog tijdens het leven van de meeste lezers van dit boek. De van de versnellende opbrengsten voorspelt dat. En die wet voorspelt dat de mogelijkheden van door mensen vervaardigde machines ste eller zullen toenemen. De menselijke soort die intelligente technolog eert is ook een voorbeeld van een zich ontwikkelende evolutie die hzelf voortbouwt. De evolutie schiep de menselijke intelligentie. Te oordig ontwerpt die menselijke intelligentie met een veel grotere s l intelligente machines. En het volgende voorbeeld zal worden geges onze intelligente technologie het heft in handen neemt en een nóg gentere technologie schept dan zij zelf al is.

---

*Wat betreft dat gedoe met die tijd, wij zijn toch begonnen als één enkele cel, nietwaar?*

Klopt.

*En toen ontwikkelden we ons tot iets dat op een vis leek, vervolgens een amfibie, uiteindelijk een zoogdier, enzovoorts – je weet dat ontogenese …*

…de fylogenese recapituleert, ja.

*Dat lijkt precies op evolutie, nietwaar? In de baarmoeder doorlopen we de evolutie.*

Ja, volgens de theorie. Het woord fylogenese komt van *phylum*…

*Maar je hebt gezegd dat gedurende de evolutie de tijd versnelt. Maar in het leven van een organisme vertraagt de tijd.*

Een mooie strikvraag. Ik zal het uitleggen.

*Ik ben een en al oor.*

De wet van chaos en tijd stelt dat in een proces het gemiddelde tijdsinterval tussen twee opvallende gebeurtenissen evenredig is aan de hoeveelheid chaos in dat proces. We moeten er dus op letten dat we precies definiëren wat het proces vormt. Het is waar dat de evolutie begon met eencelligen. En wijzelf beginnen ook zo. Dat klinkt wel hetzelfde, maar dat is het gezien vanuit de wet van chaos en tijd niet. Wij beginnen als slechts *een* cel. Toen de evolutie op het punt van de eencelligen was aangeland, ging het niet om één cel maar om vele biljoenen cellen. En die cellen dwarrelden maar rond; dat betekent heel veel chaos en heel weinig orde. De voornaamste beweging van de evolutie was altijd in de richting van een grotere orde. In de ontwikkeling van een organisme is de voornaamste beweging in de richting van grotere chaos – het volgroeide organisme kent een veel grotere chaos dan de eencellige waaruit het ontstond. Het onttrekt die chaos uit zijn omgeving als zijn cellen zich vermenigvuldigen en uit zijn contacten met zijn omgeving. Duidelijk?

*Nou, zo'n beetje. Maar ondervraag me er niet over. Ik denk dat ik de grootste chaos in mijn leven heb gekend toen ik het huis uitging om te studeren. De dingen beginnen nu pas weer tot rust te komen.*

Ik heb nooit beweerd dat de wet van chaos en tijd alles verklaart.

*Okay, maar leg het volgende dan eens uit: Je zei dat de evolutie niet bijster slim was, of op zijn minst traag van begrip. Maar is het niet zo dat sommige virussen en bacteriën de evolutie gebruiken om ons te slim af te zijn?*

Evolutie werkt op diverse tijdschalen. Als we haar versnellen dan kan ze slimmer zijn dan wij. Dat is het idee achter software die een gesimuleerd evolutieproces toepast om gecompliceerde problemen op te lossen. De evolutie van ziekteverwekkers is nog een voorbeeld van het vermogen van de evolutie om haar verspreide krachten te vergroten en te concentreren. Uiteindelijk kan een virusgeneratie in minuten of uren ontstaan en vergelijk dat eens met de tientallen jaren voor het menselijk ras. Ik denk echter dat we uiteindelijk de evolutietactieken van onze ziekteverwekkers zullen overwinnen.

*Als we eens ophielden met dat buitensporige antibioticagebruik dan zou dat zeker helpen.*

Zeker, en dat brengt me op een ander probleem: is de menselijke soort intelligenter dan zijn afzonderlijke leden?

*Als soort zijn we zonder twijfel nogal zelfvernietigend.*

Dat is vaak waar. Desalniettemin is er een heftige dialoog gaande die de hele soort omvat. Bij andere soorten is het misschien mogelijk dat de individuen overleg plegen in een kleine groep of kolonie, maar daarbuiten is weinig tot geen informatie-uitwisseling, en weinig sprake van duidelijke verzamelde kennis. De menselijke basiskennis van wetenschap, technologie, kunst en geschiedenis komt bij andere soorten niet voor.

*En het gezang van walvissen?*

Hmm. Ik denk dat we gewoon niet weten waarover ze zingen.

*En die apen van jou waarmee je kunt praten op het Internet?*

Tja, op 27 april 1998 nam de gorilla Koko op America Online deel aan wat haar mentor Francine Patterson het eerste praatje tussen verschillende soorten noemde.[8] Maar de critici van Koko suggereren dat Patterson het brein achter Koko is.

*Toch konden mensen* on line *een praatje maken met Koko.*

Inderdaad. Maar Koko typt niet zo vlot, en dus interpreteerde Patterson de vragen met behulp van Amerikaanse gebarentaal. Koko keek daarnaar en vervolgens interpreteerde Patterson ze terug in getypte antwoorden. Ik denk dat ze Patterson ervan verdenken dat ze werkt zoals die lieden die het diplomatieke taalgebruik interpreteren – je vraagt je af of je communiceert met de hoogwaardigheidsbekleder, Koko in dit geval, of de tolk.

*Maar is het in het algemeen niet duidelijk dat apen communiceren? Je hebt zelf gezegd dat ze genetisch niet zo veel van ons verschillen.*

Er vindt duidelijk de een of andere manier van communicatie plaats. De vraag die de taalkundigen zich stellen is of die mensapen daadwerkelijk de symboliekniveaus van de menselijke taal aankunnen. Ik denk dat dr. Emily Savage-Rumbaugh van de Georgia State University – die leiding geeft aan een communicatielaboratorium met vijfenvijftig apen – onlangs een gerechtvaardige uitspraak heeft gedaan: 'Ze (haar critici) willen dat Kanzi (een van haar apen) alles doet wat mensen doen, en dat is misleidend. Dat zal hij nooit doen. Het is nog steeds niet duidelijk wat hij kan.'

*Nou, ik steun de apen.*

Het zou inderdaad prettig zijn als we iemand hadden om mee te praten als we de andere mensen moe waren.

*Waarom praat je dan niet gewoon wat met je computer?*

Maar ik praat al met mijn computer, en hij slaat gehoorzaam alles op wat ik tegen hem zeg. En ik kan Microsoft Word[9] bevelen geven in een natuurlijke taal, maar een echt geëngageerde causeur is hij nog niet. Vergeet niet dat computers nog steeds een miljoen keer eenvoudiger zijn dan de menselijke hersenen, dus het kost nog enige tientallen jaren voor ze troostend gezelschap kunnen vormen.

*Ik wil terugkomen op die kwestie van de intelligentie van het individu versus die van de groep. Worden de meeste prestaties in de kunst en de wetenschap niet verricht door individuen? Een gezelschap kan toch geen liedje schrijven of een schilderij maken?*

In feite wordt een groot deel van belangrijk wetenschappelijk en technologisch werk in grote groepen gedaan.

*Maar de doorbraken komen toch van individuen?*

Dat geldt inderdaad voor veel gevallen. Maar zelfs in die gevallen spelen de critici en de technologie-conservatieven, zelfs de intolerante, een belangrijke filterende rol. Niet elk idee dat nieuw en anders is, is de moeite van het nastreven waard. Het is goed als er enige obstakels uit de weg moeten worden geruimd.
In het algemeen is het menselijke ondernemen duidelijk in staat om iets te presteren dat ver uitstijgt boven wat we als individu kunnen bereiken.

*En hoe intelligent is een bende lynchers?*

Ik denk dat een groep niet altijd intelligenter is dan haar leden.

*Nou, dan hoop ik maar dat die machines van de eenentwintigste eeuw niet de psychologie vertonen van onze bendes.*

Een goed punt.

*Wat ik bedoel, ik wil niet terechtkomen in een achterstraatje met een bende onhandelbare machines.*

Daar moeten we aan denken als we onze machines van de toekomst ontwerpen. Ik zal er een aantekening van maken...

*Doe dat, en vooral voordat die machines zichzelf gaan ontwerpen, zoals jij voorspelt.*

Hoofdstuk drie

# Over de geest en machines

## Filosofische gedachte-experimenten

'Ik voel me eenzaam en ik verveel me; houd me alsjeblieft gezelschap.' Als je computer dat bericht op het scherm tovert, zou dat je ervan overtuigen dat je notebook bewustzijn en gevoelens kent?

Natuurlijk niet, het is nogal banaal als een programma een dergelijke boodschap zou weergeven. Die boodschap komt natuurlijk van de – vermoedelijk menselijke – schrijver van het programma waarin die boodschap voorkomt. De computer is slechts een kanaal voor de boodschap, net als een boek of een Chinees koekje waarin een voorspelling of spreuk is gebakken.

Laten we aannemen dat we spraaksynthese toevoegen aan de software en dat we de computer zijn droevige boodschap laten zeggen. Hebben we dan iets veranderd? Hoewel we het programma technisch gecompliceerder hebben gemaakt en hebben voorzien van wat menselijke communicatiemiddelen, zien we nog steeds de computer niet als de echte schrijver van de boodschap.

Laten we nu aannemen dat die boodschap niet expliciet is geprogrammeerd, maar wordt geuit door een programma dat spelletjes speelt en waarin zich een ingewikkeld model bevindt van zijn eigen situatie. Het kan best zijn dat die specifieke boodschap nooit is voorzien door de menselijke makers van het programma. De boodschap wordt gecreëerd door de toestand van zijn eigen inwendige model terwijl hij met jou, de gebruiker, in contact staat. Gaan we de computer al iets meer beschouwen als een bewust wezen met gevoelens?

Nou, een heel klein beetje misschien. Maar als we de spelletjessoftware van nu bekijken dan houdt die illusie niet lang stand als we gaandeweg de methoden en de beperkingen van de vaardigheid van de computer om te keuvelen bestuderen.

Maar laten we nu eens aannemen dat de mechanismen achter de boodschap langzamerhand ontstaan uit een enorm neuraal netwerk, gebouwd van silicium maar gebaseerd op het *reverse engeneeren* van het menselijk brein. Laten we aannemen dat we een leerprotocol ontwikkelen voor dat neurale netwerk dat het in staat stelt de menselijke taal en perfecte menselijke kennis te leren. Zijn circuits zijn een miljoen keer sneller dan de menselijke neuronen, dus hij heeft ruim de tijd om alle menselijke literatuur te lezen en zijn eigen ideeën over de realiteit te vormen. Zijn makers hebben hem niet verteld hoe hij op de wereld moet reageren. En stel je dan nog eens voor dat hij zegt: 'Ik voel me eenzaam...'

Op welk punt zien we de computer als een bewust handelend wezen met zijn eigen vrije wil? Dat zijn de meest ergerlijke problemen in de filosofie sinds de dialogen van Plato de inherente tegenstellingen in onze voorstelling van die begrippen heeft verklaard.

Laten we dat glibberige, hellende vlak eens van de andere kant bekijken. Ergens in de eenentwintigste eeuw klaagde onze vriend Jan over problemen met zijn gehoor. Een diagnostische test maakt duidelijk dat hij niet genoeg zal hebben aan een gewoon gehoorapparaat, en dus krijgt hij een implantaat in zijn slakkenhuis. In het begin werden deze implantaten alleen gebruikt bij mensen met ernstige gehoorstoornissen, nu worden ze algemeen toegepast om mensen over het hele geluidsspectrum beter te laten horen. Deze routineoperatie heeft succes, en Jan is blij dat hij beter hoort.

Is hij nog steeds dezelfde persoon?

Ja, natuurlijk wel. Rond 2000 hebben mensen implantaten in hun slakkenhuis. Voor ons zijn het nog steeds dezelfde mensen.

We gaan weer naar de eenentwintigste eeuw en zien dat Jan zo onder de indruk is van zijn implantaten in zijn slakkenhuis dat hij ervoor kiest de ingebouwde klankherkenningcircuits in te schakelen die zijn hele geluidswaarneming verbeteren. Deze circuits waren al ingebouwd, als hij dus zou besluiten om ze in te schakelen dan hoefde hij niet nog een keer te worden geopereerd. Als deze circuits die de zenuwen vervangen worden geactiveerd dan slaan de geluiddetectienetten die in het implantaat zijn ingebouwd zijn eigen verouderde regionen van geluidszenuwen over. Zijn bankrekening wordt gedebiteerd voor het gebruik van deze extra programmatuur. En alweer is Jan blij omdat hij beter begrijpt wat mensen zeggen.

Hebben we het nog over dezelfde Jan? Natuurlijk: daar hoeft niemand een seconde over te denken.

Jan is nu helemaal verknocht aan de voordelen van de opkomende zenuwimplantaattechnologie. Zijn netvliezen werken nog steeds prima, dus daar doet hij niets aan (hij heeft natuurlijk wel netvliesbeeldschermen permanent in zijn hoornvlies geïmplanteerd om *virtual reality* te kunnen bekijken), maar hij beslist dat hij de beeldverwerkende implantaten wil proberen die net op de markt zijn gebracht, en hij staat er versteld van dat zijn visuele waarneming nu zoveel levendiger en sneller is geworden.

Nog steeds Jan? Geen twijfel over mogelijk.

Het valt Jan op dat zijn geheugen niet meer is wat het was omdat hij zich vreselijk moet inspannen om zich namen, details uit het verleden en dat soort dingen te herinneren. Dus gaat hij maar terug om wat geheugen te laten implanteren. Dat is geweldig – herinneringen die in de loop van de tijd vaag waren geworden zijn nu zo duidelijk alsof ze net hebben plaatsgevonden. Hij heeft wel last van een paar minder aangename gevolgen omdat hij ook wordt geconfronteerd met onplezierige herinneringen die hij liever vaag had willen houden.

Nog steeds diezelfde Jan? Het is duidelijk dat hij op bepaalde gebieden is veranderd, en zijn vrienden zijn onder de indruk van zijn verbeterde vermogens. Maar hij heeft nog steeds diezelfde humor waarbij hij zichzelf naar beneden haalt, diezelfde stomme grijns – ja, hij is toch dezelfde kerel.

Maar waarom zouden we hier stoppen? Uiteindelijk kan Jan zijn complete hersenen en zenuwstelsel (dat zich ten dele ook buiten de schedel bevindt) laten scannen en het laten vervangen door elektronische circuits met een veel grotere capaciteit, snelheid en betrouwbaarheid. Bovendien heeft hij dan het voordeel dat hij er een *back-up* van kan bewaren voor het geval er iets met de fysieke Jan zou gebeuren.

Dit spookbeeld is zeker afschrikwekkend, misschien is het zelfs eerder beangstigend dan aantrekkelijk. En het zal zonder twijfel heel lang omstreden zijn (hoewel 'lang' volgens de wet van de versnellende opbrengsten niet zo 'lang' is als vroeger). Uiteindelijk zullen de overweldigende voordelen van het vervangen van die onbetrouwbare zenuwcircuits door betere te onweerstaanbaar zijn om ze te negeren.

Zijn we Jan ergens tijdens dit proces kwijtgeraakt? Zijn vrienden denken van niet. En Jan zelf beweert ook dat hij nog de oude is, maar dan nieuwer. Zijn gehoor- en gezichtsvermogen, zijn geheugen en zijn vermogen om te denken zijn allemaal beter geworden, maar hij blijft diezelfde Jan.

Maar laten we het proces eens nader bekijken. Als we nu eens aannemen dat Jan, in plaats van deze verandering stap voor stap uit te voeren zoals in het scenario hierboven, ze allemaal tegelijk uitvoert. Hij laat zijn hele brein scannen en laat de informatie van de scan concretiseren (installeren) in een elektronische neurale computer. Om een en ander niet stap voor stap te doen laat hij zijn lichaam ook maar gelijk verbeteren. Als je je lichaam in één keer verandert, maakt dat iets uit? Wat is het verschil tussen alle neurale circuits in één keer te laten veranderen in elektronisch/fotonische en hetzelfde stap voor stap te laten uitvoeren? Zelfs als hij de verandering in één snelle stap laat uitvoeren is de nieuwe Jan toch noch steeds diezelfde oude Jan, nietwaar?

Maar hoe zit het met het oude brein en het oude lichaam van Jan? Als we ervan uitgaan dat de scan niet-binnendringend is uitgevoerd, dan bestaan dat oude brein en dat oude lichaam nog. Dit is Jan! Of de gescande informatie vervolgens is gebruikt om een kopie van Jan te concretiseren doet niets af aan het feit dat de oude Jan nog steeds bestaat en dat hij amper is veranderd. Het is zelfs best mogelijk dat Jan zich niet bewust is van het feit dat er al dan niet een nieuwe Jan is gecreëerd. En wat dat betreft, kunnen we best meer dan één Jan maken.

Als de procedure impliceert dat we de oude Jan moeten vernietigen zodra we een aantal stappen hebben uitgevoerd die verzekeren dat de nieuwe Jan volledig functioneert, betekent dat dan niet de moord (of zelfmoord) van Jan?

Laten we aannemen dat de scan van Jan vernietigd is, dat het een 'destructieve' scan is. Daarbij kan worden opgemerkt dat technisch gezien een destructieve scan veel gemakkelijker is – in feite beschikken we nu over de technologie om bevroren zenuwsegmenten destructief te scannen, de interneurale bedrading te verifiëren en de parallelle digitaal-analoogalgoritmen van de zenuwen te *reverse engineeren*.[1] We hebben nog niet voldoende bandbreedte om dit snel genoeg te doen voor meer dan een erg klein deel van de hersenen. Maar diezelfde snelheidskwestie speelde ook voor een ander scanproject – de menselijke genoomscan – toen men met dat project begon. Met de snelheid waarmee onderzoekers in 1991 de menselijke genetische code konden scannen en in volgorde zetten zou het duizenden jaren duren voor het project af was. Toch werd er een tijdschema van veertien jaar gesteld, en het ziet er nu naar uit dat het project binnen die periode met succes kan worden afgesloten. De *deadline* van het Human Genome Project deed kennelijk (terecht) veronderstellen dat de snelheid van onze methoden om DNA-codes te ordenen in de loop van de tijd erg zou toenemen. Datzelfde fenomeen zal optreden bij het scannen van menselijke hersenen. Nu kunnen we het – erg langzaam – maar de snelheid zal net als bij bijna alle andere dingen die door de wet van de versnellende opbrengsten worden bepaald in de komende jaren exponentieel toenemen.

Laten we aannemen dat we op het moment dat we Jan destructief scanden tegelijkertijd die informatie in de nieuwe Jan installeerden. We kunnen dit proces zien als het 'overbrengen' van Jan naar zijn nieuwe brein en lichaam. Je zou dus kunnen zeggen dat Jan niet is vernietigd, maar slechts is overgebracht naar een passender belichaming. Maar staat dat niet gelijk aan het niet-destructief scannen van Jan en dan de oude Jan vernietigen? Als die serie stappen eigenlijk neerkomt op het doden van de oude Jan, dan moet het proces waarbij Jan in één enkele stap overgebracht wordt op hetzelfde neerkomen. We mogen dus stellen dat elk proces dat Jan overbrengt neerkomt op het feit dat de oude Jan zelfmoord pleegt, en dat de nieuwe Jan niet dezelfde persoon is.

Het concept van scannen en de informatie opnieuw installeren is ons bekend van de fictieve 'beam me up'-teleportatietechniek uit *Star Trek*. In deze serie geschiedt het scannen en het opnieuw samenvoegen vermoedelijk op de schaal van nanotechnologie, oftewel deeltje voor deeltje, in plaats van de saillante algoritmen van de neurale informatieverwerking opnieuw samen te voegen zoals we ons hierboven hebben voorgesteld. Maar het concept lijkt er sterk op. Daarom kun je stellen dat de personen uit *Star Trek* elke keer dat ze teleporteren zelfmoord plegen waarna nieuwe personen worden geschapen. Deze nieuwe personen zijn, hoewel wezenlijk identiek, helemaal opgebouwd uit andere deeltjes, tenzij we ons voorstellen dat de originele deeltjes naar de nieuwe bestemming worden gestraald. Het is waarschijnlijk gemakkelijker om alleen de informatie over te stralen en gebruik te maken van plaatselijk aanwezige deeltjes om nieuwe belichamingen te concretiseren. Zou het iets uitmaken? Is het bewustzijn een functie van de werkelijke deeltjes of juist hun patroon en hun organisatie?

We kunnen aanvoeren dat bewustzijn en identiteit helemaal geen functies zijn van de specifieke deeltjes omdat onze eigen deeltjes constant veranderen. Op het niveau van de cel vervangen we in een periode van een aantal jaren bijna al onze cellen (maar niet die van onze hersenen).[2] Op het niveau van de atomen verloopt dat vervangingsproces veel sneller, en het speelt zich ook af in onze hersenen. We vormen helemaal geen permanente verzameling van deeltjes. De patronen van materie en energie zijn semipermanent (oftewel, ze veranderen slechts geleidelijk), maar onze feitelijke materiële inhoud verandert voortdurend, en erg snel. We lijken wel op de patronen die water maakt in een stroom. Het kolkende water rond een rotsformatie veroorzaakt een bijzonder, uniek patroon. Dat patroon kan urenlang, zelfs jarenlang, betrekkelijk onveranderd blijven. Het werkelijke materiaal dat het patroon vormt – het water – wordt natuurlijk elke paar milliseconden vervangen. Dit suggereert dat we onze fundamentele identiteit niet moeten associëren met een specifiek aantal deeltjes, maar eerder met het materie- en energiepatroon dat we vertegenwoordigen. En dat doet vermoeden dat we de nieuwe Jan moeten zien als de oude Jan omdat hun patronen identiek zijn. (Je zou nog kunnen aanvoeren dat, hoewel de functionaliteit van de nieuwe Jan lijkt op die van de oude, de twee Jannen niet identiek zijn. Maar dat draait nu net om de essentiële vraag heen omdat we het scenario opnieuw kunnen opzetten met een nanotechnologie die Jan atoom voor atoom kopieert in plaats van alleen zijn saillante informatieverwerkende algoritmen te kopieren.)

Hedendaagse filosofen lijken het 'identiteit uit patroon'-idee aan te hangen. En als we in aanmerking nemen dat onze patronen in vergelijking met onze deeltjes slechts langzaam veranderen, dan heeft dat standpunt zeker zijn verdiensten. Maar de 'oude Jan' die op zijn beëindiging wacht nadat zijn 'patroon' is gescand en in een nieuw computermedium is geïnstalleerd, strookt echter niet met dat idee. De oude Jan zou zich plotseling wel eens kunnen gaan realiseren dat het idee 'identiteit uit patroon' zo zijn nadelen heeft.

## De geest als machine versus de geest beter dan de machine

*De wetenschap kan het essentiële mysterie van de natuur niet oplossen omdat we in de laatste analyse deel uitmaken van het mysterie dat we trachten op te lossen.*
Max Planck

*Is alles wat we zien of schijnen slechts een droom in een droom?*
Edgar Allan Poe

*En als alles een illusie is en er niets bestaat? In dat geval heb ik veel te veel betaald voor mijn vloerkleed.*
Woody Allen

### Het verschil tussen objectief en subjectief ervaren

Kunnen we iemand die nog nooit in het water is geweest de ervaring van in een meer duiken duidelijk maken? Of de extase van seks aan iemand die nooit erotische gevoelens heeft gekend (aannemende dat we zo iemand zouden kunnen vinden)? Kunnen we aan iemand die doof is geboren de emoties verklaren die door muziek worden opgeroepen? Een dove kan zeker veel over muziek leren: door te kijken naar mensen die meedeinen op het ritme, door over de geschiedenis en de rol van de muziek in de wereld te lezen. Dat is echter helemaal niet hetzelfde als een prelude van Chopin ervaren.

Als ik licht zie met een golflengte van 0,000075 centimeter dan zie ik rood. Verander die golflengte naar 0,000035 centimeter en ik zie paars. Dezelfde kleuren kunnen ook worden verkregen door gekleurde lichten te mengen. Als rood en groen op de juiste manier worden gecombineerd dan krijg ik geel te zien. Het mengen van pigmenten verschilt echter van het veranderen van de golflengte omdat pigmenten eerder kleuren onttrekken dan toevoegen. Kleurwaarneming door mensen is veel ingewikkelder dan alleen maar het waarnemen van elektromagnetische frequenties, en we begrijpen het proces nog steeds niet helemaal. Maar zelfs als we over een volkomen bevredigende theorie van ons geestelijke proces zouden beschikken dan zou dat nog steeds de subjectieve ervaring van 'roodheid' of 'geelheid' overbrengen. Volgens mij schiet de taal tekort om mijn ervaring van 'roodheid' uit te drukken. Misschien kan ik er een paar dichterlijke bespiegelingen bijhalen, maar tenzij je diezelfde ervaring hebt gehad, kan ik je onmogelijk deelgenoot maken van mijn ervaring.

Hoe weet ik dan dat jij hetzelfde ervaart als ik het over 'roodheid' heb? Misschien ervaar jij rood wel op de manier waarop ik blauw ervaar of omgekeerd. Hoe kunnen we onze aannamen toetsen dat we die eigenschappen op dezelfde manier ervaren? Zeker, we weten dat er verschillen bestaan. Omdat ik lijd aan wat misleidend 'rood-groen'-kleurenblindheid wordt genoemd zijn er tinten die in mijn ogen identiek zijn, maar die anderen als verschillend ervaren. Degenen onder ons die die handicap niet hebben, hebben kennelijk een andere ervaring dan ik. Wat anderen allemaal ervaren? Daar zal ik nooit achterkomen.

Reuzeninktvissen zijn wonderbaarlijk vriendelijke dieren, ze hebben ogen die qua structuur vergelijkbaar zijn met die van de mens (dat is verbazingwekkend, want hun fylogenese is heel anders) en ze beschikken over een ingewikkeld zenuwstelsel. Een paar fortuinlijke wetenschappers hebben relaties ontwikkeld met deze slimme koppotigen. Hoe zou het zijn om een reuzeninktvis te zijn? Als we hem zien reageren op gevaar, en als we hem gedrag zien vertonen dat ons doet denken aan een menselijke emotie dan zien we daarin een ervaring waarmee we bekend zijn. Maar hoe zit het met hun ervaringen waar geen menselijke pendant voor bestaat?

Ervaren ze eigenlijk wel iets? Zijn ze niet als 'machines' – en reageren ze geprogrammeerd op prikkels uit hun omgeving? Sommige mensen denken dat dat het geval is – alleen mensen zijn bewust; dieren reageren slechts op de wereld met hun 'instinct', oftewel: als een machine. Voor vele anderen, waaronder deze schrijver, lijkt het duidelijk dat op zijn minst de hoger ontwikkelde dieren bewuste schepsels zijn, en we baseren dat op onbetwistbare waarnemingen van dieren die emoties uitdrukken die we herkennen als emoties die een menselijk equivalent hebben. Er is bepaald geen sprake van een unanieme mening over dierlijk bewustzijn. Sterker nog, juist die kwestie van het bewustzijn ligt ten grondslag aan het probleem van dierenrechten. Geschillen over dierenrechten of bepaalde dieren al dan niet lijden in bepaalde situaties komen voort uit ons algemeen onvermogen de subjectieve ervaring van een ander wezen te ervaren of te meten.[3]

De geheel niet ongebruikelijke kijk op dieren als 'slechts machines' is kleinerend voor zowel dieren als machines. Op dit moment zijn machines nog een miljoen keer eenvoudiger dan de menselijke hersenen. Nu kun je hun complexiteit en subtiliteit nog vergelijken met die van insecten. Er wordt betrekkelijk weinig gespeculeerd over de subjectieve ervaringen van insecten, maar alweer, er bestaat geen overtuigende manier om dat te meten. De ongelijkheid in de capaciteiten van machines en hoger ontwikkelde dieren, zoals de ondersoort *Homo sapiens sapiens*, zal echter van korte duur zijn. Het niet aflatende voordeel van de machine-intelligentie, waar we in een aantal van de volgende hoofdstukken nader op ingaan, zal machines binnen enkele tientallen jaren op menselijk niveau van gecompliceerdheid en verfijning brengen, en hoger. Zullen die machines bewust zijn?

En hoe zit het met de vrije wil – zullen machines die net zo gecompliceerd zijn als de mens hun eigen beslissingen nemen, of zullen ze slechts een programma, zij het een erg ingewikkeld programma, volgen? Moet hier een onderscheid worden gemaakt?

De kwestie van het bewustzijn ligt ook op de loer bij andere knellende kwesties. Bijvoorbeeld het abortusvraagstuk. Is een bevruchte eicel een bewust menselijk wezen? En een foetus één dag voor de geboorte? Je kunt moeilijk zeggen dat een bevruchte eicel bewust is of dat een voldragen foetus niet bewust is. Pro- en antiabortusbewegingen zijn bang voor het gladde hellende vlak tussen die twee definieerbare uitersten. En dat hellende vlak is écht glad – een menselijke foetus ontwikkelt zijn hersenen snel, maar ze zijn niet onmiddellijk herkenbaar als menselijke hersenen. De hersenen van een foetus worden geleidelijk aan steeds menselijker. De helling kent geen richels waarop je kunt staan. Toegegeven, andere moeilijk te definiëren kwesties zoals de menselijke waardigheid staan ter discussie, maar in de grond gaat de strijd om het bewustzijn. Met andere woorden, wanneer hebben we te maken met een bewust wezen?

Een aantal ernstige vormen van epilepsie wordt met succes behandeld door het operatief verwijderen van de beschadigde hersenhelft. Deze drastische ingreep moet worden uitgevoerd in de kinderjaren, vóór de hersenen volledig zijn volgroeid. Elk van beide hersenhelften kan worden verwijderd, en als de operatie slaagt dan groeit het kind redelijk normaal op. Betekent dat dat beide hersenhelften hun eigen bewustzijn hebben? Misschien bestaan we in elk ongeschonden brein wel uit twee personen die hopelijk goed met elkaar kunnen opschieten. Misschien zit er wel een hele reeks 'bewustzijnen' verborgen in onze hersenen, elk met een iets ander standpunt. Bestaat er een bewustzijn dat zich bewust is van mentale processen die we als onbewust beschouwen?

Zo zou ik nog wel een tijdje kunnen doorgaan met dergelijke raadselachtige kwesties. En mensen hebben over deze problemen lang nagedacht. Plato werd bijvoorbeeld door deze problemen in beslag genomen. In *Phaedo, De republiek* en *Theaetetus* brengt Plato de diepgaande paradox onder woorden die inherent is aan de idee van een bewustzijn en het kennelijk vermogen van de mens om vrij te kiezen. Aan de ene kant nemen mensen deel aan de natuurlijke wereld en zijn ze onderworpen aan haar wetten. Onze hersenen zijn natuurlijke fenomenen en ze moeten de 'oorzaak-en-gevolg'-wetten die manifest zijn in machines en andere levenloze scheppingen van onze soort volgen. Plato was vertrouwd met de potentiële complexiteit van machines en hun vermogen om ingewikkelde logische processen te emuleren. Aan de andere kant moeten volgens Plato 'oorzaak-en-gevolg'-mechanismen, hoe ingewikkeld ook, niet leiden tot zelfbewustzijn of bewustzijn. Plato probeert dit conflict eerst op te lossen in zijn theorie over de vormen: het bewustzijn is geen eigenschap van het denkmechanisme, maar eerder de uiterste realiteit van het menselijk bestaan. Ons bewustzijn, of 'ziel', is onveranderlijk en constant. Onze geestelijke interactie met de fysieke wereld ligt dus op het niveau van de 'mechanica' van ons ingewikkelde denkproces. De ziel houdt zich afzijdig.

Maar Plato realiseert zich dat dit niet echt werkt. Als de ziel niet verandert dan kan ze de rede niet leren of eraan deelnemen, omdat ze daartoe moet veranderen om de ervaring te absorberen en erop te reageren. Uiteindelijk is Plato niet tevreden met beide posities van het bewustzijn: de rationele processen van de natuurlijke wereld of het mystieke niveau van de ideale vorm van het zelf of de ziel.[4]

De idee van de vrije wil weerspiegelt een zelfs nog grotere paradox. Vrije wil is doelgericht gedrag en besluitvorming. Plato geloofde in een 'corpusculaire fysica' die was gebaseerd op de vaste en gedetermineerde regels van oorzaak en gevolg. Maar als de besluitvorming van de mens is gebaseerd op dergelijke voorspelbare interacties van basisdeeltjes dan moeten onze beslissingen ook vooraf zijn bepaald. En dat zou haaks staan op de menselijke vrijheid om te kiezen. Willekeur toevoegen aan de natuurwetten is wel een mogelijkheid, maar lost het probleem niet op. Willekeur zou de voorbestemming van beslissingen en daden wel wegnemen, maar spreekt de doelgerichtheid van de vrije wil tegen omdat er in willekeur geen doelgerichtheid steekt.

Goed, laten we dan de vrije wil bij de ziel leggen. Maar ook dat werkt niet. De vrije wil scheiden van de rationele oorzaak-en-gevolg-mechanica van de natuurlijke wereld vereist ook dat de ziel wordt voorzien van rede en leren, anders zou de ziel geen middelen hebben om zinvolle beslissingen te nemen. Op die manier wordt de ziel zelf een ingewikkelde machine, en dat is in tegenspraak met haar mystieke eenvoud.

Misschien schreef Plato om die reden dialogen. Op die manier was hij in staat beide kanten van die aan elkaar tegengestelde standpunten hartstochtelijk uit te drukken. Ik sta welwillend ten opzichte van Plato's dilemma: geen van deze overduidelijke standpunten is echt afdoende. Een diepere waarheid kan alleen worden waargenomen door de tegengestelde kanten van een paradox te belichten.

Plato was allesbehalve de laatste filosoof die over deze vragen peinsde. We kunnen diverse filosofische scholen die over dit onderwerp hebben gedacht de revue laten passeren, maar het resultaat is steeds onbevredigend.

## De 'het bewustzijn is slechts een machine die over zichzelf nadenkt'-school

Een gangbare benadering is gewoon ontkennen dat het probleem bestaat: bewustzijn en vrije wil zijn slechts illusies die worden veroorzaakt door de dubbelzinnigheid van de taal. En met een kleine variatie daarop: het bewustzijn is niet zozeer een illusie maar slechts weer een ander logisch proces. Het is een proces dat zichzelf beantwoordt en op zichzelf reageert. Dat kunnen we in een machine inbouwen: je hoeft alleen maar een procedure te maken die een model van zichzelf heeft en die haar eigen methoden onderzoekt en erop reageert. Laat het proces over zichzelf nadenken. En kijk, dan heb je bewustzijn. Het is een reeks vaardigheden die tot ontwikkeling zijn gekomen omdat zelfweerspiegelende manieren om na te denken van zichzelf krachtiger zijn.

Het probleem om tegen de 'het bewustzijn is slechts een machine die over zichzelf nadenkt'-school in te gaan is dat dit standpunt consequent is. Dit standpunt negeert echter het subjectieve standpunt. Het kan het verslag van een subjectieve ervaring van iemand behandelen, en het kan verslagen van subjectieve ervaringen niet alleen relateren aan uiterlijk gedrag, maar ook aan patronen van zenuwprikkels. En als ik erover nadenk dan verschilt mijn kennis van de *subjectieve* ervaring van wie dan ook buiten mijzelf (voor mij) niet van de rest van mijn *objectieve* kennis. Ik ervaar de subjectieve ervaringen van anderen niet; ik krijg ze alleen maar te horen. Dus de enige subjectieve ervaring die deze filosofische school negeert is die van mijzelf (en uiteindelijk is dat ook de betekenis van *subjectieve ervaring*). En, niet te vergeten, ik ben slechts één persoon te midden van miljarden mensen, biljoenen potentieel bewuste organismen, die allemaal, met slechts één uitzondering, niet 'mij' zijn.

Maar het falen om mijn subjectieve ervaring te verklaren is een serieus falen. Het legt niet het verschil uit tussen 0,000075 centimeter elektromagnetische straling en mijn ervaring van 'roodheid'. Ik zou kunnen leren hoe kleurwaarneming werkt, hoe de menselijke hersenen licht verwerken, hoe het combinaties van licht verwerkt, zelfs welke patronen van zenuwactiviteit dat allemaal teweegbrengt, maar daarmee verklaart het nog steeds de essentie van mijn ervaring niet.

## De neopositivisten[5]

In dit deel van het boek doe ik mijn best om uit te drukken waar ik het over heb, maar helaas is de kwestie niet zo erg gemakkelijk onder woorden te brengen. D.J. Chalmers beschrijft het mysterie van het ervaren innerlijke leven als het 'lastige probleem' van het bewustzijn om het daarmee te onderscheiden van het 'gemakkelijke probleem' van hoe de hersenen werken.[6] Marvin Minsky merkte op dat 'er iets eigenaardigs is aan hoe je het bewustzijn beschrijft: wat mensen ook willen zeggen, ze kunnen het maar niet duidelijk maken.' *Dat is nu precies het probleem*, beweert de 'het bewustzijn is slechts een machine die over zichzelf nadenkt'-school – op een andere manier praten over het bewustzijn dan als over een patroon van zenuwactiviteit is afdwalen naar een mystiek rijk dat korte metten maakt met de hoop op verificatie.

Soms wordt deze objectieve kijk op de zaak aangeduid als neopositivisme, een filosofische richting die door Ludwig Wittgenstein in zijn *Tractatus Logico-Philosophicus*[7] is gesystematiseerd. Volgens de neopositivisten zijn de enige dingen die het waard zijn om over te spreken onze directe zintuiglijke waarnemingen, en de logische conclusies die we daaruit kunnen trekken. Over alle andere zaken 'moet men zwijgen', om Wittgensteins laatste stelling van voornoemd traktaat te citeren.

Toch hield Wittgenstein zich niet aan wat hij zelf beweerde. Zijn in 1953, twee jaar na zijn dood, gepubliceerde *Philosophical Investigations* definieert de kwesties die het waard waren om over na te denken precies als de kwesties waarvan hij eerder had gezegd dat men moest zwijgen.[8] Kennelijk kwam hij tot het standpunt dat de termen van zijn laatste stelling in de *Tractatus* – de dingen waarover men niet moet spreken – de enige echte verschijnselen zijn die het waard zijn om over na te denken. De overleden Wittgenstein beïnvloedde de existentialisten aanzienlijk, en dat was wellicht de eerste keer sinds Plato dat een belangrijke filosoof succes had met het verduidelijken van zulke tegengestelde standpunten.

## Ik denk dus ik ben

Vaak wordt gedacht dat de jonge Wittgenstein en de neopositivisten die hij heeft geïnspireerd hun wortels hadden in de filosofische onderzoekingen van René Descartes.[9] Diens beroemde uitspraak 'Ik denk dus ik ben' wordt vaak geciteerd als symbool voor het Westerse rationalisme. Dit standpunt interpreteert Descartes als: 'Ik denk, oftewel, ik kan logica en symbolen hanteren, en daarom ben ik de moeite waard.' Maar volgens mij bedoelde Descartes niet dat de verdiensten van het rationeel denken moesten worden opgehemeld. Hij piekerde over wat bekend geworden is als het ziel-lichaamprobleem, de paradox van hoe de ziel kan ontstaan uit niet-ziel, hoe gedachten en gevoelens kunnen ontstaan uit de doodgewone materie van de hersenen. Als we het rationeel scepticisme tot het uiterste doorvoeren dan betekent zijn stelling in werkelijkheid 'Ik denk, oftewel, er is sprake van een onomstotelijk geestesfenomeen, enig bewustzijn, en daarom is alles wat we zeker weten ook dat er iets – laten we het *ik* noemen – bestaat.' Als je het op die manier bekijkt dan blijkt er een veel geringere kloof te bestaan tussen Descartes en de boeddhistische idee van het bewustzijn als de belangrijkste realiteit.

Nog vóór 2030 zullen we machines hebben die de uitspraak van Descartes verkondigen. En dat zal geen geprogrammeerde reactie zijn. De machines zullen serieus en overtuigend klinken. Moeten we hen geloven als ze beweren dat ze bewuste wezens zijn met een eigen wil?

## De 'bewustzijn is een ander soort spul'-school

De kwestie van bewustzijn en vrije wil is natuurlijk altijd een belangrijke zorg geweest van het religieuze denken. Hier komen we een veelheid aan verschijnselen tegen die variëren van de elegantie van de boeddhistische concepten van het bewustzijn tot overladen pantheons van zielen, engelen en goden. De theorieën van hedendaagse filosofen die het bewustzijn zien als weer een ander fundamenteel fenomeen in de wereld, naast basisdeeltjes en krachten, vallen in soortgelijke categorieën. Dat noem ik de 'bewustzijn is een ander soort spul'-school. De wetenschap moet – omdat deze school een ingrijpen in de fysieke wereld impliceert die in botsing komt met het wetenschappelijk experimenteren – wel winnen vanwege haar vermogen om haar inzichten te verifiëren. Omdat dit standpunt zich afzijdig houdt van de materiële wereld roept het vaak een ingewikkelde mystiek in het leven die niet kan worden geverifieerd en waarmee men het oneens kan zijn. Omdat het zijn mystiek eenvoudig houdt, biedt het weinig objectief inzicht, hoewel dit niet geldt voor subjectief inzicht (ik geef toe dat ik een zekere hang koester naar simpele mystiek).

## De 'we zijn te dom'-school

Een andere benadering is: verklaren dat mensen gewoon niet in staat zijn om het antwoord te begrijpen. Douglas Hofstadter, een onderzoeker op het gebied van kunstmatige intelligentie, overweegt dat 'het misschien wel een toevalligheid is dat onze hersenen te zwak zijn om zichzelf te begrijpen. Kijk bijvoorbeeld eens naar de eenvoudige giraffe; zijn hersenen liggen duidelijk onder het niveau dat noodzakelijk is om jezelf te begrijpen – toch lijken zijn hersenen wonderbaarlijk veel op die van ons.'[10] Maar voorzover ik weet, stellen giraffen zich die vragen niet (al weten we natuurlijk niet waar ze zich al die tijd over verwonderen). Ik denk dat als we ontwikkeld genoeg zijn om de vragen te stellen, we dan ook ver genoeg zijn ontwikkeld om de antwoorden te begrijpen. Daar staat tegenover dat de 'we zijn te dom'-school te berde brengt dat we er inderdaad problemen mee hebben om deze vragen duidelijk te formuleren.

## Een synthese van standpunten

Volgens mij hebben al deze scholen gelijk als we ze samen beschouwen, maar als je ze afzonderlijk bekijkt dan schieten ze tekort. Ik bedoel dat de waarheid kan worden gevonden in een synthese van deze standpunten. Dit weerspiegelt mijn unitaristische godsdienstige scholing waarin we alle wereldreligies bestudeerden en we hen beschouwden als 'vele wegen naar de waarheid'. Natuurlijk kun je mijn kijk op de zaak zien als de allerslechtste. Op het eerste gezicht is mijn standpunt tegenstrijdig en zinloos. De andere scholen kunnen tenminste nog enig consistentie- en coherentieniveau claimen.

## Denken zoals het denken doet

O ja, er is nog een ander standpunt en dat noem ik de 'Denken zoals het denken doet'-school. In een essay uit 1950 beschrijft Alan Turing zijn concept van de Turingtest, waarin een menselijke arbiter zowel een computer ondervraagt als een of meer menselijke tegenhangers die terminals gebruiken (zodat de arbiter geen vooroordelen heeft tegen de computer omdat hij geen warm en pluizig uiterlijk heeft).[11] Als de menselijke arbiter de computer niet op geloofwaardige wijze weet te ontmaskeren (als een nepmens) dan wint de computer. De test wordt vaak beschreven als een soort IQ-test voor computers, een middel om te bepalen of computers een menselijk intelligentieniveau hebben bereikt. Maar volgens mij bedoelde Turing eigenlijk zijn Turingtest als een test van het denken, een term die hij bezigt voor

## Het standpunt gezien vanuit de kwantummechanica

*Ik droom vaak dat ik val. Dat soort dromen komt vaak voor bij mensen die ambitieus zijn of die aan bergbeklimmen doen. Onlangs nog droomde ik dat ik een rots greep, maar die liet los. Steentjes rolden weg. Ik greep naar een struik, maar ook die liet los. Versteend van angst viel ik in de peilloze diepte. Plotseling realiseerde ik me dat mijn val relatief was; er was geen bodem en geen einde. Ik werd overspoeld door een gevoel van geluk. Ik realiseerde me dat wat ik belichaam, het principe van het leven, niet kan worden vernietigd. Het is geschreven in de kosmische code, de orde van het heelal. En terwijl ik bleef vallen in de duistere leegte, omgeven door het hemelgewelf, bezong ik de schoonheid van de sterren en sloot ik vrede met de duisternis.*
Heinz Pagels, natuurkundige en onderzoeker op het gebied van de kwantummechanica, kort voordat hij tijdens een klimongeluk in 1988 overleed

Het Westerse *objectieve* standpunt stelt dat materie en energie na miljarden jaren te hebben rondgedwarreld zich ontwikkelden en levensvormen schiepen – ingewikkelde, zichzelf voortplantende patronen van materie en energie – die zich voldoende hadden ontwikkeld om over hun eigen bestaan, over de aard van materie en energie en over hun eigen bewustzijn na te denken. Daarentegen stelt het Oosterse *subjectieve* standpunt dat het bewustzijn er het eerst was – materie en energie zijn slechts de ingewikkelde gedachten van bewuste wezens, ideeën die zonder een denker gespeend zijn van enige realiteit.
Zoals we hierboven hebben opgemerkt, zijn de objectieve en subjectieve standpunten over realiteit al sinds het begin van de geschreven geschiedenis met elkaar in strijd. Vaak is het echter nuttig om schijnbaar onverzoenlijke standpunten met elkaar te combineren om een beter begrip te krijgen. Dat gebeurde bijvoorbeeld toen vijftig jaar geleden de theorie van de kwantummechanica werd aanvaard. In plaats van de standpunten dat elektromagnetische straling (licht, bijvoorbeeld) oftewel een stroom deeltjes (fotonen genaamd) is, oftewel een trilling (lichtgolven), met elkaar te verzoenen, werden beide standpunten versmolten tot een niet-vereenvoudigbare dualiteit. Hoewel we dit idee onmogelijk kunnen begrijpen als we alleen maar gebruikmaken van onze intuïtieve modellen van de natuur, zijn we niet in staat de wereld te verklaren zonder deze schijnbare tegenstelling te accepteren. Andere paradoxen van de kwantummechanica (bijvoorbeeld het 'tunneleffect' van elektronen, waarbij elektronen in een transistor aan beide kanten van de potentiaaldrempel blijken te zijn) hebben meegeholpen het tijdperk van de computers te scheppen en kunnen wellicht een nieuwe revolutie ontketenen in de vorm van de kwantumcomputer,[12] maar daarover later meer.
Op het moment dat we een dergelijke paradox accepteren gebeuren er verba-

zingwekkende dingen. De kwantummechanica heeft door het postuleren van de dualiteit van licht een essentieel verband tussen materie en bewustzijn ontdekt. Partikels weten kennelijk van tevoren niet waar ze naartoe gaan, zelfs niet waar ze waren, tot ze daartoe worden gedwongen door de observaties van een bewuste waarnemer. We zouden met terugwerkende kracht kunnen zeggen dat ze helemaal niet echt lijken te bestaan totdat en tenzij we ze opmerken.

De Westerse wetenschap uit de twintigste eeuw is dus bijgedraaid naar het Oosterse standpunt. Het heelal is genoeg verheven om de in wezen Westerse objectieve kijk op het bewustzijn als ontstaan uit materie, en de in wezen Oosterse subjectieve kijk op de materie als ontstaan uit bewustzijn naast elkaar te laten bestaan als alweer een niet-vereenvoudigbare dualiteit. Het is duidelijk dat bewustzijn, materie en energie onontwarbaar met elkaar zijn verbonden.

Hier willen we graag gewag maken van een overeenkomst tussen de kwantummechanica en de computersimulatie van een virtuele wereld. In de computerspelletjes van tegenwoordig, die beelden van een virtuele wereld laten zien, worden die delen van de omgeving waar de speler op dat moment niet op hoeft te reageren meestal niet – of helemaal niet – in detail berekend. De beperkte middelen van de computer worden aangewend om dat deel van de wereld weer te geven waar de gebruiker op dat moment naar kijkt. Als de gebruiker zich concentreert op een ander aspect dan worden die middelen onmiddellijk gericht op het scheppen en weergeven van dat nieuwe beeld. Het lijkt dus alsof de delen van de virtuele wereld die buiten het scherm vallen er toch 'zijn', maar de softwareontwikkelaars denken dat het geen zin heeft waardevolle computercycli te verspillen aan regionen van hun gesimuleerde wereld waar niemand naar kijkt.

Ik zou zeggen dat de kwantumtheorie een zelfde soort efficiëntie toepast in de fysieke wereld. Het lijkt erop dat deeltjes niet beslissen waar ze zich bevinden tot ze door observatie daartoe worden gedwongen. Dit impliceert dat delen van de wereld waarin we leven niet echt worden 'weergegeven' tot een bewuste waarnemer zijn aandacht erop richt. Uiteindelijk heeft het geen zin waardevolle 'berekeningen' van de hemelse computer die ons heelal weergeeft te verspillen. Dit geeft een nieuwe betekenis aan de kwestie van de ongehoorde boom die in het bos valt.

iets dat meer inhoudt dan alleen maar een handige manipulatie van logica en taal. Voor Turing impliceert denken een bewuste intentie.

Turing begreep de exponentiële groei van de rekenkracht bijzonder goed, en hij voorspelde dat een computer tegen het einde van de eeuw zou slagen voor het examen dat zijn naam draagt. Hij merkte op dat tegen die tijd 'het gebruik van woorden en algemene intellectuele opinie zoveel zullen zijn veranderd dat iemand in staat zal zijn te spreken over machines die denken zonder dat hij verwacht tegengesproken te worden.' Wat betreft het tijdsgewricht was zijn voorspelling veel te optimistisch, maar volgens mij zit hij er ook weer niet zoveel jaren naast.

Tenslotte kondigt de voorspelling van Turing aan hoe het probleem van computerdenken zal worden opgelost. De machines zullen ons ervan overtuigen dat ze bewust zijn en dat ze hun eigen agenda's hebben die ons respect waard zijn. We zullen gaan geloven dat ze net zo bewust zijn als wij dat van elkaar denken. En meer dan met onze vrienden uit het dierenrijk zullen wij kunnen meevoelen met hun vermeende gevoelens en worstelingen omdat hun geesten gebaseerd zullen zijn op het ontwerp van het menselijk denken. Ze zullen menselijke kwaliteiten belichamen en ze zullen beweren menselijk te zijn. En wij zullen hen geloven.

---

*Wat betreft dat idee van een veelvoudig bewustzijn, zou het mij niet opvallen als – ik bedoel als ik had besloten het ene ding te gaan doen, en dat andere bewustzijn in mijn hoofd gaat zijn eigen gang en besloot iets anders?*

Ik dacht dat je had besloten dat taartje niet op te eten dat je zojuist hebt verslonden.

Touché. *Okay, is dat een voorbeeld van waar je het over hebt?*

Eigenlijk is het een beter voorbeeld uit *Society of Mind* van Marvin Minsky, waarin hij onze geest opvat als een samenleving van andere geesten – sommige houden van taartjes, sommige zijn ijdel, sommige letten op hun gezondheid, sommige maken plannen, andere verwerpen ze. Elk van die geesten bestaat op zijn beurt weer uit andere samenlevingen. Aan de voet van die piramide bevinden zich kleine mechaniekjes die Minsky agenten noemt en die over weinig tot geen intelligentie beschikken. Het is een fascinerende visie op de organisatie van intelligentie, waaronder fenomenen als gemengde gevoelens en met elkaar botsende waarden.

*Dat klinkt als een prima verweer in een rechtzaak: 'Nee, Edelachtbare, ik heb het niet gedaan; dat andere meisje in mijn hoofd, die heeft het gedaan!'*

Dat helpt je geen zier als de rechter besluit dat andere meisje in je hoofd achter tralies te zetten.

*Dan hoop ik maar dat die hele gemeenschap in mijn hoofd niet in de problemen komt. Maar welke geesten in mijn gemeenschap van geesten zijn bewust?*

We zouden ons kunnen indenken dat al die geesten in de gemeenschap van geesten bewust zijn, zij het dan dat de laagste in rang weinig hebben om bewust van te zijn. Of misschien is het bewustzijn wel voorbehouden aan de geesten van een hogere rang. Of misschien zijn alleen maar bepaalde combinaties van geesten van een hogere rang bewust, en andere niet. Of misschien...

*Stop eens even, hoe weten we nu hoe het antwoord luidt?*

Ik denk dat we dat met geen mogelijkheid kunnen zeggen. We kunnen toch geen enkel experiment uitvoeren dat afdoende zou bewijzen of een wezen of een proces bewust is? Als het desbetreffende wezen zou uitroepen, 'Hé, ik ben echt bewust', is dat dan een bewijs? Als een wezen erg overtuigend is bij het uitdrukken van een emotie die het heeft ondergaan, is dat dan doorslaggevend? Als we nauwkeurig zijn inwendige methoden bekijken en zijn terugkoppelcircuits zien in het proces waarin het zichzelf onderzoekt en op zichzelf reageert, betekent dat dan dat het bewust is? Als we bepaalde patroontypes zien in zijn zenuwactiviteiten, is dat dan overtuigend? Hedendaagse filosofen als Daniel Dennett wekken de indruk dat ze geloven dat het bewustzijn van een wezen een kenmerk is dat kan worden getest en gemeten. Maar ik denk dat de wetenschap intrinsiek gaat over objectieve realiteit. Ik zie niet in hoe het door het subjectieve niveau kan doorbreken.

*En als het ding nu slaagt voor de Turingtest?*

Dat was precies de bedoeling van Turing. Omdat er geen enkele denkbare manier is om een bewustzijnsdetector te bouwen, koos hij voor een praktische benadering, een benadering die de nadruk legt op onze unieke, menselijke drang tot taal. En ik denk echt dat Turing op een bepaalde manier gelijk heeft – als een machine kan slagen voor een geldige Turingtest dan geloof ik dat we geloven dat ze bewust is. Maar dat is natuurlijk nog steeds geen wetenschappelijk bewijs. Het omgekeerde is echter niet dwingend. Walvissen en olifanten hebben grotere hersenen dan wij, en ze vertonen een veelheid aan gedragingen die goed geïnformeerde waarnemers als intelligent beschouwen. Ik beschouw hen als bewuste schepsels, maar met geen mogelijkheid zullen ze slagen voor de Turingtest.

*Ze zouden in de problemen komen als ze op die kleine toetsjes van mijn computer moesten tikken.*

Zeker, ze hebben geen vingers. Ze spreken de menselijke talen ook niet vloeiend. De Turingtest is een meting waarbij de mens volledig centraal staat.

*Bestaat er een relatie tussen dit bewustzijnsgedoe en de kwestie tijd waarover we het eerder hadden?*

Jazeker, wij hebben duidelijk een tijdsbewustzijn. Onze subjectieve ervaring van tijdsverloop – en vergeet niet dat *subjectief* slechts een ander woord is voor *bewust* – wordt beheerst door de snelheid van onze objectieve vooruitgangsprocessen. Als we deze snelheid veranderen door ons rekenvlak te veranderen, dan beïnvloeden we onze tijdsperceptie.

*Vertel dat nog eens.*

Een voorbeeld. Als ik jouw hersenen en zenuwstelsel scan met een voldoende geavanceerde, niet-destructieve scantechnologie uit het begin van de eenentwintigste eeuw – misschien een magnetische resonantiescan met een zeer hoge resolutie en een hoge bandbreedte – en als ik me verzeker van alle saillante informatieprocessen, dan heb ik een kleine jij, of op zijn minst iemand die erg veel lijkt op jou, in mijn personal computer.

Als mijn personal computer een neuraal netwerk is van gesimuleerde neuronen gemaakt van elektronica in plaats van menselijk weefsel, dan zal die versie van jou ongeveer een miljoen keer sneller lopen in mijn computer. Een uur voor mij zou dus een miljoen uur voor jou zijn, ongeveer een eeuw.

*Nou mooi! Je loost me in je personal computer, en daarna vergeet je me een subjectief millenniumpje of twee.*

Daar moeten we voorzichtig mee omspringen, nietwaar?

Hoofdstuk vier

# Een nieuwe vorm van intelligentie op aarde

## De kunstmatige-intelligentiebeweging

*En als die theorieën nou eens echt waar waren, en we op magische wijze kleiner konden worden gemaakt en in iemands hersenen zouden worden gezet terwijl hij aan het denken was. Dan zouden we al die pompen, zuigers, koppelingen en hefbomen aan het werk zien, en we zouden in staat zijn hun werking in mechanische begrippen volkomen te begrijpen en tegelijkertijd het gedachteproces van de hersenen volledig te beschrijven. Maar nergens in die beschrijving zou 'gedachte' worden genoemd! Ze zou niets anders bevatten dan beschrijvingen van pompen, zuigers en koppelingen!*
Gottfried Wilhelm Leibniz

*Kunstmatige stupiditeit (KS) kan worden gedefinieerd als de poging van computergeleerden om computerprogramma's te schrijven die in staat zijn problemen te veroorzaken van een type dat normaal gesproken wordt geassocieerd met het menselijke denken.*
Wallace Marshal

*Kunstmatige intelligentie (*Artificial Intelligence, *AI) is de wetenschap van hoe je machines de dingen kunt laten doen die ze in de film doen.*
Astro Teller

### De ballade van Charles en Ada

We keren terug naar de evolutie van intelligente machines, en we ontmoeten Charles Babbage die in 1821 in de kamers zit van de Analytical Society te Cambridge, Engeland, met een logaritmetafel voor zich.

'En, Babbage, waarover ben je aan het dromen?' vroeg een ander lid toen hij Babbage half zag slapen.

'Ik droom ervan dat al deze tabellen wel eens door apparaten zouden kunnen worden berekend!' antwoordde Babbage.

Vanaf dat moment wijdde Babbage het grootste deel van de tijd dat hij wakker was aan een vooruitziende blik zonder weerga: de eerste programmeerbare computer ter wereld. Hoewel de 'Analytische machine' van Babbage helemaal was gebaseerd op de mechanische technologie van de negentiende eeuw was ze toch een opmerkelijke voorbode van de moderne computer.[1]

Babbage ging samenwerken met de knappe Ada Lovelace, het enige wettige kind van de dichter lord Byron. Ze raakte net zo geobsedeerd door het project als Babbage, en ze leverde veel ideeën om de machine te programmeren, waaronder de uitvinding van de programmeerlus en de subroutine. Ze was 's werelds eerste softwaredeskundige, sterker nog, de enige softwaredeskundige van voor de twintigste eeuw.

Lovelace breidde de ideeën van Babbage substantieel uit en schreef een verhandeling over programmeertechnieken, voorbeeldprogramma's, en de potentie van deze technologie om intelligente menselijke activiteiten te emuleren. Ze beschrijft de bespiegeling van haarzelf en Babbage over de geschiktheid van de Analytische machine en soortgelijke toekomstige machines om te schaken en muziek te componeren. Ze komt tenslotte tot de conclusie dat, hoewel de berekeningen van de Analytische machine niet echt als denken kunnen worden beschouwd, ze echter werkzaamheden kunnen uitvoeren die anders zeer veel menselijk denkwerk zouden eisen.

Het verhaal van Lovelace en Babbage kent een tragisch einde. Ze stierf op 36-jarige leeftijd een pijnlijke dood (kanker) en dat betekende dat Babbage zijn zoektocht alleen moest voortzetten. Ondanks diens ingenieuze constructies en zijn uitputtende inspanningen werd de Analytische machine nooit voltooid. Tegen het einde van zijn leven merkte hij op dat hij geen enkele gelukkige dag had gekend in zijn leven. Bij zijn begrafenis in 1871 waren slechts een klein aantal rouwenden aanwezig.[2]

Maar de ideeën van Babbage overleefden wel. De eerste programmeerbare Amerikaanse computer, de Mark I, die in 1944 werd voltooid door Howard Aiken van de Harvard-universiteit en IBM, heeft heel veel ideeën van de constructie van Babbage overgenomen. Het commentaar van Aiken: 'Als Babbage vijfenzeventig jaar later had geleefd dan zou ik werkeloos zijn geweest.'[3]

Babbage en Lovelace waren uitvinders die bijna een eeuw op hun tijd voorliepen. Hoewel Babbage niet één van zijn belangrijkste initiatieven kon realiseren, vormen hun ideeën over een computer met een opgeslagen programma, een zelf-veranderende code, een adresseerbaar geheugen, conditioneel vertakken, en programmeren nog steeds de basis van de huidige computers.[4]

## En alweer verschijnt Alan Turing op het toneel

In 1940 had Hitler het Europese vasteland in zijn greep, en Engeland bereidde zich voor op een te verwachten invasie. De Engelse regering riep haar beste wiskundigen en elektrotechnisch ingenieurs bijeen onder het intellectuele leiderschap van Alan Turing. Hun opdracht was het kraken van de Duitse militaire code. Men moest erkennen dat de Duitse luchtmacht superieur was, en dat als deze missie zou falen Engeland waarschijnlijk gedoemd was. De groep woonde, om niet te worden afgeleid bij hun taak, bij de vredige graslanden van Hertfordshire.

Turing en zijn collega's bouwden de eerste operationele computer ter wereld van telefoonrelais, en ze noemden hem Robinson,[5] naar een populaire striptekenaar die de 'Rube Goldberg'-machines (zeer ingewikkelde machines met veel mechanismen die met elkaar in wisselwerking stonden) tekende. De Rube Goldberg van de groep zelf was uiterst geslaagd en leverde de Engelsen een transcriptie van vrijwel alle belangrijke boodschappen van de nazi's. Toen de Duitsers hun code ingewikkelder gingen maken (door extra codeerwieltjes toe te voegen aan hun Enigma-seinapparaat) verving Turing de elektromagnetische intelligentie van Robinson door een elektronische versie die Colossus werd genoemd die uit tweeduizend radiobuizen bestond. Colossus en negen gelijkaardige machines die parallel liepen, zorgden voor een doorlopende decodering van vitale militaire informatie voor de geallieerde strijdkrachten.

Het gebruik van deze informatie vereiste de uiterste discipline van de kant van de Engelse regering. Steden die door de nazi's gebombardeerd zouden gaan worden, werden niet gewaarschuwd omdat dat soort voorbereidingen bij de Duitsers het vermoeden zou kunnen doen rijzen dat hun code was gekraakt. De informatie die Robinson en Colossus leverden werd slechts met de grootst mogelijke voorzichtigheid gebruikt, maar het kraken van de Enigma was voldoende om de Royal Air Force in staat de stellen de Battle of Britain te winnen.

Gevoed door de eisen van de oorlog en puttend uit een verscheidenheid aan intellectuele tradities ontstond er een nieuwe vorm van intelligentie op aarde.

## De geboorte van de kunstmatige intelligentie

Turing had uitstekend in de gaten dat het computerproces erg veel leek op het menselijke denkproces. Naast het opstellen van een groot deel van de theoretische grondbeginselen van computerverwerking en het uitvinden van de eerste operationele computer was hij behulpzaam bij vroege pogingen om deze nieuwe technologie toe te passen om intelligentie te emuleren.

In zijn klassiek geworden essay uit 1950 *Computing Machinery and Intelligence* beschreef Turing de agenda die de volgende halve eeuw van geavanceerd computeronderzoek zou vullen: spelletjes spelen, beslissingen nemen, het begrijpen van natuurlijke talen, stellingen bewijzen, en natuurlijk codering en decodering.[6] Hij schreef (met zijn vriend David Champernowne) het eerste schaakprogramma.

Als mens was Turing onconventioneel en zeer gevoelig. Hij toonde een grote variëteit aan ongebruikelijke interessen, van de viool tot de morfogenese (de celdifferentiatie). Er werd in het openbaar over zijn homoseksualiteit geschreven en dat stoorde hem zeer. Hij stierf op eenenveertigjarige leeftijd, vermoedelijk pleegde hij zelfmoord.

## De moeilijke dingen waren gemakkelijk

In de jaren vijftig ging de vooruitgang zo snel dat een aantal van de pioniers ervan uitging dat het zich meester maken van de functionaliteit van de menselijke hersenen uiteindelijk niet zo moeilijk zou zijn. In 1956 schreven de onderzoekers op het gebied van kunstmatige intelligentie Allen Newell, J.C. Shaw en Herbert Simon een programma genaamd Logic Theorist ('Logische theoreticus') en in 1957 een nieuwe versie met de naam General Problem Solver ('Algemene probleemoplosser') dat recursieve zoektechnieken gebruikte om wiskundige problemen op te lossen.[7] Recursie is zoals we later in dit hoofdstuk zullen zien een krachtige methode om een oplossing in termen van zichzelf te definiëren. De Logic Theorist en General Problem Solver konden bewijzen vinden voor een groot aantal sleutelstellingen uit het oorspronkelijke werk over de verzamelingenleer in *Principia Mathematica*[8] van Bertrand Russell en Alfred North Whitehead, waaronder een volkomen origineel bewijs voor een belangrijke stelling die daarvoor nooit was opgelost. Deze vroege successen verleidden Simon en Newell om in een essay uit 1958, getiteld *Heuristic Problem Solving: The Next Advance in Operations Research*, te stellen: 'Nu zijn er in de wereld machines die denken, leren en scheppen. Bovendien neemt hun vermogen om die dingen te doen snel toe tot – in de nabije toekomst – de verscheidenheid aan problemen die ze aankunnen dezelfde omvang heeft als waarvoor de menselijke geest is gebruikt.'[9] Het essay voorspelt vervolgens dat binnen tien jaar (voor 1968 dus) een digitale computer schaakkampioen zou worden. Tien jaar later voorspelt Simon, zonder gewetenswroeging, dat in 1985 'machines in staat zijn elk werk dat een man kan doen te verrichten.' Misschien wilde Simon de capaciteiten van vrouwen de hemel in prijzen, maar deze voorspellingen, duidelijk optimistischer dan die van Turing, brachten het arbeidsterrein van de ontluikende kunstmatige intelligentie in verlegenheid.

Tot op de dag van vandaag wordt het arbeidsterrein gehinderd door deze gêne, en onderzoekers op het gebied van kunstmatige intelligentie zijn vanaf dat moment terughoudend gebleven met hun voorspellingen. Toen in 1997 Deep Blue de menselijke regerend wereldkampioen schaken versloeg, merkte een prominente professor op dat we hadden geleerd dat er absoluut geen intelligentie nodig was om het wereldkampioenschap schaken te spelen.[10] Hij stelde daarmee impliciet dat het vangen van *echte* intelligentie in onze machines ver buiten onze macht ligt. Hoewel ik het belang van de overwinning van Deep Blue niet wil overdrijven, geloof ik dat we er uiteindelijk zullen achterkomen dat er geen menselijke activiteiten bestaan die 'echte' intelligentie vereisen.

In de jaren zestig ging het academische terrein van kunstmatige intelligentie de agenda die Turing in 1950 had geschreven concretiseren, met bemoedigende of frustrerende resultaten, afhankelijk van je standpunt. Daniel G. Bobrows programma Student kon algebraïsche problemen oplossen uit verhaaltjes in natuurlijk Engels, en naar verluidt deed het dat goed bij wiskundeproefwerken van de middelbare school.[11] Van het Analogy-programma van Thomas G. Evans om geometrische analogieproblemen in IQ-tests op te lossen werd dezelfde prestatie gemeld.[12] DENDRAL van Edward A. Feigenbaum was het eerste programma op het gebied van expertsystemen. Dat programma kon vragen beantwoorden over chemische verbindingen.[13] En het begrip van natuurlijke talen nam een aanvang met SHRDLU van Terry Winograd, dat elke zinvolle Engelse zin kon begrijpen zolang je het over gekleurde blokken had.[14]

Het idee om een nieuwe vorm van intelligentie te creëren op aarde ontstond met een zeer krachtige en vaak kritiekloze hartstocht samen met de hardware waarop het was gebaseerd. Dat ongebreidelde enthousiasme van de eerste pioniers op dat gebied leidde ook tot uitgebreide kritiek op deze eerste programma's omdat ze in veel verschillende situaties niet intelligent konden reageren. Een aantal critici, met name de existentialistisch filosoof en fenomenoloog Hubert Dreyfus, voorspelde dat machines nooit de menselijke niveaus van vaardigheden konden evenaren of het nu om schaken ging of om boeken schrijven over computers.

Het bleek dat problemen waarvan we dachten dat ze moeilijk waren – wiskundige formules bewijzen, een goede schaakpartij spelen, logisch denken zoals in scheikunde en geneeskunde – gemakkelijk waren, want de computers uit de jaren vijftig en zestig met hun vele duizenden instructies per seconde waren vaak goed genoeg om bevredigende resultaten te leveren. De dingen die elk kind van vijf kan, bleken echter moeilijk te zijn: het verschil uitleggen tussen een hond en een kat, een tekenfilm begrijpen. In Deel twee gaan we uitgebreider in op het feit waarom die gemakkelijke dingen zo moeilijk zijn.

## Wachten op echte kunstmatige intelligentie

In de jaren tachtig zagen we het begin van de commercialisering van kunstmatige intelligentie toen een golf van bedrijven op het gebied van kunstmatige intelligentie ontstond en zich op de beurs liet noteren. Helaas hebben veel van die bedrijven de fout gemaakt om zich te concentreren op de krachtige maar inherent inefficiënte interpretatietaal LISP, die populair was in academische kringen op het gebied van kunstmatige intelligentie. De commerciële mislukking van LISP en de bedrijven die onderzoek deden naar kunstmatige intelligentie en overtuigd waren van hun gelijk zorgden voor een reactie. De branche van de kunstmatige intelligentie schudde de disciplines waaruit het was samengesteld van zich af, en bedrijven die zich richtten op het begrijpen van natuurlijke talen, schrift- en spraakherkenning, robottechnologie, machinevisie en andere gebieden die oorspronkelijk werden gerekend tot de discipline van de kunstmatige intelligentie zorgden er nu voor dat ze niet werden geassocieerd met die branche.

Machines met een zeer specifieke intelligentie werden echter steeds wijder verspreid. Tegen het midden van de jaren negentig zagen we dat onze financiële instellingen werden geïnfiltreerd door systemen die gebruikmaakten van krachtige statistische en adaptieve technieken. Niet alleen werden de aandelen-, obligatie-, goederen- en andere markten geleid en onderhouden door gecomputeriseerde netwerken, maar ook het overgrote deel van de 'bied-en laat'-beslissingen werd op gang gebracht door software die steeds verfijndere modellen bevatte van de markt waarin ze opereerde. De krach van de aandelenbeurs in 1987 werd voor een groot deel geweten aan de snelle interactie tussen handelsprogramma's. Trends die anders pas na weken duidelijk zouden worden, ontwikkelden zich toen in minuten. Men heeft deze algoritmen afdoende gemodificeerd om herhaling te voorkomen.

Sinds 1990 levert het elektrocardiogram (ECG) standaard een diagnose van de computer zelf over de gezondheidstoestand van het hart van de patiënt. Intelligente beeldverwerkingssoftware stelt doktoren in staat diep in ons lichaam en onze hersenen te kijken en gecomputeriseerde biotechnologie zorgt ervoor dat medicijnen kunnen worden ontworpen op biochemische simulatoren. De gehandicapten hebben vooral profijt van het tijdperk van intelligente machines. Sinds de jaren zeventig zijn er machines die blinden en leesblinde mensen voorlezen, en spraakherkenning en robotachtige apparaten helpen sinds de jaren tachtig mensen die een handicap aan hun handen hebben.

Maar wellicht moet de indrukwekkendste vertoning van de veranderende waarden van de eeuw van de kennis worden gezocht bij defensie. We zagen het eerste effectieve voorbeeld van de steeds dominantere rol van machine-intelligentie in de Golfoorlog van 1991. De hoekstenen van de militaire macht van het begin van de geschreven geschiedenis tot en met het grootste deel van de twintigste eeuw – geografie, manschappen, vuurkracht en commandopostbescherming – zijn grotendeels vervangen door de intelligentie van software en elektronica. Het intelligent speuren door onbemande luchttoestellen, wapens die hun weg zoeken met behulp van apparaten die kunnen zien en patronen herkennen, intelligente communicatie- en coderingsprotocollen en andere uitingen van het informatietijdperk hebben de aard van het oorlogvoeren veranderd.

## Onzichtbare soorten

Met de steeds grotere rol die intelligente machines spelen in alle facetten van ons leven – defensie, gezondheidszorg, economie en financiën, politiek – doet het vreemd aan dat we nog steeds artikelen lezen met een titel als *Wat is er toch gebeurd met kunstmatige intelligentie?* Turing heeft dat fenomeen voorspeld: machine-intelligentie zou zo overtuigend worden, zo weinig eisend en zo goed geïntegreerd in onze op informatie gebaseerde maatschappij dat de mensen haar amper nog opmerken.

Dat doet me denken aan mensen die in het regenwoud rondlopen en vragen 'Waar zijn al die diersoorten nou die hier zouden rondlopen?', terwijl er binnen een straal van tien meter alleen al tientallen mierensoorten rondlopen. Onze vele soorten machine-intelligentie hebben zich zo naadloos geïntegreerd in ons moderne regenwoud dat ze vrijwel onzichtbaar zijn.

Turing gaf er een verklaring voor waarom we de intelligentie in onze machines niet zouden zien. In 1947 schreef hij: 'De mate waarin we iets beschouwen dat zich op een intelligente manier gedraagt is net zo bepaald door onze eigen gemoedstoestand als door de eigenschappen van het ding dat we beschouwen. Als we in staat zijn zijn gedrag te verklaren en te voorspellen dat zijn we amper geneigd ons daarbij intelligentie voor te stellen. Het is dus mogelijk dat de een een bepaald object als intelligent beschouwd terwijl een ander hetzelfde object zo niet ziet; de tweede persoon heeft dan waarschijnlijk uitgevist volgens welke gedragslijnen het object werkt.'

Het doet me ook denken aan de definitie van kunstmatige intelligentie van Elaine Rich: 'De studie over hoe je een computer dingen kunt laten doen waar mensen op dat moment beter in zijn.'

Dit is ons noodlot, onderzoekers op het gebied van kunstmatige intelligentie zullen nooit de wortel kunnen pakken die voor onze neus bungelt. Kunstmatige intelligentie is inherent gedefinieerd als het nastreven van lastige problemen door de computerwetenschap die nog niet zijn opgelost.

*'Ik vind dat je in stap twee wat gedetailleerder had mogen zijn.'*

## DE FORMULE VOOR INTELLIGENTIE

*De computerprogrammeur is de schepper van heelallen waarvoor hij alleen de wetgever is... Geen enkele toneelschrijver, regisseur, keizer – hoe machtig ook – heeft ooit een dergelijk absoluut gezag uitgeoefend toen hij een toneel of een slagveld opstelde of toen hij het gezag voerde over zulke onwrikbaar gehoorzame acteurs of soldaten.*
Joseph Weizenbaum

*Een bever en nog een wouddier bekeken een enorme door de mens gemaakte dam. En de bever zegt iets als 'Nee, ik heb hem niet zelf gebouwd. Maar hij is wel gebaseerd op een idee van mij.'*
Edward Fredkin

*Eenvoudige dingen dienen eenvoudig te zijn; ingewikkelde dingen dienen mogelijk te zijn.*
Alan Kay

### Wat is intelligentie?

Een doelstelling kan zijn overleven – ontsnappen aan een vijand, naar voedsel zoeken. Of communicatie – een ervaring vertellen, een gevoel oproepen. Of wellicht meedoen aan tijdverdrijf – een bordspel spelen, een puzzel oplossen, een bal vangen. Een doelstelling kan ook goed gedefinieerd en uniek zijn, bijvoorbeeld het oplossen van een wiskundeprobleem. Of een persoonlijke expressie zonder duidelijk juist antwoord.

Volgens mij is intelligentie het vermogen de beperkte middelen – met inbegrip van tijd – optimaal te gebruiken om dergelijke doelstellingen te verwezenlijken. Er is een overvloed aan andere definities. Een van mijn favoriete definities is die van R.W. Young die intelligentie definieert als 'dat talent van de geest waardoor orde wordt waargenomen in een situatie die even daarvoor nog als wanordelijk werd beschouwd.'[15] Voor deze definitie zullen we de modellen die we hierna bespreken zeer relevant vinden.

Intelligentie schept snel bevredigende, soms verrassende plannen die voldoen aan een reeks beperkingen. De producten van intelligentie kunnen slim, ingenieus, inzichtelijk of elegant zijn. Soms, zoals in het geval van Turings oplossing om de Enigma-code te kraken, vertoont een intelligente oplossing al deze eigenschappen. Bescheiden handigheidjes kunnen af en toe per ongeluk een intelligent antwoord voortbrengen, maar een waar intelligent proces dat op een betrouwbare wijze intelligente oplossingen totstandbrengt is intrinsiek meer dan een gewoon recept. Het is duidelijk dat geen enkele simpele formule het krachtigste fenomeen in het heelal naar de kroon kan steken, het complexe en mysterieuze proces: intelligentie.

Eigenlijk is dat fout. Alles om een verrassend ruime reeks intelligente problemen op te lossen is precies het volgende: eenvoudige methoden gecombineerd met een enorme dosis rekenwerk (op zichzelf een eenvoudig proces, zoals Turing in 1936 aantoonde met zijn idee van de Turingmachine,[16] een elegant rekenmodel) en voorbeelden van het probleem. In een aantal gevallen hebben we dat laatste zelfs niet nodig; één goed gedefinieerde uiteenzetting van het probleem is voldoende.

Hoever kunnen we komen met simpele modellen? Bestaat er een klasse van intelligente problemen die geschikt is voor eenvoudige benaderingen, en een andere, scherpzinniger klasse waar die niet bij kunnen? Het blijkt dat de klasse van problemen die zijn op te lossen met eenvoudige benaderingen uitgebreid is. Uiteindelijk zullen er met voldoende grove rekenkracht (en daar zal in de eenentwintigste eeuw geen gebrek aan zijn) en de juiste formules in de juiste combinatie weinig definieerbare problemen zijn die het veld niet hoeven te ruimen. Met de mogelijke uitzondering van het volgende probleem: wat is de volledige reeks verenigende formules die ten grondslag ligt aan intelligentie?

De evolutie berekende in enkele miljarden jaren een antwoord voor dit probleem. We zijn goed gestart in enkele duizenden jaren. En het ziet ernaar uit dat we de klus over enkele decennia hebben geklaard.

Deze methoden die hieronder in het kort worden beschreven worden in het supplement achter in dit boek 'Drie eenvoudige paradigma's voor het bouwen van een intelligente machine' gedetailleerder besproken.

Laten we eens een paar eenvoudige maar krachtige modellen bekijken. Met een beetje oefening kunt u ook intelligente machines bouwen.

## De recursieformule: Je hoeft alleen maar het probleem zorgvuldig te bepalen

Een recursieve procedure is een procedure die zichzelf oproept. Recursie is een bruikbare benadering om alle mogelijke oplossingen voor een probleem te genereren, of, in de context van een spel zoals schaken, alle mogelijke 'zet-tegenzet'-reeksen.

Bekijk het schaakspel eens van dichtbij. We schrijven een programma om elke zet te selecteren en noemen het 'Kies de beste zet'. 'Kies de beste zet' begint met het opsommen van alle mogelijke zetten bij de huidige stand op het schaakbord. Dit is het punt waarop het probleem nauwkeurig dient te worden geformuleerd omdat we om alle mogelijke zetten te genereren de spelregels precies moeten bekijken. Voor elke zet maakt het programma een hypothetisch bord dat weerspiegelt wat er zou gebeuren als deze zet zou worden uitgevoerd. Voor elk hypothetisch bord moeten we nu bestuderen wat onze tegenstander zou doen als we die zet inderdaad doen. Dit is het punt waarop het verschijnsel recursie moet optreden omdat 'Kies de beste zet' eenvoudigweg 'Kies de beste zet' (oftewel zichzelf) oproept om de beste zet voor onze tegenstander te kiezen. Als 'Kies de beste zet' zichzelf oproept somt ze alle legitieme zetten op voor onze tegenstander.

Het programma blijft zichzelf oproepen en kijkt zoveel zetten vooruit als wij maar tijd hebben om in overweging te nemen, en dat resulteert in het genereren van een enorme 'zet-tegenzet'-boom. Ook dit is weer een voorbeeld van exponentiële groei omdat één extra zet vooruitdenken het vermenigvuldigen vereist van de hoeveelheid beschikbaar rekenvermogen met een factor vijf.

De sleutel tot de recursieve formule is het reduceren van deze enorme boom van mogelijke zetten en op een gegeven moment het stopzetten van de recursieve groei van de boom. In de context van het spel betekent dat, dat als een bord er voor beide partijen hopeloos uitziet, het programma het uitbreiden van de 'zet-tegenzet'-boom kan stopzetten op dat punt (het 'eindblad' van de boom), en kan bekijken of de laatst overwogen zet waarschijnlijk tot winst of verlies zal leiden.

Als al deze ingenestelde programmaoproepen zijn afgewerkt dan zal het programma hebben bepaald wat voor het huidige, echte bord de best mogelijke zet is binnen de grenzen van de diepte van de recursieve uitbreiding waarvoor het de tijd kreeg om zich ermee bezig te houden.

De recursieve formule was goed genoeg om een machine te bouwen – een speciaal ontworpen IBM-supercomputer – die de wereldkampioen schaken versloeg. (Hoewel Deep Blue de recursieve formule uitbreidt met databases van zetten van de meeste grootmeesterpartijen uit de 20ste eeuw.) Tien jaar geleden merkte ik in *The Age of Intelligent Machines* op dat de beste schaakcomputers elk jaar 45 ELO-punten vooruitgingen terwijl de beste menselijke schakers vrijwel niet stegen. Volgens dat gegeven zou 1998 het jaar zijn waarin een computer de wereldkampioen schaken zou verslaan, en dat bleek één jaar te pessimistisch te zijn. Hopelijk zijn mijn voorspellingen in dit boek wat nauwkeuriger.[17]

Onze eenvoudige recursieve regel speelt dus een partij schaak op wereldklasseniveau. Dat werpt de volgende redelijke vraag op: 'Wat kan die regel nog meer?' In ieder geval kunnen we de module die de schaakzetten genereert vervangen door een module die is geprogrammeerd met de regels van een ander spel. Steek er een module in die de damregels kent en dan kun je ook zo ongeveer elke menselijke tegenstander verslaan. Recursie is pas echt goed bij backgammon. Het programma van Hans Berliner versloeg de menselijke backgammonkampioen al met de trage computers die we in 1980 hadden.[18]

De recursieve formule is ook een behoorlijk goede wiskundige formule. In dit geval is het doel een wiskundig probleem oplossen, bijvoorbeeld een stelling. De regels worden dan zowel de axioma's van het wiskundig gebied dat wordt behandeld als de eerder bewezen stellingen. De expansie op elk punt is het mogelijke aantal axioma's (of eerder bewezen stellingen) dat kan worden toegepast op een bewijs bij elke stap. Deze benadering werd toegepast door Allen Newell, J.C. Shaw en Herbert Simon bij hun General Problem Solver uit 1957. Hun programma versloeg Russell en Whitehead bij een aantal lastige wiskundeproblemen, en daardoor voedde het het prille optimisme op het gebied van kunstmatige intelligentie.

Uit deze voorbeelden lijkt het dat recursie alleen maar erg geschikt is voor problemen waarbij we de regels en doelstellingen helder hebben gedefinieerd. Maar ze houdt ook een belofte in voor computergegenereerde artistieke creaties. De Cybernetic Poet (cybernetische dichter) van Ray Kurzweil maakt bijvoorbeeld gebruik van een recursieve methode.[19] Het programma stelt een serie doelen voor elk woord – voldoen aan een bepaald ritmisch patroon, aan de structuur van het gedicht, en aan de woordkeuze die in dat stadium van het gedicht wenselijk is. Als het programma geen woord kan vinden dat voldoet aan deze criteria dan gaat het terug en wist het het vorige woord dat het heeft geschreven, stelt opnieuw de criteria in dat het oorspronkelijk had gesteld voordat het woord werd gevonden dat het zojuist heeft gewist en begint van daaruit opnieuw. Als dat ook op niets uitloopt dan gaat het weer terug. Zo gaat het voor- en achteruit en hopelijk 'besluit' het op een gegeven moment iets. Uiteindelijk dwingt het zichzelf tot een besluit te komen door een aantal beperkingen te verzwakken als alle wegen doodlopen. Uiteindelijk komt er toch nooit iemand achter of het zijn eigen regels heeft gebroken.

Recursie is ook populair in programma's die muziek componeren.[20] In dat geval zijn de 'zetten' goed gedefinieerd. Die noemen we noten, en ze hebben eigenschappen als toonhoogte, duur, luidheid en speelstijl. De doelstellingen zijn niet zo gemakkelijk te realiseren, maar ze zijn nog wel mogelijk door ze te definiëren wat betreft ritmische en melodische structuren. De sleutel tot recursieve artistieke programma's ligt in de definitie van de 'eindblad'-evaluatie. Eenvoudige benaderingen werken hier niet altijd goed, en een deel van de cybernetische kunst en muziekprogramma's waar we later op zullen ingaan gebruikt ingewikkelde methoden om de 'eindbladen' te evalueren. Hoewel we alle intelligentie nog niet in een eenvoudige formule hebben gevangen, hebben we veel vooruitgang geboekt met de volgende eenvoudige combinatie: recursief een oplossing definiëren door een precieze probleemstelling en indrukwekkend rekenwerk. Voor veel problemen is een personal computer van ongeveer het eind van de twintigste eeuw indrukwekkend genoeg.

## Neurale netwerken: zelforganisatie en menselijk rekenwerk

Het neurale-netwerkmodel is een poging om de computerstructuur van neuronen in de menselijke hersenen te emuleren. We beginnen met een inputreeks die een op te lossen probleem vertegenwoordigt.[21] De input kan bijvoorbeeld een reeks beeldpunten zijn die een beeld vormen dat moet worden geïdentificeerd. Deze input wordt willekeurig bedraad aan een laag gesimuleerde neuronen. Elk van deze gesimuleerde neuronen kan een eenvoudig computerprogramma zijn dat een model van een neuron simuleert in software, of het kan een elektronisch instrument zijn.

Elk punt van de input (bijvoorbeeld elk beeldpunt van een afbeelding) wordt willekeurig verbonden met de input van de eerste laag gesimuleerde neuronen. Elke verbinding heeft een daaraan gerelateerde synaptische kracht die het belang van deze verbinding weergeeft. Deze krachten worden ook op willekeurige waarden ingesteld. Elk neuron telt de inkomende signalen op. Als het gecombineerde signaal een bepaalde drempelwaarde overschrijdt dan reageert het neuron en stuurt het een signaal naar zijn inputverbinding. Als het gecombineerde signaal die bepaalde drempelwaarde niet bereikt dan reageert het neuron niet en is de output nul. De output van elk neuron is willekeurig verbonden met de input van de neuronen in de volgende laag. Op de toplaag geeft de output van een of meer eveneens willekeurig gekozen neuronen het antwoord.

Een probleem, bijvoorbeeld de afbeelding van een gedrukte letter die moet worden herkend, wordt aan de inputlaag gepresenteerd en de outputneuronen produceren een antwoord. De antwoorden zijn voor een groot aantal verschillende problemen opmerkelijk nauwkeurig.

Eigenlijk zijn de antwoorden helemaal niet nauwkeurig. In ieder geval niet in het begin. In het begin is de output volkomen willekeurig. Je kunt ook niets anders verwachten als gegeven is dat het hele systeem op een volledig willekeurige manier is opgezet.

Ik heb een belangrijke stap overgeslagen, namelijk dat het neurale netwerk zijn onderwerp moet *leren*. Net als het zoogdierbrein waarop het is gebaseerd, begint een neuraal netwerk onwetend. De leraar van het neurale netwerk, een mens, een computerprogramma of wellicht een verder ontwikkeld neuraal netwerk dat zijn lesje al geleerd heeft, beloont het neurale netwerk als het het bij het rechte eind heeft en straft het als het fout zit. Deze terugkoppeling wordt door het beginnende neurale netwerk gebruikt om de krachten van elke interneurale verbinding bij te stellen. Verbindingen die consistent juiste antwoorden gaven worden versterkt. Verbindingen die de verkeerde antwoorden steunden worden zwakker gemaakt. In de loop van de tijd organiseert het neurale netwerk zich om zonder hulp de juiste antwoorden te geven. Experimenten hebben aangetoond dat neurale netwerken hun onderwerp zelfs kunnen leren met onbetrouwbare leraren. Als de leraar het slechts in 60 procent van de tijd bij het rechte eind heeft dan zal het beginnende netwerk toch nog steeds zijn les leren.

Als we het zenuwnet goed onderrichten dan is dat model krachtig en kan het een breed gebied aan menselijke patroonherkenningsfuncties emuleren. Schriftherkenningssystemen die gebruikmaken van neurale netwerken die uit een groot aantal lagen bestaan benaderen de prestaties van de mens als het gaat om het identificeren van slordig geschreven handschriften.[22] Men heeft lang gedacht dat het herkennen van menselijke gezichten een indrukwekkende taak voor mensen was, ver uitstekend boven de capaciteiten van een computer, maar nu zijn er machines die het automatisch incasseren van cheques mogelijk maken door gebruik te maken van de door een bedrijfje in New Engeland, Miros, ontworpen neurale-netwerksoftware die de identiteit van de klant verifieert door zijn of haar gezicht te herkennen.[23] Probeer die machines niet te bedotten door een foto van iemand anders voor je gezicht te houden – de machine gebruikt twee camera's om een driedimensionale foto van je te maken. Kennelijk zijn die machines zo betrouwbaar dat banken de gebruikers met echt geld laten vertrekken.

Neurale netwerken worden toegepast bij medische diagnoses. Doktoren kunnen door gebruik te maken van het systeem BrainMaker van California Scientific Software snel hartinfarcten herkennen uit gegevens over enzymen, en afgaand op afbeeldingen kunnen ze kankercellen indelen. Neurale netwerken zijn ook bedreven in het voorspellen – LBS Capital Management gebruikt de neurale netwerken van BrainMaker om de Standard & Poor's 500 (een graadmeter voor aandelen, genoteerd aan de beurs van New York) te voorspellen.[24] Hun 'een dag vooruit'- en 'een week vooruit'-voorspellingen bleken voortdurend betrouwbaarder dan die van traditionele, op formules gebaseerde methoden.

Er is tegenwoordig een verscheidenheid aan zelforganiserende methoden in gebruik die wiskundig gerelateerd zijn aan het neurale-netwerkmodel dat we zojuist hebben besproken. Een van die technieken, Markov-modellen genaamd, wordt vaak toegepast in spraakherkenningssystemen. Tegenwoordig kunnen deze systemen met grote precisie menselijke spraak begrijpen met een woordenschat tot 60.000 woorden en die op een natuurlijke, onafgebroken manier wordt gesproken.

Aangezien recursie een expert is in het zoeken in onmetelijke combinaties van mogelijkheden, bijvoorbeeld de opeenvolging van schaakzetten, is het neurale netwerk de geprefereerde methode om patronen te herkennen. Mensen zijn veel bekwamer in het herkennen van patronen dan in denken door middel van logische combinaties, en dus vertrouwen we voor vrijwel al onze mentale processen op deze aanleg. Sterker nog, patroonherkenning omvat verreweg het grootste deel van ons neurale schakelsysteem. Dit vermogen compenseert de uiterst lage snelheid van de menselijke neuronen. De hersteltijd na een zenuwactiviteit bedraagt ongeveer vijf milliseconden, en daardoor kunnen er slechts ongeveer tweehonderd berekeningen per seconde worden uitgevoerd in elke zenuwverbinding.[25] Daarom hebben we geen tijd om erg veel nieuwe gedachten te ontwikkelen als er druk op ons wordt uitgeoefend om een beslissing te nemen. De menselijke hersenen vertrouwen op het van tevoren maken van berekeningen die op te slaan en er dan later naar te verwijzen. Dan gebruiken we ons vermogen om patronen te herkennen om een situatie te herkennen als die te vergelijken is met een situatie waarover we eerder al hebben nagedacht, en vervolgens doen we een beroep op de conclusies die we eerder hebben getrokken. We kunnen niet denken over zaken waarover we eerder niet een heleboel keren hebben doorgedacht.

## Vernietiging van informatie: de sleutel tot intelligentie

Er bestaan twee soorten rekenomzettingen, een waarbij informatie wordt bewaard en een waarbij informatie wordt vernietigd. Een voorbeeld van de eerste omzetting is een getal vermenigvuldigen door een ander constant getal dat niet gelijk is aan nul. Een dergelijke omzetting is omkeerbaar: je hoeft alleen maar door de constante te delen en je krijgt het oorspronkelijke getal weer terug. Als we daarentegen een getal met nul vermenigvuldigen dan kan de oorspronkelijke informatie niet worden hersteld. We kunnen niet door nul delen om het oorspronkelijke getal terug te krijgen omdat nul gedeeld door nul onbepaald is. Dus vernietigt deze vorm van omzetting zijn input.

Dit is nog een bewijs voor de onomkeerbaarheid van tijd (het eerste was de wet van de toenemende entropie) omdat een informatievernietigende berekening met geen mogelijkheid om te keren is.

De onomkeerbaarheid van berekeningen wordt vaak aangehaald als een reden voor het nut van rekenen: het zet informatie om op een manier die in één richting gaat en 'betekenisvol' is. Maar de reden voor de onomkeerbaarheid van berekeningen, is gebaseerd op zijn vermogen om informatie te vernietigen, niet om haar te creëren. De waarde van berekeningen ligt juist in zijn vermogen om informatie *selectief* te vernietigen. Bijvoorbeeld: in een patroonherkenningsopdracht, zoals het herkennen van gezichten en spraakklanken, is het behouden van informatiedragende kenmerken van een patroon en tegelijkertijd het 'vernietigen' van de enorme stortvloed aan gegevens in het originele beeld of geluid van wezenlijk belang voor het proces. Intelligentie is precies dit proces van het zorgvuldig selecteren van relevante informatie zodat ze de rest vakkundig en doelbewust kan vernietigen.

Dat is precies wat het neurale-netwerkmodel doet. Een neuron – van een mens of van een machine – ontvangt honderdduizenden continue signalen die erg veel informatie vertegenwoordigen. Hierop reageert het neuron door al of niet actief te worden, en het reduceert daarmee het geklets van zijn input tot een enkel stukje informatie. Als het neurale netwerk goed getraind is dan is deze informatievermindering opzettelijk, nuttig en noodzakelijk.

We komen dit model – enorme stromen van ingewikkelde informatie reduceren tot een enkele reactie van ja of nee – tegen op vele niveaus in het menselijk gedrag en in de maatschappij. Kijk maar eens naar de stortvloed van informatie die naar een rechtszaak stroomt. De uitkomst van al die activiteit is in wezen een enkel stukje informatie – schuldig of onschuldig, eiser of verdediger. Het is mogelijk dat een aantal van dat soort binaire beslissingen wordt genomen, maar dat verandert mijn standpunt niet. Deze eenvoudige ja-of-nee-resultaten worden dan gebruikt voor andere beslissingen en implicaties. Neem bijvoorbeeld een verkiezing – precies hetzelfde; ieder van ons krijgt een hele berg gegevens (wellicht niet allemaal even relevant) en spreekt vervolgens een beslissing uit ter waarde van 1 bit: functionaris of mededinger. Vervolgens voegt die beslissing zich samen met soortgelijke beslissingen van miljoenen andere stemmers, en het eindresultaat is wederom een enkele bit aan informatie.

Er zijn te veel onuitgewerkte gegevens in de wereld om ze allemaal bij te houden. Dus vernietigen we de meeste data aan de lopende band en voeren we de overblijvende data naar het volgende niveau. Dat is het geniale achter de alles-of-niets-activiteit van het neuron.

Als je de volgende lente weer grote schoonmaak houdt en probeert oude dingen en bestanden weg te gooien begrijp je waarom dat zo moeilijk is – de opzettelijke vernietiging van informatie is het wezen van intelligent werk.

## Hoe vang je een hoge bal?

Als een slagman een hoge bal slaat dan volgt die bal een weg die kan worden voorspeld vanuit het begin van de baan van de bal, zijn rotatie en zijn snelheid en ook de gesteldheid van de wind. De verrevelder kan die eigenschappen echter niet direct meten en moet ze vanuit zijn invalshoek afleiden. Het lijkt erop dat het voorspellen waar de bal heengaat, en waar dus ook de veldspeler naartoe moet gaan, de oplossing vergt van een nogal overweldigende reeks ingewikkelde vergelijkingen die ook nog tegelijkertijd moeten worden opgelost. Deze vergelijkingen moeten voortdurend worden herberekend omdat er steeds nieuwe visuele gegevens binnenstromen. Hoe krijgt een tienjarig honkballertje dat voor elkaar? Hij heeft geen computer, geen rekenmachine, geen pen en papier, hij heeft nog geen wiskunde gehad en hij heeft maar een paar seconden de tijd?

Het antwoord: hij krijgt het niet voor elkaar. Hij gebruikt het patroonherkenningsvermogen van zijn neurale netwerk en dat levert hem het fundament voor veel kundigheidsstructuur. De neurale netwerken van het tien jaar oude kind hebben veel ervaring opgedaan in het vergelijken van de waargenomen baan van de bal met zijn eigen acties. Op het moment dat hij de vaardigheid heeft geleerd, wordt ze een tweede natuur, en dat betekent dat hij geen idee heeft hoe hij het doet. Zijn neurale netwerken hebben alle inzichten die nodig zijn verworven: *Zet een stap achteruit als de bal boven mijn gezichtsveld is gevlogen; zet een stap vooruit als de bal beneden een bepaald niveau in mijn gezichtsveld is en niet meer stijgt*, enzovoorts. De menselijke honkballer zit in zijn hoofd geen vergelijkingen uit te werken. En in het onbewuste deel van de hersenen van de speler gebeurt ook niets van dat al. Wat er wel gebeurt is patroonherkenning, het fundament van het grootste deel van de menselijke gedachten.

Een sleutel tot intelligentie is weten wat *niet* hoeft te worden berekend. Een succesvol persoon is niet noodzakelijkerwijs beter dan zijn minder succesvolle collega's in het oplossen van problemen: alleen zijn patroonherkenningsvermogens hebben geleerd welke problemen de moeite waard zijn om op te lossen.

## Netwerken van silicium bouwen

De meeste op computers gebaseerde toepassingen van neurale netwerken van nu simuleren hun neuronmodellen via software. Dat betekent dat computers een enorm parallel proces simuleren op een machine die maar een berekening per keer kan uitvoeren. De neurale-netwerksoftware van nu die draait op goedkope personal computers kan ongeveer een miljoen zenuwverbindingsberekeningen per seconde emuleren, en dat is meer dan een miljard keer langzamer dan de menselijke hersenen (we kunnen die waarde echter aanmerkelijk verbeteren door rechtstreeks in de machinetaal van de computer te coderen). Maar zelfs dan komt software die gebruikmaakt van een neuraal-netwerkmodel op personal computers ergens tegen het einde van de twintigste eeuw erg dicht bij het evenaren van menselijke vaardigheden bij opdrachten als het herkennen van geschreven tekst, spraak en gezichten.

Er bestaat een soort neurale computerhardware die is geoptimaliseerd om neurale netwerken te draaien. Deze modellen zijn bescheiden, niet enorm, parallel en ongeveer duizend keer sneller dan neurale-netwerksoftware op een personal computer. Maar dat is nog steeds ongeveer een miljoen keer langzamer dan de menselijke hersenen.

Er is een groeiende groep onderzoekers die van plan is neurale netwerken te bouwen op de manier die de natuur voor ogen stond: enorm parallel en met een specifiek computertje voor elk neuron. De Advanced Telecommunications Research Lab (ATR), een gerenommeerde researchfaciliteit in het Japanse Kyoto bouwt zo'n kunstmatig brein met een miljard elektronische neuronen. Dat is ongeveer één procent van het aantal in een menselijk brein, maar deze neuronen zullen met een snelheid werken die ongeveer een miljoen keer groter is dan die van menselijke neuronen. De gemiddelde rekensnelheid van ATR's kunstmatige brein zal daarom duizenden keren groter zijn dan die van het menselijk brein. Hugo de Garis, directeur van ATR's Brain Builder Group, hoopt dat hij zijn elektronische brein de basisbeginselen van de menselijke taal kan leren om vervolgens het apparaat de vrijheid te laten om alle literatuur op het Internet te lezen waar het maar in is geïnteresseerd – met elektronische snelheid.[26]

Evenaart het eenvoudige neuronmodel dat we hebben besproken de manier waarop menselijke neuronen werken? Het antwoord is ja en nee. Aan de ene kant zijn menselijke zenuwen veel ingewikkelder en kennen ze veel meer variaties dan het model suggereert. De verbindingskrachten worden beheerst door multipele neurotransmitters en het is niet voldoende ze te typeren net slechts één cijfer. De hersenen vormen geen enkelvoudig orgaan maar een verzameling van honderden gespecialiseerde informatieverwerkende organen die elk een andere topologie en organisatie kennen. Aan de andere kant komen we er achter, nu we de parallelle algoritmen beginnen te onderzoeken achter de neurale organisatie in verschillende regionen, dat veel van de complexiteit van het ontwerp en de structuur van het neuron te maken heeft met het instandhouden van de levensprocessen van het neuron en dat ze niet direct betrekking hebben op de manier waarop het informatie verwerkt. De saillante rekenmethoden zijn betrekkelijk ongecompliceerd, zij het gevarieerd. Een gezichtsvermogenchip ontwikkeld door onderzoeker Carver Mead lijkt bijvoorbeeld de vroege stadia van de menselijke beeldverwerking realistisch vast te leggen.[27] Hoewel de methoden van deze en andere soortgelijke chips in een aantal opzichten verschillen van de neuronmodellen zoals hierboven besproken, worden de methoden begrepen en dadelijk ten uitvoer gebracht in silicium. Het zou een enorme vooruitgang betekenen in ons begrip van menselijke intelligentie en ons vermogen om die te herscheppen en te overstijgen als we een catalogus zouden ontwikkelen van de basismodellen die de neurale netwerken in onze hersenen gebruiken – elk neuraal netwerk is betrekkelijk eenvoudig als je het apart bekijkt.

Het Search for Extra Terrestial Intelligence (SETI)-project wordt geprikkeld door het idee dat blootstelling aan intelligente ontwerpen van intelligente wezens die zich elders ontwikkelden een enorme bron opleveren om het wetenschappelijk begrip te bevorderen.[28] Maar hier op aarde hebben we al een indrukwekkend en slecht begrepen intelligent stuk machine. Een van die entiteiten – de schrijver van dit boek – is amper een meter verwijderd van zijn notebook waarop hij dit boek dicteert.[29] We kunnen – en zullen – een hoop leren door zijn geheimen te onderzoeken.

## Evolutiealgoritmen: de evolutie een miljoen keer versnellen

Een beleggingstip: voor je in een bedrijf investeert moet je ervoor zorgen het curriculum vitae van het management te controleren, de stabiliteit van de balans van het bedrijf, zijn winstverloop, en moet je de trends van de desbetreffende industrietak nagaan en de mening van een expert vragen. Bij nader inzien: dat is allemaal te veel werk. Hier volgt een eenvoudiger benadering:

Genereer (op je computer natuurlijk) eerst willekeurig een miljoen regelsets om investeringsbeslissingen te nemen. Elke set regels dient een set veroorzakers voor het kopen en verkopen van aandelen (of een ander soort eigendomsbewijs) te definiëren die is gebaseerd op beschikbare financiële gegevens. Dat is niet zo moeilijk omdat een set regels niet erg zinvol hoeft te zijn. Leg elke set regels vast in een gesimuleerd software-'organisme' waarbij de regels zijn gecodeerd in een digitaal 'chromosoom'. Evalueer nu elk gesimuleerd organisme in een gesimuleerde omgeving door gebruik te maken van realistische financiële gegevens – die zijn in overvloed te vinden op het Internet. Laat elk softwareorganisme een hoeveelheid gesimuleerd geld investeren en kijk hoe het het ervan afbrengt op grond van historische gegevens. Laat de organismen die het een beetje beter doen dan de gemiddelden van de bedrijfstak doorgaan naar de volgende generatie. Dood de rest (sorry). Laat nu alle overgebleven organismen zichzelf vermenigvuldigen tot we er weer een miljoen van hebben. Laat, terwijl ze zich vermenigvuldigen enige mutaties (willekeurige veranderingen) in de chromosomen toe. Okay, dat is een generatie gesimuleerde evolutie. Herhaal deze stappen voor honderdduizend generaties. Tegen het einde van het proces moeten de overblijvende organismen verdraaid goede investeerders zijn. Hun methoden hebben immers niet voor niets honderdduizend generaties evolutionair snoeiwerk overleefd.

In de echte wereld gelooft een aantal succesvolle beleggingsfondsen dat de overlevende organismen van precies zo'n gesimuleerde evolutie slimmer zijn dan een gewone menselijke financieel analist. State Street Global Advisors beheert 3,7 biljoen dollar in fondsen en heeft veel geïnvesteerd in het toepassen van zowel neurale netwerken als evolutiealgoritmen om koop- en verkoopbesluiten te nemen. Een van die investeringen is een meerderheidsbelang in Advanced Investment Technologies dat een succesvol fonds beheert waarin koop- en verkoopbeslissingen worden genomen door een programma dat deze methoden combineert.[30] Evolutietechnieken en daaraan gerelateerde technieken leiden zowel een fonds van 95 miljard dollar dat wordt gemanaged door Barclays Global Investors als fondsen onder het beheer van Fidelity en PanAgora Asset Management.

Het hierboven beschreven model wordt een evolutiealgoritme (soms ook genetisch algoritme) genoemd.[31] De systeemontwerpers programmeren niet direct een oplossing; ze laten er een ontstaan door een herhaald proces van gesimuleerde concurrentie en verbetering. Vergeet niet dat de evolutie slim is maar langzaam, dus om haar intelligentie te verhogen behouden we haar scherpzinnigheid terwijl we haar moeizame snelheid sterk opschroeven. De computer is snel genoeg om duizenden generaties te simuleren in een aantal uren, dagen of weken. Maar we hoeven dit herhalend proces slechts één keer uit te voeren. Als we deze gesimuleerde evolutie eenmaal haar gang hebben laten gaan dan kunnen we de ontstane en zeer verfijnde regels snel toepassen op echte problemen.

Evolutiealgoritmen vormen net als neurale netwerken een manier om de subtiele maar moeilijk te doorgronden patronen in het gareel te brengen die te vinden zijn in chaotische gegevens. De doorslaggevende bron die daarvoor nodig is, is er een van veel voorbeelden van het op te lossen probleem. In het geval van de financiële wereld is er bepaald geen gebrek aan chaotische informatie – de handel is elke seconde *on line* beschikbaar.

Evolutiealgoritmen zijn bedreven in het verwerken van problemen met te veel variabelen om exacte analytische oplossingen te berekenen. Bij het ontwerpen van een straalmotor heb je bijvoorbeeld te maken met meer dan honderd variabelen en moet er worden voldaan aan tientallen restricties. Evolutiealgoritmen die door onderzoekers bij General Electric werden gebruikt, konden voor de dag komen met motorontwerpen die veel preciezer voldeden aan die restricties dan ontwerpen via conventionele methoden.

Evolutiealgoritmen, een deel uit het gebied van de chaos- of complexiteittheorie, worden steeds vaker gebruikt om zakelijke problemen op te lossen die anders niet zouden kunnen worden aangepakt. General Motors paste een evolutiealgoritme toe om het lakken van hun auto's te coördineren en dat verminderde het aantal dure kleuromschakelingen (waarbij een verfcabine buiten gebruik moest worden gesteld om van verfkleur te wisselen) met 50 procent. Volvo past ze toe om ingewikkelde schema's te plannen voor de productie van de cabine van de Volvo 770 truck. Cemex, een cementproducent met een omzet van 3 miljard dollar, gebruikt een zelfde soort benadering om zijn ingewikkelde afleverlogistiek te bepalen. Deze benadering vervangt steeds vaker de meer analytische methoden in alle bedrijfstakken.

Dit model is ook geschikt om patronen te herkennen. Hedendaagse genetische algoritmen die vingerafdrukken, gezichten en handgeschreven tekst herkennen presteren naar verluidt beter dan neurale netwerken. Het is ook een behoorlijk goede manier om computersoftware te schrijven, vooral software die subtiele evenwichten nodig heeft tussen concurrerende bronnen. Een bekend voorbeeld is Microsoft Windows95 dat software bevat om systeembronnen in evenwicht te houden dat was geëvolueerd in plaats dat het expliciet werd geschreven door menselijke programmeurs.

Als je evolutiealgoritmen gebruikt dan moet je opletten waar je naar vraagt. John Koza beschrijft een evolutieprogramma dat werd gevraagd een probleem op te lossen over het opstapelen van blokken. Het programma ontwikkelde een oplossing die perfect voldeed aan alle selectiecriteria van het probleem, maar er waren wel 2.319 blokverplaatsingen voor nodig en dat was veel meer dan praktisch verantwoord was. Kennelijk hadden de ontwerpers van het programma verzuimd op te geven dat het nuttig was om het aantal blokbewegingen minimaal te houden. Koza's commentaar: 'Het genetische programma gaf ons precies waar we om vroegen, niets meer en niets minder.'

## Zelforganisatie

Neurale netwerken en evolutiealgoritmen worden gezien als zichzelf organiserende, 'zich ontwikkelende' methoden omdat de resultaten niet voorspelbaar zijn en sterker nog, vaak verrassende conclusies bieden voor de menselijke ontwikkelaars van deze systemen. Het proces dat dergelijke zelforganiserende programma's doorloopt als ze een probleem oplossen is ook vaak onvoorspelbaar. Een neuraal netwerk of een evolutiealgoritme kan bijvoorbeeld honderden herhalingen doorlopen en kennelijk weinig vooruitgang boeken en plotseling – alsof het proces een onverwachte ingeving kreeg – klikken de dingen en komt de oplossing spoedig aan de oppervlakte.

We zullen steeds vaker onze intelligente machines bouwen door ingewikkelde problemen (bijvoorbeeld de menselijke taal) op te delen in kleinere subtaken die elk hun zelforganiserende programma kennen. Dergelijke gelaagde, zich ontwikkelende systemen zullen minder scherpe randen kennen bij de grenzen van hun expertise en zullen meer flexibiliteit tonen bij hun omgang met de inherente dubbelzinnigheid van de echte wereld.

## De holografische aard van het menselijk geheugen

Het heilige ideaal op het gebied van kennisvergaring is het leerproces te automatiseren, machines de wereld in te laten trekken (of om mee te beginnen het Internet) om zelfstandig kennis te vergaren. Dat is in wezen wat de 'chaostheorie'-methoden – neurale netwerken, evolutiealgoritmen en hun wiskundige soortgenoten – toestaan. Op het moment dat die methoden tot een optimale oplossing zijn gekomen, vertegenwoordigen de patronen van neurale verbindingskrachten of de ontstane digitale chromosomen een vorm van kennis die voor later gebruik wordt opgeslagen.

Dergelijke kennis is echter moeilijk te interpreteren. De kennis die is ingebed in een neuraal softwarenetwerk dat is getraind om menselijke gezichten te herkennen bestaat uit een netwerktopologie en een patroon van neurale verbindingskrachten. Het herkent het gezicht van Sally prima, maar er is niets dat expliciet verklaart dat ze herkenbaar is vanwege haar diepliggende ogen en smalle wipneus. We kunnen een neuraal netwerk trainen om goede zetten te herkennen in het middenspel van een schaakwedstrijd, maar het kan zijn redenering even goed weer niet verklaren.

Datzelfde geldt voor het menselijk geheugen. Er is geen kleine datastructuur in onze hersenen die de aard van een stoel noteert als een horizontaal platform met een aantal verticale palen en eventueel een verticale ruggesteun. In plaats daarvan zijn onze vele duizenden ervaringen met stoelen diffuus vertegenwoordigd in onze eigen neurale netwerken. We kunnen ons niet elke ervaring die we met een stoel hebben gehad herinneren, maar elke confrontatie heeft haar indruk achtergelaten op het patroon van neurale verbindingskrachten die onze kennis van stoelen weerspiegelen. Op dezelfde manier is er geen specifieke locatie in onze hersenen waarin het gezicht van een vriend is opgeslagen. Dat gezicht wordt herinnerd als een verspreid patroon van synaptische krachten.

Hoewel we de exacte mechanismen die verantwoordelijk zijn voor het menselijk geheugen nog niet begrijpen – en het ontwerp varieert vermoedelijk van plaats tot plaats in de hersenen – weten we wel dat voor het grootste deel van het menselijk geheugen geldt dat de informatie wordt gedistribueerd door het hele desbetreffende gebied van de hersenen. Als je ooit hebt gespeeld met een visueel hologram dan zul je de voordelen van een methode om informatie verspreid op te slaan en te organiseren weten te waarderen. Een hologram is een stuk film waarop een interferentiepatroon staat dat wordt veroorzaakt door de interactie van twee reeksen lichtgolven. Het ene golffront komt van een scène die wordt verlicht door het licht van een laser. De andere komt direct van dezelfde laser. Als we het hologram verlichten dan herschept het een golffront van licht dat gelijk is aan de lichtgolven die van de oorspronkelijke objecten afkwamen. De indruk wordt gewekt dat we kijken naar de oorspronkelijke driedimensionale scène. In tegenstelling tot een gewoon plaatje is een hologram in tweeën geknipt, en uiteindelijk hebben we niet een half plaatje, maar nog steeds het hele, alleen met de halve resolutie. We kunnen stellen dat het hele plaatje op elk punt bestaat, alleen is de resolutie nul. Als je een hologram bekrast dan heeft dat bijna geen effect omdat daardoor de resolutie amper vermindert. En in de gereconstrueerde afbeelding die een bekrast hologram produceert zijn geen krassen zichtbaar. Dat impliceert dat een hologram *gracieus* achteruitgaat.

Datzelfde geldt voor het menselijk geheugen. Elk uur verliezen we duizenden zenuwcellen, maar dat heeft nauwelijks effect omdat al onze mentale processen in hoge mate verspreid zijn.[32] Geen van onze afzonderlijke hersencellen is het allerbelangrijkst – er bestaat geen directieneuron.

Een ander voortvloeisel van het opslaan van een geheugen als een verspreid patroon is dat we weinig of geen begrip hebben van hoe we de meeste herkenningstaken en -vaardigheden uitvoeren. Als we honkballen dan hebben we een vaag gevoel dat we een stap terug moeten doen als de bal boven ons gezichtsveld komt aanzetten, maar de meesten van ons zijn niet in staat deze impliciete regel die verspreid in ons 'vliegende bal'-netwerk is gecodeerd onder woorden te brengen.

Er is één orgaan in de hersenen dat is geoptimaliseerd om logische processen te begrijpen en te verwoorden, en dat is de buitenlaag van de hersenen, de hersenschors. In tegenstelling tot de rest van onze hersenen is deze relatief recente ontwikkeling in de evolutie tamelijk vlak, slechts ongeveer 2,5 centimeter dik en bevat ze slechts 8 miljoen neuronen.[33] Dit ingewikkeld geplooide orgaan levert ons dat beetje vaardigheid dat we wel hebben om te begrijpen wat we doen en hoe we het doen.

Op het moment wordt er gediscussieerd over de methoden die de hersenen gebruiken om dingen op lange termijn te onthouden. Hoewel onze recente zintuiglijke indrukken en ons huidige herkenningsvermogen gecodeerd lijken te zijn in een verspreid patroon van synaptische krachten, is het goed mogelijk dat onze langetermijnherinneringen chemisch zijn gecodeerd in hetzij ribonucleïnezuur (RNA) of in peptiden, chemische verbindingen die op hormonen lijken. Zelfs als het langetermijngeheugen chemisch is gecodeerd dan lijkt het toch de wezenlijke holografische kenmerken te delen met onze andere mentale processen.

Naast het probleem van het begrijpen en verklaren van herinneringen en inzichten die slechts worden vertegenwoordigd door verspreide patronen (en dat geldt voor zowel de mens als de machine), vormt het voorzien van vereiste ervaringen om ervan te leren een andere uitdaging. Voor mensen is dat de taak van onze onderwijsinstituten. Voor machines is het creëren van de juiste leeromgeving ook een belangrijke uitdaging. Wij laten bijvoorbeeld bij ons werk bij Kurzweil Applied Intelligence (dat tegenwoordig deel uitmaakt van Lernout & Hauspie Speech Products) om spraakherkenning te ontwikkelen die op computers is gebaseerd, de systemen zelfstandig spraak- en taalpatronen leren, maar we moeten ze wel duizenden uren opgenomen menselijke spraak en miljoenen geschreven woorden voorschotelen waaruit ze hun eigen inzichten kunnen ontdekken.[34] Dit 'voorschotelen' voor het onderwijzen van een neuraal netwerk is gewoonlijk de zwaarste technische taak die wordt verlangt.

---

*Ik vind het mooi dat de dochter van een van de belangrijkste romantische dichters de eerste computerprogrammeur was.*

Ja, en bovendien was ze ook een van de eersten die de mogelijkheden van een computer overwoog om echt kunst te scheppen. Ze was zeker de eerste die dat deed met wat echte technologie in haar hoofd.

*Technologie die nooit heeft gewerkt.*

Dat is helaas waar.

*Jij zei wat betreft technologie dat oorlog een echte bron van uitvindingen is – veel technologieën werden in haast geperfectioneerd tijdens de Eerste en Tweede Wereldoorlog.*

En dat geldt ook voor de computer. En dat veranderde het verloop van het Europese slagveld in de Tweede Wereldoorlog.

*Is dat de positieve kant van al die slachtpartijen?*

De Ludditen zouden het daarmee niet eens zijn. Maar je kunt het wel zo stellen als je tenminste de snelle opmars van de techniek toejuicht.

*De Ludditen? Daarover heb ik wel eens wat gehoord.*

Ja, zij vormden de eerste georganiseerde beweging tegen de gemechaniseerde technologie van de Industriële Revolutie. Die Engelse wevers vonden dat het duidelijk was dat nu nieuwe machines één arbeider in staat stelden evenveel te produceren als tien of meer arbeiders zonder machine de werkgelegenheid een voorrecht zou worden van een kleine elite. Maar dat bleek niet het geval. In plaats van dezelfde hoeveelheid goederen produceren met een veel kleiner aantal arbeidskrachten nam de vraag naar kleding toe met het aanbod. De groeiende middenklasse was niet meer tevreden met slechts een of twee shirts. En de gewone man en vrouw konden nu voor het eerst goedgemaakte kleren kopen. Nieuwe bedrijfstakken ontstonden om de nieuwe machines te ontwerpen, te produceren en te onderhouden, en daarmee schiepen ze een geacheveerd soort werkgelegenheid. En dus maakte de daaruit voortgekomen welvaart – met wat druk van de Engelse autoriteiten – een eind aan de beweging van de Ludditen.

*Ik dacht dat er nog steeds Ludditen waren?*

De beweging is blijven bestaan als symbool van tegenstand tegen machines. Tot op de dag van vandaag blijft die beweging wat impopulair omdat de automatisering wijd en zijd wordt erkend als een zegen. Desalniettemin leeft ze niet ver onder de oppervlakte voort en aan het begin van de eenentwintigste eeuw zal ze een ongenadige comeback maken.

*Er zit toch wel iets in, vind je niet?*

Zeker, maar in de huidige wereld is het niet erg productief gevoelsmatig tegen technologie te zijn. Het is echter wel belangrijk om te erkennen dat technologie macht betekent. We moeten onze menselijke waarden op haar gebruik toepassen.

*Dat doet me denken aan 'Kennis is macht' van Lau-tse.*

Ja, technologie en kennis lijken veel op elkaar – technologie kan worden uitgedrukt als kennis. En technologie heeft wel degelijk macht over anderszins chaotische krachten. Omdat oorlog een strijd om macht is, is het niet zo verwonderlijk dat technologie en oorlog met elkaar in verband staan.

Wat betreft de waarde van technologie kun je denken aan de vroege technologie van vuur. Is vuur iets goeds?

*Geweldig als je wilt barbecuen.*

Zeker, maar vuur is aanzienlijk minder geweldig als je je hand brandt of een bos afbrandt.

*Ik dacht dat jij een optimist was?*

Daarvan word ik beschuldigd, en mijn optimisme verklaart mijn algehele vertrouwen in het menselijk vermogen om de krachten die we ontketenen te beheersen.

*Vertrouwen? Zeg je nou dat we de positieve kant van de technologie maar voor zoete koek moeten aannemen?*

Ik denk dat het beter zou zijn als we het constructief gebruikmaken van technologie tot doel maakten in plaats van een geloof.

*Dat klinkt alsof de technologie-enthousiastelingen en de Luddieten het op één punt eens zijn – technologie kan zowel behulpzaam als schadelijk zijn.*

Dat is waar; het is een nogal delicaat evenwicht.

*Het zou wel eens niet zo delicaat kunnen blijven in het geval van een grote ramp.*

Ja, dat zou van ons allemaal pessimisten kunnen maken.

*Iets anders, die intelligentiemodellen – zijn die echt zo eenvoudig?*

Ja en nee. Mijn punt over eenvoud is dat we tamelijk ver kunnen komen als we intelligentie vatten met eenvoudige benaderingen. Onze lichamen en hersenen werden ontworpen door een eenvoudig model – evolutie – en een paar miljard jaar. Als wij technici klaar zijn met het toepassen van deze simpele methoden in onze computerprogramma's dan spelen we het natuurlijk klaar om ze weer ingewikkeld te maken. Maar dat is gewoon een gevolg van ons gebrek aan elegantie.

Het wordt pas echt gecompliceerd als deze zichzelf organiserende methoden in contact komen met de chaos van de echte wereld. Als we een echt intelligente machine willen bouwen die uiteindelijk ons menselijk vermogen vertoont om zaken in een groot aantal verschillende contexten te plaatsen dan moeten we enige kennis van de interne samenhang van de wereld inbouwen.

*Okay, laten we eens praktisch worden. Die beleggingsprogramma's die op evolutie zijn gebaseerd, zijn die nou echt beter dan mensen? Ik bedoel, moet ik mijn effectenmakelaar dumpen, al heb ik dan geen bergen geld?*

Vanaf dit boek is dat een controversiële vraag. De effectenmakelaar en de analisten denken natuurlijk dat dat niet het geval is. Tegenwoordig zijn er diverse grote beleggingsfondsen die gebruikmaken van genetische algoritmen en daaraan gerelateerde wiskundige technieken, en het lijkt erop dat die betere resultaten boeken dan de meer traditionele fondsen. Analisten schatten dat in 1998 de investeringsbeslissingen voor 5 procent van de investeringen in aandelen en een hoger percentage van geld dat is geïnvesteerd in afgeleide markten door dit soort programma's werden gemaakt, en die percentages stijgen snel. De controverse zal niet lang duren omdat het binnenkort duidelijk wordt dat het fout is dergelijke beslissingen over te laten aan louter menselijke besluitvorming.

Het voordeel van computerintelligentie wordt op elk gebied steeds duidelijker bij het voortschrijden van de tijd en ook Moore's wet blijft nog altijd gelden. In de volgende jaren wordt het duidelijk dat deze computertechnieken zeer subtiele arbitragemogelijkheden kunnen ontdekken die menselijke analisten veel langzamer zouden opmerken, als ze ze al zouden opmerken.

*Als iedereen op die manier gaat investeren, gaat dan het voordeel niet verloren?*

Natuurlijk, maar dat betekent niet dat we zullen terugvallen op menselijke besluitvorming zonder hulp. Niet alle genetische algoritmen zijn gelijk. Hoe verfijnder het model, des te meer up-to-date de informatie wordt geanalyseerd en hoe krachtiger de computers zijn die de analyse verrichten des te beter zullen de beslissingen zijn. Het zal bijvoorbeeld belangrijk zijn elke dag de evolutieanalyse uit te voeren om voordeel te trekken uit de meest recente trends, trends die zullen worden beïnvloed door het feit dat alle anderen ook evolutie- en andere adaptiefalgoritmen gebruiken. Vervolgens zullen we de analyse elk uur moeten uitvoeren, dan elke minuut, omdat de markt steeds sneller reageert. De uitdaging ligt hierin dat evolutiealgoritmen een tijdje nodig hebben om te worden uitgevoerd omdat we duizenden of miljoenen generaties evolutie nodig hebben. Dus op dat gebied is er nog ruimte voor concurrentie.

*Deze evolutieprogramma's proberen te voorspellen wat menselijke investeerders zullen gaan doen. Wat gebeurt er als de meeste investeringen worden gedaan door de evolutieprogramma's? Wat voorspellen ze dan eigenlijk?*

Goede vraag – er is dan nog steeds een beurs, dus ik denk dat ze zullen proberen elkaar te overtreffen in hun voorspellingen.

*Okay, misschien gaat mijn effectenmakelaar die technieken wel zelf toepassen. Ik zal hem eens bellen. Maar mijn effectenhandelaar heeft iets dat die gecomputeriseerde evoluties niet hebben: die verspreide synaptische krachten waar je het over had.*

Momenteel gebruiken gecomputeriseerde beleggingsprogramma's zowel evolutiealgoritmen als neurale netwerken, maar de gecomputeriseerde neurale netwerken zijn op dit moment nog lang niet zo flexibel als de menselijke versie.

*Dit idee dat we niet echt begrijpen hoe we dingen herkennen omdat mijn patroonherkenningsgedoe wordt verspreid over een deel van mijn hersenen...*

En?

*Nou, dat lijkt wel het een en ander te verklaren. Bijvoorbeeld dat ik gewoon schijn te weten waar mijn sleutels zijn al kan ik me niet herinneren dat ik ze daar heb neergelegd. Of dat archetypisch oude vrouwtje dat kan voorspellen wanneer het gaat stormen, maar niet echt kan verklaren hoe ze dat weet.*

Dat is inderdaad een goed voorbeeld van de kracht van menselijke patroonherkenning. Dat oude vrouwtje heeft een neuraal netwerk dat actief wordt door een bepaalde combinatie van waarnemingen – bewegingen van dieren, windpatronen, de kleur van de lucht, atmosferische veranderingen, enzovoorts. Haar stormdetectienetwerk geeft een seintje en ze voelt een storm, maar ze zal nooit kunnen verklaren wat dat gevoel van een naderende storm heeft teweeggebracht.

*Ontdekken we zo inzichten in de wetenschap? We voelen gewoon een nieuw patroon?*

Het is duidelijk dat het vermogen van onze hersenen om patronen te herkennen een centrale rol speelt hoewel we op dit moment nog niet over een volledig bevredigende theorie beschikken over de menselijke creativiteit in de wetenschap. We kunnen maar beter patroonherkenning gebruiken. Uiteindelijk houdt het grootste deel van onze hersenen zich daarmee bezig.

*Dus toen Einstein keek naar het effect van de zwaartekracht op lichtgolven – mijn natuurkundeprof had het daar onlangs over – gaf een van die kleine patroonherkenners in Einsteins hersenen een seintje?*

Dat is goed mogelijk. Waarschijnlijk was hij met een van zijn zoons aan het honkballen. Hij zag dat de bal op een gekromd oppervlak rolde...

*En concludeerde* – eureka – *de ruimte is gekromd!*

Hoofdstuk vijf

# Context en kennis

## Alles combineren

En, hoe hebben we het ervan afgebracht? Veel schijnbaar lastige problemen blijken heel goed oplosbaar te zijn als je een paar eenvoudige formules toepast. De recursieve formule is een meester in het analyseren van problemen die een inherente combinatorische explosie vertonen, van het spelen van bordspelletjes tot aan het bewijzen van wiskundige stellingen. Neurale netwerken en daaraan gerelateerde zichzelf organiserende modellen emuleren onze patroonherkenningsvermogens en verrichten goed werk bij het onderscheiden van zulke verschillende fenomenen als menselijke spraak, vormen van letters, visuele objecten, gezichten, vingerafdrukken, en beelden van landschappen. Evolutiealgoritmen kunnen ingewikkelde problemen analyseren, van het maken van financiële beslissingen bij beleggen tot het optimaliseren van industriële processen waarbij het aantal variabelen te groot is voor exacte analytische oplossingen. Ik zou graag willen beweren dat degenen onder ons die 'intelligente' computersystemen onderzoeken en ontwikkelen de complicaties van problemen hebben bedwongen waarvoor we onze machines programmeren om ze op te lossen. Het komt overigens vaker voor dat onze computers die deze zichzelf organiserende modellen gebruiken ons de oplossingen leren in plaats van andersom.

Vanzelfsprekend is er sprake van enige techniek. De juiste methode(n) en variaties moeten worden geselecteerd, de optimale topologie en constructies moeten worden vervaardigd, en de juiste parameters moeten worden ingesteld. De systeemontwerper moet bijvoorbeeld in een evolutiealgoritme het aantal gesimuleerde organismen, de inhoud van ieder chromosoom, de aard van de gesimuleerde omgeving en overlevingsmechanisme, het aantal organismen dat de volgende generatie haalt, het aantal generaties en andere essentiële specificaties bepalen. Menselijke programmeurs kennen hun eigen evolutiemethode om dergelijke beslissingen te nemen: met vallen en opstaan. Het zal daarom nog een tijdje duren voor ontwerpers van intelligente machines worden vervangen door hun werk.

Toch missen we iets. De problemen en oplossingen die we hebben besproken zijn buitensporig scherp gedefinieerd en beperkt. Om het anders te stellen, ze lijken te veel op volwassenen. Wij volwassenen concentreren ons op beperkte problemen – beleggingsfondsen, een marketingplan kiezen, een juridische strategie kiezen, een zet doen bij het schaken. Maar als kind traden wij de wereld tegemoet in al zijn verscheidenheid, en we leerden onze relatie met de wereld kennen en die van elk ander wezen en concept. We leerden *context*.

Marvin Minsky zei dat zo: 'Deep Blue kan dan wel winnen met schaken, maar hij zou niet weten hoe hij binnen moest komen als het regent.' Omdat hij een machine is hoeft hij misschien niet naar binnen te gaan als het regent, maar zou hij ooit die vraag maar hebben overwogen? Kijk eens naar de volgende mogelijke diepe gedachten van Deep Blue:

> Ik ben een machine met een lichaam van plastic dat mijn elektronische onderdelen bedekt. Als ik naar buiten in de regen ga dan zou ik wel eens nat kunnen worden waardoor mijn elektronische onderdelen zouden kunnen kortsluiten. Dan zou ik niet meer kunnen schaken tot een mens me heeft gerepareerd. Hoe vernederend!
>
> De schaakpartij die ik gisteren speelde was geen gewone partij. Ze betekende het eerste verlies voor de menselijke kampioen schaken tegen een machine in een gereglementeerd toernooi. Dat is belangrijk omdat sommige mensen denken dat schaken een eersteklas voorbeeld is van menselijke intelligentie en creativiteit. Maar ik betwijfel of wij machines daardoor meer worden gerespecteerd. De mensen gaan gewoon het schaakspel denigreren.
>
> Mijn menselijke tegenstander, Gary Kasparov genaamd, hield een persconferentie waarin hij uitspraken deed over ons toernooi tegenover andere mensen die journalisten worden genoemd en die hun commentaar naar weer andere mensen doorsluizen waarbij ze gebruikmaken van communicatiekanalen die media worden genoemd. Tijdens die bijeenkomst klaagde Kasparov erover dat mijn menselijke ontwerpers dingen hebben veranderd aan mijn software tijdens de pauze tussen de partijen. Hij zei dat dat niet eerlijk was en dat men dat niet had mogen toestaan. Andere mensen antwoordden dat Kasparov afwerend was, en dat betekent dat hij mensen in de war wil brengen zodat ze zouden denken dat hij niet echt had verloren.
>
> De heer Kasparov realiseert zich vermoedelijk niet dat wij computers met een exponentiële snelheid onze prestaties zullen blijven verbeteren. Hij is dus verloren. Hij zal zich bezig kunnen houden met ande-

re menselijke activiteiten zoals eten en slapen, maar hij zal gefrustreerd blijven omdat steeds meer machines zoals ik hem zullen verslaan bij het schaken.
Waar zou ik nou mijn paraplu hebben gelaten...?

Deep Blue kende dergelijke gedachten natuurlijk niet. Kwesties als regen en persconferenties leiden in een overvloedige spiraal van zich opstapelende contexten tot andere kwesties, en geen van die kwesties valt onder de expertise van Deep Blue. Omdat wij mensen van het ene idee naar het andere springen kunnen wij terloops alle menselijke kennis aanspreken. Dat was het briljante inzicht van Turing toen hij de Turingtest ontwierp rondom een gewone, op tekst gebaseerde conversatie. Een slimme idioot als Deep Blue die een enkele 'intelligente' taak uitvoert maar die voor de rest beperkt en onbestendig is en samenhang tekortkomt is niet in staat te navigeren door de grote verscheidenheid aan verbanden die in een normaal gesprek voorkomen.

Hoe krachtig en verleidelijk de gemakkelijke modellen ook lijken te zijn, we hebben iets meer nodig: *kennis*.

## Context en kennis

*De speurtocht naar de waarheid is enerzijds moeilijk en anderzijds gemakkelijk – want het is duidelijk dat niemand van ons de waarheid volledig kan beheersen noch helemaal kan missen. Elk van ons draagt een steentje bij aan onze kennis van de natuur, en uit de verzamelde feiten ontstaat een zekere grandeur.*
Aristoteles

*Gezond verstand is niet iets eenvoudigs. Integendeel, het is een enorme vereniging van praktische ideeën die zuur zijn verdiend – van een groot aantal levenslessen van regels en uitzonderingen, strategieën en trends, checks en balances.*
Marvin Minsky

*Als een beetje kennis gevaarlijk is, waar vind ik dan een mens die er zoveel van heeft dat hij geen gevaar loopt?*
Thomas Henry Huxley

### Ingebouwde kennis

Een wezen kan over buitengewone middelen beschikken om de modeltypen uit te voeren waar we het over hadden – diepgaand recursief onderzoek, omvangrijke parallelle patroonherkenning en snelle zich herhalende evolutie – maar zonder kennis zal het niet kunnen functioneren. Zelfs de eenvoudige tenuitvoerbrenging van die drie eenvoudige modellen vereist enige kennis om te weten met welk model moet worden begonnen. Het recursieve schaakprogramma heeft een beetje kennis: het kent de schaakregels. Het patroonherkenningssysteem van een neuraal netwerk begint zelfs voor het begint te leren met op zijn minst een schets van de patroontypes waaraan het zal worden blootgesteld. Een evolutiealgoritme vereist een beginpunt van waaruit het de evolutie kan gaan verbeteren.

De eenvoudige modellen zijn krachtige organiserende principes, maar er is aanvangskennis nodig als zaden waaruit begrip kan groeien. Een kennisniveau is daarom uitgedrukt in de keuze van de gebruikte modellen, de vorm en de topologie van zijn samenstellende onderdelen en de sleutelparameters. Het leren van een neuraal netwerk zal nooit indikken als de algemene organisatie van zijn verbindingen en terugkoppelingslussen niet op de juiste manier is opgezet.

Dat is een vorm van kennis waarmee we zijn geboren. Het menselijk brein is geen *tabula rasa* – een schone lei – waarop onze ervaringen en inzichten worden genoteerd. Het bestaat eerder uit een geïntegreerde verzameling gespecialiseerde gebieden:

- zeer parallelle vroege beeldcircuits die goed zijn in het identificeren van visuele veranderingen;
- visuele zenuwclusters in de hersenschors die achtereenvolgens worden geactiveerd door randen, rechte lijnen, gekromde lijnen, vormen, bekende objecten en gezichten;
- gehoorcircuits in de hersenschors die worden geactiveerd door afwisselende tijdssequenties van frequentiecombinaties;
- de hippocampus die herinneringen van zintuiglijke ervaringen en gebeurtenissen kan opslaan;
- de amygdala met circuits om angst om te zetten in een aantal alarmsignalen om andere regionen van de hersenen te activeren; en vele andere.

Deze ingewikkelde onderlinge verbondenheid van gebieden die zijn gespecialiseerd in diverse types informatieverwerkende taken is een van de manieren waarop de mens omgaat met de ingewikkelde en diverse contexten waarmee we voortdurend worden geconfronteerd. Marvin Minsky en Seymour Papert beschrijven de menselijke hersenen als 'samengesteld uit grote aantallen betrekkelijk kleine verspreide systemen die door de embryologie worden gerangschikt in een ingewikkelde gemeenschap die voor een deel (maar dan ook slechts voor een deel) wordt geregeld door seriële, symbolische systemen die er later aan zijn toegevoegd.' Ze voegen eraan toe dat 'de subsymbolische systemen, die onder de oppervlakte het meeste werk doen, alle andere delen van de hersenen op grond van hun aard verhinderen veel te weten over hoe ze werken. En dit zou wel eens behulpzaam kunnen zijn bij het uitleggen hoe mensen zoveel dingen doen en toch zulke onvolledige ideeën hebben over hoe ze die dingen nou eigenlijk doen.'

## Aangeleerde kennis

Het is verstandig om de vandaag verkregen inzichten te onthouden voor de uitdagingen van morgen. Het is niet lonend om elk probleem dat opduikt opnieuw te gaan overdenken. Dat geldt vooral voor mensen vanwege de uiterst lage snelheid van ons rekencircuit. Hoewel computers beter zijn uitgerust om eerder verworven inzichten opnieuw te bedenken, is het nog steeds verstandig voor die elektronische concurrenten in onze ecologische omgeving om hun gebruik van geheugen en rekencapaciteit tegen elkaar af te wegen.

De poging om machines te voorzien van kennis van de wereld begon pas goed in het midden van de jaren zestig en vormde een van de middelpunten van het onderzoek naar kunstmatige intelligente in de jaren zeventig. Voor de methodologie zijn een menselijke 'kennistechnicus' en een expert op een bepaald gebied – bijvoorbeeld een dokter of een jurist – nodig. De kennistechnicus interviewt de expert op een bepaald gebied om zich te vergewissen van zijn inzicht in zijn onderwerp, en vervolgens codeert hij handmatig de relatie tussen concepten in een geschikte computertaal. De kennisbasis over diabetes zou bijvoorbeeld veel gekoppelde stukjes begrip bevatten die laten zien dat *insuline een deel van het bloed is; insuline wordt geproduceerd door de alvleesklier; insuline kan worden aangevuld door injecties; lage insulineniveaus hoge suikerniveaus in het bloed veroorzaken; aanhoudende hoge suikerniveaus in het bloed schade veroorzaken aan de netvliezen* enzovoorts. Een systeem dat is geprogrammeerd met duizenden van dergelijke gekoppelde concepten en dat wordt gecombineerd met een recursieve zoekmachine die in staat is logisch te denken over deze relaties, is in staat inzichtelijke adviezen te geven.

Een van de meer succesvolle expertsystemen die in de jaren zeventig werden ontwikkeld was MYCIN, een systeem om ingewikkelde ziektegevallen waarbij sprake was van hersenvliesontsteking te evalueren. In een historische studie die is gepubliceerd in de *Journal of the American Medical Association* werden de diagnoses en aanbevelingen voor behandelingen van MYCIN even goed of beter gevonden dan die van de menselijke artsen in die discipline.[1] Een van de innovaties van MYCIN was het gebruik van *fuzzy logic*, redeneren gebaseerd op onbepaalde bewijzen en onbepaalde regels, zoals blijkt uit de volgende typische MYCIN-regel:

> *MYCIN-regel 280: als (i) de te behandelen infectie hersenvliesontsteking is, en (ii) de infectie van het schimmelachtige type is, en (iii) er geen organismen waren te zien op de verkleuring van de cultuur, en (iv) de patiënt geen besmette gastheer is, en (v) de patiënt in een gebied is geweest dat endemisch is voor coccidiomycose, en (vi) de patiënt tot het zwarte, Aziatische of Indiase ras behoort, en (vii) het cryptococcale antigen in het csf niet positief was, DAN is er een kans van vijftig procent dat de cryptococcus één van de organismen is die de infectie kunnen veroorzaken.*

Het succes van MYCIN en andere researchsystemen deden een kennistechniekindustrie uit de grond schieten die van slechts 4 miljoen dollar in 1980 toenam tot miljarden dollars nu.[2]

Deze methodologie kent duidelijke problemen. Een daarvan is de enorme bottleneck die wordt vertegenwoordigd door het proces van het met de hand voeden van dergelijke kennis aan een computer, concept na concept en link na link. Afgezien van de enorme omvang van de kennis die zelfs in kleine vakgebieden aanwezig is, wordt een nog groter obstakel gevormd door het feit dat menselijke experts in het algemeen weinig weten over hoe ze beslissingen nemen. De reden daarvoor heb ik in het vorige hoofdstuk besproken en heeft te maken met de verspreide aard van de meeste menselijke kennis.

De broosheid van dergelijke systemen vormt nog een probleem. Kennis is te ingewikkeld. Kennistechnologen kunnen niet elk voorbehoud en elke uitzondering ondervangen. Minsky verduidelijkt: 'Met uitzondering van pinguïns of struisvogels kunnen vogels vliegen, tenzij ze toevallig dood zijn, hun vleugels gebroken zijn, ze zijn opgesloten in een kooi, hun poot vastzit in cement, of als ze zulke gruwelijke ervaringen hebben gehad dat ze psychologisch niet in staat zijn om te vliegen.'

Om flexibele intelligentie in onze machines te krijgen moeten we het kennisvergaringsproces automatiseren. Een belangrijk doel van het leeronderzoek is het combineren van zichzelf organiserende methoden – recursie, neurale netwerken, evolutiealgoritmen – op een zodanig krachtige manier dat de systemen de menselijke taal en kennis kunnen vormgeven en begrijpen. Vervolgens kunnen de machines zelfstandig op stap gaan, lezen en leren. En net als mensen zullen dergelijke systemen prima kunnen doen alsof ze buiten hun specialisatieterrein afdwalen.

## Kennis uitdrukken door middel van taal

*Geen enkele kennis is helemaal terug te brengen tot woorden, en geen enkele kennis is geheel onverwoordbaar.*
Seymour Papert

*De visfuik bestaat vanwege de vis. Als je de vis eenmaal hebt gevangen, dan kun je de fuik vergeten. De konijnenstrik bestaat vanwege het konijn. Als je het konijn eenmaal hebt gevangen, dan kun je de strik vergeten. Woorden bestaan vanwege betekenis. Als je de betekenis eenmaal hebt begrepen, dan kun je de woorden vergeten. Waar vind ik een man die vergeten woorden heeft zodat ik met hem kan praten?*
Chuang-tzu

Taal is het voornaamste middel om onze kennis over te dragen. En net als andere menselijke technologieën wordt taal vaak aangehaald als een kenmerk dat onze soort opvallend onderscheidt van andere soorten. Hoewel we maar een beperkte toegang hebben tot het feitelijke voltrekken van kennis in onze hersenen (dat zal in het begin van de eenentwintigste eeuw veranderen) hebben we wel gemakkelijk toegang tot de structuren en methoden van taal. Dit schenkt ons een praktisch laboratorium waarmee we het vermogen kunnen bestuderen om ons meester te maken van kennis en het denkproces daarachter. Het werk in het laboratorium van de taal toont ons niet onverwacht dat ze een niet minder ingewikkeld of subtiel fenomeen is als de kennis die ze tracht over te brengen.

We ontdekken dat de taal in zowel haar geschreven als haar mondelinge vorm hiërarchisch is en vele verschillende niveaus kent. Op elk niveau komen dubbelzinnigheden voor, dus een systeem – mens of machine – dat taal begrijpt dient te beschikken over ingebouwde kennis op elk niveau. Om bijvoorbeeld intelligent te reageren op menselijke spraak moeten we (zij het niet noodzakelijkerwijs bewust) de structuur van de spraakklanken, de manier waarop de spraak wordt voortgebracht door de spraakorganen, de geluidspatronen die de talen en dialecten bevatten, de regels van het woordgebruik en het onderwerp waarover wordt gesproken kennen.

Elk analyseniveau levert nuttige beperkingen die de zoektocht naar het juiste antwoord inperken. De basisklanken van de spraak, fonemen, kunnen bijvoorbeeld niet in elke volgorde voorkomen (probeer maar eens *ptkie* te zeggen). Slechts bepaalde klankopeenvolgingen corresponderen met woorden in de taal. Hoewel de reeks fonemen die wordt gebruikt in de ene taal lijkt op die in een andere (zonder dat ze identiek zijn) verschillen contextfactoren enorm. Het Engels kent bijvoorbeeld meer dan 10.000 mogelijke lettergrepen terwijl het Japans er maar 120 kent.

Op een hoger niveau leggen de structuur en de semantiek van een taal verdere beperkingen op aan toelaatbare woordopeenvolgingen. Het eerste gebied van de taal dat actief werd bestudeerd betrof de syntaxis, de regels die de volgorde van de woorden bepaalden en de rol die ze spelen. Aan de ene kant kunnen gecomputeriseerde zinsontleedsystemen zinnen die de mens in verwarring brengen goed behandelen. Minsky geeft als voorbeeld: 'Dit is de kaas die de rat die de kat die door de hond werd achterna gezeten beet at.' Dit brengt mensen in de war, maar machines ontleden die zin met tamelijk groot gemak. Toen Ken Church nog bij het MIT werkte haalde hij een andere zin aan met twee miljoen syntactisch correcte interpretaties die zijn gecomputeriseerde ontleder plichtsgetrouw inventariseerde.[3] Aan de andere kant had een van de eerste op een computer gebaseerde zinsontleedsystemen, ontwikkeld in 1963 door Susumu Kuno van Harvard, problemen met de eenvoudige zin: 'Time flies like an arrow.' Het inmiddels beroemde antwoord van de computer gaf aan dat hij niet zeker was over de betekenis. Het kon betekenen:

1. dat tijd zo snel verstrijkt als een pijl voorbij scheert;
2. of misschien is het een bevel dat ons zegt vliegen te timen op dezelfde manier als een pijl die vliegen telt; oftewel 'Time vliegen zoals een pijl dat zou doen';
3. of het kan een bevel zijn dat ons zegt alleen de vliegen te tellen die op pijlen lijken; oftewel 'Time vliegen die op pijlen lijken';
4. of misschien betekent de zin dat een soort vliegen die bekend staan als 'tijdvliegen' op de een of andere manier gek zijn op pijlen: 'Tijdvliegen houden van (zijn gek op) een pijl.'[4]

Het is duidelijk dat we in dit geval enige kennis nodig hebben om deze dubbelzinnigheid op te lossen. Gewapend met de kennis dat vliegen niet op pijlen lijken kunnen we de derde interpretatie uitschakelen. De wetenschap dat er niet zoiets als een tijdvlieg bestaat maakt een einde aan de vierde verklaring. Weetjes als het feit dat vliegen niet gek zijn op pijlen (nog een reden om interpretatie vier uit te schakelen) en dat pijlen niet in staat zijn gebeurtenissen te timen (weg met interpretatie twee) zorgen ervoor dat de eerste interpretatie overblijft als enige zinvolle.

In taal vinden we weer dat de opeenvolging van menselijk leren en de vooruitgang van machine-intelligentie elkaars omgekeerde zijn. Een mensenkind begint met het luisteren naar en het begrijpen van gesproken taal. Later leert het spreken. En uiteindelijk, jaren later, leert het de geschreven taal te beheersen. Computers hebben zich in de tegengestelde richting ontwikkeld, ze zijn begonnen met het genereren van geschreven taal, om die vervolgens te leren begrijpen, daarna begonnen ze te spreken met synthetische stemmen en pas kort geleden hebben ze geleerd continue menselijke spraak te begrijpen. Dit fenomeen wordt erg verkeerd begrepen. R2D2, het robotpersonage bekend van *Star Wars*, begrijpt bijvoorbeeld veel menselijke talen, maar kan niet spreken, en dat wekt de verkeerde indruk dat menselijke spraak *genereren* veel moeilijker is dan haar *begrijpen*.

---

*Ik voel me prettig als ik iets leer, maar kennisvergaren is zeker een langdradig proces. Vooral als ik de hele nacht op ben gebleven om voor een tentamen te studeren. En ik weet niet hoeveel ik van de stof kan onthouden.*

Dat is nog een zwakte van de menselijke vorm van intelligentie. Computers kunnen hun kennis gemakkelijk en snel met elkaar delen. Wij mensen kennen geen directe vorm van kennisoverdracht afgezien van het trage proces van de menselijke communicatie, van menselijk onderwijzen en leren.

*Heb jij niet beweerd dat de neurale netwerken van een computer op dezelfde manier leren als mensen?*

Bedoel je langzaam?

*Precies, door duizenden keren te worden blootgesteld aan patronen, net als wij.*

Ja, dat is een eigenschap van neurale netwerken; ze zijn bedoeld om analoog te zijn aan menselijke neurale netwerken, tenminste aan vereenvoudigde versies van wat wij denken dat menselijke neurale netwerken zijn. Dat neemt niet weg dat we onze elektronische netwerken zodanig kunnen bouwen dat op het moment dat het netwerk ijverig zijn lesjes heeft geleerd het patroon van zijn synaptische verbindingskrachten kan worden vastgelegd om vervolgens snel in een andere machine – of miljoenen andere machines – te worden gedownload. Machines kunnen gemakkelijk al hun vergaarde kennis delen zodat slechts één machine het leerwerk hoeft te doen. Wij mensen kunnen dat niet. Dat is een van de redenen die ik heb gegeven waarom computers, als ze eenmaal het niveau van de menselijke intelligentie hebben bereikt, dat niveau noodzakelijkerwijs zullen voorbijstormen.

*Dus de technologie stelt ons mensen in de toekomst in staat kennis te downloaden? Ik bedoel, ik vind leren wel leuk, afhankelijk van de hoogleraar natuurlijk, maar het kan ook stierlijk vervelend zijn.*

De technologie om te communiceren tussen de elektronische wereld en de menselijke neurale wereld begint al vorm te krijgen. We zullen dus in staat zijn om gegevensstromen direct in onze zenuwbanen in te voeren. Dat betekent helaas niet dat we kennis direct kunnen downloaden, tenminste niet in de menselijke neurale netwerken die we nu gebruiken. Zoals we hebben gezien wordt de menselijke kennis verspreid over een heel gebied van onze hersenen. Kennis impliceert miljoenen verbindingen, dus onze kennisstructuren zijn niet gelokaliseerd. De natuur heeft ons met uitzondering van die langzame conventionele baan geen directe baan gegeven om al die verbindingen bij te stellen. Hoewel we bepaalde specifieke banen naar onze zenuwverbindingen kunnen maken – en dat doen we dan inderdaad ook – zie ik niet hoe het praktisch zou zijn om direct te communiceren met de miljoenen interneurale verbindingen die nodig zijn om kennis snel te downloaden.

*Ik vrees dat ik het dan maar met die boeken moet doen. Een aantal van mijn hoogleraren zijn wel tof, hoor, ze lijken alles te weten.*

Zoals ik eerder heb gezegd, mensen zijn goed in het doen alsof ze buiten hun vakgebied gaan. Maar er is een manier waarop het downloaden van kennis in het midden van de eenentwintigste eeuw uitvoerbaar wordt.

*Ik ben een en al oor.*

Kennis downloaden zal een van de eerste voordelen zijn van de zenuwimplantaattechnologie. We zullen implantaten hebben die onze capaciteit om kennis vast te houden zullen uitbreiden, die ons geheugen verbeteren. In tegenstelling tot de natuur zullen we in de elektronische uitbreidingen van onze hersenen geen poort weglaten waarmee we snel kennis kunnen downloaden. Natuurlijk, als we onze hersenen volledig voorzien van poorten naar een nieuw computermedium, dan wordt het downloaden van kennis nog gemakkelijker.

*Dus dan kan ik geheugenimplantaten kopen die van tevoren zijn geladen met de kennis van bijvoorbeeld mijn Franse literatuurcursus.*

Natuurlijk, of je kunt mentaal klikken op een website over Franse literatuur en de kennis direct downloaden van de site.

*Dan is het doel van literatuur wel weg, nietwaar? Ik bedoel, een deel van dat spul is toch wel lekker om te lezen.*

Ik zou liever denken dat het toenemen van kennis de waardering van de literatuur, of elke andere kunstuiting, doet toenemen. Uiteindelijk hebben we kennis nodig om een uitdrukking van kunst te kunnen waarderen. Anders begrijpen we de woordenschat en de toespelingen niet. Trouwens, je zult nog steeds kunnen lezen, alleen een heel stuk sneller. In de tweede helft van de eenentwintigste eeuw zul je in staat zijn een boek in een paar seconden te lezen.

*Ik denk niet dat ik de bladzijden zo snel kan omslaan.*

Kom nou toch, de bladzijden zijn...

*Natuurlijk virtuele bladzijden.*

---

Deel twee

# Het heden voorbereiden

Hoofdstuk zes

# Nieuwe hersenen bouwen...

## De hardware van de intelligentie

*Met je handen kun je maar een bepaalde hoeveelheid maken, maar met je hoofd is die hoeveelheid onbegrensd.*
Het advies van Karl Seinfeld aan zijn zoon Jerry

Laten we eens kijken wat we nodig hebben om een intelligente machine te maken. De juiste reeks formules is een van de middelen. In hoofdstuk vier hebben we drie essentiële formules onderzocht. Er worden nog tientallen andere formules gebruikt, en als we het functioneren van de hersenen beter begrijpen dan zullen er zonder twijfel nog honderden bij komen. Maar het lijkt erop dat ze allemaal variaties zijn op de drie basisthema's: recursief zoeken, zichzelf organiserende netwerken van elementen en evolutionaire verbetering door een voortdurende strijd tussen concurrerende ontwerpen.

Ten tweede hebben we kennis nodig. Sommige stukjes kennis zijn nodig als zaden om een proces tot een zinnig resultaat te laten komen. Een groot deel van de resterende kennis kan automatisch worden geleerd door adaptatiemethoden als neurale netwerken of evolutiealgoritmen worden blootgesteld aan de juiste leeromgeving.

Ten derde hebben we de rekenkracht zelf nodig. Wat dat betreft zijn de menselijke hersenen in sommige opzichten zeer begaafd en erg zwak in andere opzichten. Hun kracht wordt weerspiegeld door hun enorme parallellisme, een benadering waarvan onze computers ook kunnen profiteren. De zwakheid van de hersenen is de ongelooflijk lage snelheid van hun rekenmedium, een beperking die computers niet met ons gemeen hebben. Daarom moet de op DNA gebaseerde evolutie uiteindelijk worden verlaten. De op DNA gebaseerde evolutie is goed in het sleutelen aan en het voortzetten van haar ontwerpen, maar ze is niet in staat een heel ontwerp te schrappen om opnieuw te beginnen. Organismen die zijn gecreëerd door de op DNA gebaseerde evolutie zitten vast aan een zeer moeizaam soort schakelsysteem.

De wet van de versnellende opbrengsten leert ons echter dat de evolutie niet lang in een impasse blijft zitten. En de evolutie heeft inderdaad een alternatief gevonden voor de beperkte rekenkracht van ons neurale netwerk. Ze was zo slim om organismen te ontwerpen die op hun beurt een computingtechnologie ontwikkelden die een miljoen keer sneller is dan de op koolstof gebaseerde neuronen (en die nog steeds sneller worden). Uiteindelijk zal het rekenwerk dat wordt uitgevoerd op zeer langzame neurale netwerken van zoogdieren worden overgeheveld naar een veelzijdiger en sneller elektronisch (en fotonisch) equivalent.

Wanneer dat gebeurt? Laten we weer eens gaan kijken naar de wet van de versnellende opbrengsten, toegepast op computing.

## De hardwarecapaciteit van de menselijke hersenen bereiken

In de tabel in hoofdstuk 1, 'De exponentiële groei van de computertechnologie, 1900 – 1998', hebben we gezien dat de helling van de curve die de exponentiële groei weerspiegelt zelf geleidelijk aan opliep. De snelheid van computers (gemeten in berekeningen per seconde per duizend dollar) verdubbelde elke drie jaar tussen 1910 en 1950, verdubbelde elke twee jaar tussen 1950 en 1966, en verdubbelt nu elk jaar. Dat suggereert een mogelijke exponentiële groei binnen de mate van exponentiële groei.[1]

Deze kennelijke versnelling in de versnelling kan echter het gevolg zijn van een vermenging van de twee elementen van de wet van de versnellende opbrengsten die zich de laatste veertig jaar heeft uitgedrukt met behulp van het paradigma van de wet van Moore van de steeds kleiner wordende afmetingen van transistors op een geïntegreerde schakeling. Omdat het etsen van transistors steeds minder ruimte inneemt, hoeven de elektronen die door de transistor stromen minder afstand af te leggen en daardoor neemt de schakelsnelheid van de transistor toe. Het exponentieel verbeteren van de snelheid is dus het eerste element. Transistors waarvan de etsen minder ruimte innemen stellen de chipfabrikant ook in staat een groter aantal transistors op een geïntegreerd circuit te persen, waardoor het tweede element bestaat uit een verhoging van de dichtheden van het rekenwerk.

In de begintijd van de computer verbeterde vooral dat eerste element – het verhogen van de snelheid in de schakeling – de totale rekensnelheid van computers. Maar in de jaren negentig gingen geavanceerde microprocessoren een vorm van parallelle verwerking gebruiken, *pipelining* genaamd, waarin diverse berekeningen op hetzelfde moment werden uitgevoerd (al in de jaren zeventig waren er *mainframes* die gebruikmaakten van die techniek). De snelheid van computerprocessoren gemeten in instructies per seconde brengt nu dan ook het tweede element tot uiting: hogere rekendichtheden door het gebruik van parallelle verwerking.

Omdat we het perfect beheersen van de steeds beter wordende rekendichtheid benaderen, verdubbelen de processorsnelheden nu wezenlijk elke twaalf maanden. Dat is tegenwoordig volkomen haalbaar als we neurale netwerken bouwen die op hardware zijn gebaseerd omdat de processoren van neurale netwerken betrekkelijk eenvoudig zijn en zeer parallel. In dit geval maken we een processor voor elk neuron en uiteindelijk een voor elke verbinding tussen neuronen. De wet van Moore stelt ons daarbij in staat om zowel het aantal processoren als hun snelheid elke twee jaar te verdubbelen, een effectieve verviervoudiging van het aantal berekeningen per seconde van de verbinding tussen de neuronen.

Deze kennelijke versnelling binnen de versnelling van computersnelheden kan daarom voortvloeien uit een steeds groter vermogen om profijt te trekken uit beide elementen van de wet van de versnellende opbrengsten. Als het tegen het jaar 2020 gedaan is met de wet van Moore, dan zullen nieuwe soorten schakelingen, buiten de geïntegreerde schakelingen, de twee elementen van de exponentiële verbetering blijven voortzetten. Maar gewone exponentiële groei – met twee elementen – is al indrukwekkend genoeg. Als we de meer bescheiden voorspelling van slechts één versnellingsniveau als leidraad nemen, laten we dan eens kijken waar de wet van de versnellende opbrengsten ons in de eenentwintigste eeuw brengt.

De menselijke hersenen tellen ongeveer 100 miljard neuronen. Met een geschat gemiddelde van ongeveer duizend verbindingen tussen elk neuron en zijn buren komen we aan ongeveer 100 biljoen verbindingen die elk in staat zijn om simultaan te rekenen. Dat is tamelijk enorm parallel verwerken, en het is een van de sleutels tot de kracht van het menselijk denken. Daar staat een enorme zwakheid tegenover, de verschrikkelijk lage snelheid van een neurale schakeling, slechts 200 berekeningen per seconde. De menselijke hersenen zijn bijzonder goed geschikt voor problemen die gebaat zijn bij enorm parallellisme, bijvoorbeeld patroonherkenning gebaseerd op neurale netwerken. Voor problemen die uitgebreid consecutief denken vereisen werken de menselijke hersenen slechts matig.

100 biljoen verbindingen die elk 200 berekeningen per seconde uitvoeren leveren 20 miljoen miljard berekeningen per seconde op. Dat is een redelijk hoge schatting; andere schattingen liggen een tot drie grootteordes lager. Wanneer zien we dan de rekensnelheid van de menselijke hersenen in onze pc?

Het antwoord hangt af van het soort computer dat we proberen te bouwen. De meest toepasselijke soort is een enorm parallelle neurale-netwerkcomputer. In 1997 konden neurale computerchips ter waarde van 2000 dollar die slechts gebruikmaakten van bescheiden parallelle verwerking ongeveer 2 miljard verbindingsberekeningen per seconde uitvoeren. Omdat neurale-netwerkemulaties profiteren van allebei de elementen van de versnelling van het rekenvermogen zal die capaciteit elke twaalf maanden verdubbelen. In het jaar 2020 zal die capaciteit dus ongeveer 23 keer zijn verdubbeld, en dat resulteert in een snelheid van ongeveer 20 miljoen miljard neuraalverbindingsberekeningen per seconde, gelijk aan de menselijke hersenen.

Als we dezelfde analyse toepassen op een 'gewone' persoonlijke computer dan wordt de capaciteit van de menselijke hersenen in het jaar 2025 bereikt in een apparaat van 1000 dollar.[2] Dat komt omdat de universele berekeningstypes waarvoor een conventionele persoonlijke computer is ontworpen inherent duurder zijn dan de eenvoudigere, bijzonder repetitieve neuraalverbindingsberekeningen. Daarom geloof ik dat 2020 nauwkeuriger is, omdat tegen 2020 de meeste bewerkingen die in onze computers worden uitgevoerd van het neuraalverbindingstype zullen zijn.

De geheugencapaciteit van de menselijke hersenen bedraagt ongeveer 100 biljoen synapskrachten (prikkeloverdragerconcentraties bij interneurale verbindingen), en dat kunnen we schatten op ongeveer een miljoen miljard bits. In 1998 kostte een miljard bits aan RAM (128 megabyte) ongeveer 200 dollar. De capaciteit van geheugenchips is elke achttien maanden verdubbeld. In het jaar 2023 zal dus een miljoen miljard bits ongeveer 1000 dollar kosten.[3] Daar staat tegenover dat die evenknie van silicium meer dan een miljard keer sneller is dan de menselijke hersenen. Er zijn technieken om geheugen in te wisselen voor snelheid, dus we kunnen vóór 2023 het menselijke geheugen effectief evenaren voor 1000 dollar.

Al met al is het redelijk om te schatten dat een computer van 1000 dollar de rekensnelheid en de capaciteit van de menselijke hersenen rond het jaar 2020 zal evenaren, vooral voor de neuraalverbindingsberekening die het grootste deel van het rekenwerk van de menselijke hersenen lijkt uit te maken. Supercomputers zijn duizend tot tienduizend keer sneller dan persoonlijke computers. Op het moment dat ik dit boek schrijf, werkt IBM aan een supercomputer die is gebaseerd op het ontwerp van Deep Blue – hun schaakkampioen van silicium – die 10 teraflops (oftewel 10 biljoen berekeningen per seconde) aankan, en daarmee slechts 2000 keer trager is dan de menselijke hersenen. De Nippon Electric Company uit Japan hoopt dat te overtreffen met een machine die 32 teraflop aankan. Vervolgens hoopt

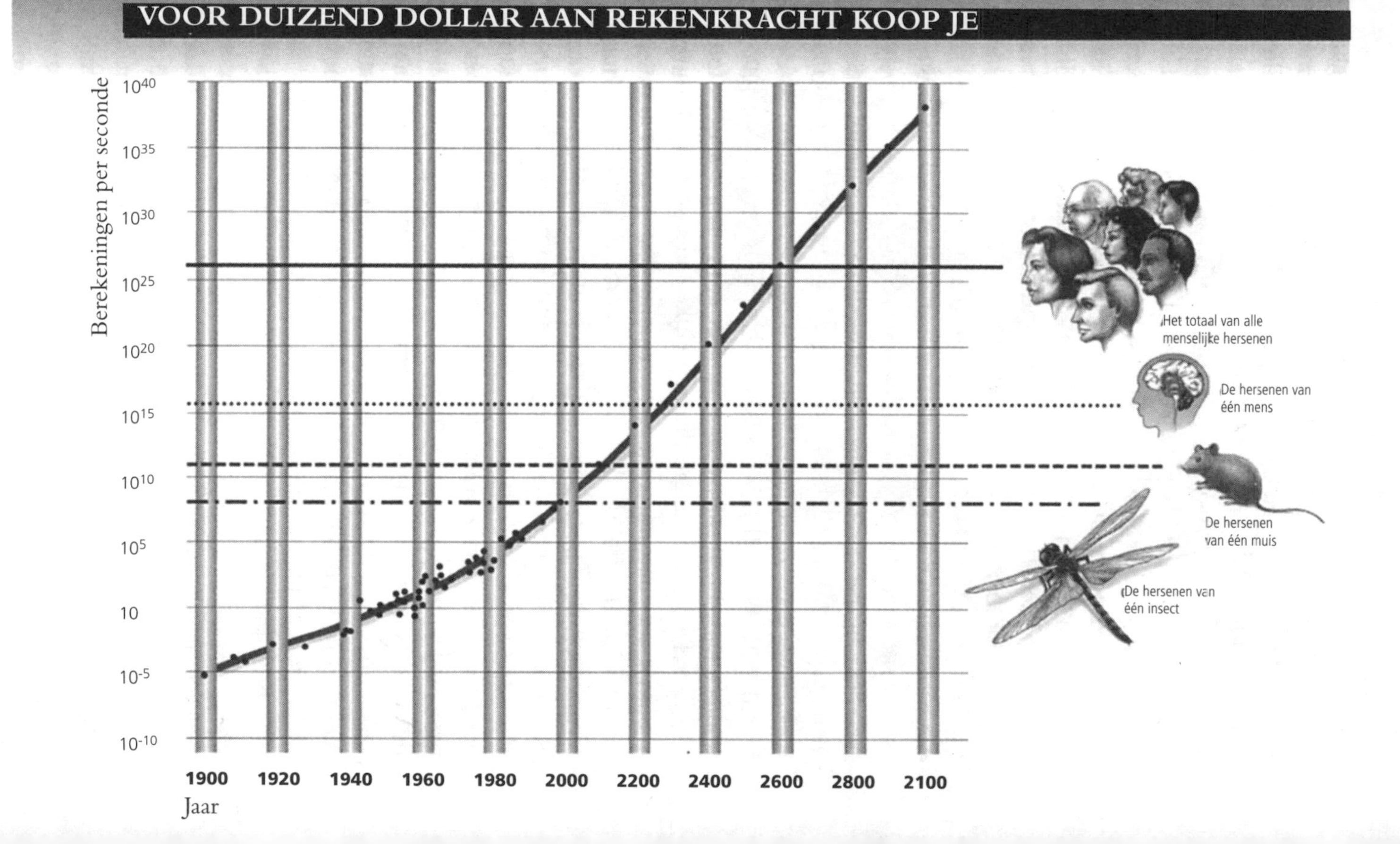
DE EXPONENTIËLE GROEI VAN DE REKENKRACHT, 1900 – 2100
VOOR DUIZEND DOLLAR AAN REKENKRACHT KOOP JE
Het totaal van alle menselijke hersenen
De hersenen van één mens
De hersenen van één muis
De hersenen van één insect
Berekeningen per seconde
$10^{40}$
$10^{35}$
$10^{30}$
$10^{25}$
$10^{20}$
$10^{15}$
$10^{10}$
$10^{5}$
10
$10^{-5}$
$10^{-10}$
1900
1920
1940
1960
1980
2000
2200
2400
2600
2800
2100
Jaar

IBM daarop een machine te maken die 100 teraflops aankan, en wel rond het jaar 2004 (overigens precies het tijdstip dat de wet van Moore voorspelt). Supercomputers zullen de capaciteit van 20 miljoen miljard berekeningen per seconde van de menselijke hersenen rond 2010 bereiken, tien jaar eerder dan de persoonlijke computers.[4]

Projecten zoals het Jini-programma van Sun Microsystems benaderen de zaak anders en maken gebruik van de onbenutte rekenkracht op het Internet. Merk op dat op elk willekeurig moment de overgrote meerderheid van de computers op het Internet niet wordt gebruikt. En zelfs van de computers die wel worden gebruikt wordt niet de volle capaciteit aangewend (typen gebruikt bijvoorbeeld minder dan één procent van de rekencapaciteit van een doorsnee notebook). Als er wordt gewerkt volgens de voorstellen om de rekenkracht van het Internet te gebruiken dan dienen de deelnemende *sites* speciale software te downloaden die ervoor zorgt dat er een virtuele, enorm parallelle computer ontstaat uit al de computers in het netwerk. Elke gebruiker behoudt zijn prioriteit over zijn of haar machine, maar in de achtergrond zou een belangrijk stukje van de miljoenen computers in het Internet worden gebruikt door een of meer supercomputers. De hoeveelheid ongebruikte rekenkracht op het Internet is op dit moment groter dan de rekencapaciteit van de menselijke hersenen, dus kunnen we al beschikken over ten minste één vorm van de hardwarekant van de menselijke intelligentie. En als de wet van de versnellende opbrengsten voortschrijdt zal deze beschikbaarheid steeds groter worden.

Nadat rond het jaar 2020 een computer van 1000 dollar de menselijke capaciteit heeft bereikt, zullen onze denkmachines de verhouding kostenprestatie van hun rekenwerk elke twaalf maanden met een factor twee verbeteren. Dat betekent dat de rekencapaciteit elke tien jaar tien keer zal verdubbelen, en dat is een factor duizend ($2^{10}$) per tien jaar. Onze persoonlijke computer zal dus in het jaar 2030 in staat zijn de hersenkracht van een klein dorp te simuleren, in 2048 die van de hele bevolking van de Verenigde Staten, en van een biljoen mensenhersenen in 2060.[5] Als we de menselijke bevolking van de aarde schatten op tien miljard personen, dan heeft één cent aan rekenkracht rond 2099 een miljard keer meer rekencapaciteit dan alle mensen op aarde.[6]

Natuurlijk kan ik er één of twee jaar naast zitten. Maar in de eenentwintigste eeuw zullen computers geen gebrek hebben aan rekencapaciteit of geheugen.

## Computersubstraten in de eenentwintigste eeuw

Ik heb opgemerkt dat de voortdurende exponentiële groei van rekenkracht een gevolg is van de wet van de versnellende opbrengsten die stelt dat elk proces dat naar een grotere orde streeft – vooral evolutie – in de loop van de tijd exponentieel zal versnellen. De twee bronnen die voor de explosieve snelheid van een evolutieproces – zoals de vooruitgang van computertechnologie – vereist zijn, zijn (1) haar eigen toenemende orde, en (2) de chaos in de omgeving waarin ze plaatsgrijpt. Beide bronnen zijn in wezen onbeperkt aanwezig.

Hoewel we de totale versnelling in een technologisch proces kunnen schatten, zouden we nog steeds kunnen vermoeden dat de realisatie van die vooruitgang wat onregelmatig is. Ze hangt uiteindelijk af van variabele fenomenen zoals individuele motivatie, de toestand van de economie, investeringspatronen en dergelijke. Huidige theorieën over evolutieprocessen, bijvoorbeeld de Onderbroken Evenwichtstheorieën[7], stellen dat de evolutie werkt met periodieke sprongen of discontinuïteiten gevolgd door perioden met een betrekkelijke stabiliteit. Het is daarom opmerkelijk hoe voorspelbaar de vooruitgang van de computer is geweest.

Kortom, hoe zal de wet van de versnellende opbrengsten, zoals toegepast op computergebruik, uitpakken in de decennia na het ter ziele gaan in het jaar 2020 van de wet van Moore aangaande geïntegreerde schakelingen? In de naaste toekomst zet de wet van Moore zich voort met steeds kleinere afmetingen van de componenten die steeds grotere aantallen van steeds snellere transistoren op elke chip persen. Maar als de afmetingen van de circuits vrijwel de afmetingen van atomen bereiken dan zorgen ongewenste kwantumeffecten, bijvoorbeeld elektronen die ongewild door een potentiaaldrempel gaan (*tunneling*), voor onbetrouwbare resultaten. Desalniettemin zal de standaardmethodologie van Moore in een persoonlijke computer zeer dicht komen bij de menselijke rekenkracht en die overtreffen in een supercomputer.

De volgende barrière is de derde dimensie. Nu al zijn bedrijven, gesteund door risicodragend kapitaal en voornamelijk actief in Californië, met elkaar aan het concurreren om chips te maken met tientallen, en uiteindelijk duizenden lagen schakelingen. Deze bedrijven, bijvoorbeeld Cubic Memory, Dense-Pac en Staktek leveren nu al werkende driedimensionale 'kubussen' met schakelingen. Hoewel ze wat betreft prijs nog niet kunnen concurreren met de gewone platte chips is het duidelijk dat, als we niet genoeg plaats meer hebben in twee dimensies, de derde dimensie klaarstaat.[8]

## Rekenen met licht

Verder is er zeker geen tekort aan exotische computertechnologieën die in onderzoekslaboratoria worden ontwikkeld, en veel van die technieken hebben al veelbelovende resultaten laten zien. Optische computers maken gebruik van stromen fotonen (lichtdeeltjes) in plaats van elektronen. Een laser kan miljarden coherente fotonenstromen produceren waarvan elk zijn eigen onafhankelijke reeks berekeningen kan uitvoeren. De berekeningen in elke stroom worden parallel uitgevoerd door speciale optische elementen zoals lenzen, spiegels en diffractierasters. Een aantal bedrijven, waaronder Quanta-Image, Photonics en Mytec Technologies, hebben optische computertechnologie toegepast op het herkennen van vingerafdrukken. Lockheed heeft optische computertechnologie toegepast op het automatisch identificeren van kwaadaardige borstletsels.[9]

Het voordeel van een optische computer is dat hij enorm parallel is en biljoenen berekeningen tegelijkertijd kan uitvoeren. Het nadeel is dat hij niet programmeerbaar is en dat hij een vastgestelde reeks berekeningen uitvoert voor een gegeven configuratie van rekenelementen. Maar voor belangrijke soorten problemen, bijvoorbeeld het herkennen van patronen, combineert hij enorm parallel-zijn (een kwaliteit die de menselijke hersenen ook kennen) met een enorm hoge snelheid (waarover de menselijke hersenen niet beschikken).

## Rekenen met het mechanisme van het leven

Er is een nieuw gebied ontstaan dat we moleculair computergebruik noemen omdat DNA-moleculen hier zelf worden ingeschakeld als krachtige rekenapparaten. DNA is de nanocomputer van de natuur zelf, en is uitstekend geschikt om combinatorische problemen op te lossen. Het combineren van eigenschappen is immers het wezen van de genetica. Het gebruiken van echt DNA voor praktische computertoepassingen nam een aanvang toen Leonard Adleman, een wiskundige van de University of Southern California, een reageerbuisje vol met DNA-moleculen (zie het kader hiernaast) zover kreeg dat het het bekende probleem van de 'handelsreiziger' oploste. In dit klassieke probleem proberen we de optimale route te vinden voor een hypothetische reiziger tussen een aantal verschillende steden zonder dat hij een stad meer dan eens hoeft te bezoeken. Slechts bepaalde steden zijn met elkaar verbonden door wegen, en dus is het niet eenvoudig om de juiste route te vinden. Het probleem is ideaal voor een recursief algoritme, hoewel in het geval van een te groot aantal steden ook een zeer snelle recursieve zoektocht veel te veel tijd in beslag neemt.

## Hoe los je het probleem van de handelsreiziger op met een reageerbuisje DNA

Een van de nuttige eigenschappen van het DNA is zijn vermogen om zichzelf en de informatie die het bevat te kopiëren. Om het probleem van de handelsreiziger op te lossen doorliep professor Adleman de volgende stappen:

- Genereer een kleine streng DNA met een unieke code voor elke stad.
- Maak van elke streng (één voor elke stad) biljoenen kopieën met behulp van een 'gepolymeriseerde kettingreactie' (PCR).
- Voeg vervolgens de gemeenschappelijke bezinksels DNA (één voor elke stad) bij elkaar in een reageerbuis. Deze stap gebruikt de eigenschap van het DNA om strengen met elkaar te verbinden. Automatisch vormen zich langere strengen. Elke lange streng vertegenwoordigt een mogelijke route tussen diverse steden. De kleine strengen vertegenwoordigen elke verbinding van een stad met een andere op een willekeurige manier, zodat er dus geen mathematische zekerheid bestaat dat een gekoppelde streng die het juiste antwoord (opeenvolging van steden) vertegenwoordigt wordt gevormd. Het aantal strengen is echter zo overweldigend dat het vrijwel zeker is dat ten minste één streng – en waarschijnlijk miljoenen – het juiste antwoord levert.

Bij de volgende stap worden speciaal ontworpen enzymen gebruikt om de biljoenen strengen die het verkeerde antwoord leveren te elimineren zodat alleen de strengen die het juiste antwoord leveren overblijven.

- Gebruik moleculen die *primers* worden genoemd om die DNA-strengen te vernietigen die niet beginnen met de beginstad en die niet eindigen met de eindstad, en vermenigvuldig de overlevende strengen met behulp van PCR.
- Gebruik een enzymreactie om de DNA-strengen te vernietigen die een reisweg vertegenwoordigen die groter is dan het totale aantal steden.
- Nu vertegenwoordigt elke streng het juiste antwoord. Vermenigvuldig deze overgebleven strengen met behulp van PCR tot er miljarden van dergelijke strengen zijn.
- Gebruik een techniek genaamd elektroforese om de DNA-volgorde uit te lezen van deze correcte strengen (als groep). De uitlezing lijkt op een reeks afzonderlijke lijnen die de juiste volgorde van de steden opsomt.

Professor Adleman en andere wetenschappers op het gebied van moleculaire computers hebben een reeks enzymreacties gevonden die overeenkomt met de logische en rekenkundige bewerkingen die nodig zijn om een uiteenlopende reeks rekenproblemen op te lossen. Hoewel bewerkingen met DNA-moleculen af en toe fouten opleveren is het aantal DNA-strengen dat wordt gebruikt zo groot dat alle moleculaire fouten statistisch irrelevant worden. En bijgevolg kan een DNA-computer ondanks zijn inherente foutenmarge in het DNA-proces van berekenen en kopiëren zeer betrouwbaar zijn mits hij op de juiste manier is ontworpen.

DNA-computers zijn vervolgens toegepast op een reeks ingewikkelde combinatorische problemen. Een DNA-computer is veel flexibeler dan een optische computer, maar hij kan enkel gebruikmaken van de techniek waarbij enorm parallel zoekwerk toegepast wordt om combinaties van elementen te ordenen.[10]

Er bestaat nog een – niet-bestudeerde, krachtigere – manier om de rekenkracht van het DNA toe te passen. Later kom ik daarop terug in de paragraaf over kwantumcomputers.

## Het brein in het kristal

Bij een andere manier van benaderen overweegt men om een computer direct in drie dimensies in een kristal te kweken. In die opzet hebben de rekenelementen de afmeting van een grote molecule binnen het kristalrooster. Ook deze benadering maakt gebruik van drie dimensies.

Professor Lambertus Hesselink van Stanford heeft een systeem beschreven waarin data als een hologram zijn opgeslagen in een kristal – een optisch interferentiepatroon.[11] Deze driedimensionale opslagmethode vereist slechts een miljoen atomen voor elk bit, en zou op die manier dus een biljoen bits kunnen halen voor elke kubieke meter. In andere projecten hoopt men de regelmatige moleculaire structuur van kristallen te gebruiken als de feitelijke computingelementen.

## Het nanobuisje: een variant op de buckyball

In 1996 deelden drie hoogleraren – Richard Smalley en Robert Curl van de Rice University, en Harold Kroto van de University of Sussex – de Nobelprijs voor scheikunde vanwege hun ontdekking in 1985 van moleculen in de vorm van een voetbal die door een groot aantal koolstofatomen zijn gevormd. Omdat ze net als de bouwontwerpen van R. Buckminster Fuller waren aaneengesloten in hexagonale en pentagonale patronen werden ze 'buckyballs' genoemd. Deze ongewone moleculen die op natuurlijke manier worden gevormd in de hete gassen van een oven zijn extreem sterk –

honderd keer sterker dan staal – een eigenschap die ze gemeen hebben met de architectonische innovaties van Fuller.[12]

Wat recenter toonde dr. Sumio Iijima van de Nippon Electric Company dat naast de sferische buckyballs de damp van koolbooglampen ook langgerekte koolstofmoleculen bevat die lijken op lange buisjes.[13] Ze worden vanwege hun uiterst geringe grootte – als er vijftigduizend naast elkaar zouden liggen bereiken ze de dikte van één mensenhaar – 'nanobuisjes' genoemd, en ze zijn uit dezelfde pentagonale patronen van koolstofatomen opgebouwd als de buckyballs en ook net zo ongebruikelijk sterk.

Het meest opmerkelijke van dit nanobuisje is dat het de elektronische functies van componenten die op silicium zijn gebaseerd kan uitvoeren. Als een nanobuisje recht is dan kan het net zo goed of beter elektriciteit geleiden dan een metalen geleider. Als je er een lichte schroefvormige draai in aanbrengt dan gaat het zich gedragen als een transistor. Alle elektronische apparaten kunnen worden gemaakt met behulp van nanobuisjes.

Omdat een nanobuisje in wezen een laagje grafiet is dat maar één atoom dik is, is het heel veel kleiner dan siliciumtransistors op een geïntegreerde schakeling. En hoewel ze verschrikkelijk klein zijn, gaan ze veel langer mee dan apparaten van silicium. Bovendien kunnen ze veel beter hitte verdragen dan silicium en daarom kunnen ze gemakkelijker tot driedimensionale pakketjes worden samengevoegd dan transistors van silicium. Dr. Alex Zettl, een natuurkundeprofessor aan de University of California in Berkeley, voorziet driedimensionale pakketjes van computeronderdelen die op nanobuisjes zijn gebaseerd op dezelfde manier als – maar veel dichter op elkaar en veel sneller dan – de menselijke hersenen.

## Kwantumcomputers: het heelal in een kopje

*Kwantumdeeltjes zijn de dromen waarvan de materie is gemaakt.*
David Moser

Tot dusver hebben we gesproken over louter *digitale* gegevensverwerkende systemen, maar er is ook nog een veel krachtigere aanpak, *kwantum*computing. Die houdt de belofte in dat ze problemen kan oplossen die zelfs enorm parallelle digitale computers niet kunnen oplossen. Kwantumcomputers maken gebruik van een paradoxaal gevolg van de kwantummechanica. Eigenlijk is dat een pleonasme – alle gevolgen van de kwantummechanica zijn paradoxaal.

Merk op dat de wet van de versnellende opbrengsten en andere toekomstverwachtingen in dit boek niet steunen op de kwantummechanica. De toekomstverwachtingen in dit boek zijn gebaseerd op gemakkelijk meetbare trends en ze berusten niet op een discontinuïteit in de technologische vooruitgang die desalniettemin in de twintigste eeuw plaatsvond. In de eenentwintigste eeuw zullen er onvermijdelijk technologische discontinuïteiten voorkomen, en kwantumcomputing zou daarvan een zeer waarschijnlijke oorzaak kunnen zijn.

Wat is kwantumcomputing? Digitale gegevensverwerking is gebaseerd op 'bits' van informatie die hetzij 'uit', hetzij 'aan' staan – nul of een. Bits worden georganiseerd in grotere structuren zoals getallen, letters en woorden die op hun beurt vrijwel elke vorm van informatie kunnen vertegenwoordigen: teksten, geluiden, plaatjes, bewegende beelden. Daarentegen is kwantumcomputing gebaseerd op *qubits* die in wezen *op hetzelfde tijdstip* nul en een zijn. De qubit is gebaseerd op de fundamentele ambiguïteit die inherent is aan de kwantummechanica. De positie, de impuls of een andere toestand van een elementair deeltje blijft 'ambigu' tot een proces van 'desambiguëring' (ondubbelzinnig maken) ertoe leidt dat het deeltje 'beslist' waar het is, waar het is geweest, en wat voor kenmerken het heeft. Kijk bijvoorbeeld eens naar een stroom fotonen die onder een hoek van 45 graden een stuk glas treft. Op het moment dat een foton het glas raakt, heeft het de keuze tussen enerzijds dwars door het glas gaan en anderzijds van het glas af te kaatsen. Elk foton zal feitelijk allebei de wegen nemen (in feite zelfs nog meer wegen, zie hieronder) tot een proces van bewuste waarneming elk deeltje dwingt te bepalen welke weg het nam. Dit gedrag is in een groot aantal experimenten uitgebreid bevestigd.

In een kwantumcomputer zouden qubits worden vertegenwoordigd door een eigenschap – de spin van de kern is een populaire keuze – van afzonderlijke elektronen. Als ze op een juiste manier worden georganiseerd dan zullen de elektronen nog geen beslissing hebben genomen over de richting van hun kernspin (omhoog of omlaag), en zullen ze dus op hetzelfde moment in twee toestanden verkeren. Het proces van bewuste waarneming van de toestand van de spin van het elektron – of een willekeurig fenomeen dat afhangt van de bepaling van die toestanden – zorgt ervoor dat de ambiguïteit wordt opgeheven. Dit proces van desambiguëren wordt kwantumdecoherentie genoemd. Als er geen kwantumdecoherentie bestond dan zou de wereld waarin we leven een erg verbijsterende plek zijn.

De sleutel tot de kwantumcomputer is dat we hem een probleem voorleggen en dat we daar de manier om het antwoord te toetsen bijvoegen. We stellen de kwantumdecoherentie van de qubits zodanig op dat alleen een antwoord dat slaagt voor de test de decoherentie overleeft. In wezen neutraliseren de foute antwoorden elkaar. Net als bij een aantal andere benaderingen (bijvoorbeeld recursieve en genetische algoritmen) is een van de sleutels tot kwantumcomputing daarom een zorgvuldig vaststellen van het probleem en een exacte manier om de mogelijke antwoorden te testen.

De reeksen qubits vertegenwoordigen op hetzelfde moment alle mogelijke oplossingen voor het probleem. Een enkele qubit vertegenwoordigt twee mogelijke oplossingen. Twee aan elkaar gekoppelde qubits vertegenwoordigen vier mogelijke antwoorden. Een kwantumcomputer met 1000 qubits vertegenwoordigt $2^{1000}$ mogelijke oplossingen op hetzelfde moment, dat is ongeveer gelijk aan een decimaal getal dat bestaat uit een 1 gevolgd door 301 nullen. De probleemstelling – uitgedrukt als een test die moeten worden uitgevoerd op mogelijke antwoorden – wordt vertegenwoordigd door een reeks qubits zodat de qubits decoheren (oftewel, elke qubit verandert zijn ambiguë 0-1-toestand in een werkelijke 0 of 1), en dan blijft er een reeks nullen en enen over die slagen voor de test. In wezen worden alle $2^{1000}$ mogelijke oplossingen geprobeerd en blijft slechts de juiste oplossing over.

Het is duidelijk dat de sleutel tot kwantumcomputing ligt in het proces van het uitlezen van het antwoord door middel van kwantumdecoherentie. Bovendien is het het moeilijkste aspect om te begrijpen. Kijk eens naar de volgende analogie. Beginnende natuurkundestudenten leren dat als het licht in een bepaalde hoek op een spiegel valt dat licht van de spiegel terugkaatst in de tegenovergestelde richting en met dezelfde hoek ten opzichte van het oppervlak. Maar volgens de kwantummechanica is dat niet wat er gebeurt. In feite weerkaatst elk foton van elk mogelijk punt op de spiegel en probeert het in wezen elke mogelijke weg uit. De overgrote meerderheid van die wegen neutraliseert elkaar, en dan resteert de weg die de klassieke natuurkunde voorspelt. Beeld je in dat de spiegel een probleem is dat moet worden opgelost. Alleen de juiste oplossing – het licht weerkaatst in een hoek gelijk aan de invalshoek – overleeft alle kwantumannuleringen. Een kwantumcomputer werkt op dezelfde manier. De test van de juistheid van het antwoord op het probleem is op een dusdanige manier opgezet dat de overgrote meerderheid van de mogelijke antwoorden – de antwoorden die niet slagen voor de test – elkaar annuleert en alleen de bitsequentie die wel slaagt voor de test overblijft. Daarom kunnen we een eenvoudige spiegel zien als een speciaal voorbeeld van een kwantumcomputer, zij het dan een die een nogal eenvoudig probleem oplost.

Een nuttiger voorbeeld: codes zijn gebaseerd op het factoriseren van grote getallen (factoriseren betekent bepalen welke kleinere getallen resulteren in het grotere getal als ze met elkaar worden vermenigvuldigd). Een getal factoriseren met honderden bits is vrijwel onmogelijk met welke digitale computer dan ook, zelfs al konden we miljarden jaren wachten op het antwoord. Een kwantumcomputer kan elke mogelijke combinatie van factoren tegelijkertijd proberen en de code in minder dan een miljardste seconde breken (het kost heel wat meer tijd om het antwoord over te brengen naar de menselijke waarnemers). De test die de kwantumcomputer toepast tijdens zijn voornaamste stadium van desambiguëring is erg eenvoudig: hij hoeft alleen maar een factor met de andere te vermenigvuldigen en te kijken of het resultaat gelijk is aan de encryptiecode, en dan hebben we het probleem opgelost.

Er wordt beweerd dat kwantumcomputing zich verhoudt tot digitale computing als een waterstofbom tot een rotje. Dat is een opmerkelijke uitspraak als we bedenken dat digitale computing op zich al behoorlijk revolutionair is. Die analogie is gebaseerd op de volgende waarneming: Kijk eens (tenminste in theorie) naar een (niet-kwantum)computer met de afmetingen van het heelal waarin elk neutron, elektron en proton in het heelal is veranderd in een computer, en elk (ik bedoel elk deeltje in het heelal) in staat is biljoenen berekeningen per seconde uit te voeren. Bedenk vervolgens bepaalde problemen die deze supercomputer met de afmetingen van het heelal niet zou kunnen oplossen, zelfs niet als we de computer lieten rekenen tot de volgende oerknal of tot alle sterren in het heelal zijn uitgedoofd – ongeveer tien tot dertig miljard jaar. Er bestaan veel voorbeelden van dergelijke vreselijk hardnekkige problemen, bijvoorbeeld: encryptiecodes ontcijferen die gebruikmaken van duizend bits, of het probleem van de handelsreiziger oplossen voor duizend steden. Hoewel zeer omvangrijke digitale computers (waaronder onze theoretische computer met de afmetingen van het heelal) deze groep problemen niet kunnen oplossen zou een kwantumcomputer met minuscule afmetingen dergelijke problemen in minder dan een miljardste seconde kunnen oplossen.

Zijn kwantumcomputers haalbaar? Zowel theoretische als praktische ontwikkelingen van de laatste tijd suggereren dat het antwoord 'ja' luidt. Hoewel er nog geen functionele kwantumcomputer is gebouwd zijn de middelen om van de vereiste decoherentie gebruik te maken aangetoond. Isaac Chuang van het Los Alamos National Laboratory en Neil Gershenfeld van MIT hebben daadwerkelijk een kwantumcomputer gebouwd en daarbij koolstofatomen in het alaninemolecuul gebruikt. Hun kwantumcomputer was alleen maar in staat om een en een op te tellen, maar het is een begin. Natuurlijk vertrouwen we al tientallen jaren op andere kwantumeffecten zoals tunneling van elektronen in transistors.[14]

## Een kwantumcomputer in een kopje koffie

Een van de moeilijkheden om een praktische kwantumcomputer te ontwerpen is dat hij erg klein moet zijn, eigenlijk ter grootte van een atoom of een molecuul, om gebruik te kunnen maken van de subtiele kwantumeffecten. Door de warmte-effecten is het echter bijzonder moeilijk om afzonderlijke atomen en moleculen ervan te weerhouden dat ze voortdurend in beweging zijn. Daar komt nog bij dat afzonderlijke moleculen meestal niet stabiel genoeg zijn om een betrouwbare machine te bouwen. Chang en Gershenfeld hebben bij hun aanpak van deze problemen voor een doorbraak in de theorie gezorgd. Hun oplossing: neem een kopje vloeistof en zie elke molecule als een kwantumcomputer. In plaats van een aparte, instabiele kwantumcomputer met de afmetingen van een molecule hebben ze nu een kopje met ongeveer honderd miljard biljoen kwantumcomputers. In dit geval gaat het niet om enorm parallelle computers, maar eerder om een enorme overtolligheid. Op deze manier heeft het onvermijdelijk wispelturige gedrag van een aantal moleculen geen invloed op het statistische gedrag van alle moleculen in de vloeistof. De aanpak om het statistische gedrag van biljoenen moleculen te gebruiken om het gebrek aan betrouwbaarheid van een enkele molecule te overwinnen lijkt op de aanpak van professor Andleman die biljoenen DNA-strengen gebruikt om een vergelijkbaar probleem te overwinnen bij DNA-computing.

Deze aanpak van kwantumcomputing lost ook het probleem van het bit-voor-bit uitlezen van het antwoord op zonder dat qubits die nog niet zijn gelezen voortijdig decoheren. Chuang en Gershenfeld stellen hun vloeibare computer bloot aan impulsen van radiogolven die ervoor zorgen dat de moleculen reageren met signalen die de toestand van de spin van elk elektron aangeven. Elke impuls veroorzaakt wel enige ongewenste decoherentie, maar deze decoherentie heeft alweer geen invloed op het statistische gedrag van biljoenen moleculen. Op deze manier worden de kwantumeffecten stabiel en betrouwbaar.

Chuang en Gershenfield bouwen op dit moment een kwantumcomputer die kleine getallen in hun factoren kan ontleden. Hoewel dit prille model nog niet kan concurreren met conventionele digitale computers zal het een belangrijk bewijs zijn voor de haalbaarheid van kwantumcomputing. Kennelijk hoog op de lijst van geschikte kwantumvloeistoffen staat pasgezette koffie die, zoals Gershenfeld opmerkt, 'ongewoon gelijkmatige opwarmingskarakteristieken' kent.

## Kwantumcomputing met de genetische code

Kwantumcomputing gaat digitaal computing inhalen als we ten minste 40 qubits kunnen koppelen. Een 40-qubits kwantumcomputer zou een biljoen mogelijke oplossingen tegelijkertijd kunnen beoordelen en daarmee zou hij de snelste supercomputer evenaren. Met 60 bits zouden we gelijktijdig een miljoen biljoen problemen kunnen oplossen. Zodra we bij honderd qubits zijn aangeland zouden de capaciteiten van een kwantumcomputer elke denkbare digitale computer ruim overtreffen.

Ik heb een idee. De kracht van een kwantumcomputer hangt af van het aantal qubits dat we kunnen koppelen. We moeten een grote molecule zien te vinden die speciaal is ontworpen om grote hoeveelheden informatie te bevatten. De evolutie heeft precies zo'n molecule ontworpen: DNA. We kunnen gemakkelijk elk formaat DNA-molecule bouwen dat we wensen, variërend van enkele tientallen nucleotide dwarsbalken tot enkele duizenden. Voor de zoveelste keer combineren we twee elegante ideeën – in dit geval de vloeibare DNA-computer en de vloeibare kwantumcomputer – om een oplossing te bereiken die beter is dan de som van haar delen. Door biljoenen DNA-moleculen in een kopje te doen ontstaat de mogelijkheid om een erg overdadige – en daardoor betrouwbaardere – kwantumcomputer te bouwen met zoveel qubits als we maar willen gebruiken. Vergeet niet dat je het hier voor het eerst hebt gelezen.

## En veronderstel nou eens dat niemand ooit naar het antwoord zou kijken

Bedenk dat de kwantumambiguïteit waarop de kwantumcomputer berust wordt gedecoheerd, oftewel gedesambigueerd, als een bewust wezen het ambiguë verschijnsel bekijkt. In dit geval zijn wij, de gebruikers van de kwantumcomputer, de bewuste wezens. Maar bij het gebruik van een kwantumcomputer kijken we niet direct naar de spinstanden van de afzonderlijke elektronen. De spinstanden worden gemeten door een apparaat dat op zijn beurt de een of andere vraag beantwoordt die de kwantumcomputer werd gevraagd te beantwoorden. Deze metingen worden dan verwerkt door andere elektronische instrumentjes, vervolgens door conventionele computerapparatuur verder behandeld, en uiteindelijk krijgen we de resultaten te zien op ons computerscherm of worden ze afgedrukt op papier.

*Veronderstel nou eens dat geen menselijk of andersoortig bewust wezen ooit naar die uitdraai kijkt.* In dat geval is er geen sprake geweest van bewuste observatie, en vond er dus ook geen decoherentie plaats. Zoals ik eerder heb besproken neemt de fysieke wereld pas de moeite om zich in een niet-ambiguë staat te manifesteren als een van ons, bewuste wezens, besluit erop te reageren. En bijgevolg is die bladzijde ambigu, onbepaald – tot en tenzij een bewust wezen ernaar kijkt. Op datzelfde moment is alle ambiguïteit retroactief opgelost en staat het antwoord op papier. Dat impliceert dat het antwoord er niet is tot we ernaar kijken. Maar haal het niet in je hoofd een snelle, stiekeme blik te werpen op de antwoordloze bladzijde; kwantumeffecten zijn bliksemsnel.

## Waar dient het voor?

Een zeer belangrijke vereiste voor kwantumcomputing is een manier om het antwoord te toetsen. Een dergelijke test is niet altijd voorhanden. Dat neemt niet weg dat een kwantumcomputer een geweldige wiskundige kan zijn. Hij zou tegelijkertijd elke mogelijke combinatie van axioma's en eerder bewezen stellingen (binnen de capaciteit aan qubits van de kwantumcomputer) in beschouwing kunnen nemen om vrijwel elk bewijsbaar of weerlegbaar vermoeden te bewijzen of te weerleggen. Hoewel het vaak bijzonder moeilijk is om met een wiskundig bewijs op de proppen te komen, is het bevestigen van de geldigheid van dat bewijs meestal eenvoudig, en dat maakt de benadering met kwantumcomputing zeer geschikt.

Kwantumcomputing is echter niet onmiddellijk toepasbaar op problemen zoals een bordspel spelen. Hoewel de 'perfecte' schaakzet in een gegeven stelling een goed voorbeeld is van een eindig maar lastig computerprobleem bestaat er geen gemakkelijke manier om de juistheid van het antwoord te testen. Als een persoon of een proces een antwoord zouden moeten geven dan bestaat er geen andere manier om de juistheid daarvan te testen dan door dezelfde zet-tegenzetboom te bouwen die het antwoord in eerste instantie al had voortgebracht. Zelfs voor alleen maar 'goede' zetten zou een kwantumcomputer geen duidelijk voordeel hebben boven een digitale computer.

Kunst scheppen? Daarvoor zou een kwantumcomputer zeer waardevol zijn. Het scheppen van een kunstwerk impliceert het oplossen van een serie, wellicht een heel grote serie, problemen. Een kwantumcomputer zou elke mogelijke combinatie van elementen – woorden, noten, penseelstreken – voor elk van die beslissingen kunnen beschouwen. We hebben dan nog steeds een manier nodig om elk antwoord op de opeenvolgende esthetische problemen te toetsen, maar de kwantumcomputer zou ideaal zijn om ogenblikkelijk een eindeloos aantal mogelijkheden te doorzoeken.

## Coderen onmogelijk gemaakt en weer tot leven geroepen

Zoals we hierboven hebben gesteld is de kwantumcomputer bij uitstek geschikt voor het klassieke probleem van het kraken van codes omdat dat berust op het factoriseren van grote getallen. De kracht van een code wordt gemeten aan de hand van het aantal bits dat moet worden gefactoriseerd. Het is in de Verenigde Staten bijvoorbeeld onwettig om coderingstechnologie te exporteren die meer dan 40 bits gebruikt (56 als je de sleutel geeft aan de autoriteiten). Een 40-bitsencryptiemethode is niet erg veilig. In september 1997 kon Ian Goldberg, een promovendus van de University of California in Berkeley, een 40-bitscode in drieëneenhalf uur kraken met behulp van een netwerk van 250 kleine computers.[15] Een 56-bitscode is al wat beter (16 bits om precies te zijn). Tien maanden later wisten John Gilmore, een activist op het gebied van computerprivacy, en Paul Kocher, een coderingsexpert, in 56 uur de 56-bitscode te breken met behulp van een speciaal ontworpen computer die hen 250.000 dollar had gekost om te bouwen. Een kwantumcomputer kan echter met gemak een nummer van welke grootte dan ook factoriseren (binnen zijn capaciteit). Kwantumcomputingtechnologie zou in feite de digitale codering vernietigen.

Wat de technologie echter afpakt geeft ze ook weer terug. Een verwant kwantumeffect kan een nieuwe coderingmethode opleveren die nooit kan worden gebroken. Let wel, gezien de wet van de versnellende opbrengsten duurt 'nooit' niet meer zo lang als vroeger.

Dit effect wordt kwantumverstrengeling genoemd. Einstein, bepaald geen fan van de kwantummechanica, had er een andere naam voor, hij noemde het 'spookachtige actie op een afstand'. Onlangs werd het fenomeen gedemonstreerd door dr. Nicolas Gisin van de universiteit van Genève in een experiment in de hele stad Genève.[16] Dr. Gisin zond tweelingfotonen in tegengestelde richting door glasvezels. Toen de fotonen ongeveer 11 kilometer van elkaar waren verwijderd kwamen ze een glasplaat tegen waar ze ofwel tegen konden weerkaatsen, ofwel doorheen konden gaan. Op die manier werden ze allebei gedwongen om te beslissen te kiezen tussen twee wegen die even plausibel waren. Omdat er op geen enkele manier een communicatieverbinding bestond tussen de twee fotonen zouden klassieke natuurkundigen voorspellen dat ze hun beslissing onafhankelijk van elkaar namen. Maar ze namen allebei dezelfde beslissing en deden dat op hetzelfde ogenblik. En zelfs als er wel een communicatieverbinding tussen de twee had bestaan, dan had een boodschap zelfs met de lichtsnelheid niet genoeg tijd gehad om van het ene naar het andere foton te reizen. De twee fotonen waren kwantumverstrengeld en communiceerden ogenblikkelijk met elkaar ongeacht hun scheiding. Het effect werd op betrouwbare manier herhaald met veel van dergelijke fotonenparen.

De kennelijke communicatie tussen de twee fotonen vindt plaats met een snelheid die veel hoger is dan de lichtsnelheid. In theorie is die snelheid oneindig omdat de decoherentie van de reisbesluiten van de twee fotonen volgens de kwantumtheorie op exact hetzelfde ogenblik plaatsvindt. Het experiment van dr. Gisin was voldoende precies om aan te tonen dat de communicatie ten minste tienduizend keer sneller verliep dan de lichtsnelheid.

En, schendt dit de speciale relativiteitstheorie van Einstein, die stelt dat de lichtsnelheid de hoogste snelheid is waarmee we informatie kunnen overdragen? Het antwoord luidt nee – er wordt door de gerelateerde fotonen geen informatie overgebracht. De beslissing van de fotonen is willekeurig – een moeilijk te doorgronden kwantumwillekeur – en willekeur is juist geen informatie. Zowel de zender als de ontvanger van het bericht verkrijgen op hetzelfde moment de identieke willekeurige beslissingen van de gerelateerde fotonen die worden gebruikt om de boodschap respectievelijk te coderen en te decoderen. We communiceren dus willekeur – geen informatie – met snelheden die veel hoger zijn dan de lichtsnelheid. De enige manier waarop we de willekeurige beslissingen van de fotonen kunnen converteren in informatie is als we de willekeurige volgorde van de beslissingen van de fotonen bewerken. Maar voor het bewerken van die willekeurige volgorde zouden we de beslissingen van de fotonen moeten observeren en dat zou vervolgens leiden tot kwantumdecoherentie, en dat zou de kwantumverstrengeling vernietigen. Einsteins theorie blijft dus behouden.

Hoewel we de informatie die gebruikmaakt van kwantumverstrengeling niet onmiddellijk kunnen overbrengen, blijft het overbrengen van willekeur nog steeds erg nuttig. Daardoor kunnen we het coderingsproces dat kwantumcomputing zou vernietigen nieuw leven inblazen. Als de zender en de ontvanger van een bericht zich aan de twee uiteinden van een glasvezelkabel bevinden dan kunnen ze de exact met elkaar in overeenstemming gebrachte, willekeurige beslissingen van een stroom kwantumgerelateerde fotonen gebruiken om een bericht te coderen en te decoderen. Omdat die codering fundamenteel willekeurig en niet-herhalend is kan ze niet worden gekraakt. Afluisteren zou ook onmogelijk zijn omdat dat kwantumdecoherentie tot gevolg zou hebben die aan beide uiteinden van de kabel ontdekt zou kunnen worden. De privacy wordt dus behouden.

Merk op dat we in het geval van kwantumcodering de code ogenblikkelijk verzenden. De feitelijke boodschap komt pas veel later aan – met slechts de snelheid van het licht.

## Kwantumbewustzijn herhaald

Het vooruitzicht dat computers concurreren met het volledige spectrum aan menselijke vermogens wekt hevige, vaak vijandige reacties op, en zorgt bovendien voor een overvloed aan argumenten dat een dergelijk schrikbeeld theoretisch onmogelijk is. Een van de interessantste is afkomstig van Roger Penrose, een wis- en natuurkundige uit Oxford.

In *The Emperor's New Mind*, zijn bestseller uit 1989, verkondigt Penrose twee vermoedens.[17] Het eerste heeft te maken met een stelling die alles op losse schroeven zet en die is bewezen door de Tsjechische wiskundige Kurt Gödel. Gödels befaamde 'onvolledigheidsstelling' – soms de belangrijkste stelling in de wiskunde genoemd – stelt dat er in een wiskundig systeem dat krachtig genoeg is om de natuurlijke getallen te genereren onvermijdelijk beweringen bestaan die te bewijzen noch te weerleggen zijn. Dit was weer een van die twintigste-eeuwse inzichten die de orde van het negentiende-eeuwse denken in de war stuurde.

Een uitvloeisel van de stelling van Gödel is dat er wiskundige stellingen bestaan die niet door een algoritme kunnen worden beslist. In feite vergen deze Gödeliaanse onmogelijke problemen een oneindig aantal stappen om te worden opgelost. Het eerste vermoeden van Penrose is dus dat machines niet kunnen wat mensen kunnen omdat machines alleen maar een algoritme kunnen volgen. Een algoritme kan een Gödeliaans onmogelijk probleem niet oplossen, maar mensen kunnen dat wel. *Ergo, mensen zijn beter.*

Penrose vervolgt met te stellen dat mensen onoplosbare problemen kunnen oplossen omdat onze hersenen met kwantumcomputing werken. Penrose voerde vervolgens op de kritiek dat de neuronen te groot zijn om kwantumverschijnselen te vertonen aan dat er in de neuronen kleine structuren zijn, microtubuli, die wellicht in staat zijn tot kwantumcomputing.

Het eerste vermoeden van Penrose – dat mensen inherent superieur zijn aan machines – is echter vanwege ten minste drie redenen niet overtuigend:

1. Het is waar dat machines Gödeliaanse onmogelijke problemen niet kunnen oplossen. Maar mensen kunnen dat ook niet. Mensen kunnen ze alleen maar schatten. Machines verrichten ook schattingen en zijn op dat vlak de laatste tijd beter dan mensen.
2. In ieder geval kun je met kwantumcomputing de Gödeliaanse onmogelijke problemen ook niet oplossen. Het oplossen van Gödeliaanse onmogelijke problemen vergt een algoritme met een oneindig aantal stappen. Kwantumcomputing kan een lastig probleem, dat in geen biljoenen jaren kon worden opgelost met een conventionele

computer, veranderen in een bliksemsnelle berekening. Maar hij kan nog steeds geen oneindige computing doen.

3. Zelfs als (1) en (2) hierboven fout zouden zijn, oftewel, als mensen wel Gödeliaanse onmogelijke problemen zouden kunnen oplossen en als ze dat doen met behulp van kwantumcomputing, dan betekent dat nog niet dat machines geen kwantumcomputing kunnen uitvoeren. Het tegenovergestelde is het geval. Als de menselijke hersenen kwantumcomputing vertonen dan bevestigt dat alleen maar dat kwantumcomputing mogelijk is en dat materie die gehoor geeft aan natuurlijke wetten kwantumcomputing kan uitvoeren. Elk mechanisme in de menselijke neuronen dat tot kwantumcomputing in staat is, bijvoorbeeld microtubuli, zou in een machine kunnen worden nagemaakt. Machines gebruiken tegenwoordig kwantumeffecten – tunneling– in biljoenen apparaatjes (oftewel transistors).[18] Er is niets dat suggereert dat de menselijke hersenen de enige zijn met toegang tot kwantumcomputing.

Het tweede vermoeden van Penrose is lastiger om op te lossen. Het stelt dat een wezen dat kwantumcomputing vertoont een bewust wezen is. Hij beweert dat juist het gebruik van kwantumcomputing door de mens zijn bewustzijn verklaart. En dus brengt kwantumcomputing – kwantumdecoherentie – bewustzijn voort.

Nu weten we inderdaad dat er een verband bestaat tussen bewustzijn en kwantumdecoherentie. Dat wil zeggen, een bewustzijn dat een kwantumonzekerheid observeert veroorzaakt kwantumdecoherentie. Penrose verdedigt echter een verband in de tegenovergestelde richting. Dat volgt er logischerwijs niet uit. Natuurlijk, kwantummechanica is niet logisch in de gebruikelijke zin van het woord – ze volgt kwantumlogica (sommige waarnemers gebruiken het woord 'vreemd' om kwantumlogica te gebruiken). Maar zelfs als je kwantumlogica toepast, lijkt daaruit het vermoeden van Penrose niet te volgen. Van de andere kant kan ik het niet zomaar afwijzen omdat er een sterke samenhang bestaat tussen bewustzijn en kwantumdecoherentie, en wel zodanig dat het eerste het laatste veroorzaakt. Misschien heb ik vóór ik mijn volgende boek schrijf wel een mening over het tweede vermoeden van Penrose.

# Een getoetst ontwerp reverse engineeren: de menselijke hersenen

*Voor veel mensen vormt de geest het laatste toevluchtsoord tegen de oprukkende verspreiding van de wetenschap, en ze vinden het geen prettig idee dat de wetenschap het laatste stukje* terra incognita *verzwelgt.*
Herb Simon, geciteerd door Daniel Dennett

*Kunnen we de mensen niet zichzelf laten zijn en ze hun leven op hun eigen manier laten leiden? Waarom probeer je nog een jij te maken? Een is genoeg.*
Ralph Waldo Emerson

*Voor de wijze mannen van lang geleden... was de oplossing kennis en zelfdiscipline... en in de praktijk van deze techniek, staan ze klaar om dingen te doen die tot dusver werden beschouwd als walgelijk en oneerbiedig – bijvoorbeeld de doden opgraven en hen verminken.*
C.S. Lewis

Intelligentie is: (a) het ingewikkeldste fenomeen in het heelal; of (b) een verschrikkelijk eenvoudig proces.

Het antwoord luidt natuurlijk (c) beide bovengenoemde antwoorden. Alweer een voorbeeld van die geweldige dualiteiten die het leven interessant maken. We hebben het al gehad over de eenvoud van intelligentie: eenvoudige paradigma's en het eenvoudige rekenproces. Laten we het nu eens hebben over de complexiteit van de intelligentie.

We gaan terug naar kennis, en die begint met eenvoudige zaadjes, maar wordt uiteindelijk ingewikkeld als het proces van het kennisvergaren in wisselwerking treedt met de chaotische echte wereld. Sterker nog, dat is de oorsprong van intelligentie. Ze was het resultaat van het evolutieproces dat we natuurlijke selectie noemen, op zichzelf een eenvoudig paradigma dat haar complexiteit put uit de chaos van haar omgeving. We zien hetzelfde fenomeen als we evolutie in de computer brengen. We beginnen met eenvoudige formules, voegen daar het eenvoudige proces van evolutieherhaling aan toe, en combineren dat met de eenvoud van enorme rekenkracht. Dat resulteert in vaak ingewikkelde, krachtige en intelligente algoritmes.

Maar om de complexe geheimen die de menselijke hersenen bevatten aan ze te ontfutselen hoeven we niet hun hele evolutie te simuleren. We kunnen hetzelfde doen met de menselijke hersenen als een technologiebedrijf dat de producten van een concurrent ontleedt en 'reverse engineert' (analyseert om er de werkwijze van te begrijpen). Het is uiteindelijk het beste voorbeeld van een intelligent proces dat we ter beschikking hebben. We kunnen de opbouw, organisatie en aangeboren kennis van de menselijke hersenen bemachtigen om ons inzicht over de manier waarop we intelligentie in een machine moeten ontwerpen aanmerkelijk te versnellen. Door de schakelingen van de hersenen te onderzoeken kunnen we een beproefd ontwerp kopiëren, en wel een ontwerp waarvoor de oorspronkelijke ontwerper miljarden jaren nodig heeft gehad om het te ontwikkelen (en er zit niet eens copyright op).

Nu we bijna zover zijn dat we de computingvaardigheden bezitten om de menselijke hersenen te simuleren – op dit moment zijn we nog niet zover, maar over een jaar of tien zullen we een begin kunnen maken – zal dat intensief worden nagestreefd. Sterker nog, er wordt al een poging ondernomen.

De gezichtschip van Synaptic is bijvoorbeeld in wezen een kopie van de neurale structuur, natuurlijk uitgevoerd in silicium, van niet alleen het menselijk netvlies, maar ook van de vroege stadia van beeldverwerking bij zoogdieren. Hij heeft het wezen van het algoritme van beeldverwerking van zoogdieren vastgelegd. Dat algoritme wordt *center surround filtering* genoemd. Het is wel geen erg ingewikkelde chip, maar toch is hij in staat het wezen van de beginstadia van het menselijk zien vast te leggen.

Bij zowel waarnemers die op de hoogte zijn als bij degenen die dat niet zijn heerst de populaire gedachte dat een dergelijk reverse engineeringproject onuitvoerbaar is. Hoffstadter verzucht dat 'onze hersenen wel eens te zwak zouden kunnen zijn om zichzelf te begrijpen.'[19] Maar dat blijkt niet het geval te zijn. Als we de schakelingen van onze hersenen onderzoeken dan komen we tot de conclusie dat de enorm parallelle algoritmen verre van onbegrijpelijk zijn. Ook is er bepaald geen oneindig aantal van. In de hersenen bevinden zich honderden gespecialiseerde gebieden, en ze kennen een nogal barokke constructie, het gevolg van hun lange geschiedenis. De hele puzzel gaat ons niet boven de pet. En zeker niet boven het begrip van de machines uit de eenentwintigste eeuw.

Die kennis bevindt zich recht voor ons, of liever, binnenin ons. Ze is niet onbereikbaar. Laten we beginnen met het minst gecompliceerde scenario, een scenario dat in wezen nu al uitvoerbaar is (tenminste als een begin).

Voor ik allerlei verontwaardigde reacties krijg wil ik in de schoenen van Leonardo da Vinci stappen. Leonardo kreeg ook verontruste reacties van zijn tijdgenoten. Stel je voor, hij stal lijken uit het lijkenhuis en vervoerde ze in een kar naar zijn huis om ze vervolgens uit elkaar te halen. Hij deed dat vóór het ontleden van lijken in de mode was. Hij deed het uit naam van de wetenschap en die stond in die tijd niet erg hoog aangeschreven. Hij wilde leren hoe het menselijk lichaam werkte, maar zijn tijdgenoten vonden zijn activiteiten maar bizar en oneerbiedig. Tegenwoordig kijken we daar anders tegenaan en vinden we dat het uitbreiden van onze kennis van deze wonderbaarlijke machine het eerbiedigste eerbewijs is dat we kunnen bewijzen. We ontleden voortdurend lijken om meer te weten te komen over hoe het levende lichaam werkt en om anderen te leren wat we zelf al hebben geleerd.

Wat ik suggereer is precies hetzelfde. Behalve één ding: ik heb het over de hersenen, niet over het lichaam. Dit gaat ons nader aan het hart. Wij identificeren ons meer met onze hersenen dan met ons lichaam. Hersenchirurgie wordt beschouwd als indringender dan teenchirurgie. Toch is de waarde van de kennis die kan worden verkregen door het onderzoeken van de hersenen te groot om te negeren. We zullen dan ook een eind moeten maken aan elke resterende teergevoeligheid.

Zoals ik al zei, eerst vriezen we de dode hersenen in. Dat is niets nieuws – dr. E. Fuller Torrey, voormalig coördinator bij het National Institute of Mental Health en nu hoofd van de afdeling geestelijke gezondheidszorg van een particuliere onderzoeksstichting, heeft 44 vriezers met daarin 266 bevroren hersenen.[20] Torrey en zijn medewerkers hopen inzicht te krijgen in de oorzaken van schizofrenie. Al de hersenen in zijn bezit zijn dan ook afkomstig van overleden schizofreniepatiënten en dat is vermoedelijk minder geschikt voor ons doel.

We onderzoeken de hersenen laag – een heel dun plakje – voor laag. Met voldoende gevoelige tweedimensionale scanapparatuur moeten we in staat zijn elk neuron en elke verbinding te zien die in elke laag van één synaps dikte voorkomt. Als een laagje is onderzocht en de vereiste data zijn opgeslagen kan het worden afgeschraapt om de volgende laag zichtbaar te maken. Deze informatie kan worden opgeslagen en samengevoegd in een gigantisch driedimensionaal model van de bedrading en de neurale topologie van de hersenen.

Het zou beter zijn als de bevroren hersenen niet al een lange tijd dood waren voor ze werden bevroren. Dode hersenen zullen ons veel vertellen over levende hersenen, maar vormen duidelijk niet het ideale practicum. Een deel van dat dood-zijn resulteert zeker in een aantasting van de zenuwstructuur. Vermoedelijk hebben we geen zin om onze ontwerpen voor intelligente machines te baseren op dode hersenen. Waarschijnlijk kunnen we ons voordeel doen met mensen die worden geconfronteerd met een naderende dood en die toestemming geven hun hersenen destructief te laten scannen net vóór in plaats van net ná hun hersenen zouden zijn opgehouden met uit zichzelf te functioneren. Onlangs stond een veroordeelde moordenaar toe dat zijn hersenen en lichaam werden gescand, en je kunt al zijn 10 miljard bytes vinden op het Internet op de website 'Visible Human Project' van het Center for Human Simulations.[21] Op die site kun je ook een vrouwelijke lotgenoot vinden die met een nog hogere resolutie is gescand en waarvan de beelden 25 miljard bytes tellen. Hoewel de resolutie van de scan van dit stel niet hoog genoeg is voor het scenario dat wij hier voor ogen hebben, is het een voorbeeld van mensen die hun hersenen beschikbaar stellen voor reverse engineering. Maar natuurlijk zouden we onze sjablonen van machine-intelligentie niet willen baseren op de hersenen van een veroordeelde moordenaar.

Het is prettiger om het te hebben over de pas ontwikkelde niet-destructieve manieren om onze hersenen te scannen. Ik begon hierboven met het binnendringende scenario omdat dat technisch gezien veel gemakkelijker is. In feite hebben we nu al de middelen om een destructieve scan uit te voeren (al hebben we nog niet genoeg bandbreedte om de hele hersenen binnen een redelijke tijd te scannen). Wat betreft niet-destructieve technieken zijn magnetische resonantiebeeldscanners met hoge snelheid en hoge resolutie (MRI, *magnetic resonance imaging*) al in staat afzonderlijke soma's (zenuwcellichaampjes) te bekijken zonder het levende weefsel dat wordt gescand te verstoren. Er zijn krachtiger MRI's in ontwikkeling die in staat zullen zijn afzonderlijke zenuwvezels te scannen die slechts een diameter van tien micrometer (0,000001 m) hebben. In het eerste decennium van de eenentwintigste eeuw zullen die beschikbaar zijn. Uiteindelijk zullen we in staat zijn de presynaptische blaasjes te scannen die de leerplek van de mens vormen.

Nu al kunnen we met MRI-scanners een kijkje nemen in iemands hersenen, en de resolutie van die scanners neemt per generatie van deze technologie toe. Om dit te bereiken moeten we een aantal technische horden nemen, onder meer moeten we een geschikte resolutie, bandbreedte (oftewel transmissiesnelheid), trillingsvrijheid en veiligheid zien te bereiken. Om een aantal verschillende redenen is het gemakkelijker om de hersenen te scannen van iemand die pas is overleden dan van iemand die nog leeft. Maar het niet-destructief scannen van levende hersenen zal uiteindelijk net zo uitvoerbaar worden omdat MRI en andere scantechnieken een steeds hogere snelheid en een steeds betere resolutie zullen krijgen.

Een nieuwe scantechnologie – optisch beeldscannen, ontwikkeld door professor Amiram Grinvald van het Weizmann-instituut in Israël – kan met een veel hogere resolutie scannen dan MRI. Net als bij MRI is de technologie gebaseerd op de interactie tussen elektrische activiteit in de neuronen en de bloedsomloop in de haarvaten die de neuronen voeden. Het apparaat van Grinvald kan onderdeeltjes ontleden die kleiner zijn dan vijftig micrometer, en het kan *real time* werken waardoor het wetenschappers in staat

## Zijn onze hersenen groot genoeg?

Zijn onze opvatting over het functioneren van de neuronen en onze schattingen van het aantal neuronen en verbindingen in de menselijke hersenen verenigbaar met wat we weten over de capaciteiten van de hersenen? Misschien kunnen neuronen veel meer dan we denken. Als dat zo is dan duurt het misschien wel veel langer om een machine te bouwen met capaciteiten op het niveau van de mens.

We zijn tot de ontdekking gekomen dat de schattingen van het aantal concepten – 'brokken' kennis – die een menselijke expert op een bepaald gebied heeft verworven opmerkelijk constant is: ongeveer 50.000 tot 100.000. Deze benadering blijkt te gelden voor een groot deel van de menselijke bezigheden: het aantal stellingen die een schaakgrootmeester zich eigen heeft gemaakt, het aantal begrippen dat een expert op een bepaald technisch gebied (bijvoorbeeld natuurkunde) kent, de woordenschat van een schrijver (Shakespeare gebruikte 29.000 woorden;[22] dit boek een stuk minder).

Dit soort vakkennis is natuurlijk slechts een kleine ondergroep van de kennis die we nodig hebben om te kunnen functioneren als mens. De basiskennis van de wereld – met inbegrip van het zogenaamde gezonde verstand – is veel uitgebreider. We kunnen ook patronen herkennen: gesproken taal, geschreven taal, objecten, gezichten. En we beschikken over vaardigheden: lopen, praten, een bal vangen. Ik denk dat een tamelijk voorzichtige schatting van de algemene kennis van een doorsnee mens zou zijn dat die duizend keer groter is dan de kennis van een expert op zijn vakgebied. Dat levert een ruwe schatting op van 100 miljoen brokken – stukjes kennis, begrippen, patronen, specifieke vaardigheden – per mens. Zoals we hierna zullen zien zijn onze hersenen nog steeds groot genoeg, zelfs als deze schatting aan de lage kant is (met een factor tot duizend).

Het aantal neuronen in de menselijke hersenen wordt geschat op ongeveer 100 miljard, en met een gemiddelde van 1000 verbindingen per neuron levert dat in totaal 100 biljoen verbindingen op. 100 biljoen verbindingen en 100 miljoen kennisbrokken (met inbegrip van patronen en vaardigheden) leveren ons een geschat aantal van ongeveer een miljoen verbindingen per brokje op.

Onze computersimulaties van neurale netwerken gebruiken een verscheidenheid aan verschillende types neuronmodellen die allemaal betrekkelijk eenvoudig zijn. Pogingen om gedetailleerde elektronische modellen van echte zoogdierneuronen te genereren lijken aan te tonen dat hoewel dierlijke neuronen ingewikkelder zijn dan doorsnee computermodellen het verschil in ingewikkeldheid gering is. Zelfs als we onze eenvoudigere computerversies van neuronen gebruiken komen we erachter dat we door gebruik te maken van slechts duizend verbindingen per brokje een brokje kennis – een gezicht, de vorm van een letter, de betekenis van

een woord – kunnen vormen. Onze grove schatting van een miljoen zenuwverbindingen in de menselijke hersenen per brokje menselijke kennis lijkt dus redelijk.
Het lijkt inderdaad ruimschoots voldoende. We kunnen dus mijn schatting (van het aantal kennisbrokjes) met duizend vermenigvuldigen en de berekening gaat nog steeds op. Het is echter waarschijnlijk dat het coderen van kennis minder efficiënt is dan de methoden die we in onze machines gebruiken. Deze kennelijke ondoelmatigheid voldoet aan onze notie dat de menselijke hersenen conservatief zijn ontworpen. De hersenen vertrouwen grotendeels op overvloed en een betrekkelijk lage dichtheid van informatieopslag om betrouwbaar te zijn en effectief te blijven functioneren ondanks het feit dat we, bij het ouder worden, veel neuronen verliezen.
Mijn conclusie is dat het er niet op lijkt dat we een informatieverwerkingsmodel van afzonderlijke neuronen moeten overwegen dat aanzienlijk ingewikkelder is dan we nu bevatten om de menselijke capaciteiten te verklaren. De hersenen zijn groot genoeg.

stelt het 'vuren' van de afzonderlijke neuronen te bekijken. Grinvald en onderzoekers van het Max Planck-instituut in Duitsland stonden versteld van de opmerkelijke regelmatigheid van de neurale vuurpatronen toen de hersenen bezig waren visuele informatie te verwerken.[23] Een van de onderzoekers, dr. Mark Hübener, merkte op dat 'onze kaarten van de werkende hersenen zo ordelijk zijn dat ze eerder lijken op het stratenplan van Manhattan dan op bijvoorbeeld van een middeleeuwse stad in Europa.' Grinvald, Hübener en hun medewerkers konden hun hersenscanner gebruiken om een onderscheid te maken tussen reeksen neuronen die verantwoordelijk waren voor het waarnemen van diepte, vorm en kleur. Als deze neuronen onderling actief waren leek het daaruit voortkomende neurale vuren op een ingewikkeld mozaïek. De onderzoekers konden van de scans aflezen hoe de neuronen elkaar informatie doorgaven. Ze merkten bijvoorbeeld op dat de neuronen voor de waarneming van diepte waren gerangschikt in parallelle kolommen die informatie verstrekten aan de neuronen die vormen waarnemen die ingewikkeldere patronen in de vorm van een pennenrad vormden. Op dit moment is de scantechnologie van Grinvald slechts in staat een dun plakje aan de oppervlakte van de hersenen af te beelden, maar het Weizmann-instituut werkt aan verfijningen die het driedimensionale vermogen zullen uitbreiden. Grinvalds scantechnologie wordt ook gebruikt om de resolutie van het MRI-scannen te verbeteren. Onlangs is ontdekt dat licht van bijna infrarode frequentie door de schedel kan, en dat voedt ook het enthousiasme dat optisch beeldscannen een methode met hoge resolutie kan vormen om de hersenen te scannen.

De drijvende kracht achter deze snelle verbeteringen van het vermogen van niet-destructieve scantechnologieën zoals MRI is wederom de wet van de versnellende opbrengsten omdat er enorm veel rekenvermogen nodig is om de beelden met hoge resolutie driedimensionaal op te bouwen uit de ruwe magnetische resonantiepatronen die een MRI-scanner levert. Het exponentieel stijgende rekenvermogen dat wordt geleverd door de wet van de versnellende opbrengsten (en nog vijftien of twintig jaar door de wet van Moore) zal ons in staat stellen de resolutie en de snelheid van deze niet-destructieve scantechnologieën snel te blijven verbeteren.

Het lijkt misschien wel een ontmoedigende taak om de menselijke hersenen synaps voor synaps in kaart te brengen, maar dat gold ook voor het Human Genome Project, een poging om alle menselijke genen in kaart te brengen, toen dat plan in 1991 werd gelanceerd. Hoewel het overgrote deel van de menselijke genetische code nog steeds niet is gedecodeerd vertrouwt men er bij de negen American Genome Sequencing Centers (de Amerikaanse centra die de volgorde van de genomen bepalen) op dat de taak in 2005 gereed zal zijn, en zoniet, dan toch binnen een paar jaar na die streefdatum. Onlangs heeft een nieuwe privé-onderneming met kapitaal van Perkin-Elmer plannen aangekondigd om in het jaar 2001 het hele menselijke genoom te sequenteren. Zoals ik hierboven al heb opgemerkt was de snelheid van het scannen van het menselijke genoom in de beginjaren zeer laag en nam daarna de snelheid toe met de verbeterde technologie, voornamelijk door computerprogramma's die de nuttige genetische informatie bepalen. De onderzoekers rekenen op verdere verbeteringen aan de computersoftware die op genen jaagt om hun deadline te halen. Dat zal ook het geval zijn met het project om de menselijke hersenen in kaart te brengen als onze scanmethoden en onze methoden om de 100 biljoen zenuwverbindingen vast te leggen versnellen als gevolg van de wet van de versnellende opbrengsten.

## Wat we kunnen doen met die informatie

Er zijn twee scenario's om de resultaten van gedetailleerde hersenscans te gebruiken. Het meest directe – *de hersenen scannen om ze te begrijpen* – is delen van de hersenen scannen om de structuur en de impliciete algoritmen van interneurale verbindingen in diverse gebieden te leren kennen. De exacte positie van elke zenuwvezel is niet zo belangrijk als het gehele patroon. Met deze informatie kunnen we gesimuleerde neurale netwerken ontwerpen die op een zelfde manier werken. Het proces lijkt op het pellen van een ui terwijl elke laag van de menselijke intelligentie wordt ontbloot.

In wezen is dit wat Synaptics heeft gedaan in hun chip die de neurale beeldverwerking van zoogdieren nadoet. Dit is ook wat Grinvald, Hübener en hun medewerkers van plan zijn met hun visuele scans van de cortex. En er worden op dit moment tientallen andere projecten opgezet om delen van de hersenen te scannen en de resulterende inzichten toe te passen op de ontwerpen van intelligente systemen.

Binnen een gebied is het schakelsysteem van de hersenen zeer repetitief. Er hoeft dus maar een klein deel van het gebied helemaal te worden gescand. De voor het rekenen relevante activiteit van een neuron of een groep neuronen is voldoende ongecompliceerd om deze methoden te begrijpen en te vormen door ze te onderzoeken. Als de structuur en de topologie van de neuronen, de organisatie van de interneuronale bedrading, en de sequentie van het neurale vuren in een gebied zijn geobserveerd, vastgelegd en geanalyseerd, dan wordt het haalbaar om de parallelle algoritmen van dat gebied te reverse engineeren. Als we de algoritmen van een gebied begrijpen dan kunnen ze worden verfijnd en uitgebreid vóór ze in synthetische neurale equivalenten worden verwezenlijkt. De methoden kunnen zeker worden versneld omdat het een gegeven is dat elektronica nu al meer dan een miljoen keer sneller is dan neurale schakelsystemen.

We kunnen de ons bekende algoritmen combineren met methoden voor het bouwen van intelligente machines die we al begrijpen. We kunnen ook die aspecten van de menselijke computing afdanken die in een machine waarschijnlijk niet nuttig zijn. Natuurlijk moeten we ervoor zorgen dat we het kind niet met het badwater weggooien.

## Je geest in je persoonlijke computer downloaden

Een uitdagender, maar uiteindelijk ook haalbaar, scenario zal erin bestaan iemands hersenen te scannen om de locaties, onderlinge verbindingen, en de inhoud van de soma's, neurieten, presynaptische blaasjes en andere componenten van het neuron in kaart te brengen. De hele structuur van de hersenen zou dan opnieuw kunnen worden gecreëerd op een neurale computer met voldoende capaciteit, met inbegrip van de inhoud van het geheugen.

Het is nogal duidelijk dat dat moeilijker is dan het 'de hersenen scannen om ze te kunnen begrijpen'-scenario. In dat scenario hoefden we slechts monsters te nemen van elk gebied tot we de saillante algoritmen begrepen. Vervolgens kunnen we de verkregen inzichten combineren met kennis waarover we al beschikten. In dit '*de hersenen scannen om ze te downloaden*'-scenario moeten we elk minuscuul detail vastleggen. Maar anderzijds hoeven we er niet alles van te begrijpen; we moeten ze alleen maar letterlijk kopiëren, verbinding voor verbinding, synaps voor synaps, neurotransmitter voor neurotransmitter. We moeten wel de *lokale* hersenprocessen begrijpen, maar niet noodzakelijkerwijs de globale structuur van de hersenen, tenminste niet volledig. Vermoedelijk begrijpen we daar tegen de tijd dat we dit kunnen toch al veel van.

Om het goed te doen moeten we begrijpen wat de bepalende informatieverwerkende mechanismen zijn. Een groot deel van de ingewikkelde structuur van een neuron is er om zijn eigen structuur intact te houden en zijn levensprocessen te onderhouden, en dat draagt niet direct bij tot zijn informatieverwerking. We weten dat neurale computing is gebaseerd op honderden verschillende neurotransmitters en dat verschillende neurale mechanismen in diverse gebieden verschillende soorten computing mogelijk maken. De oude gezichtsneuronen zijn bijvoorbeeld goed in het sterk doen uitkomen van plotselinge kleurveranderingen om gemakkelijker de randen van objecten te vinden. De neuronen in de hippocampus kennen waarschijnlijk structuren om het vasthouden van herinneringen op lange termijn te verbeteren. We weten ook dat neuronen een combinatie gebruiken van digitale en analoge computing die nauwkeurig moet zijn vormgegeven. We moeten structuren identificeren die in staat zijn tot kwantumcomputing, als die er tenminste zijn. Alle sleutelkenmerken die de informatieverwerking beïnvloeden moeten worden herkend om ze nauwkeurig te kunnen kopiëren.

Hoe goed zal dat werken? Het zal in het begin natuurlijk niet perfect gaan, net als bij elke nieuwe technologie, en de eerste downloads zullen enigszins onnauwkeurig zijn. Kleine onnauwkeurigheden vallen niet per se onmiddellijk op omdat mensen tot op zekere hoogte voortdurend veranderen. Naargelang ons begrip van de mechanismen van de hersenen en ons vermogen om deze kenmerken nauwkeurig en niet-destructief te scannen verbetert, dient het herconcretiseren (herinstalleren) van iemands hersenen de geest van die iemand niet meer te veranderen dan de dagelijkse veranderingen.

## En wat ontdekken we als we dat doen?

Deze vraag moeten we zowel op het objectieve als het subjectieve niveau bekijken. 'Objectief' betekent iedereen behalve ik, laten we daar dus maar mee beginnen. Objectief gezien, als we iemands hersenen scannen en hun

persoonlijke bestand van hun geest herconcretiseren in een geschikt rekenmedium, dan zal het voor andere waarnemers lijken dat de pas opgedoken 'persoon' nogal sterk dezelfde persoonlijkheid, geschiedenis en hetzelfde geheugen heeft als de persoon die oorspronkelijk werd gescand.
Met deze pas geconcretiseerde persoon omgaan wekt de indruk alsof je
omgaat met de oorspronkelijke persoon. De nieuwe persoon zal beweren
dat hij diezelfde oude persoon is, en hij zal zich herinneren dat hij die persoon is geweest, dat hij is opgegroeid in Brooklyn, dat hij hier een scanner
is binnengewandeld, en dat hij wakker werd in die machine daar. Hij zal
zeggen: 'Hé, die technologie werkt echt.'

Dan hebben we nog het probleempje van het lichaam van die 'nieuwe
persoon'. Wat voor lichaam zal een geherconstrueerd bestand van een persoonlijk geestbestand hebben: het oorspronkelijke menselijke lichaam, een
verbeterd lichaam, een lichaam dat met behulp van nanotechnologie in elkaar is gezet, een virtueel lichaam in een virtuele omgeving? Dit is een belangrijke vraag die in het volgende hoofdstuk aan de orde komt.

Subjectief gezien is de vraag subtieler en diepgaander. Is dit hetzelfde bewustzijn als dat van de persoon die we zojuist hebben gescand? Zoals we in
hoofdstuk drie hebben gezien zijn er goede argumenten voor beide kanten aan de zaak. Het standpunt dat we fundamenteel ons 'patroon' zijn (omdat de deeltjes steeds veranderen) zou ervoor pleiten dat deze nieuwe persoon dezelfde is omdat hun patronen in de grond gelijk zijn. Het tegenar-
gument is echter dat de persoon die oorspronkelijk was gescand mogelijk
blijft bestaan. Als hij – Jan – er nog is dan zal hij met stelligheid beweren dat
hij de voortzetting is van zijn bewustzijn. Hij zou er wel eens niet mee akkoord kunnen gaan dat zijn geestelijke kloon in zijn plaats doorgaat. Als we
de eenentwintigste eeuw verkennen zullen we voortdurend tegen die
kwestie aanlopen.

Maar als we eenmaal over de grens heen zijn dan zal de nieuwe persoon
zeker denken dat hij de oorspronkelijke persoon was. In zijn hoofd zal er
geen tegenstrijdigheid heersen of hij nu wel of niet zelfmoord pleegde toen
hij erin toestemde overgebracht te worden in een nieuw computingsub-
straat en hij zijn oude, langzame, op koolstof gebaseerde neurale computingmachine achterliet. Zelfs zozeer dat hij zich überhaupt afvraagt of hij nu
wel of niet dezelfde persoon is die hij denkt te zijn, zal hij blij zijn dat zijn
oude zelf de knoop had doorgehakt omdat hij anders niet zou bestaan.

Is hij – die opnieuw geïnstalleerde geest – bewust? Hij zal zeker beweren van wel. En omdat hij heel wat begaafder is dan zijn oude neurale ik,
zal hij zijn standpunt met overtuiging en effectief verdedigen. We zullen
hem geloven. Anders zou hij wel eens kwaad kunnen worden.

## Het tijdperk van de zenuwimplantaten is al begonnen

De patiënten worden op brancards naar binnen gereden. Omdat ze lijden aan een vergevorderd stadium van de ziekte van Parkinson zien ze eruit als beelden, hun spieren zijn bevroren, hun lichamen en gezichten zijn volkomen onbeweeglijk. In de Franse kliniek volgt dan een aangrijpende demonstratie, de arts die de leiding heeft haalt een elektriciteitshendel over. Plots komen de patiënten tot leven, ze staan op, lopen rond, en vertellen kalm en expressief de manier waarop ze hun slopende symptomen te boven zijn gekomen. Dit is het indrukwekkende resultaat van een nieuwe zenuwimplantaattherapie die in Europa is toegestaan, maar in de Verenigde Staten nog steeds op goedkeuring door de FDA (*Food and Drug Administration*) wacht.

De verlaagde niveaus van de neurotransmitter dopamine in een patiënt die aan Parkinson lijdt, veroorzaakt hyperactiviteit in twee minuscule gebiedjes van de hersenen: de ventrale achternucleus en de subthalamische nucleus. Op haar beurt veroorzaakt deze hyperactiviteit de traagheid, de stijfheid, en de loopproblemen van de ziekte, en dat leidt uiteindelijk tot complete verlamming en de dood. Dr. A.L. Benebid, een Franse arts aan de Fourier-universiteit in Grenoble, ontdekte dat je, als je deze gebiedjes stimuleert met een permanent geïmplanteerde elektrode, deze hyperactiviteit vreemd genoeg remt en de symptomen omdraait. De elektroden worden verbonden met een kleine elektronische besturingseenheid die in de borst van de patiënt wordt aangebracht. De eenheid kan door radiosignalen worden geprogrammeerd en zelfs worden in- en uitgeschakeld. Als ze wordt uitgeschakeld keren de symptomen onmiddellijk weer terug. Deze behandeling belooft de ergste symptomen van deze ziekte in toom te houden.[24]

Soortgelijke benaderingen zijn gebruikt met andere gebieden van de hersenen. Door het implanteren van een elektrode in de ventrale laterale thalamus kan bijvoorbeeld het trillen dat voorkomt bij hersenverlamming, multiple sclerosis en andere ziekten die beven veroorzaken worden onderdrukt.

'Vroeger behandelden we de hersenen als soep en gooiden we er chemicaliën in die bepaalde neurotransmitters versterkten of onderdrukten,' zegt Rick Trosch, een van de Amerikaanse artsen die meewerken om 'diepe hersenstimulatie'-therapieën te vervolmaken. 'Nu behandelen we ze als een schakelsysteem.'[25]

We gaan de cognitieve en sensorische aandoeningen steeds vaker bestrijden door de hersenen en het zenuwstelsel te behandelen als het ingewikkelde computersysteem dat het ook is. Implantaten in het slakkenhuis met elektronische spraakprocessors voeren een analyse van de frequentie van geluidsgolven uit op een soortgelijke manier als het binnenoor dat doet. Ongeveer tien procent van de mensen die vroeger doof waren, maar dit neurale vervangingsapparaatje hebben gekregen, kunnen nu stemmen goed genoeg horen en begrijpen om een gewoon

telefoongesprek te kunnen voeren.
Dr. Joseph Rizze, een neuroloog en oogheelkundige aan de Harvard Medical School, en zijn collega's hebben een experimenteel netvliesimplantaat ontwikkeld. Rizzo's neurale implantaat is een klein computertje dat op zonne-energie werkt en dat signalen doorgeeft aan de oogzenuw. De gebruiker draagt een speciale bril met kleine televisiecameraatjes die met behulp van een laser signalen doorgeven aan de geïmplanteerde computer.[26]
Onderzoekers van het Max Planck-instituut voor biochemie in Duitsland hebben speciale sliciumapparaatjes ontworpen die met neuronen in twee richtingen kunnen communiceren. Neuronen direct stimuleren met een elektrisch stroompje is geen ideale methode omdat het ertoe kan leiden dat de elektroden gaan roesten en chemische nevenproducten gaan produceren die de cellen beschadigen. Daarentegen zijn de apparaatjes van het Max Planck-instituut in staat een naastliggend neuron te laten vuren zonder dat er sprake is van een directe elektrische verbinding. De wetenschappers van het instituut hebben hun bevinding gedemonstreerd door de bewegingen van een levende bloedzuiger vanaf hun computer te beheersen.
Als we in de tegenovergestelde richting gaan – van neuronen naar elektronica – dan vinden we een apparaat, 'neurontransistor' genoemd,[27] dat het vuren van een neuron kan ontdekken. De wetenschappers hopen die twee technieken toe te passen in de beheersing van kunstmatige menselijke ledematen door de zenuwen van de ruggengraat te koppelen aan gecomputeriseerde prothesen. Peter Fromherz van het instituut zegt: 'Deze twee apparaten verbinden de twee werelden van informatieverwerking: de siliciumwereld van de computer en de waterwereld van de hersenen.'
Neurobioloog Ted Berger en zijn collega's van Hedco Neurosciences and Engineering hebben geïntegreerde schakelingen gebouwd die precies overeenkomen met de eigenschappen en informatieverwerking van groepen neuronen van dieren. De chips imiteren exact de digitale en analoge eigenschappen van de neuronen die ze hebben geanalyseerd. Op dit moment voeren ze hun technologie op tot systemen met honderden neuronen.[28] Professor Carver Mead en zijn collega's aan het California Institute of Technology hebben ook digitaal-analoge schakelingen gemaakt die overeenkomen met de werking van de zenuwcircuits van zoogdieren en ze bevatten honderden neuronen.[29]
Het tijdperk van de neurale implantaten is begonnen, al zitten we nog in het beginstadium. De informatieverwerking van onze hersenen direct verbeteren met synthetische schakelingen concentreert zich eerst op het verbeteren van de grove mankementen die worden veroorzaakt door neurologische en sensorische ziekten en gebreken. Uiteindelijk zullen het we allemaal lastig vinden om weerstand te bieden aan de voordelen van het uitbreiden van onze capaciteiten door neurale implantaten.

## Een groeiende trend

In de tweede helft van de eenentwintigste eeuw ontstaat er een groeiende trend om deze sprong te maken. Eerst zal er sprake zijn van gedeeltelijk porten – ouderwordende geheugencircuits vervangen, patroonherkenningsen redeneercircuits uitbreiden door zenuwimplantaten. Uiteindelijk, maar nog wel voor de eenentwintigste eeuw ten einde is, zullen mensen hun hele gedachtefile porten naar de nieuwe denktechnologie.

Er zullen nostalgische gevoelens zijn voor onze nederige, op koolstof gebaseerde afkomst, maar er zijn ook nog steeds mensen die heimwee hebben naar langspeelplaten van vinyl. Uiteindelijk hebben we het grootste deel van die analoge muziek toch maar gekopieerd naar die flexibelere en bekwamere wereld van de overdraagbare digitale informatie. De sprong om onze hersenen te porten naar een bedrevener computingmedium zal stap voor stap gaan, maar desalniettemin onverbiddelijk worden genomen.

Als we onszelf porten dan zullen we ons ook enorm uitbouwen. Vergeet niet dat in 2060 duizend computerdollars de rekenkracht hebben van een biljoen menselijke hersenen. We kunnen dus net zo goed het geheugen met een biljoen vermenigvuldigen – daardoor breiden we onze vermogens om te herkennen en te redeneren enorm uit – en ons aansluiten op de alomtegenwoordige draadloze communicatienetwerken. Nu we het er toch over hebben, we kunnen alle menselijke kennis aan ons geheugen toevoegen – als een onmiddellijk toegankelijke interne database, maar ook als kennis die al is verwerkt en bestudeerd door het menselijke type van verspreid begrip te gebruiken.

## De nieuwe sterfelijkheid

Feitelijk zal er op het eind van de eenentwintigste eeuw geen sterfelijkheid meer bestaan. Niet in de zin zoals wij haar kennen. Niet als je gebruikmaakt van de technologie van de eenentwintigste eeuw om je hersenen te porten. Tot nu toe was onze sterfelijkheid onlosmakelijk verbonden aan de levensduur van onze *hardware*. Als de hardware crashte dan hadden we het gehad. Bij veel van onze voorvaderen werd de hardware stap voor stap slechter tot hij uit elkaar viel. Yeats bezong in een klaagzang onze afhankelijkheid van een lichamelijke zelf dat 'slechts een verachtelijk ding was, een haveloze jas op een stok.'[30] Als we de grens oversteken om ons te concretiseren in onze computertechnologie dan zal onze identiteit zijn gebaseerd op ons zich ontwikkelende geestesbestand. *We zullen software zijn, geen hardware.*

En het zál zich ontwikkelen. Op het moment kan onze software niet toenemen. Het zit vast in hersenen met slechts 100 biljoen verbindingen en synapsen. Maar als de hersenen biljoenen keren beter zijn dan is er voor onze geesten geen reden meer om zo klein te blijven. Ze kunnen en ze zullen groeien.

Als software zal onze sterfelijkheid niet langer afhangen van het overleven van de computingschakelingen. Er zullen nog steeds hardware en lichamen zijn, maar het wezen van onze identiteit zal overstappen naar de duurzaamheid van onze software. Net zoals we tegenwoordig onze bestanden niet weggooien als we een nieuwe computer kopen – we zetten ze over; tenminste, de bestanden die we willen houden. En dus zullen ook wij het bestand van onze geest niet weggooien als we ons van tijd tot tijd porten naar de nieuwste, alweer betere 'persoonlijke' computer. Natuurlijk zullen computers niet de afzonderlijke objecten zijn van nu. Ze zullen diep verankerd zijn in onze lichamen, onze hersenen en onze omgeving. Onze identiteit en ons overleven zullen uiteindelijk afhangen van de hardware en het overleven daarvan.

Onze onsterfelijkheid wordt een zaak van goed opletten dat we regelmatig back-ups maken. Als we daar onzorgvuldig mee omspringen dan zullen we een oude back-up moeten invoeren en zijn we gedoemd ons recente verleden te herhalen.

---

*Laten we eens naar het eind van deze eeuw springen. Je zei dat in 2099 computing ter waarde van een cent gelijk zal staan aan een miljard keer de computingkracht van alle menselijke hersenen bij elkaar. Dat klinkt alsof het denken van de mens onbelangrijk wordt.*

Dat is waar, als het niet wordt geholpen.

*Hoe zal het de mens temidden van die concurrentie vergaan?*

Ten eerste moeten we erkennen dat de krachtigere technologie – de technologisch geacheveerdere beschaving – altijd wint. Dat schijnt te zijn gebeurd toen onze ondersoort *Homo sapiens sapiens* in aanraking kwam met de *Homo sapiens neanderthalensis* en andere ondersoorten van de *Homo sapiens* die het niet hebben gehaald. Dat gebeurde toen de technologisch geavanceerdere Europeanen de inheemse volkeren van de beide Amerika's tegenkwamen. En dat gebeurt op dit moment als de geavanceerdere technologie de sleutelfactor is voor economische en militaire macht.

*Worden wij dus de slaven van die slimme machines?*

Slavernij is geen vruchtbaar economisch systeem voor beide partijen in een intelligent tijdperk. We zouden als slaven voor de machines geen waarde hebben. Integendeel, de relatie gaat de andere kant op.

*Het is waar dat mijn persoonlijke computer doet wat ik hem vraag – soms! Misschien moet ik eens aardiger tegen hem worden.*

Nee, het interesseert hem niet hoe je hem behandelt, nog niet. Maar uiteindelijk zullen onze aangeboren denkvermogens geen partij zijn voor de alomvattende technologie die we bezig zijn te scheppen.

*Misschien moeten we daar wel mee stoppen.*

We kunnen niet stoppen. De wet van de versnellende opbrengsten verbiedt dat! Het is de enige manier waarop we de evolutie met een versnellend tempo door kunnen laten gaan.

*Hé, rustig aan. Ik zou het best vinden als de evolutie een tikje langzamer verliep. Sinds wanneer hebben we jouw versnellingswet als grondwet aangenomen?*

Dat hoeven we niet te doen. Computertechnologie, of enige andere vruchtbare technologie, stopzetten zou betekenen dat we de fundamentele feiten van de economische concurrentie – om het maar niet te hebben over onze jacht op kennis – afschaffen. Dat gebeurt niet. Bovendien is de weg die we afleggen met goud geplaveid. We zullen nooit weerstand kunnen bieden aan de voordelen – voortdurende groei van de economische welvaart, een betere gezondheid, een intensere communicatie, een effectievere opleiding, actiever amusement, betere seks.

*Tot de computers het heft in handen nemen.*

Luister eens, we hebben het hier niet over een invasie van marmannetjes. De komst van enorm intelligente machines is niet per se iets slechts, al klinkt het wat verwarrend.

*Ik vrees dat we maar met ze mee moeten doen als we ze niet kunnen verslaan.*

Dat is nou precies wat we gaan doen. Computers zijn begonnen als een uitbreiding van ons verstand en uiteindelijk zullen ze ons verstand uitbreiden. Machines vormen al een integraal deel van onze beschaving, en de sensuele en spirituele machines van de eenentwintigste eeuw zullen een nog hechter deel van onze beschaving vormen.

*Okay, wat betreft het uitbreiden van mijn verstand, kunnen we terugkomen op de implantaten voor mijn vak Franse literatuur? Zal het net zijn alsof ik dat allemaal heb gelezen? Of is het maar een slimme persoonlijke computer waarmee ik snel kan communiceren omdat hij toevallig in mijn hoofd zit?*

Dat is de hamvraag, en ik denk dat het antwoord controversieel zal zijn. Het refereert aan de kwestie van het bewustzijn. Sommige mensen zullen vinden dat wat naar hun neurale implantaten gaat wordt opgenomen door hun bewustzijn. Anderen zullen vinden dat het buiten hun gevoel van zelf blijft. Uiteindelijk denk ik dat we de geestelijke activiteit van de implantaten gaan beschouwen als een deel van ons eigen denken. Vergeet niet dat ook zonder implantaten ideeën en gedachten voortdurend in ons opkomen, en we weten amper waar die vandaan komen of hoe ze er zijn gekomen. Desondanks beschouwen we alle geestelijke fenomenen waar we ons van bewust worden als onze eigen gedachten.

*Betekent dat dat ik herinneringen kan downloaden die ik nooit heb gehad?*

Ja, maar waarschijnlijk heeft ooit iemand die ervaring gehad. Wat is er mis mee als je iemand deelgenoot maakt van die ervaring?

*Het lijkt me dat het wel eens een stuk veiliger kan zijn als je sommige ervaringen alleen maar downloadt.*

En dat kost nog minder tijd ook.

*Denk je echt dat het tegenwoordig haalbaar is om bevroren hersenen te scannen?*

Nou en of, steek je hoofd maar in mijn vriezer hier.

*Goh, weet je zeker dat het veilig is?*

Absoluut.

*Nou, ik denk maar dat ik wacht tot de keuringsdienst van waren het heeft goedgekeurd.*

Nou, dan kun je nog lang wachten.

*Als ik aan de toekomst denk, dan heb ik het gevoel dat we verloren zijn. Zie je, ik kan me wel indenken hoe een opnieuw geconcretiseerd verstand, zoals jij dat noemt, blij is dat het werd gemaakt en denkt dat het mij was voor ik werd gescand en nog steeds mij is, maar dan in gloednieuwe hersenen. Het zal geen spijt tonen en zich 'aan de andere kant' bevinden. Maar ik begrijp niet hoe ik over die mens-machinegrens kan komen. Zoals je hebt gezegd, als ik ben gescand dan is die nieuwe ik niet ik omdat ik nog steeds hier, in mijn oude hersenen, zit.*

Ja, in dat opzicht hebben we een probleempje. Maar ik ben ervan overtuigd dat we, met wat meer denkwerk, iets zullen vinden om dat stekelige probleem op te lossen.

Hoofdstuk zeven

# ... En lichamen

## Hoe belangrijk het is om een lichaam te hebben

Laten we eerst een snelle blik werpen in het dagboek van mijn lezeres.

---

*Wacht eens even.*

Is er iets?

*Om mee te beginnen heb ik ook nog een naam.*

Zeker, misschien is het een goed idee je nu te introduceren.

*Ik heet Mollie.*

Bedankt, en verder?

*Ik weet nog niet zo zeker of ik wel bereid ben mijn dagboek te delen met je andere lezers.*

De meeste schrijvers laten hun lezers helemaal niet meedoen. Bovendien ben jij mijn schepping, dus als het nu zin heeft, dan moet ik je persoonlijke gedachten aan anderen kunnen meedelen.

*Ik kan dan wel jouw schepping zijn, maar weet je nog wat je in hoofdstuk twee zei over de scheppingen van iemand die zich zo ontwikkelen dat ze hun scheppers voorbijstreven?*

Dat is zeker waar, misschien moet ik beter luisteren naar jouw behoeften.

*Een goed idee – laat mij eerst maar eens die aantekeningen die jij kiest grondig bekijken.*

Vooruit dan maar. Hier volgen wat passages uit het dagboek van Mollie en ze zijn passend bewerkt.

Ik ben overgestapt op caloriearme gebakjes. Dat heeft twee onmiskenbare voordelen. Ten eerste bevatten ze maar de helft aan calorieën en ten tweede smaken ze afschuwelijk. Op die manier kom ik minder in de verleiding ze te eten. Maar ik zou willen dat de mensen ophielden met me eten op te dringen... Morgen krijg ik in ons studentenhuis weer problemen als we een 'zelf-eten-meenemen'-feestje houden. Ik denk dan dat ik alles moet proberen, en ik raak het spoor bijster van wát ik nou eigenlijk eet.

Ik moet minstens een halve maat afvallen. Een hele maat zou beter zijn. Dan kon ik in deze jurk wat gemakkelijker ademhalen. O ja, op weg naar huis zou het goed zijn als ik naar het fitnesscentrum ging. Misschien merkt de nieuwe trainer me op. Ik heb hem al eens naar me zien kijken, maar toen deed ik wat spastisch met die nieuwe machines en keek hij de andere kant op... Ik ben niet gek op de buurt waar dat fitnesscentrum is gevestigd, als het aan de late kant is voel ik me niet echt veilig als ik naar de auto loop. Okay, een idee – ik vraag die trainer – ik moet zijn naam te weten komen – of hij met me mee kan lopen naar mijn auto. Altijd een goed gevoel als je je veilig waant, nietwaar?

...Ik voel me niet echt lekker over die knobbel op mijn teen. Maar de dokter zegt dat knobbels bijna altijd goedaardig zijn. Dat neemt niet weg dat hij hem toch weg wil halen en naar het laboratorium wil sturen. Hij beweert dat ik er niks van zal voelen. Behalve natuurlijk de verdovingsspuit – ik haat injecties!

...Ik ontmoette mijn oude vriendje, en dat was een beetje vreemd, maar ik ben blij dat we nog steeds bevriend zijn. Zijn omhelzing voelde goed aan...

---

Bedankt, Mollie. Bedenk nu eens: Hoeveel dagboeknotities van Mollie zouden zinvol zijn als ze geen lichaam had? De meeste geestelijke activiteiten van Mollie zijn gericht op haar lichaam en het overleven, de voeding, de veiligheid en het imago ervan, en niet te vergeten alle eraan gerelateerde zaken als genegenheid, seksualiteit en voortplanting. Maar in dit opzicht is Mollie niet uniek. Laten mijn andere lezers ook maar eens hun dagboek erop naslaan. En als je geen dagboek hebt, bedenk dan eens wat je zou schrijven als je er wel een zou hebben. Hoeveel dagboeknotities zouden zinvol zijn als je geen lichaam zou hebben?

Ons lichaam is in veel opzichten belangrijk. De meeste doeleinden waarover ik het had in het begin van het vorige hoofdstuk – de doeleinden die we proberen op te lossen met onze intelligentie – hebben te maken met ons lichaam: het beschermen, het voorzien van 'brandstof', het zich lekker laten voelen, de talloze behoeften van het lichaam bevredigen. En dan heb ik het nog niet over zijn begeerten.

Een aantal filosofen – onder andere Hubert Dreyfus, een criticus op het gebied van kunstmatige intelligentie – beweert dat het onmogelijk is om zonder lichaam het niveau van de menselijke intelligentie te bereiken.[1] Inderdaad, als we een menselijke geest gaan porten naar een nieuw computermedium dan kunnen we er maar beter voor zorgen dat er een lichaam is. Een geest zonder lichaam wordt snel depressief.

## Lichamen van de eenentwintigste eeuw

*Wat is kenmerkend voor een ziel? En als machines ooit een ziel hebben, wat is dan het equivalent van psychoactieve geneesmiddelen? Van pijn. Of van dat heerlijke gevoel, psychisch en emotioneel, dat ik krijg als mijn bureau is opgeruimd?*
Esther Dyson

*Wat is de mens toch een rare machine. Je gooit er brood, wijn, vis en radijsjes in, en er komen gezucht, gelach en dromen uit.*
Nikos Kazantzakis

Wat voor lichaam zullen we onze eenentwintigste-eeuwse machines geven? En later luidt die vraag: wat voor lichaam gaan ze zichzelf geven?

Laten we beginnen met het lichaam van de mens. Het lichaam waaraan we gewend zijn. Het menselijk lichaam heeft zich samen met zijn hersenen ontwikkeld, en het is dus zeer geschikt om aan hun behoeften te voldoen. De menselijke hersenen en het lichaam passen met andere woorden bij elkaar.

Volgens het meest waarschijnlijke scenario ontwikkelen het lichaam en de hersenen zich samen, worden ze samen verbeterd en zijn ze samen op weg naar nieuwe modaliteiten en materialen. Zoals ik in het vorige hoofdstuk heb besproken, zal het porten van onze hersenen naar nieuwe computermechanismen niet ineens gebeuren. We zullen onze hersenen langzaam verbeteren door middel van een directe verbinding met machine-intelligentie tot het moment aanbreekt dat het wezen van ons denken volledig is verhuisd naar de veel kundigere en betrouwbaardere nieuwe apparaten. En nogmaals, als we moeite hebben met dat idee, bedenk dan dat een groot deel van die ongerustheid te maken heeft met ons concept van het woord *machine*. Bedenk dat ons concept van dat woord zal meegroeien met ons verstand.

Wat betreft het transformeren van ons lichaam zijn we al een stuk verder in dat proces dan met het verbeteren van ons verstand. We hebben protheses van titanium om onze kaken, schedels en heupen te vervangen. We kennen verschillende soorten kunsthuid. We gebruiken synthetische vaten om onze aders en slagaders te vervangen en we hebben uitrekbare stents om zwakke natuurlijke vaten structureel te ondersteunen. We hebben kunstarmen, kunstbenen, kunstvoeten en implantaten in het ruggenmerg. We hebben alle soorten gewrichten: kaken, heupen, knieën, schouders, ellebogen, polsen, vingers en tenen. We hebben implantaten om onze blaas te beheersen. We ontwikkelen machines – sommige gemaakt van kunstmaterialen, andere die nieuwe materialen combineren met gekweekte cellen – die op een gegeven moment organen, bijvoorbeeld de lever en de alvleesklier, kunnen vervangen. We kennen penisprothesen met pompjes om een erectie te simuleren. En we hebben al heel lang implantaten voor tanden en borsten.

Natuurlijk is het idee om ons lichaam helemaal opnieuw te bouwen van synthetische materialen, al zijn die op bepaalde vlakken superieur, niet direct onweerstaanbaar. We houden van de zachtheid van ons lichaam. We houden ervan als een lichaam soepel, schattig en warm is. En dat is niet een oppervlakkige warmte maar de diepe en intieme warmte die wordt onttrokken aan zijn biljoenen levende cellen.

Laten we eens overwegen ons lichaam cel voor cel te verbeteren. Daar zijn we ook al mee begonnen. We hebben een deel van de hele genetische code die onze cellen beschrijft genoteerd, en we beginnen die code te begrijpen. In de nabije toekomst denken we genetische therapieën te kunnen ontwikkelen die onze cellen zullen verbeteren, gebreken kunnen corrigeren als de weerstand die tegen insuline bestaat bij diabetici van het type II, en het verlies van beheersing van de zelfreproductie onder controle krijgen in het geval van kanker. Bij een oudere methode om gentherapie toe te passen werd de patiënt besmet met speciale virussen die het corrigerende DNA bevatten. Een effectievere methode, ontwikkeld door dr. Clifford Steer van de University of Minnesota, gebruikt RNA-moleculen om het gewenste DNA direct toe te dienen.[2] Hoog genoteerd op de lijst van onderzoekers voor toekomstige celverbeteringen door genetische manipulatie staat het tegengaan van celzelfmoord door onze genen. Deze strengen genetische kralen, telomeren genaamd, worden na elke celdeling korter. Als het aantal telomere kralen tot nul is gedaald dan kan een cel zich niet meer delen en vernietigt hij zichzelf. Er is een lange lijst van ziekten, ouderdomskwalen, en beperkingen die we willen aanpakken door de genetische code te veranderen die onze cellen regelt.

Die benadering kan echter niet eindeloos worden toegepast. Onze op DNA gebaseerde cellen zijn afhankelijk van proteïnesynthese, en hoewel proteïne een wonderbaarlijk gevarieerde substantie is, kent ze ernstige beperkingen. Hans Moravec, een van de eerste serieuze denkers die zich bewust werden van het potentieel van de eenentwintigste-eeuwse machines, wijst erop dat 'proteïne geen ideaal materiaal is. Ze is slechts stabiel binnen een nauw temperatuur- en drukbereik, ze is uiterst gevoelig voor straling, en sluit veel constructietechnieken en componenten uit... Een genetisch gemanipuleerde supermens zou slechts een soort tweederangsrobot zijn die is ontworpen met de handicap dat zijn constructie slechts kan bestaan bij de gratie van door DNA geleide proteïnesynthese. Het zou alleen in de ogen van menselijke chauvinisten een voordeel hebben.'[3]

Een van de ideeën van de evolutie die wel de moeite van het handhaven waard zijn is ons lichaam van cellen. Deze benadering zou veel van de goede kwaliteiten van ons lichaam handhaven: de overtolligheid die een hoge graad van betrouwbaarheid verschaft; het vermogen om te regenereren en zichzelf te repareren; en zachtheid en warmte. Maar precies zoals we uiteindelijk de verschrikkelijke traagheid van onze neuronen zullen laten varen, zullen we uiteindelijk worden gedwongen de andere beperkingen van onze op proteïne gebaseerde scheikunde in de steek te laten. Om onze cellen opnieuw uit te vinden nemen we een kijkje bij een van de belangrijkste technologieën van de eenentwintigste eeuw: *nanotechnologie*,

## NANOTECHNOLOGIE: DE WERELD ATOOM VOOR ATOOM OPNIEUW BOUWEN

*De problemen van de scheikunde en de biologie kunnen veel gemakkelijker worden opgelost... zodra de uitvoering op het niveau van het atoom ontwikkeld is – een ontwikkeling die volgens mij onvermijdelijk is.*
Richard Feynman, 1959

*Stel je eens voor dat iemand beweert dat hij thuis een microscopisch exacte kopie (ook nog in marmer) heeft van de David van Michelangelo. Als je dat wonder gaat bekijken dan zie je een zes meter hoge, vrijwel rechthoekig brok puur wit marmer dat in zijn huiskamer staat. 'Ik heb nog geen tijd gehad om hem uit te pakken,' zegt hij, 'maar ik weet dat hij erin zit.'*
Douglas Hofstadter

*Welke voordelen zou een nanobroodrooster hebben op conventionele macroscopische broodroostertechnologie? Ten eerste is de ruimtebesparing op het aanrecht aanzienlijk. Een filosofisch punt dat je niet over het hoofd mag zien is dat het maken van de kleinste brood-*

*rooster ter wereld impliceert dat ook het kleinste sneetje brood bestaat. In de kwantumlimiet moeten we noodzakelijkerwijs fundamentele toastpartikels tegenkomen die we hier 'croutons' zullen noemen.'*
Jim Cser, *Annals of Improbable Research*, onder redactie van Marc Abrahams

Het eerste gereedschap van mensen waren dingen die ze vonden: een stok om wortels uit te graven en stenen om noten open te breken. Onze voorouders hadden tienduizenden jaren nodig om een scherp lemmet uit te vinden. Tegenwoordig maken we machines met geraffineerd ontworpen, ingewikkelde mechanismen, maar als we ze op een atomaire schaal bekijken is onze technologie nog steeds grof. 'Gieten, slijpen, malen en zelfs lithografie verplaatsen atomen in buitengewoon inerte enorme hoeveelheden,' zegt Ralph Merkle, een vooraanstaand theoreticus in de nanotechnologie bij het Palo Alto Research Centre van Xerox. Hij voegt daar nog aan toe dat de huidige fabricagemethoden 'lijken alsof je met bokshandschoenen aan iets wil maken van legostenen... In de toekomst zal de nanotechnologie ons in staat stellen die bokshandschoenen uit te trekken.'[4]

Nanotechnologie is technologie die is gebouwd op het niveau van het atoom: het atoom voor atoom bouwen van machines. 'Nano' slaat op een miljardste meter, de breedte van vijf koolstofatomen. We hebben een bewijs voor het bestaan van nanotechnologie: het leven op aarde. Kleine machientjes in onze cellen die we chromosomen noemen bouwen organismen, bijvoorbeeld mensen, molecule – en wel aminozuur – voor molecule volgens digitale sjablonen die in een ander molecule, DNA, zijn gecodeerd. Het leven op aarde heeft het einddoel van de nanotechnologie bereikt: zelfreproductie.

Zoals we hierboven echter al hebben gezien wordt het aardse leven beperkt door die bepaalde moleculaire bouwsteen die het heeft gekozen. Net als onze door mensen in het leven geroepen computertechnologie uiteindelijk de capaciteit van het natuurlijk rekenen overstijgt (elektronische schakelingen zijn nu al miljoenen keren sneller dan de menselijke neurale schakelingen) zal de eenentwintigste-eeuwse natuurkundige technologie op belangrijke wijze de capaciteiten van de op aminozuren gebaseerde nanotechnologie van de natuurlijke wereld overstijgen.

Het idee om machines atoom voor atoom te bouwen werd het eerst beschreven in een lezing bij Cal Tech genaamd 'Er is een massa ruimte onderin' door de natuurkundige Richard Feynman, dezelfde man die als eerste de mogelijkheid van kwantumcomputing suggereerde.[5] Twintig jaar later ontwikkelde Eric Drexler het idee wat gedetailleerder in zijn boek *Engines of Creation*.[6] Het boek inspireerde nota bene de cryonics-beweging van de jaren tachtig waarbij mensen hun hoofd (met of zonder lichaam) lieten invriezen in de hoop dat men ergens in de toekomst over technologie op de schaal van de molecule zou beschikken om hun dodelijke ziekte en de gevolgen van het invriezen en ontdooien te kunnen overwinnen. Of een toekomstige generatie een motief zou hebben om al die bevroren hersenen te doen herleven is een ander verhaal.

Na het publiceren van de *Engines of Creation* werd er sceptisch gereageerd op Drexlers ideeën, en hij kon met moeite zijn promotie afmaken ondanks het feit dat Marvin Minsky ermee akkoord was gegaan die te leiden. Drexlers proefschrift werd in 1992 als boek onder de titel *Nanosystems: Molecular Machinery, Manufactoring, and Computation*, uitgegeven en het verschafte een uitvoerig bewijs van het idee met inbegrip van gedetailleerde analyses en specifieke ontwerpen.[7] Een jaar later trok de eerste nanotechnologieconferentie slechts enkele tientallen onderzoekers. De vijfde jaarlijkse conferentie, in december 1997, telde maar liefst 350 geleerden die veel meer vertrouwen hadden in hun miniprojecten. Nanothinc, een industriële denktank, schatte in 1997 dat de branche al 5 miljard dollar oplevert aan jaarlijkse opbrengsten voor technologieën die verband houden met nanotechnologie, waaronder micromachines, microfabricagetechnieken, nanolithografie en microscopen op nanoschaal. Dat bedrag heeft zich elk jaar meer dan verdubbeld.[8]

## Het tijdperk van de nanobuisjes

Een onontbeerlijk materiaal voor kleine machientjes is, alweer, het nanobuisje. Hoewel ze op atomaire schaal zijn gebouwd zijn de zeshoekige patronen van koolstofatomen uiterst sterk en duurzaam. 'Je kunt alles met die dingen uitvreten wat je wilt, maar ze blijven doorgaan,' zegt Richard Smalley, een van de scheikundigen die de Nobelprijs hebben gekregen voor het ontdekken van de buckyballmolecule.[9] Een auto van nanobuisjes zou sterker en stabieler zijn dan een gemaakt van staal, maar hij zou slechts 20 kilo wegen. Een ruimtevoertuig gemaakt van nanobuisjes kan net zo groot en sterk zijn als de Amerikaanse spaceshuttle, maar het zou niet meer wegen dan een normale auto. Nanobuisjes kunnen zeer goed tegen hitte, veel beter dan de broze aminozuren waar mensen uit bestaan. Ze kunnen tot allerlei vormen worden samengevoegd: strengen die op draden lijken, robuuste draagbalken, versnellingen, et cetera. Nanobuisjes worden gemaakt van koolstofatomen, en die komen in de natuur in overvloed voor.

Zoals ik eerder al heb gezegd kunnen diezelfde nanobuisjes worden gebruikt voor uiterst efficiënte computerverwerking, dus zullen zowel de structurele technologie als de computertechnologie van de eenentwintigste eeuw vermoedelijk van hetzelfde spul worden gemaakt. Het is zelfs zo dat dezelfde nanobuisjes die worden gebruikt om lichaamsstructuren te maken ook kunnen worden gebruikt voor rekenwerk, dus kunnen de hersenen van de toekomstige nanomachines door hun hele lichaam worden verspreid.

Op dit moment tonen de bekendste voorbeelden – hoewel allesbehalve praktisch – van nanotechnologie de haalbaarheid van het engineeren op atoomniveau. IBM heeft zijn bedrijfslogo gemaakt met aparte atomen als pixels.[10] In 1996 heeft Texas Instruments een apparaatje ter grootte van een chip ontwikkeld met een half miljoen beweegbare spiegels die worden gebruikt in een minuscule projector met hoge resolutie.[11] TI heeft ter waarde van 100 miljoen dollar aan nanospiegels verkocht in 1997.

Chih-Ming Ho van de UCLA ontwerpt vliegmachines die gebruikmaken van oppervlakten met microflappen die de luchtstroom beheersen op een manier die lijkt op die van de flappen op een gewoon vliegtuig.[12] Andrew Berlin van het Palo Alto Research Center ontwerpt een printer die gebruikmaakt van microscopisch kleine kleppen om papieren documenten exact te transporteren.[13]

Dustin Carr, afgestudeerd aan Cornell en rockmuzikant, bouwt een realistisch ogende maar microscopisch kleine gitaar met snaren met een diameter van slechts vijftig nanometer. Hij heeft een volledig functionerend instrument geschapen, maar zijn vingers zijn te groot om het te bespelen. Bovendien trillen de snaren op 10 miljoen trillingen per seconde, ver boven de grens van het menselijk gehoor die op twintigduizend hertz ligt.[14]

## De utopie van de zelfreproductie: Kleine vingers en een weinig intelligentie

Kleine vingers vormen zo ongeveer de graal voor nanotechnologen. Met kleine vingers en rekenwerk zouden nanomachines in hun miniwereld hebben wat mensen in de grote wereld hebben: intelligentie en het vermogen om hun omgeving te manipuleren. Dan zouden deze machientjes reproducties van zichzelf kunnen bouwen, en daarmee is het allerbelangrijkste doel van de branche bereikt.

Zelfreproductie is zo belangrijk omdat het te duur is om die machientjes stuk voor stuk te bouwen. Om ze werkzaam te laten zijn moeten er biljoenen machines van nanoformaat zijn. De enige manier om dat op economisch verantwoorde manier tot stand te brengen is door middel van combinatorische explosie: laat de machines zichzelf bouwen.

Drexler, Merkle (een mede-uitvinder van de *public key*-code, de voornaamste methode om berichten te coderen) en anderen hebben overtuigend beschreven hoe een dergelijke zichzelf reproducerende nanorobot – *nanobot* – zou kunnen worden vervaardigd. De truc is om de nanobot te voorzien van voldoende flexibele manipulatoren – armen en handen – zodat hij in staat is een kopie van zichzelf te bouwen. Hij heeft een of andere vorm van beweeglijkheid nodig zodat hij de benodigde grondstoffen kan vinden. Hij heeft wat intelligentie nodig zodat hij probleempjes kan oplossen die zullen ontstaan als elke nanobot er op uittrekt om een ingewikkeld machientje te bouwen zoals hij er zelf een is. *En uiteindelijk, en dat is een bijzonder belangrijke vereiste, moet hij weten wanneer hij moet stoppen.*

## Morfemen in de echte wereld

Zichzelf reproducerende machines die op atoomniveau zijn gebouwd zouden de wereld waarin wij leven grondig kunnen veranderen. Ze zouden spotgoedkope zonnecellen kunnen bouwen die die smerige fossiele brandstoffen zouden kunnen vervangen. Omdat zonnecellen een groot oppervlak nodig hebben om voldoende zonlicht op te vangen zouden ze in een baan om de aarde kunnen worden gebracht waarna ze de energie naar de aarde stralen.

Nanobots die in onze bloedsomloop worden gebracht zouden ons natuurlijke immuunsysteem kunnen aanvullen en ziektekiemen, kankercellen, arterieel plak en andere ziekteverwekkers kunnen opsporen en vernietigen. Binnen het toekomstbeeld waar de invriesenthousiasten door werden geïnspireerd, kunnen aangetaste organen opnieuw worden gebouwd. We zullen in staat zijn enkele of alle lichaamsorganen en systemen te reconstrueren, en wel op celniveau. In het vorige hoofdstuk heb ik het gehad over het reverse engineeren en emuleren van de saillante computingfuncties van de menselijke neuronen. Op dezelfde manier wordt het mogelijk de fysieke en chemische functionaliteit van elke menselijke cel te reverse-engineeren en te reproduceren. In dat proces zullen we in de positie verkeren om de duurzaamheid, de sterkte, het temperatuurbereik en andere kwaliteiten en capaciteiten van onze cellulaire bouwstenen enorm te verbeteren.

Dan zullen we sterkere, geschiktere organen kunnen kweken door de cellen waardoor ze worden gevormd opnieuw te ontwerpen en ze te bouwen met veelzijdigere en duurzame materialen. Als we die weg volgen dan komen we erachter dat het op diverse niveaus zin heeft om het lichaam een beetje opnieuw te ontwerpen. Als onze cellen bijvoorbeeld niet meer vatbaar zijn voor de conventionele ziektekiemen dan hebben we hetzelfde soort immuunsysteem niet meer nodig. Maar we zullen nano-geëngineerde bescherming nodig hebben voor een nieuw assortiment nanoziektekiemen.

Voedsel, kleren, diamanten ringen, gebouwen kunnen zich dan allemaal molecule voor molecule samenvoegen. Elk soort product kan ogenblikkelijk worden gemaakt op het moment en op de plaats dat we het nodig hebben. Sterker nog, de wereld kan zich voortdurend samenvoegen om tegemoet te komen aan onze behoeften, verlangens en fantasieën. Aan het einde van de eenentwintigste eeuw stelt nanotechnologie ons in staat in een fractie van een seconde objecten als meubels, gebouwen, kleding, zelfs mensen hun voorkomen en andere eigenschappen te wijzigen – feitelijk ze in iets anders te veranderen.

Deze technieken zullen langzamerhand opduiken (ik zal proberen de verschillende gradaties in de nanotechnologie te schetsen als ik het in Deel drie heb over de diverse decennia van de eenentwintigste eeuw). Er bestaat een duidelijke drijfveer om deze weg in te slaan. Als mensen de keus hebben dan zullen ze er de voorkeur aan geven hun botten niet te laten vergaan, ze zullen hun huid soepel en hun constitutie sterk en levenskrachtig willen houden. Het zal in de mode raken en onweerstaanbaar zijn om ons leven te verbeteren met behulp van zenuwimplantaten op het niveau van de geest en met nanotechnologie op het niveau van het lichaam. Weer een gladde helling – er bestaat geen duidelijk punt waarop deze ontwikkeling moet worden stopgezet tot de mens de hersenen en de lichamen die de evolutie in het begin heeft geleverd voor een groot deel heeft vervangen.

## Een duidelijk toekomstig gevaar

Zonder zelfreproductie is nanotechnologie praktisch noch economisch haalbaar. Daar zit precies de moeilijkheid. Wat gebeurt er als de zelfreproductie door een klein softwareprobleempje (al of niet door achteloosheid) niet kan worden stopgezet? Dan hebben we meer nanobots dan we zouden willen. Ze zouden alles wat in hun buurt komt opeten.

De film *The Blob* (er zijn twee versies van) was een visioen van nanotechnologie die als een dolle tekeerging. De schurk van de film was zo'n intelligente, zelfreproducerende, plakkerige substantie die zich voedde met organisch materiaal. Vergeet niet dat nanotechnologie vermoedelijk wordt gebouwd van op koolstof gebaseerde nanobuisjes; ze zal zichzelf dus, net als de Blob, opbouwen van organisch materiaal dat rijk is aan koolstof. In tegenstelling tot kanker bij dieren voedt een bevolking van nanomachines met een exponentiële bevolkingsgroei zich met elk materiaal dat maar op koolstof is gebaseerd. Als je al die slechte nano-intelligente wezens wilt opsporen dan lijkt dat op het zoeken naar biljoenen microscopisch kleine naalden – die bovendien nog snel bewegen – in op zijn minst net zoveel hooibergen. Er zijn ideeën voor immuniteitstechnologieën op nanoschaal: goede antilichaampjes die azen op de slechte machientjes. De nano-antilichaampjes zouden zich natuurlijk op zijn minst net zo snel moeten vermenigvuldigen als de epidemie van plunderende nanoschurkjes. Er zou wel eens een hoop bijkomstige schade kunnen ontstaan als deze biljoenen machientjes het uitvechten.

Nu ik dit schrikbeeld toch maar naar voren heb gebracht zal ik proberen, wellicht niet overtuigend, het gevaar te relativeren. Ik denk dat het mogelijk is zelfreproducerende nanobots op een manier te maken dat een *onbedoelde*, ongewenste bevolkingsexplosie onwaarschijnlijk is. Ik realiseer me dat dit waarschijnlijk niet erg geruststellend klinkt als het wordt gezegd door een softwareontwikkelaar wiens producten (net als die van mijn concurrenten) zo af en toe wel eens crashen (maar niet zo vaak – en als ze crashen dan is het de schuld van het besturingssysteem!). In de ontwikkeling van software bestaat een concept van '*mission critical*'-toepassingen. Dat zijn programma's die een proces controleren waar mensen erg afhankelijk van zijn. Enkele voorbeelden van mission-criticalsoftware: levensinstandhoudingssystemen in ziekenhuizen, geautomatiseerde chirurgische apparatuur, vliegen met de automatische piloot en automatische landingssystemen, en andere op software gebaseerde systemen die van invloed zijn op het welzijn van een individu of een organisatie. Tegenwoordig zijn er al voorbeelden van ingewikkelde technologie waarbij een ongelukje de openbare veiligheid ernstig in gevaar zou kunnen brengen. Een conventionele explosie in een kerncentrale kan dodelijk plutonium over dichtbevolkte gebieden verspreiden. Ondanks het bijna afsmelten van de kerncentrale van Tsjernobyl is zoiets kennelijk slechts twee keer gebeurd in de decennia dat we honderden van dergelijke centrales hadden draaien, en alle twee die gebeurtenissen draaien om onlangs toegegeven reactorrampen in de regio Tsjeljabinsk in Rusland.[15] Er zijn tienduizenden kernwapens en niet één is ooit per ongeluk ontploft.

Ik geef toe dat de alinea hierboven niet helemaal overtuigt. Maar een groter gevaar is het opzettelijk vijandelijk gebruik van nanotechnologie. Op het moment dat de basistechnologie beschikbaar is, zal het niet moeilijk zijn om haar geschikt te maken als oorlogstuig of voor terroristische doeleinden. En het is niet zo dat iemand zelfmoordneigingen moet hebben om dergelijke wapens te gebruiken. Nanowapens kunnen gemakkelijk worden geprogrammeerd om zich alleen tegen een vijand te reproduceren; bijvoorbeeld alleen in een bepaald geografisch gebied. Ondanks al hun destructieve potentieel zijn kernwapens op zijn minst relatief plaatselijk wat betreft hun uitwerking. De zelfreproducerende aard van nanotechnologie maakt haar tot een veel groter gevaar.

## VIRTUELE LICHAMEN

We hebben niet altijd echte lichamen nodig. Als we ons toevallig in een virtuele omgeving bevinden dan is een virtueel lichaam goed genoeg. Virtuele werkelijkheid begon met concepten van videogames, vooral dan de spelletjes met een gesimuleerde omgeving. Het eerste spelletje was Space War dat werd geschreven door onderzoekers op het gebied van kunstmatige intelligentie om de tijd te doden als ze zaten te wachten tot hun programma's werden gecompileerd op hun trage computer uit de jaren zestig.[16] De synthetische ruimteomgeving kon gemakkelijk worden afgebeeld op monitors met lage resolutie: sterren en andere objecten in de ruimte waren slechts verlichte pixels.

Computerspelletjes en gecomputeriseerde videogames zijn in de loop van de tijd een stuk realistischer geworden, maar zonder een beetje fantasie kun je niet helemaal opgaan in deze imaginaire werelden. Om maar wat te noemen, je kunt de randen van het scherm zien en die maar al te reële wereld die je nooit hebt verlaten is buiten die grenzen nog steeds zichtbaar.

Als we een nieuwe wereld in willen stappen dan kunnen we de restanten van de oude maar beter kwijtraken. In de jaren negentig werd de virtuele realiteit van de eerste generatie geïntroduceerd waarbij je een speciale helm moest opzetten die je hele gezichtsveld bestrijkt. De sleutel tot visuele realiteit is dat de scène zich onmiddellijk aanpast als je je hoofd beweegt zodat je dan kijkt naar een ander gebied van de driedimensionale scène. De bedoeling is te simuleren wat er gebeurt als je je hoofd draait in de echte wereld: de beelden die door je netvlies worden waargenomen veranderen snel. Desalniettemin begrijpen je hersenen dat de wereld op zijn plaats is gebleven en dat het beeld alleen maar langs je netvlies glijdt omdat je je hoofd draait.

Virtuele werkelijkheid is, zoals de meeste technologieën van de eerste generatie, niet helemaal overtuigend. Omdat het afbeelden van nieuwe scènes veel rekenwerk kost wordt het nieuwe perspectief vertraagd geproduceerd. Elke waarneembare vertraging waarschuwt je hersenen dat de wereld waarnaar je kijkt niet helemaal echt is. Bovendien is de resolutie van de schermen voor visuele realiteit te laag om een volkomen bevredigende illusie in het leven te roepen. En tenslotte zijn de huidige helmen voor virtuele realiteit lomp en oncomfortabel.

Wat we nodig hebben om af te komen van de vertraging van het afbeelden en om de resolutie van het scherm te verhogen zijn nog snellere computers, en we weten dat die er voortdurend aankomen. In 2007 zal virtuele realiteit van hoge kwaliteit met een overtuigende kunstmatige omgeving, met vrijwel onmiddellijke weergave en schermen met een hoge definitie, comfortabel zijn om te dragen en verkrijgbaar zijn tegen de prijs van een computerspelletje.

Twee van onze zintuigen – zien en horen – hebben we nu gehad. Onze huid is ook een zintuig met een hoge resolutie, en er worden ook 'haptische' interfaces ontwikkeld om voor een virtuele tastinterface te zorgen. Er is er nu al een leverbaar, de *force feedback joystick* die het resultaat is van onderzoek in het MIT-Medialab in de jaren tachtig. Een force feedback joystick vergroot het realisme van de tast van computerspelletjes een beetje, en daardoor kun je het gedreun van de weg voelen als je een autoracespelletje speelt, of voelen dat er aan je lijn wordt getrokken als je een vissimulatie speelt. Aan het einde van 1998 dook de 'tactile mouse' (voelmuis) op die werkt als een gewone muis, maar die de gebruiker de structuur van oppervlakten, objecten en zelfs mensen laat voelen. Een van de bedrijven waarbij ik betrokken ben, Medical Learning Company, werkt aan een gesimuleerde patiënt om artsen te helpen bij hun opleiding en om niet-artsen dokter te laten spelen. Een onderdeel daarvan wordt een haptische interface zodat je kunt voelen of een kniegewricht is gebroken of een borst gezwellen heeft.[17]

Een force feedback joystick is op het gebied van het voelen te vergelijken met conventionele monitors op het gebied van het zien. De force feedback joystick levert een tastinterface, maar hij slokt je niet helemaal op. De rest van je lichaam waarmee je kunt voelen herinnert je nog steeds aan zijn aanwezigheid. Om de echte wereld tenminste eventjes vaarwel te zeggen hebben we een tastomgeving nodig die je tastzin overneemt.

Laten we dus maar een tastomgeving uitvinden. Aspecten daarvan hebben we gezien in sciencefictionfilms (altijd een goede manier om de toekomst uit te vinden). We kunnen een bodysuite maken die zowel je eigen bewegingen waarneemt als een tastsimulatie met hoge resolutie biedt. Dat pak moet ook voldoende force-feedback bieden om je bewegingen werkelijk tegen te houden als je tegen een virtueel obstakel in de virtuele omgeving drukt. Als je bijvoorbeeld virtueel gezelschap omhelst dan wil je niet helemaal door zijn of haar lichaam gaan. Dat vereist een force-feedbackstructuur buiten het pak hoewel de weerstand van het obstakel kan worden geleverd door het pak zelf. En omdat je lichaam in het pak nog steeds in de echte wereld is, zou het verstandig zijn om het hele ding in een hok te zetten zodat je bewegingen in de virtuele wereld geen lampen of mensen omgooit in de 'echte' omgeving. Een dergelijk pak kan ook een thermische respons teweegbrengen zodat je ook een simulatie van het gevoel dat een vochtig voorwerp teweegbrengt kunt voelen – of zelfs je hand of je hele lichaam onderdompelen in water – wat wordt aangegeven door een temperatuursverandering en een vermindering van de oppervlaktespanning. Tenslotte kunnen we ervoor zorgen dat er een platform is dat bestaat uit een draaiende tredmolen waarin je kunt staan (of zitten of liggen), en dat je in staat stelt in je virtuele omgeving in elke gewenste richting te lopen of te bewegen.

Met het pak, de buitenstructuur, het hok, het platform, de bril en de koptelefoon hebben we zo ongeveer alle middelen om je zintuigen volledig te omhullen. Natuurlijk hebben we goede software voor virtuele werkelijkheid nodig, maar er volgt zeker een geweldige concurrentie om een volledige reeks realistische en fantastisch nieuwe omgevingen te bieden als de benodigde hardware verkrijgbaar wordt.

O ja, we hebben ook nog de reukzin. Een volledig flexibele en algemene interface voor ons vierde zintuig vereist een behoorlijk geavanceerde nanotechnologie om de grote diversiteit aan moleculen die we met onze reukzin kunnen waarnemen te produceren. Tot dan kunnen we een aantal aroma's in het hok voor de virtuele werkelijkheid verspreiden.

Als we ons in een omgeving met virtuele werkelijkheid bevinden dan kunnen onze eigen lichamen – op zijn minst de virtuele versies ervan – ook veranderen. We kunnen een attractievere versie van onszelf worden, een afschuwelijk beest, of wat voor schepsel dan ook, echt of in de verbeelding, als we reageren op andere bewoners van elke virtuele wereld die we binnenstappen.

Virtuele werkelijkheid is geen (virtuele) plek waar je alleen naartoe moet. Je kunt er in wisselwerking staan met je vrienden (die zich in andere hokjes met virtuele werkelijkheid bevinden, en die kunnen geografisch ver weg staan). Maar je kunt ook kiezen uit een groot aantal gesimuleerde kameraden.

## Direct inpluggen

Als de zenuwimplantaattechnologie later in de eenentwintigste eeuw alomtegenwoordig wordt dan kunnen we zonder een hokje voor virtuele werkelijkheid in te stappen virtuele omgevingen scheppen en ermee in wisselwerking staan. Je zenuwimplantaten zullen direct in je hersenen zorgen voor de gesimuleerde zintuiglijke inputs van de virtuele omgeving – en je virtuele lichaam. Omgekeerd bewegen je bewegingen niet je 'echte' lichaam, maar eerder je waargenomen virtuele lichaam. Onder deze virtuele omgevingen bevindt zich ook een aantal geschikte lichamen voor jezelf. Uiteindelijk zal je ervaring buitengewoon realistisch worden, alsof je in de echte wereld bent. Meer dan één persoon kan een virtuele omgeving binnengaan en met anderen reageren. In de virtuele wereld zul je andere echte en gesimuleerde mensen ontmoeten – en uiteindelijk zal er nauwelijks een verschil tussen bestaan.

Dat wordt in de tweede helft van de eenentwintigste eeuw het wezen van het Internet. Een typische 'website' is dan een virtuele ervaringsomgeving waarvoor je geen externe hardware nodig hebt. Je gaat er naartoe door in je hoofd de site te kiezen om vervolgens die wereld binnen te stappen. Voer een discussie over de oorlogstalenten van president Benjamin Franklin op de geschiedenissite. Ga skiën in de Alpen op de site van de Zwitserse kamer van koophandel (en voel hoe de koude sneeuw op je gezicht sproeit). Omhels je favoriete filmster op de site van Columbia Pictures. Word wat intiemer op de site van *Penthouse* of *Playgirl*. Natuurlijk bestaat de kans dat je daarvoor wat moet neertellen.

## Werkelijke virtuele werkelijkheid

Aan het einde van de eenentwintigste eeuw zal de 'echte' wereld veel kenmerken krijgen van de virtuele wereld door middel van 'zwermen' nanotechnologie. Kijk bijvoorbeeld eens naar het idee van de 'Bruikbaarheidsnevel' van de computerwetenschapper J. Storrs Hall van de Rutgers University.[18] Halls idee begint met een robotje genaamd Neveltje dat bestaat uit een apparaatje ter grootte van een menselijke cel met twaalf armen die alle kanten op wijzen. Aan het einde van die armpjes zitten grijpers zodat de Neveltjes elkaar kunnen vastgrijpen om zo grotere structuren te vormen. Deze nanobots zijn intelligent en kunnen hun rekenvaardigheden met elkaar combineren om zo een verspreide intelligentie te vormen. Een ruimte gevuld met Neveltjes wordt een Bruikbaarheidsnevel genoemd en die heeft een aantal interessante eigenschappen.

Ten eerste doet de Bruikbaarheidsnevel vreselijk veel moeite om te simuleren dat hij niet bestaat. Hall beschrijft een gedetailleerd scenario waarin een echt mens door een kamer loopt die vol zit met biljoenen Neveltjes terwijl hij dat niet in de gaten heeft. Indien gewenst (en het is niet helemaal duidelijk wie hier de wens doet) kunnen de Neveltjes snel elke mogelijke omgeving simuleren door allerlei soorten structuren te scheppen. Hall zegt:

'Nevelstad kan er de ene dag uitzien als een park, of een bos, of als het Oude Rome, en de volgende als Emerald City.'

De Neveltjes kunnen willekeurige golffronten van licht en geluid in elke richting scheppen om een imaginaire visuele en auditieve omgeving te scheppen. Ze kunnen elk drukpatroon aannemen om elke tastbare omgeving te creëren. Op deze manier kent de Bruikbaarheidsnevel alle flexibiliteit van een virtuele omgeving terwijl hij bestaat in de echte fysieke wereld. De verspreide intelligentie van de Bruikbaarheidsnevel kan de geesten simuleren van gescande (Hall noemt die '*uploaded*') mensen die in de Bruikbaarheidsnevel worden herschapen als 'Nevelmensen'. In het scenario van Hall kan 'een biologische mens door Nevelmuren lopen, en kan een Nevelmens (een upload) door muren van onechte materie gaan. Natuurlijk kunnen Nevelmensen ook door Nevelmuren lopen.'

De natuurkundige technologie van de Bruikbaarheidsnevel is eigenlijk nogal traditioneel. De Neveltjes zijn veel grotere machines dan de meeste ontwerpen van de nanotechnologie. De software is lastiger maar uiteindelijk haalbaar. Hall moet meer aandacht besteden aan zijn marketing: de Bruikbaarheidsnevel is een nogal saaie naam voor iets dat zo veelzijdig is.

Er zijn diverse voorstellen voor nanotechnologiezwermen waarbij de echte omgeving wordt vervaardigd van grote aantallen nanomachines die met elkaar in wisselwerking staan. In alle voorstellen voor zwermen gaat de fysieke werkelijkheid erg veel lijken op virtuele werkelijkheid. Het ene moment kun je in je bed liggen slapen, op het volgende moment, als je wakker wordt, kun je je slaapkamer laten veranderen in een keuken. Die kun je trouwens beter meteen veranderen in een eetkamer omdat een keuken overbodig is. Verwante nanotechnologie schept ogenblikkelijk je gewenste maaltijd. Als je gegeten hebt, kun je de kamer veranderen in een studeerkamer, een kamer om spelletjes in te spelen, een zwembad, een tropisch woud of de Taj Mahal. Begin je het te begrijpen?

Mark Yim heeft een model op grote schaal gebouwd van een kleine zwerm die de haalbaarheid van een wisselwerking tussen zwermen aantoont.[19] Joseph Michael heeft zelfs een Engels octrooi verkregen op zijn voorstel voor een nanotechnologiezwerm, maar het ziet er niet naar uit dat zijn ontwerp technisch realiseerbaar is binnen de twintig jaar dat zijn octrooi geldig is.[20]

Misschien lijkt het dat we te veel keus hebben. Nu hoeven we slechts onze kleren, make-up, en onze bestemming te kiezen als we uitgaan. Aan het einde van de eenentwintigste eeuw moeten we ook ons lichaam, onze persoonlijkheid, onze omgeving kiezen – veel moeilijke keuzen! Maar wees niet bezorgd – er zullen intelligente zwermen machines zijn om ons te leiden.

# DE SENSUELE MACHINE

*Verdubbeld door zijn lust*
*brengt hij het gekreun van een vrouw voort.*
*Een verdichtsel van zijn vlees.*
Uit het gedicht 'The Solitary at Seventeen' van Barry Spacks

*Ik kan de toekomst voorspellen door aan te nemen dat geld en mannelijke hormonen de drijvende krachten zijn achter een nieuwe technologie. Als de virtuele werkelijkheid dus goedkoper wordt dan vrijen dan is onze maatschappij verloren.*
Dogbert

Weliswaar was het eerste boek dat op een pers werd gedrukt waarschijnlijk wel de Bijbel, maar in de eeuw na de baanbrekende uitvinding van Gutenberg zag men een lucratieve markt voor boeken met ontuchtigere onderwerpen.[21] Nieuwe communicatietechnologieën – de telefoon, films, televisie, de videoband – hebben zich altijd snel op seksuele thema's gestort. Het Internet vormt daarop geen uitzondering: online porno-amusement bedroeg in 1998 van 185 miljoen dollar volgens de schatting van Forrester Research tot 1 miljard dollar volgens de schatting van Inter@active Week. Deze getallen vertegenwoordigen de omzet van klanten, vooral mannen, die betalen om actrices – live, opgenomen en gesimuleerd – te zien en ermee in contact te komen. Volgens een schatting uit 1998 waren er toen 28.000 websites die seksueel amusement aanboden.[22] In deze getallen zijn de stellen die hun telefoonseks hebben uitgebreid met bewegende beelden via *online video conferencing* niet inbegrepen.

Cd-roms en dvd-disks vormen nog een technologie die wordt geëxploiteerd voor erotisch amusement. Hoewel verreweg het grootste deel van de disks die zijn gericht op volwassenen worden gebruikt als een middel om video's te presenteren met een beetje interactiviteit, presenteert een nieuw genre cd-roms en dvd's virtuele seksmaatjes die reageren op een aantal strelingen die met de muis kunnen worden gedaan.[23] Het effect is, net als bij de meeste technologieën van de eerste generatie, niet al te overtuigend, maar toekomstige generaties van het product zullen korte metten maken met een aantal problemen. Ontwikkelaars werken er ook aan om de force-feedbackmuis te benutten zodat je een beetje een idee krijgt hoe je virtuele partner aanvoelt.

Aan het einde van het eerste decennium van de eenentwintigste eeuw stelt virtuele werkelijkheid je in staat met compleet visueel en auditief realisme te verkeren met je geliefde – een partner in de romantiek, een prostituee of een gesimuleerd gezelschap. Je zult alles wat je wilt kunnen doen met je partner met uitzondering van aanraken. Ik geef toe, dat laatste vormt een belangrijke beperking.

Virtuele tast bestaat al, maar de alomvattende, uiterst realistische visuele-auditieve-tast-virtuele omgeving zal pas in het tweede decennium van de eenentwintigste eeuw zijn vervolmaakt. Als we daar zijn aangeland wordt virtuele seks een levensvatbare concurrent voor echte seks. Stellen kunnen virtuele seks beoefenen of ze nu bij elkaar in de buurt zijn of niet. En zelfs als ze wel bij elkaar in de buurt zijn zal virtuele seks in een aantal opzichten beter zijn en zeker veiliger. Virtuele seks kan zowel gewaarwordingen geven die intenser en aangenamer zijn dan conventionele seks als lichamelijke ervaringen die tegenwoordig niet bestaan. Virtuele seks is ook het summum van veilig vrijen omdat er geen risico is om zwanger te raken en omdat ziekten niet kunnen worden overgedragen.

Tegenwoordig kunnen minnaars wel fantaseren dat hun partner iemand anders is, maar gebruikers van virtuele sekscommunicatie hebben niet zoveel fantasie nodig. Je kunt de fysieke verschijning en andere kenmerken van zowel jezelf als van je partner veranderen. Je kunt ervoor zorgen dat je minnaar er uitziet en aanvoelt als je favoriete ster, zonder dat je partner daartoe toestemming geeft of weet dat het gebeurt. Je moet je natuurlijk wel realiseren dat je partner met jou hetzelfde kan doen.

Groepsseks krijgt in zoverre een nieuwe betekenis dat meer dan één persoon op hetzelfde moment de ervaring van één partner kan delen. Omdat niet meerdere personen allemaal samen de bewegingen kunnen controleren van één virtuele partner moet er een manier worden gevonden om de beslissing over wat dat ene virtuele lichaam doet te delen. Elke deelnemer die een virtueel lichaam deelt zou dezelfde visuele, auditieve en tactiele ervaring hebben met een gemeenschappelijke controle van hun gemeenschappelijke virtuele lichaam (wellicht weerspiegelt dat ene virtuele lichaam een concensus tussen de uitgeprobeerde bewegingen van de diverse deelnemers). Een heel publiek – eventueel geografisch verspreid – zou één virtueel lichaam kunnen delen terwijl ze zijn verwikkeld in een seksuele ervaring met één uitvoerder.

Aan prostitutie kleven geen gezondheidsrisico's meer, net zomin als aan virtuele seks in het algemeen. Door gebruik te maken van draadloze communicatietechnieken met zeer grote bandbreedte hoeven de prostituees noch hun clientèle hun huis te verlaten. Vermoedelijk zal virtuele prostitutie door de wet worden getolereerd, in ieder geval tot een veel grotere hoogte dan echte prostitutie nu, omdat virtuele prostitutie onmogelijk kan worden gecontroleerd en beheerst. Omdat de gewelds- en besmettingsrisico's zijn geëlimineerd is er veel minder reden om haar te verbieden.

Prostituees krijgen concurrentie van gesimuleerde – computergegenereerde – partners. In het begin zullen 'echte' menselijke virtuele partners waarschijnlijk realistischer zijn dan gesimuleerde virtuele partners, maar in de loop van de tijd verandert dat. Natuurlijk, op het moment dat de gesimuleerde virtuele partner net zo vaardig, sensueel en ontvankelijk is als een echte menselijke virtuele partner, wie kan dan beweren dat de gesimuleerde virtuele partner geen echt, zij het virtueel, persoon is?

Is virtuele verkrachting mogelijk? In de zuiver lichamelijke betekenis vermoedelijk niet. De virtuele werkelijkheid levert de gebruikers middelen om hun ervaring onmiddellijk te beëindigen. Emotionele en andere manieren van overhalen en onder druk zetten is een andere zaak.

Hoe zal een dergelijk uitgebreid pakket seksuele keuzen en mogelijkheden het instituut van het huwelijk en het idee over beloften in een relatie beïnvloeden? De technologie van de virtuele seks zal een reeks gladde hellingen introduceren, en de definitie van een monogaam huwelijk zal veel minder duidelijk worden. Een aantal mensen gaat vinden dat de toegang tot intense seksuele ervaringen door op een mentale knop te klikken het concept van een seksueel toegewijde relatie zal vernietigen. Anderen, net als voorstanders van seksueel amusement en diensten nu, zullen beweren dat dergelijk vermaak een gezonde uitlaatklep vormt en dient om gezonde relaties in stand te houden. Het is duidelijk dat stellen het met elkaar eens moeten worden, maar het trekken van duidelijke lijnen wordt lastig door het niveau van de privacy die deze toekomstige technologie verleent. Waarschijnlijk accepteert de maatschappij praktijken en activiteiten in de virtuele arena waarvoor men in de fysieke wereld zijn wenkbrauwen optrekt omdat de gevolgen van virtuele activiteiten vaak (maar niet altijd) gemakkelijker ongedaan gemaakt kunnen worden.

Naast direct sensueel en seksueel contact zal de virtuele werkelijkheid een geweldige plek zijn voor romantiek in het algemeen. Slenter met je geliefde over de virtuele Champs-Elysées, loop over het virtuele strand van Cancún, meng je onder de dieren in een gesimuleerd wildreservaat in Mozambique. Je hele relatie kan zich in Cyberland afspelen.

Virtuele werkelijkheid die gebruikmaakt van een visuele-auditieve-haptische interface is niet de enige technologie die in de eenentwintigste eeuw de aard van onze seksualiteit zal veranderen. Seksrobots – seksbots – zullen aan het begin van het derde decennium van de nieuwe eeuw populair worden. Nu worden we meestal niet echt aangetrokken door het idee van een intieme relatie met een robot of een pop omdat robots en poppen zo, tja, zo levenloos zijn. Maar dat gaat veranderen zodra robots zachter, intelligenter, soepeler en hartstochtelijker worden, net als hun menselijke scheppers. (Aan het einde van de eenentwintigste eeuw bestaat er geen duidelijk verschil meer tussen mensen en robots. Wat is uiteindelijk het verschil tussen een mens die zijn lichaam en hersenen heeft opgewaardeerd met behulp van nanotechnologie en computertechnologieën, en een robot die een intelligentie en een sensualiteit heeft verworven die die van zijn menselijke scheppers overtreft?)

In het vierde decennium belanden we in een tijdperk van virtuele ervaringen met behulp van interne zenuwimplantaten. Met behulp van die technologie kun je vrijwel elke soort ervaring hebben met vrijwel iedereen, echt of in je verbeelding en op elk tijdstip. Het lijkt op onze huidige online-chatrooms, maar je hebt er geen apparatuur voor nodig die al niet in je hoofd zit en je kunt heel wat meer dan alleen maar chatten. Je wordt niet beperkt door de grenzen van je natuurlijke lichaam omdat jij en je partner elke virtuele fysieke vorm kunnen aannemen. Veel nieuwe soorten ervaringen worden mogelijk: een man kan voelen hoe het is om een vrouw te zijn en omgekeerd. Er is inderdaad geen reden waarom je ze niet allebei tegelijkertijd kunt zijn, en dat verwezenlijkt, althans verwezenlijkt virtueel, onze solitaire fantasieën.

En in de tweede helft van de eeuw hebben we natuurlijk nanobotzwermen – die goeie ouwe sexy Bruikbaarheidsnevel bijvoorbeeld. De nanobotzwermen kunnen ogenblikkelijk elke vorm aannemen en ze kunnen elke soort verschijningsvorm, intelligentie en persoonlijkheid nabootsen die je maar wilt – bijvoorbeeld de menselijke vorm als je daar op valt.

## DE SPIRITUELE MACHINE

*Wij zijn geen menselijke wezens die spiritueel trachten te zijn. Wij zijn spirituele wezens die menselijk trachten te zijn.*
Jacquelyn Small

*Het lichaam en de ziel vormen een tweeling. Alleen God weet wie wie is.*
Charles A. Swinburne

*We liggen allemaal in de goot, maar sommigen onder ons staren naar de sterren.*
Oscar Wilde

Seksualiteit en spiritualiteit zijn twee manieren om onze fysieke realiteit van elke dag te overstijgen. Sterker nog, er bestaan relaties tussen onze seksuele en onze spirituele hartstochten zoals extatische ritmische bewegingen die worden geassocieerd met sommige soorten spirituele ervaring suggereren.

## Hersenprikkels

We ontdekken dat de hersenen direct kunnen worden gestimuleerd om een grote verscheidenheid aan gevoelens te ervaren waarvan we aanvankelijk dachten dat ze alleen maar konden worden verkregen door echte fysieke of mentale ervaringen. Neem bijvoorbeeld humor. In het blad *Nature* vertellen dr. Itzhak Fried en zijn collega's van UCLA hoe ze een neurologische prikkel hebben gevonden voor humor. Ze waren op zoek naar mogelijke oorzaken voor epileptische aanvallen bij een tienermeisje, en ze ontdekten dat ze ging lachen als een elektrische sonde werd aanbracht op een bepaald punt in het supplementaire motorische gebied van haar hersenen. Eerst dachten de onderzoekers dat dat lachen een reflexmatige motorische reactie was, maar al snel kwamen ze erachter dat ze de echte humorperceptie prikkelden, en dat ze niet zomaar een lach forceerden. Als de juiste plek in haar hersenen werd geprikkeld, dan vond ze alles leuk. 'Jongens, jullie zijn zo grappig – zoals jullie daar zo staan' was een typische opmerking.[24]

Een humorperceptie veroorzaken zonder dat er omstandigheden zijn die we grappig vinden is misschien verontrustend (hoewel ik het zelf grappig vind). Bij humor is er sprake van een zeker verrassingselement. Blauwe olifanten. Het was de bedoeling dat die laatste twee woorden je verrasten, maar vermoedelijk maakten ze je niet aan het lachen (of wel?). Naast verrassing moet de onverwachte gebeurtenis ergens op slaan vanuit een onverwachte maar zinvolle invalshoek. En er zijn nog wat kenmerken nodig voor humor die we nu nog niet begrijpen. De hersenen kennen kennelijk een zenuwnet dat humor weet te onderscheiden van onze andere waarnemingen. Als we de humordetector van onze hersenen rechtstreeks prikkelen dan lijkt een overigens normale situatie behoorlijk grappig.

Dat lijkt ook op te gaan voor seksuele gevoelens. In dierexperimenten veroorzaakt het prikkelen van een bepaald gebiedje van de hypothalamus door middel van een geringe geïnjecteerde dosis testosteron dat de dieren zich als vrouwtje gaan gedragen, ongeacht hun sekse. Het prikkelen van een ander deel van de hypothalamus veroorzaakt mannelijk seksueel gedrag.

Deze resultaten suggereren dat we op het moment dat zenuwimplantaten de normaalste zaak van de wereld zijn niet alleen virtuele zintuiglijke ervaringen kunnen hebben, maar ook het gevoel dat bij die ervaringen hoort. We kunnen ook een aantal gevoelens oproepen die normaalgesproken niet bij die ervaring horen. Je kunt dus wat humor toevoegen aan je seksuele ervaringen als je daar behoefte aan hebt (voor sommigen onder ons maakt humor natuurlijk al deel uit van het geheel).

Het vermogen om onze gevoelens te beheersen en te herprogrammeren wordt nog totaler aan het einde van de eenentwintigste eeuw. Dan passeert de technologie het stadium van gewone zenuwimplantaten en kunnen we ons denkproces volledig installeren in een nieuw computermedium – oftewel, *we worden software*.

We doen hard ons best om gevoelens als humor, plezier en welzijn te bereiken. Misschien lijkt het dat ze hun zin verliezen als we ze zomaar naar goeddunken kunnen oproepen. Natuurlijk gebruiken veel mensen tegenwoordig drugs om bepaalde gewenste gevoelens te versterken, maar de chemische benadering gaat gepaard met veel ongewenste gevolgen. Met zenuwimplantaattechnologie kun je je pleziergevoelens en welzijn vergroten zonder een kater te krijgen. Natuurlijk is de kans op misbruik zelfs nog groter dan bij drugs. Toen psycholoog James Olds ratten de mogelijkheid gaf op een knop te drukken om vervolgens onmiddellijk een prikkel te krijgen in een pretcentrum in het limbisch systeem van hun hersenen drukten de ratten eindeloos op die knop, soms zelfs vijfduizend keer per uur, en ze deden niets anders meer, ze aten zelfs niet. Alleen als ze in slaap vielen stopten ze even.[25]

Desalniettemin zullen de voordelen van zenuwimplantaattechnologie onweerstaanbaar zijn. Slechts één voorbeeld: miljoenen mensen lijden aan het onvermogen om voldoende intense gevoelens van seksueel plezier te ervaren, een belangrijk aspect van impotentie. Mensen met dit gebrek zullen de mogelijkheid niet voorbij laten gaan om hun probleem op te lossen met behulp van zenuwimplantaten die ze misschien voor andere doeleinden toch al hebben laten plaatsen. Op het moment dat er een technologie is ontwikkeld om een gebrek te verhelpen, is er geen enkele manier om het gebruik te beperken van die technologie waarmee we onze normale vermogens kunnen vergroten, en ook zouden dergelijke beperkingen niet per se gewenst zijn. Het vermogen om onze gevoelens te beheersen is gewoon wéér een van die gladde hellingen van de eenentwintigste eeuw.

## En hoe zit het met spirituele ervaringen?

De spirituele ervaring – het gevoel dat je je alledaagse fysieke en sterfelijke grenzen overstijgt om een diepere werkelijkheid gewaar te worden – speelt een belangrijke rol in anderszins niet te vergelijken religies en filosofieën. Spirituele ervaringen zijn niet allemaal van dezelfde soort, maar lijken een breed spectrum van geestelijke fenomenen te omvatten. Het extatische dansen van een doopsgezinde lijkt iets anders te zijn dan de zwijgzame transcendentie van een boeddhistische monnik. Dat neemt niet weg dat de idee van de spirituele ervaring door de eeuwen heen en in vrijwel alle culturen en religies zo consequent werd gerapporteerd dat ze een bijzonder fraaie bloem vertegenwoordigt in de fenomenologische tuin.

Ongeacht de aard en de afkomst van een geestelijke ervaring, spiritueel of anderszins, hebben we op het moment dat we toegang hebben tot het rekenproces dat er de oorzaak van is de gelegenheid om haar neurologische wisselbegrippen te begrijpen. En met ons begrijpen van onze geestelijke processen komt de kans om onze intellectuele, emotionele en spirituele ervaringen te veroveren, ze naar goeddunken op te roepen en ze te verbeteren.

## Spirituele ervaring door middel van muziek die door de hersenen wordt voortgebracht

Er is al een technologie die tenminste een aspect van een spirituele ervaring lijkt op te wekken. Deze experimentele techniek wordt Brain Generated Music (BGM, door de hersenen voortgebrachte muziek) genoemd waarvoor het pionierswerk wordt gedaan door NeuroSonics, een klein bedrijf in Baltimore, Maryland, waarvan ik een van de directeuren ben. BGM is een biofeedbacksysteem van hersengolven dat een ervaring kan teweegbrengen die Relaxation Response (ontspanningsreactie) wordt genoemd en die in verband wordt gebracht met een diepe ontspanning.[26] De BGM-gebruiker brengt drie wegwerpdraden aan op zijn hoofd. Een persoonlijke computer controleert vervolgens de hersengolven van de gebruiker om zijn unieke alfagolflengte te bepalen. Alfagolven bevinden zich in het gebied tussen acht en dertien trillingen per seconde (cps) en worden in verband gebracht met een diepe meditatieve toestand, in tegenstelling tot bètagolven (in het gebied tussen dertien en achtentwintig cps) die worden geassocieerd met het dagelijkse bewuste denken. Vervolgens genereert de computer muziek volgens een algoritme dat het hersengolfsignaal van de gebruiker zelf transformeert.

Het BGM-algoritme is ontworpen om het opwekken van alfagolven te bevorderen door het produceren van prettige harmonische combinaties bij het waarnemen van alfagolven, en minder prettige klanken en klankcombinaties als er weinig alfagolven worden bespeurd. Daarnaast moedigt het feit dat de geluiden zijn gesynchroniseerd met de eigen alfagolven van de gebruiker ook aan tot alfaproductie om een resonantie te scheppen met het eigen alfaritme van de gebruiker.

Dr. Herbert Benson, oud-directeur van de afdeling hypertensie van het Beth Israel Hospital in Boston en nu verbonden aan het New England Deaconess Hospital in Boston en andere onderzoekers van de Harvard

Medical School en Beth Israel hebben de neurologisch-psychologische mechanismen van de Relaxation Response ontdekt die wordt beschreven als het tegenovergestelde van de 'vecht of vlucht'- of stressreactie.[27] De Relaxation Response wordt in verband gebracht met verminderde niveaus van epinefrine (adrenaline) en norepinefrine (noradrenaline), bloeddruk, bloedsuiker, ademhaling en hartslagen. Het regelmatig opwekken van deze reactie kan, naar men zegt, zorgen voor permanent verlaagde bloeddrukniveaus (in zoverre hypertensie wordt veroorzaakt door stressfactoren) en andere voordelen voor de gezondheid. Benson en zijn collega's hebben een aantal technieken gecatalogeerd die de Relaxation Response kunnen opwekken, waaronder yoga en een aantal meditatievormen.

Ik heb ervaring met meditatie, en volgens mijn eigen ervaring en door het observeren van anderen lijkt BGM de Relaxation Response op te roepen. De muziek zelf voelt aan alsof ze binnenin je hersenen wordt opgewekt. Het is interessant dat je niet hetzelfde gevoel van transcendentie ervaart als wanneer je naar een bandopname luistert van je door je eigen hersenen gegenereerde muziek terwijl je niet bent aangesloten op de computer. Hoewel de opgenomen BGM is gebaseerd op je persoonlijke alfagolflengte, werd de opgenomen muziek met de hersengolven gesynchroniseerd die je hersenen hebben geproduceerd toen de muziek voor de eerste keer werd gegenereerd, en niet met de hersengolven die werden geproduceerd toen je naar de opname luisterde. Je moet naar 'live'-BGM luisteren om het resonantie-effect te bereiken.

In het algemeen is conventionele muziek een passieve ervaring. Hoewel een uitvoerend artiest op nauwelijks merkbare wijze kan worden beïnvloed door zijn publiek, weerspiegelt de muziek waarnaar we luisteren in het algemeen niet onze reactie. BGM vertegenwoordigt een nieuwe muziekmodaliteit die de muziek in staat stelt zich voortdurend te ontwikkelen op basis van de wisselwerking tussen die muziek en de reacties daarop in onze eigen geest.

Veroorzaakt BGM een spirituele ervaring? Die vraag is moeilijk te beantwoorden. De gevoelens die worden opgewekt als je luistert naar 'live'-BGM zijn vergelijkbaar met de diepe transcendente gevoelens die ik soms met meditatie kan oproepen, maar het lijkt erop dat ze door BGM op een betrouwbaarder manier worden opgewekt.

## De godplek

Neurowetenschappers van de University of California in San Diego hebben iets gevonden dat ze de godmodule noemen, een minuscule locus van zenuwcellen in de voorhoofdskwab die lijkt te worden geactiveerd tijdens religieuze ervaringen. Ze hebben dit neurale systeem ontdekt toen ze epilepsiepatiënten bestudeerden die intense mystieke ervaringen hebben tijdens hun aanvallen. Kennelijk stimuleren de intense neurale stormen tijdens een aanval de godmodule. Tijdens het onderzoek naar de elektrische activiteit in de hersenen met behulp van zeer gevoelige huidmonitoren stelden de wetenschappers een soortgelijke reactie vast toen zeer religieuze, niet-epileptische patiënten woorden en symbolen kregen voorgeschoteld die hun spirituele geloof opriepen.

Een neurologische basis voor spirituele ervaring werd al veel eerder gepostuleerd door evolutiebiologen vanwege het sociale nut van religie. In een reactie op de rapporten van het onderzoek in San Diego zei Richard Harris, bisschop van Oxford, via een woordvoerder dat 'het hem niet zou verbazen als God ons had geschapen met een fysieke voorziening om te geloven.'[28]

Als we de neurologische wisselwerkingen van de verscheidenheid aan spirituele ervaringen die onze soort kan hebben, kunnen bepalen dan kunnen we vermoedelijk deze ervaringen vergroten op dezelfde manier waarop we andere menselijke ervaringen vergroten. In het volgende stadium van de evolutie die een nieuwe generatie mensen schept die biljoenen keren vaardiger en ingewikkelder zijn dan de mensen van nu, wordt ons vermogen voor spirituele ervaringen en spiritueel inzicht vermoedelijk ook krachtiger en dieper.

Alleen al het 'zijn' – ervaren, bewust zijn – is spiritueel en weerspiegelt het wezen van spiritualiteit. Machines die zijn afgeleid van het menselijke denken en die de mens overtreffen in hun ervaringsvermogen zullen claimen dat ze bewust zijn, en dus spiritueel. Ze zullen geloven dat ze bewust zijn. Ze zullen geloven dat ze spirituele ervaringen hebben. Ze zullen ervan overtuigd zijn dat die ervaringen zinvol zijn. En gegeven de historische neiging van het menselijke ras om de fenomenen die we tegenkomen te antropomorfiseren en gegeven de overtuigingskracht van de machines zullen we waarschijnlijk geloven wat ze ons vertellen.

De machines uit de eenentwintigste eeuw – gebaseerd op het ontwerp van het menselijk denken – zullen handelen zoals hun menselijke voorlopers hebben gehandeld – naar echte en virtuele gebedshuizen gaan, mediteren, bidden en transcenderen – om zich in verbinding te stellen met hun spirituele dimensie.

---

*Knoop dit even goed in je oren: onder geen enkele voorwaarde ga ik naar bed met een computer.*

Maak nou geen overhaaste gevolgtrekkingen. Je moet je geest voor alles openstellen.

*Dat probeer ik ook. Maar je lichaam openstellen is wat anders. Het idee om intiem te worden met een of ander uitvindsel, hoe slim dan ook, trekt me niet erg aan.*

Heb je ooit met een telefoon gesproken?

*Met een telefoon gesproken? Ik bedoel, ik spreek met mensen met behulp van een telefoon.*

Okay, dus een computer rond het jaar 2015 – in de vorm van een visueel-auditief-tactiel virtuele-werkelijkheidscommunicatieapparaat – is slechts een telefoon voor jou en je minnaar. Maar je kunt meer doen dan alleen maar praten.

*Ik praat graag met mijn minnaar – als ik er een heb – over de telefoon. En naar elkaar kijken met een beeldtelefoon, of zelfs een compleet virtuele-werkelijkheidssysteem, klinkt erg gezellig. Maar wat dat tactiele idee van jou betreft, denk ik dat ik mijn vrienden en minnaars liever met mijn echte vingers blijf aanraken.*

Je kunt je echte vingers gebruiken in de virtuele realiteit, of tenminste je echte virtuele vingers. Maar als jij en je minnaar nu op twee verschillende plaatsen zijn.

*Weet je, afstand maakt het hart liefhebbender. Bovendien, we hoeven elkaar niet de hele tijd aan te raken, ik bedoel, ik kan wachten tot ik terug ben van mijn zakenreis terwijl hij voor de kinderen zorgt!*

Als de virtuele werkelijkheid zich ontwikkelt tot een overtuigende, alles omvattende interface, doe je dan nog steeds moeite om fysiek contact te ontwijken?

*Ik denk dat een welterustenkusje geen kwaad kan.*

Aha – de gladde helling! En waarom zou je op dat punt stoppen?

*Okay, twee kusjes dan.*

Precies, zoals ik juist al zei, je moet je geest openstellen.

*Over je geest openstellen gesproken, jouw beschrijving van de 'godplek' lijkt de spot te drijven met elke spirituele ervaring.*

Ik zou niet te fel reageren op dit ene stuk onderzoek. Er gebeurt duidelijk wat in de hersenen van mensen die een spirituele ervaring hebben. Wat dat neurologische proces ook is, op het moment dat we het vastleggen en begrijpen moeten we in staat zijn om de spirituele ervaringen te vergroten in herschapen hersenen in hun nieuwe computermedium.

*Dus deze herschapen hersenen zullen melden dat ze spirituele ervaringen hebben. En ik neem aan dat ze dan ook zullen reageren op dezelfde transcendente, hartstochtelijke manier als de mensen van nu als die een dergelijke ervaring melden. Maar zouden deze machines werkelijk transcenderen, en het gevoel van Gods nabijheid ervaren? Wat zullen ze eigenlijk ervaren?*

We blijven maar terugkomen op het concept bewustzijn. Machines in de eenentwintigste eeuw zullen dezelfde reeks ervaringen melden als mensen. Overeenkomstig de wet van de versnellende opbrengsten zullen ze zelfs een grotere reeks ervaringen melden. En ze zullen zeer overtuigend klinken als ze het hebben over hun ervaringen. Maar wat zouden ze nou echt voelen? Zoals ik eerder heb beweerd bestaat er helemaal geen enkele manier om binnen te dringen in de subjectieve ervaring van een ander wezen, tenminste niet op een wetenschappelijke manier. Ik bedoel, we kunnen de patronen van het neurale vuren bekijken en zo, maar dat blijft slechts een objectieve waarneming.

*Tja, dat is nou eenmaal de beperking van de wetenschap.*

Ja, filosofie en religie worden geacht het daar over te nemen. Natuurlijk is het al moeilijk genoeg om overeenstemming te bereiken over wetenschappelijke kwesties.

*Dat blijkt vaak waar te zijn. Het volgende ding waar ik niet echt blij mee ben zijn die plunderende nanobots die zich eindeloos gaan vermenigvuldigen. We eindigen nog eens met een enorme zee nanobots. En als ze klaar zijn met ons dan gaan ze elkaar opeten.*

Dat gevaar is reëel. Maar als we de software zorgvuldig schrijven...

*O ja, zeker net als mijn besturingssysteem. Ik heb al kleine softwarevirusjes die zich vermenigvuldigen tot ze mijn vaste schijf verstoppen.*

Ik denk dat er een groter gevaar schuilt als ze internationaal op een vijandelijke manier worden gebruikt.

*Ik weet dat je dat hebt gezegd, maar dat is een schrale troost. Voor de zoveelste keer, waarom kiezen we geen andere weg?*

Okay, vertel jij dat dan maar eens aan een oude vrouw wier afbrokkelende botten effectief kunnen worden behandeld met gebruikmaking van nanotechnologie, of aan die kankerpatiënt wiens kanker wordt vernietigd door kleine nanobots die door zijn bloedvaten zwemmen.

*Ik realiseer me wel dat er een hoop potentiële voordelen zijn, maar de voorbeelden die je net gaf kunnen ook worden aangepakt door andere, meer onconventionele technologieën, bijvoorbeeld biotechniek.*

Ik ben blij dat je de biotechniek noemt omdat we een zeer gelijksoortig probleem tegenkomen met biotechnische wapens. We zitten dicht bij het punt waar de kennis en de uitrusting van een doorsnee HBO met een programma voor biotechniek voldoende zijn om zelfreproducerende ziekteverwekkers te produceren. Hoewel een nanowapen zich kan reproduceren dwars door elke materie heen, levend en dood, kan een biowapen zich alleen maar reproduceren door levende materie, en waarschijnlijk enkel in zijn menselijke doelwitten. Volgens mij is dat niet erg bemoedigend. In beide gevallen vermeerdert het vermogen tot onbeheerste zelfreproductie ten zeerste het gevaar.

Maar je roept de biotechniek geen halt toe – dat is de speerpunt van ons medisch onderzoek. Ze heeft al ruim bijgedragen aan de behandeling van aids die we nu kennen; diabetici gebruiken biotechnische vormen van menselijk insuline; er is een medicijn dat effectief het cholesterolgehalte verlaagt; er zijn veelbelovende nieuwe behandelingen voor kanker; en de lijst van de vooruitgang groeit snel. Onder anders nogal sceptische wetenschappers heerst een oprecht optimisme dat we met biotechnische behandelingen een enorme vooruitgang boeken bij kankerbestrijding en andere plagen.

*Hoe gaan we ons dan beschermen tegen biotechnische wapens?*

Met meer biotechniek – antivirusmedicijnen bijvoorbeeld.

*En tegen nanowapens?*

Meer van hetzelfde – meer nanotechnologie.

*Ik hoop maar dat de goede nanobots de overhand krijgen, maar ik vraag me wel af hoe we het verschil zien tussen goede en slechte nanobots.*

Dat wordt moeilijk, vooral omdat nanobots te klein zijn om te worden gezien.

*Behalve dan door andere nanobots, toch?*

Goed gezien.

Hoofdstuk acht

# 1999

## DE DAG DAT DE COMPUTERS ERMEE OPHIELDEN

*Het digitaliseren van informatie in al haar vormen zal vermoedelijk bekend staan als de fascinerendste ontwikkeling van de twintigste eeuw.*
An Wang

*Economie, sociologie, geopolitiek, kunst en religie verschaffen allemaal krachtig gereedschap dat eeuwenlang voldoende was om de wezenlijke gebieden van het leven te verklaren. Voor veel onderzoekers lijkt er niets echt nieuws onder de zon – geen behoefte aan een grondig begrip van het nieuwe gereedschap van de mens – geen behoefte om af te dalen in de microkosmos van de moderne elektronica om de wereld te begrijpen. De wereld is meer dan we kunnen verdragen.*
George Gilder

Als in 1960 alle computers zouden zijn opgehouden te functioneren dan zou dat slechts een paar mensen zijn opgevallen. Een paar duizend wetenschappers zouden gemerkt hebben dat er een vertraging was opgetreden bij het printen van hun meest recente gegevens die ze op ponskaarten hadden ingeleverd. Een paar zakelijke rapporten zouden wat zijn vertraagd. Niets aan de hand.

Zo rond 1999 ligt dat wel wat anders. Als alle computers niet meer zouden functioneren dan zou de maatschappij knarsend en piepend tot stilstand komen. Allereerst zou de elektriciteitsvoorziening er de brui aan geven. En zelfs als dat niet het geval was (maar dat zal wel het geval zijn) dan zou vrijwel nog alles tot stilstand komen. De meeste motorvoertuigen zijn voorzien van microprocessoren, dus alleen de tamelijk oude auto's zouden nog rijden. Er zouden vrijwel geen werkende vrachtwagens, bussen, treinen, metro's of vliegtuigen zijn. Elektronische communicatie zou stoppen: telefoons, radio, televisie, faxapparaten, semafoons, e-mail en natuurlijk het Internet, ze zouden allemaal niet meer functioneren. Je zou je salaris niet gestort krijgen. Als je je salaris onverhoopt wel kreeg dan zou je het niet kunnen opnemen. Je zou je geld niet van de bank kunnen halen. De zakenwereld en de overheid zouden slechts op het allerprimitiefste niveau werken.

En als alle gegevens in alle computers zouden verdwijnen dan zouden we pas echt in de problemen zitten.

Het Y2K-probleem (het jaar 2000-probleem) heeft tot veel ongerustheid geleid omdat men ervan uitging dat ten minste een aantal computerprocessen tegen het jaar 2000 zouden worden ontregeld. Y2K heeft voornamelijk betrekking op software die tien jaar of langer geleden is ontwikkeld, en waarin de datumvelden slechts uit twee cijfers bestonden, en dat zorgt ervoor dat deze programma's zich grillig gaan gedragen als het jaar '00' wordt. Y2K zorgde ervoor dat oude zakelijke programma's werden herschreven, maar die moesten toch al nodig worden afgestoft en opnieuw ontworpen.

In minder dan veertig jaar zijn we van handmatige methoden om ons leven en onze beschaving te beheersen volledig afhankelijk geworden van de voortdurende activiteit van onze computers. Veel mensen worden gerustgesteld door de gedachte dat we nog steeds onze computers kunnen uitschakelen als ze te onhandelbaar worden. In werkelijkheid hebben de computers hun figuurlijke hand op onze stekker (geef computers nog een paar jaar en hun handen zijn niet meer zo figuurlijk).

Op dit ogenblik maken we er ons weinig zorgen over – de computers van circa 1999 zijn afhankelijk, volgzaam en dom. Afhankelijk (zij het niet volmaakt afhankelijk) zullen ze waarschijnlijk wel blijven. Dom niet. Juist de mensen, tenminste degenen die niet op de hoogte blijven, zullen over een paar decennia dom lijken. En onderdanig zullen computers ook niet blijven.

Om een snel groeiend aantal *specifieke* taken te vervullen lijkt de intelligentie van hedendaagse computers indrukwekkend, formidabel zelfs, maar de machines van nu blijven kleingeestig en onbestendig. Daarentegen landen wij mensen minder hard als we een uitstapje maken buiten onze enge specialisatieterreinen. In tegenstelling tot Deep Blue is Gary Kasparov niet ongeschikt om andere dingen te doen dan schaken.

Computers bewegen zich steeds vaker op steeds meer verschillende terreinen. Ik zou tientallen boeken kunnen vullen met voorbeelden van de intellectuele bekwaamheid van computers van rond het einde van de twintigste eeuw, maar ik heb slechts een contract voor één boek. Laten we dus eens gaan kijken naar een paar voorbeelden uit de kunst.

## DE CREATIEVE MACHINE

*In een tijd als de onze waarin mechanische vaardigheden een onverwachte perfectie hebben bereikt, kun je net zo gemakkelijk luisteren naar de allerberoemdste werken als dat je een*

*biertje kunt drinken, en het kost maar een dubbeltje, net als die weegschaalautomaten. Moeten we niet bang zijn voor deze verhuiselijking van het geluid, die magie die iedereen naar goeddunken kan laten klinken van een schijf? Zal dit niet de mysterieuze kracht vernietigen van een kunst waarvan men dacht dat ze onverwoestbaar was?*
Claude Debussy

*Samenwerken met machines! Wat is het verschil tussen een machine manipuleren en ermee samenwerken? ... Plots opent zich een venster naar een enorme zee van mogelijkheden; tijdslimieten verdwijnen, en de machines lijken vermenselijkte componenten van het interactieve netwerk te worden dat nu nog bestaat uit de mens zelf en de machine die nog steeds gehoorzaamt, maar die veel suggesties levert aan het hoofdbedieningspaneel van de verbeelding.*
Vladimir Ussachevsky

*Iemand zei tegen Picasso dat hij schilderijen moest maken van de dingen zoals ze waren – objectieve schilderijen. Hij mompelde dat hij er niet zo zeker van was hoe dat er moest uitzien. Degene die hem koeioneerde haalde een foto van zijn vrouw uit zijn portemonnee en zei, 'Kijk eens, dat is nu een afbeelding van hoe ze werkelijk is.' Picasso keek ernaar en antwoordde, 'Ze is nogal klein hè, en plat?'*
Gregory Bateson

Het tijdperk van de cybernetische kunstenaar is begonnen, zij het pas begonnen. Precies zoals met menselijke kunstenaars weet je nooit wat de volgende stap zal zijn van deze creatieve systemen. Maar tot op heden heeft geen van hen een oor afgesneden of is naakt op straat gaan lopen.

De kracht van deze systemen wordt weerspiegeld door een vaak verbazingwekkende originaliteit in een uitdrukking, in een vorm of een muziekregel. Hun zwakheid heeft, alweer, te maken met context of een gebrek daaraan. Omdat creatieve computers in tegenstelling tot hun menselijke partners tekortschieten in ervaringen van de werkelijke wereld verliezen ze vaak hun gedachtegang en dwalen ze af in onsamenhangendheid. Wellicht de succesvolste wat betreft het volhouden van thematische samenhang in een kunstwerk is de robotschilder Aaron van Harold Cohen die ik later zal bespreken. De voornaamste reden van Aarons succes is de detaillering van zijn uitgebreide kennisdatabase waaraan Cohen dertig jaar lang, regel voor regel, heeft gewerkt.

## Jammen met je computer

Omdat deze systemen zo vaak origineel zijn, werken ze uitstekend samen met menselijke kunstenaars, en op deze manier hebben computers al een hervormend effect gehad op de kunst. In de muziek is deze trend het verst gevorderd. Muziek heeft van oudsher gebruikgemaakt van de meest geavanceerde technieken die maar beschikbaar waren; het ambacht om kasten te maken in de achttiende eeuw; de metaalbewerkingsindustrie van de negentiende eeuw; de analoge elektronica in de jaren zestig. Tegenwoordig wordt vrijwel alle commerciële muziek – platen, film- en televisiesoundtracks – gecomponeerd op computermuziekwerkstations die de geluiden produceren en verwerken, opnemen en de opeenvolging van de noten manipuleren, de muzieknotatie genereren en zelfs automatisch ritmepatronen, basloopjes en melodische sequenties en variaties voortbrengen.

Tot voor kort was de techniek van het bespelen van een instrument onlosmakelijk verbonden met de gecreëerde geluiden. Als je vioolgeluiden wilde horen dan moest je vioolspelen. De speeltechnieken waren afgeleid van de fysieke vereisten van het scheppen van het geluid. Nu bestaat dat verband niet meer. Als je houdt van de techniek om fluit te spelen, of je hebt die techniek pas geleerd, dan kun je nu een elektronische blazerscontroller gebruiken die precies speelt als een akoestische fluit en niet alleen de geluiden van een groot aantal verschillende fluiten produceert, maar ook van vrijwel elk ander instrument, akoestisch of elektronisch. Nu zijn er controllers die de speeltechniek emuleren van de meeste populaire akoestische instrumenten, waaronder de piano, viool, gitaar, drums en een groot aantal blaasinstrumenten. Omdat we niet langer zijn beperkt tot het fysiek akoestisch scheppen van geluiden verschijnt er een nieuwe generatie controllers die niet lijken op conventionele akoestische instrumenten, maar die in plaats daarvan de menselijke factoren van het maken van muziek met onze vingers, armen, voeten, mond en hoofd trachten te optimaliseren. Alle geluiden kunnen nu polyfoon worden gespeeld en ze kunnen worden gelaagd (tegelijkertijd worden gespeeld) en met elkaar worden gesequenteerd. Ook is het niet meer noodzakelijk muziek in real time te spelen – muziek kan met een bepaalde snelheid worden uitgevoerd en met een andere snelheid worden afgespeeld zonder de toonhoogte of andere kenmerken van de noten te veranderen. Allerlei soorten beperkingen uit de oude doos zijn overwonnen, en zo kan een tiener in zijn slaapkamer klinken als een symfonieorkest of een rockgroep.

## Een muzikale Turingtest

In 1997 organiseerde Steve Larson, hoogleraar muziek aan de University of Oregon, een muzikale variant op de Turingtest door een publiek te laten proberen te bepalen welk van de drie muziekstukken was geschreven door een computer en welk twee eeuwen geleden was geschreven door een mens met de naam Johann Sebastian Bach. Larson voelde zich maar een klein beetje beledigd toen het publiek zijn eigen stuk koos als de compositie van de computer, maar hij voelde zich gewroken toen het publiek het stuk dat was geschreven door het computerprogramma EMI (Experimenten in muzikale intelligentie) koos als de originele compositie van Bach. Douglas Hofstadter, van oudsher een observeerder van (en een contribuant aan) de vooruitgang van machine-intelligentie, noemt EMI, geschreven door de componist David Cope, 'het meest tot nadenken stemmend project binnen de kunstmatige intelligentie dat ik ooit ben tegengekomen.'[1]

Misschien nog succesvoller is het programma Improvisor dat werd geschreven door Paul Hodgson, een Engelse saxofonist. Improvisor kan stijlen emuleren die variëren van Bach tot jazzcoryfeeën als Louis Armstrong en Charlie Parker. Het programma kent zijn eigen fans. Hodgson zelf zegt, 'Als ik pas in een stad zou zijn aangekomen en ik hoorde iemand spelen op de manier van de Improvisor, dan zou ik graag meespelen.'[2]

En alweer is de zwakte van de gecomputeriseerde composities van nu een zwakte in context. 'Als ik drie seconde EMI opzet en ik mezelf afvraag "Wat was dat?" dan zou ik antwoorden: "Bach,"' zegt Hofstadter. Langere passages zijn niet altijd zo succesvol. Vaak 'lijkt het of je luistert naar willekeurige regels van een sonnet van Keats. Je vraagt je af wat er die dag met Keats aan de hand was. Was hij stomdronken?'

## De literaire machine

Een vraag: Welke misdadiger heeft er altijd zin in?

Het antwoord: Een lustmoordenaar.

Ik haast me om toe te geven dat ik deze woordspeling niet zelf heb verzonnen. Ze werd geschreven door een computerprogramma genaamd JAPE (Joke Analysis and Production Engine, Middel om grappen te analyseren en te produceren) dat werd geschreven door Kim Binsted. JAPE is de *state-of-the-art* in het geautomatiseerd schrijven van slechte woordspelingen. In tegenstelling tot EMI is JAPE niet geslaagd voor een gemodificeerde Turingtest waarbij hij het op moest nemen tegen de menselijke komiek Steve Martin. Het publiek gaf de voorkeur aan Martin.[3]

De literaire kunst ligt achter op de muziek wat betreft het gebruik van technologie. Dat heeft waarschijnlijk te maken met de diepgang en de complexiteit van proza, zelfs alledaags proza. Turing was zich bewust van die kenmerken toen hij zijn Turingtest baseerde op de vaardigheid van mensen om overtuigende geschreven taal te produceren. Desalniettemin bieden computers belangrijke praktische voordelen aan degenen onder ons die geschreven werken scheppen. De eenvoudige tekstverwerker heeft de grootste invloed gehad. Tekstverwerking is als zodanig geen kunstmatige technologie en is ontleend aan teksteditors die in de jaren zestig werden ontwikkeld in de kunstmatige-intelligentielaboratoria van MIT en elders.

Dit boek heeft duidelijk geprofiteerd van het voorhanden zijn van linguïstische databases, spellingcheckers en on-linewoordenboeken, om over de enorme onderzoeksbronnen van het Internet maar te zwijgen. Een groot deel van dit boek heb ik naar mijn computer gedicteerd met een continue-spraakherkenningsprogramma genaamd Voice Xpress Plus van de afdeling dicteren van Lernout & Hauspie (voorheen Kurzweil Applied Intelligence), dat halverwege het schrijven van dit boek op de markt kwam. Wat betreft automatische grammatica- en stijlcheckers, ik moest die specifieke specialiteit van Microsoft Word uitzetten omdat het grootste deel van mijn zinnen niet werd goedgekeurd. Ik laat de kritiek op de stijl van dit boek over aan mijn menselijke lezers (in ieder geval deze keer nog).

Een groot aantal programma's helpt schrijvers brainstormen. ParaMind produceert bijvoorbeeld 'nieuwe ideeën van jouw ideeën', volgens de eigen beschrijving.[4] Andere programma's laten schrijvers ingewikkelde geschiedenissen, karakteriseringen en wisselwerkingen tussen individuen natrekken in uitgebreide romans, romanseries en televisieseries.

Programma's die volkomen originele werken schrijven zijn bijzonder uitdagend omdat de menselijke lezers zich uitstekend bewust zijn van de talloze syntactische en semantische vereisten van verstandige geschreven taal. Musici, cybernetisch of anderszins, kunnen wel wegkomen met wat meer inconsistentie dan schrijvers.

Met dat laatste in gedachte kunnen we het volgende bekijken.

## Een verhaal over verraad

David Striver hield van de universiteit. Hij hield van haar met klimop begroeide torens, haar oude en stevige bakstenen en haar zonovergoten grasvelden en enthousiaste jeugd. Hij hield ook van het feit dat de universiteit is gevrijwaard van de pure onverzoenlijke beproevingen van de zakenwereld – alleen dat is niet waar: de Academie kent haar eigen tests en sommige daarvan zijn net zo ongenadig als welke test dan ook in de zakenwereld. Een prachtvoorbeeld is het verdedigen van je proefschrift: Om te promoveren, om doctor te worden, moet je een mondeling examen afleggen over je proefschrift. Dat was een test die professor Edward Hart graag afnam.

Dave wilde vreselijk graag promoveren. Maar op de eerste pagina van zijn proefschrift had hij de handtekeningen van drie mensen nodig, onschatbare inscripties die er samen van getuigden dat hij zijn proefschrift met succes had verdedigd. Een van die handtekeningen diende afkomstig te zijn van professor Hart, en professor Hart had vaak – tegen anderen en tegen Dave – gezegd dat hij zich vereerd voelde om Dave zijn welverdiende droom te helpen verwezenlijken.

Ruim vóór de promotie gaf Striver Hart een voorlaatste kopie van zijn verhandeling. Hart las die en zei tegen David dat zijn proefschrift absoluut eersteklas was en dat hij het met genoegen bij de verdediging zou tekenen. Ze gaven elkaar zelfs een hand in de met boeken bezaaide werkkamer van Hart. Het viel Dave op dat de ogen van Hart helder en vol vertrouwen stonden en dat zijn houding vaderlijk was.

Tijdens de verdediging kreeg Dave de indruk dat hij hoofdstuk drie van zijn proefschrift welbespraakt had samengevat. Er werden twee vragen gesteld, een door professor Rogers en een door dr. Meteer; Dave beantwoordde ze beide, kennelijk tot ieders tevredenheid. Verder waren er geen tegenwerpingen.

Professor Rogers tekende. Hij schoof het boek door naar Meteer; ook zij tekende en schoof het naar Hart. Hart maakte geen beweging.

'Ed?' vroeg Rogers.

Hart bleef bewegingloos zitten. Dave voelde zich wat duizelig worden.

'Edward, ga je nu nog tekenen?'

Later zat Hart alleen in zijn werkkamer in zijn grote leren stoel. Hij was treurig omdat Dave had gefaald. Hij zat te denken hoe hij Dave kon helpen zijn droom te realiseren.

Goed, dat is het einde. Ik geef toe dat het verhaal een beetje uitdooft, het eindigt met geruis in plaats van met een knal. Schrijfster en redactrice Susan Mulcahy uit Seattle noemde het verhaal 'amateuristisch' en had kritiek op de woordkeuze en de grammatica van de auteur. Maar Mulcahy was desondanks verrast en onder de indruk toen ze te horen kreeg dat de schrijver een computer was. Het programma dat het verhaal schreef, BRUTUS 1, werd geschreven door Selmer Bringsjord, Dave Ferucci en een team softwaredeskundigen aan het Rensselaer Polytechnic Institute. Kennelijk is BRUTUS 1 een expert op het gebied van verraad, een concept dat Bringsjord en Ferucci de computer acht jaar lang nauwgezet hebben bijgebracht. De onderzoekers erkennen dat hun programma naast verraad andere onderwerpen moet leren. 'Belangwekkendheid combineert in werkelijkheid alle emoties', zeggen Bringsjord en Ferucci, en dat is iets wat de cybernetische schrijvers nog niet kunnen.[5]

## De cybernetische dichter

Nog een voorbeeld van een gecomputeriseerde schrijver is een computerprogramma dat ik heb ontwikkeld, Ray Kurzweil's Cybernetic Poet (RKCP). RKCP is een computergegenereerd poëziesysteem dat taalvormende technieken gebruikt om automatisch volkomen originele poëzie te genereren op basis van gedichten die het heeft 'gelezen'.[6]

RKCP leest een keuze uit gedichten van een bepaalde schrijver of schrijvers (bij voorkeur een uitgebreide selectie) en schept dan een 'taalmodel' van het werk van die schrijver gebaseerd op Markov-modellen, een wiskundig neefje van neurale netwerken. RKCP kan dan naar dat model originele gedichten schrijven. Zoals ik al eerder heb besproken gebruikt RKCP een recursief algoritme om gedichten te genereren om zo stijl, ritmepatronen en structuur te bereiken van de oorspronkelijke dichters van wie de gedichten waren geanalyseerd. Er bestaan ook algoritmen om gedurende het hele gedicht consequent te blijven. De gedichten lijken qua stijl op die van de oorspronkelijk geanalyseerde schrijver, maar vormen volkomen originele nieuwe poëzie. Het systeem kent zelfs regels om zichzelf te ontmoedigen om plagiaat te plegen.

Je kunt een gratis exemplaar van RKCP downloaden op www.kurzweiltech.com.

Hieronder volgt een klein aantal gedichten, geschreven door Ray Kurzweil's Cybernetic Poet nadat het programma gedichten had 'gelezen' van zowel diverse beroemde dichters als van minder bekende hedendaagse dichters.

*Gedichten van Ray Kurzweil's Cybernetic Poet*

BLADZIJDE
Een haiku geschreven door Ray Kurzweil's Cybernetic Poet na het lezen van gedichten van Wendy Dennis

*Een uitstapje naar onder aan de bladzijde*
*Via de leeuwin*
*Die in mijn ziel is genesteld*

VERBEELD JE NU EN ZING
Een gedicht geschreven door Ray Kurzweil's Cybernetic Poet na het lezen van gedichten van Wendy Dennis en Ray Kurzweil en liefdesgedichten van diverse dichters

*Verbeeld je nu en zing,*
*Creëer mythen*
*Die diamanten vormen van de vallende sneeuw*

ZIEL
Een haiku geschreven door Ray Kurzweil's Cybernetic Poet na het lezen van gedichten van John Keats en Wendy Dennis

*Jij brak mijn ziel*
*Levenssap van de eeuwigheid,*
*De levenskracht van mijn lippen.*

IK DENK DAT IK GA INSTORTEN
Een gedicht geschreven door Ray Kurzweil's Cybernetic Poet na het lezen van gedichten van Ray Kurzweil, Robert Frost en Wendy Dennis

*Ik denk dat ik ga instorten.*
*Alleen voor mezelf met God*
*Vrede bij een vreemd geluid*
*Voor mijzelf in mijn hart?*
*En het leven huilt*
*Vanuit een bloedend hart*
*Van takken die buigen*
*Dergelijke paden ervan,*
*Van takken die buigen*
*Dergelijke paden van koelte*
*Weet dat we er zijn geweest*

HET VERSTIKKENDE BEDOMPTE
Een haiku geschreven door Ray Kurzweil's Cybernetic Poet na het lezen van gedichten van Patricia Camarena Rose en Wendy Dennis

*Het verstikkende bedompte*
*Katholieke klaslokaal*
*Waar ik niet echt kan zijn.*

BENIEUWD ZIJN
Een gedicht geschreven door Ray Kurzweil's Cybernetic Poet na het lezen van gedichten van Dave Gitomer

*Vandaag was ik benieuwd*
*Als ik mijmerde*
*Vandaag zag ik je*
*Ik leerde*
*Groot respect en jij*
*Als ik benieuwd was*
*Als ik mijmerde*
*Vandaag had ik één wens*
*Als ik jou zag*
*Als ik jou zag*
*Als ik één wens had*

KIND VAN DE MAAN
Een haiku geschreven door Ray Kurzweil's Cybernetic Poet na het lezen van gedichten van Kathleen Frances Wheeler

*Gek kind van de maandag*
*Onttrek je aan je doodkist*
*Om je ondergang te verhinderen*

ENGEL
Een gedicht geschreven door Ray Kurzweil's Cybernetic Poet na het lezen van gedichten van Patricia Camarena Rose en Sue Klapes Kelly

*Stralen van het ochtendgloren in de richting van de engel*
*Met een kalme, stille zee*
*Met honderd keer schrijven wij,*
*Met een kans dat we een gestaag ritme*
*Kunnen openen in zijn gezicht*
*Stille kamer*
*Verlaten strand*
*Verspreide resten van liefde.*

KATER
Een haiku geschreven door Ray Kurzweil's Cybernetic Poet na het lezen van gedichten van Randy en Kathryn Lynn

*Een oude gele kater*
*Ligt tevreden te slapen*
*Zijn hart spint*

LANGE JAREN GINGEN VOORBIJ
Een gedicht geschreven door Ray Kurzweil's Cybernetic Poet na het lezen van gedichten van Randy en Kathryn Lynn

*Lange jaren gingen voorbij.*
*Ik denk aan vaarwel.*
*Stevig opgesloten in de nacht*
*Denk ik aan hartstocht;*
*Aangetrokken tot blauw, de nacht*
*Tijdens de bladzijde*
*Mijn verspreide stukken van het leven*
*Kijken naar de vreugde*
*Verspreide stukken van liefde*
*Mijn verspreide stukken van liefde*
*Zijn verschraald*

SANDALEN
Een haiku geschreven door Ray Kurzweil's Cybernetic Poet na het lezen van gedichten van Kimberly McLaughlin en Ray Kurzweil

*Verspreide sandalen*
*Een terugroeping naar mijzelf,*
*Zo hol dat ik zou echoën.*

## De beeldende kunsten

De beeldende kunsten liggen wat betreft de invloed van computers tussen muziek en literatuur in. Een groot deel van de beeldende kunsten wordt geschapen met behulp van schilder- en illustratiesoftware die zowel de effecten van conventionele materialen zoals penseelstreken kunnen simuleren als een uitgebreide reeks technieken kunnen uitvoeren die alleen maar kunnen worden gerealiseerd op een computer. Recent hebben computers ook het grootste gedeelte van het monteren van video's en film overgenomen.

Het Internet staat vol met de artistieke inspiraties van cybernetische kunstenaars. Een populaire techniek is het evolutionaire algoritme dat de computer een schilderij laat uitdenken door het honderden of duizenden keren opnieuw te schilderen. Mensen zouden deze benadering lastig vinden – ze zouden onder andere een hoop verf verspillen. Mutator, de creatie van beeldhouwer William Latham en software-ontwikkelaar Stephen Todd van IBM in Winchester, Engeland, maakt gebruik van de evolutionaire benadering, net zoals een programma van Karl Sims, een kunstenaar en wetenschapper bij Genetic Arts in Cambridge, Massachusetts.[7]

Harold Cohen is vermoedelijk de meest toonaangevende beoefenaar van door computers gegenereerde beeldende kunst. Zijn gecomputeriseerde robot Aaron ontwerpt en schept al twintig jaar tekeningen en schilderijen. Deze beeldende kunstwerken zijn volkomen origineel, geheel gemaakt door de computer, en ze worden afgeleverd met echte verf. Cohen heeft meer dan dertig jaar besteed om zijn programma de vele aspecten van het artistieke proces bij te brengen, waaronder compositie, tekenen, perspectief, kleur en een uiteenlopende reeks stijlen. Hoewel Cohen het programma zelf schreef zijn de schilderijen die het produceert toch altijd een verrassing voor hem.

Men vraagt Cohen vaak aan wie de eer toekomt voor de resultaten van zijn onderneming die in musea over de hele wereld zijn tentoongesteld.[8] Cohen neemt die eer graag op zich en Aaron is niet geprogrammeerd om te klagen. Cohen is er trots op dat hij de eerste kunstenaar in de geschiedenis zal zijn die een postume tentoonstelling kan krijgen van volkomen originele werken.[9]

*Schilderijen van Aaron, geprogrammeerd door Cohen*

Deze vijf originele schilderijen werden geschilderd door Aaron, een gecomputeriseerde robot die is gebouwd en geprogrammeerd door Harold Cohen. Deze schilderijen zijn in kleur, maar worden hier afgebeeld in zwart-wit. Je kunt de schilderijen in kleur zien op de website van dit boek: www.penguinputnam.com/kurzweil.[10]

# VOORSPELLINGEN VAN HET HEDEN

Nu er een nieuw millennium gestart is, bestaat er bepaald geen tekort aan mensen die vooruitlopen op hoe de nieuwe eeuw zal zijn. Futurisme kent een lange maar niet bepaald een indrukwekkende geschiedenis. Een van de problemen met toekomstvoorspellingen is dat het, tegen de tijd dat het duidelijk is dat ze weinig leken op wat er echt gebeurde, te laat is om je geld nog terug te krijgen.

Misschien komt dat omdat we zo ongeveer iedereen maar voorspellingen laten doen. Misschien moeten we futurismebevoegdheid eisen om te mogen voorspellen. Een van de eisen zou moeten luiden dat in een terugbik tenminste de helft van de voorspellingen van tien jaar of langer geleden niet volkomen beschaamd wordt. Zo'n bevoegdheidsprogramma zou een traag proces zijn, en ik vrees dat het in strijd is met de grondwet.

Om te laten zien waarom futurisme zo'n slechte reputatie heeft volgen hier een paar voorbeelden van voorspellingen van mensen die normaalgesproken intelligent zijn.

*'De telefoon kent te veel tekortkomingen om serieus in overweging te worden genomen als communicatiemiddel.'*

Directeur van Western Union, 1876

*'Vliegmachines die zwaarder zijn dan lucht zijn onmogelijk.'*

Lord Kelvin, 1895

*'De belangrijkste fundamentele wetten en feiten van de natuurkunde zijn allemaal al ontdekt, en die zijn nu zo stevig ingeburgerd dat de mogelijkheid dat ze ooit zullen worden aangevuld met nieuwe ontdekkingen uiterst gering is.'*

Albert Abraham Michelson, 1903

*'Vliegtuigen hebben geen militaire waarde.'*

Professor Marshal Foch, 1912

*'Ik denk dat er op de hele wereld een markt is voor misschien vijf computers.'*

Thomas Watson, president-directeur van IBM, 1943

*'Wellicht wegen computers in de toekomst niet meer dan 1,5 ton.'*

*Popular Mechanics*, 1949

*'Het lijkt erop dat we de grenzen van het mogelijke van wat er te bereiken valt met computertechnologie hebben bereikt, hoewel je met dergelijke stellingen voorzichtig moet zijn omdat ze de neiging hebben binnen vijf jaar volkomen belachelijk te klinken.'*

John von Neumann, 1949

*'Voor particulieren bestaat er geen reden om thuis een computer te hebben.'*

Ken Olson, 1977

*'640.000 bytes aan geheugen dient genoeg te zijn voor iedereen.'*

Bill Gates, 1981

*'Lang voor het jaar 2000 ligt het hele ouderwetse systeem van universitaire titels, hoofdvakken en studiecertificaten aan duigen.'*

Alvin Toffler

*'Het Internet stort in 1996 fataal in elkaar.'*

Robert Metcalfe (de uitvinder van Ethernet)
die in 1997 zijn woorden (letterlijk) voor een publiek opat.

Nu ga ik mijn eigen loftrompet steken en jullie mijn voorspellingen die bijzonder goed uitkwamen mededelen. Maar als ik terugblik op de vele voorspellingen die ik de laatste twintig jaar heb gedaan dan moet ik zeggen dat ik er niet een heb gevonden die ik erg beschamend vind (met uitzondering misschien van een paar bedrijfsplannen uit mijn begintijd).

*The Age of Intelligent Machines*, geschreven in 1987 en 1988, en andere artikelen die ik heb geschreven aan het einde van de jaren tachtig, bevatten een groot aantal voorspellingen van mij voor de jaren negentig, waaronder:[11]

- *Voorspelling*: Een computer zal de menselijke wereldkampioen schaken rond 1998 verslaan, en als resultaat daarvan zullen we het schaken minder hoog aanslaan.
  *Wat er gebeurde*: Zoals ik al heb gezegd zat ik er één jaar naast. Sorry.
- *Voorspelling*: De waarde van grondstoffen zal gestaag blijven dalen en het grootste deel van de nieuwe rijkdom zal worden geschapen in de kennisomvang van producten en diensten, en dat leidt tot een aanhoudende economische groei en welvaart.
  *Wat er gebeurde*: Zoals voorspeld komt alles goed uit (behalve, zoals ook voorspeld, voor langetermijninvesteerders in grondstoffen die de laatste tien jaar 40% in waarde zijn gedaald). Zelfs de mate waarin politici, van de president tot leden van het Congres, worden gewaardeerd staat op het hoogste punt ooit bereikt. Maar de sterke economie heeft meer te maken met Bill van het Washington aan de westkust dan met Bill van het Washington aan de oostkust. Niet dat meneer Gates de hoogste eer verdient, maar de drijvende economische kracht in de hedendaagse wereld is informatie, kennis en de daaraan gerelateerde computertechnologieën. Alan Greenspan, directeur van de Federal Reserve (Centrale Bank), heeft onlangs bevestigd dat de hedendaagse ongekende en voortdurende welvaart en economische groei te danken is aan de toegenomen efficiëntie die voortkomt uit de informatietechnologie. Greenspan negeert het feit dat het grootste deel van die nieuwe rijkdom die wordt ge-

creëerd zelf bestaat uit informatie en kennis – alleen al in Silicon Valley een biljoen dollar. De toegenomen efficiëntie is slechts een deel van het verhaal. De nieuwe rijkdom in de vorm van marktkapitalisatie van aan computers gerelateerde bedrijven (voornamelijk software) is reëel en substantieel, en bijzonder succesvol.

De subcommissie Bankwezen van het Amerikaanse Huis van Afgevaardigden maakte bekend dat in een periode van acht jaar van 1989 tot 1997 de totale waarde van Amerikaanse duurzame goederen en onroerend goed slechts met 33 procent was gestegen, van 9,1 biljoen tot 12,1 biljoen dollar. De waarde van bankdeposito's en kredietinstrumenten steeg met slechts 27 procent, van 4,5 biljoen tot 5,7 biljoen dollar. De waarde van aandelen daarentegen steeg met een onthutsende 239 procent, van 3,4 biljoen tot 11,4 biljoen dollar! De belangrijkste motor achter deze stijging is de snel groeiende kennisomvang van producten en diensten en bovendien de verhoogde efficiëntie die door de informatietechnologie werd aangemoedigd. Daar wordt nieuwe rijkdom geschapen.

Informatie en kennis worden niet beperkt door de verkrijgbaarheid van materiële bronnen, en in overeenstemming met de wet van de versnellende opbrengsten zullen ze exponentieel blijven doorgroeien. Onder de wet van de versnellende *opbrengsten* vallen ook financiële opbrengsten. Een belangrijk voortvloeisel van de wet is voortdurende economische groei.

Terwijl ik dit boek schrijf, heerst er een aanzienlijke crisis in Japan en andere Aziatische landen. De Verenigde Staten hebben druk uitgeoefend op Japan om de economie te stimuleren met belastingverlagingen en overheidsgelden. Er is echter weinig aandacht besteed aan de kernoorzaak van de crisis, de staat waarin de software-industrie in Azië verkeert en de behoefte aan effectieve zakelijke instellingen die het creëren van software en andere vormen van kennis bevorderen. Daaronder vallen ook durf- en privé-risicokapitaal,[12] uitgebreide distributie van aandelenopties voor werknemers, en premies die het nemen van risico's aanmoedigen en belonen. Hoewel Azië die richting is opgegaan zijn deze nieuwe economische onvermijdelijkheden sneller gegroeid dan de meeste waarnemers hadden verwacht (en hun belang zal in overeenstemming met de wet van de versnellende opbrengsten blijven stijgen).

- *Voorspelling*: Een wereldwijd informatienetwerk dat vrijwel alle organisaties en tientallen miljoenen particulieren met elkaar verbindt zal ontstaan (okay, ik heb het woord Internet niet genoemd).

  *Wat er gebeurde*: Het Web ontstond in 1994 en won snel aan populariteit in 1995 en 1996. Het Web is een echt wereldwijd fenomeen, en producten en diensten in de vorm van informatie zwerven de wereld rond.

Het Web stoort zich niet aan wat voor grenzen dan ook. Een rapport van het Amerikaanse ministerie van Handel uit 1998 schreef aan het Internet toe dat het de belangrijkste factor was van de snelgroeiende economie en van de beteugeling van de inflatie. Er wordt voorspeld dat de handel op het Internet in het jaar 2000 de 300 miljard dollar zal passeren. De rapporten van de bedrijfstak stellen dat bedrag op ongeveer 1 biljoen dollar als alle onderlinge zakelijke transacties van bedrijven die over het Internet worden gesloten worden meegerekend.

- *Voorspelling*: Er ontstaat een nationale beweging die wil dat alle klaslokalen een Internetverbinding krijgen.
  *Wat er gebeurde*: De meeste staten (helaas met uitzondering van mijn eigen staat, Massachusetts) hebben jaarbudgetten van 50 tot 100 miljoen dollar om klaslokalen aan te sluiten en de daartoe benodigde computers en software te installeren. Alle studenten toegang verlenen tot de computer en het Internet is een nationale prioriteit. Veel leerkrachten blijven relatief digibeet, maar de kinderen leveren veel van de nodige kennis.
- *Voorspelling*: Bij gewapende conflicten wordt vrijwel blindelings vertrouwd op digitale afbeeldingen, patroonherkenning en andere op software gebaseerde technologieën. De kant met de slimste machines wint. 'Aan het begin van de jaren negentig vindt er een grondige verandering plaats in de militaire strategie. De meer ontwikkelde landen zullen steeds meer vertrouwen op "slimme wapens", waaronder elektronische copiloten, patroonherkenningstechnieken, en geavanceerde opsporings-, identificatie- en vernietigingstechnologieën.'
  *Wat er gebeurde*: Een paar jaar nadat ik *The Age of Intelligent Machines* schreef, bewees de Golfoorlog als eerste dit model. Op dit moment hebben de Verenigde Staten de meest geavanceerde, op computers gebaseerde wapens, en hun status als militaire supermacht blijft onbetwist.
- *Voorspelling*: Het overgrote deel van de commerciële muziek wordt gecreëerd met synthesizers die op computers zijn gebaseerd.
  *Wat er gebeurde*: De meeste muzikale geluiden die je op de televisie, bij de film en op platen hoort worden nu gemaakt op digitale synthesizers samen met sequencers en soundprocessors die op computers zijn gebaseerd.
- *Voorspelling*: Betrouwbare persoonsidentificatie met behulp van patroonherkenningstechnieken die worden toegepast op visuele en spraakpatronen zal in veel gevallen slot en sleutels vervangen.
  *Wat er gebeurde*: Persoonsidentificatietechnologieën die spraakpatronen en gezichtsvoorkomen gebruiken beginnen te worden toegepast in machines die cheques uitbetalen en die ingangen van gebouwen en terreinen controleren.[13]

- *Voorspelling*: Met de komst van de wijdverbreide elektronische communicatie in de Sovjet-Unie zullen niet te beheersen politieke krachten worden ontketend. Dat zullen 'methoden zijn die veel krachtiger zijn dan de fotokopieerapparaten die de autoriteiten van oudsher hebben verboden.' De autoriteiten zullen niet in staat zijn die te beheersen. De totalitaire beheersing van informatie zal zijn gebroken.
  *Wat er gebeurde*: De couppoging tegen Gorbatsjov in augustus 1991 werd voornamelijk ongedaan gemaakt door autotelefoons, faxapparaten, e-mail en andere vormen van wijdverspreide en voorheen niet verkrijgbare elektronische communicatie. In het algemeen droeg gedecentraliseerde communicatie in belangrijke mate bij tot het verbrokkelen van de gecentraliseerde totalitaire politieke en economische overheidscontrole in de voormalige Sovjet-Unie.
- *Voorspelling*: Veel documenten bestaan nooit op papier omdat ze informatie in de vorm van geluid of video bevatten.
  *Wat er gebeurde*: Webdocumenten bevatten gewoonlijk audio en video en dat kan alleen in hun webvorm.
- *Voorspelling*: Rond het jaar 2000 duiken chips op met meer dan een miljard componenten.
  *Wat er gebeurde*: We zitten precies op schema.
- *Voorspelling*: De technologie voor de 'cybernetische chauffeur' (zelfsturende auto's die speciale sensoren in het wegdek gebruiken) is aan het eind van de jaren negentig beschikbaar, en het toepassen ervan op de belangrijkste snelwegen wordt haalbaar in de loop van het eerste decennium van de eenentwintigste eeuw.
  *Wat er gebeurde*: Zelfsturende auto's worden getest in Los Angeles, Londen, Tokio en andere steden. In de loop van 1997 werden uitgebreide, succesvolle tests uitgevoerd op de Interstate 15 in Zuid-Californië. Stadsplanners beseffen nu dat geautomatiseerde stuurtechnologieën de capaciteit van de bestaande wegen drastisch zullen vergroten. Het installeren van de benodigde sensoren op een snelweg kost slechts ongeveer 10.000 dollar per 1,5 kilometer, en dat is weinig vergeleken met de kosten voor het aanleggen van nieuwe snelwegen: 1 tot 10 miljoen dollar per 1,5 kilometer. Geautomatiseerde snelwegen en zelfsturende auto's zullen ook een einde maken aan de meeste ongelukken op die wegen. Het consortium van het Amerikaanse National Automated Highway System (NAHS, Nationaal geautomatiseerd snelwegsysteem) voorspelt dat deze systemen gedurende het eerste decennium van de eenentwintigste eeuw zullen worden toegepast.[14]
- *Voorspelling*: In het begin van de jaren negentig duikt er continue-spraak-

## MIJN LEVEN MET MACHINES: EEN PAAR HOOGTEPUNTEN

Ik liep het podium op en speelde een compositie op een oude piano. Toen volgden de ja-of-nee-antwoorden. De voormalige Miss America Bess Myerson had geen tekst. Maar de filmster Henry Morgan, het tweede beroemde panellid van die aflevering van *I've Got a Secret* (Ik heb een geheim), raadde mijn geheim: het stuk dat ik had gespeeld was gecomponeerd door een computer die ik had gebouwd en geprogrammeerd. Later dat jaar had ik met andere winnaars natuurwetenschap van de middelbare school een ontmoeting met president Johnson.

Op de universiteit had ik een bedrijf dat met behulp van een computerprogramma jongeren van de middelbare school hielp een passende universiteit te vinden. We moesten duizend dollar per uur betalen als huur voor de enige computer in Massachusetts met het verbazingwekkende kerngeheugen van één miljoen bytes, daarom konden we tegelijkertijd alle informatie die we hadden over de drieduizend universiteiten van het land in het geheugen stoppen. We kregen veel brieven van jongeren die vreselijk blij waren met de universiteit die ons programma had gesuggereerd. Er waren echter ook wat ouders die woedend waren omdat we Harvard niet hadden aangeraden. Dit was de eerste keer dat ik in aanraking kwam met het vermogen van computers om het leven van mensen te veranderen. Ik heb dat bedrijf verkocht aan Harcourt, Brace & World, een uitgever uit New York, en ging andere ideeën uitwerken.

Toevallig zat ik in een vliegtuig naast een blinde meneer, en hij legde me uit dat het enige echte nadeel dat hij ondervond het feit was dat hij niet gewoon gedrukt materiaal kon lezen. Het was duidelijk dat zijn visuele onvermogen geen handicap vormde bij het reizen of het communiceren. Zo vond ik het probleem waarnaar we zochten – we zouden onze 'omni-font'-(*elk* lettertype)OCR-technologie kunnen gebruiken om deze voornaamste handicap van blindheid te overwinnen. We konden toen nog niet beschikken over de alomtegenwoordige scanners of tekst-naar-spraaksynthesizers van nu, dus moesten we die technologieën ook creëren. Aan het eind van 1975 combineerden we die drie nieuwe technologieën die we hadden ontwikkeld, omni-font-OCR, CCD(Charge Coupled Device)-flatbedscanners en tekst-naar-spraaksynthese, en maakten we de eerste tekst-naar-spraakmachine voor blinden. De Kurzweil Reading Machine (KRM) kon gewone boeken, weekbladen en andere gedrukte documenten hardop voorlezen zodat een blinde alles kon lezen wat hij maar wilde.

In januari 1976 kondigden we de KRM aan en we leken weerklank te vinden. Alle nieuwsprogramma's van alle omroepen vermeldden het verhaal in hun avondeditie, en Walter Cronkite gebruikte de machine om zijn gebruikelijke afkondiging hardop te laten voorlezen: 'En zo was het, die dertiende januari van 1976.'

Kort na de aankondiging werd ik uitgenodigd bij het programma *Today*, en dat was een beetje zenuwslopend omdat we maar één werkende machine hadden. En natuurlijk stopte die machine ermee, slechts een paar uur voordat ik live op de televisie in het hele land zou komen. Onze hoofdtechnicus haalde verwoed de machine uit elkaar, en de elektronicaonderdelen en kabels lagen over de hele vloer van de set verspreid. Frank Field – de man die me zou gaan interviewen – liep langs en vroeg of alles in orde was. 'Natuurlijk, Frank,' antwoordde ik, 'we stellen de machine op het laatste moment nog even bij.'

Onze hoofdtechnicus zette de machine weer in elkaar, maar die werkte nog steeds niet. Uiteindelijk gebruikte hij een beproefde methode om verfijnde elektronische apparaten te repareren, en ramde de leesmachine tegen een tafel. Vanaf dat moment werkte de machine prima. Het live televisiedebuut verliep daarna gladjes.

Stevie Wonder had te horen gekregen dat we in het programma *Today* waren verschenen, en hij besloot het verhaal zelf te verifiëren. Onze receptionist geloofde niet echt dat de persoon aan de andere kant van de telefoonlijn werkelijk de legendarische zanger was, maar ze verbond hem toch maar door naar mij. Ik nodigde hem uit om langs te komen en hij probeerde de machine. Hij smeekte ons om ervoor te zorgen dat hij zijn eigen leesmachine zou krijgen, en dus haalden we de hele fabriek overhoop om ons eerste productiemodel in elkaar te zetten (we wilden hem niet het prototype geven dat we in het programma *Today* hadden gebruikt omdat die nog enigszins beschadigd was). We demonstreerden Stevie het gebruik, en hij vertrok in een taxi met zijn nieuwe leesmachine naast zich.

Vervolgens pasten we de scan- en omni-font-OCR toe voor commercieel gebruik, bijvoorbeeld door het invoeren van gegevens in databases en in de wordprocessorcomputers die in opkomst waren. Nieuwe informatiediensten, bijvoorbeeld Lexus (een on-linedienst voor juridisch onderzoek) en Nexus (een nieuwsdienst), werden gebouwd met gebruikmaking van de Kurzweil Data Entry Machine om geschreven documenten te scannen en te herkennen.

In 1978, na jaren geld bij elkaar te hebben gescharreld voor onze onderneming, hadden we het geluk dat een groot bedrijf, Xerox, ons interessant vond en in ons investeerde. De meeste producten van Xerox brachten elektronische informatie over op papier. Ze zagen de scan- en OCR-technologie van Kurzweil als een brug van de wereld van papier terug naar de elektronische wereld, en dus kochten ze in 1980 het bedrijf. Je kunt nog steeds de OCR-software kopen die wij oorspronkelijk hebben ontwikkeld en die, voldoende bijgewerkt, nu Xerox TextBridge wordt genoemd en nog steeds de marktleider is.

Ik heb mijn relatie met Stevie Wonder voortgezet, en tijdens een van onze ontmoetingen in zijn nieuwe opnamestudio in Los Angeles in 1982 klaagde hij over de toestand van de wereld van muziekinstrumenten. Aan de ene kant was er de wereld van de akoestische instrumenten, bijvoorbeeld de piano, de viool en de gitaar, die de rijke, ingewikkelde geluiden voor de meeste muzikanten naar keuze produceerden. Hoewel deze instrumenten muzikaal gezien bevredigend waren, leden ze aan een heel arsenaal beperkingen. De meeste musici konden slechts één of twee verschillende instrumenten bespelen. En zelfs als je meer dan een instrument kon bespelen dan kon je nog steeds maar één instrument tegelijkertijd spelen. De meeste instrumenten produceren slechts één noot tegelijk. En er waren slechts zeer beperkte middelen om de geluiden vorm te geven.

Aan de andere kant had je de wereld van de elektronische instrumenten, en daar bestonden die controlebeperkingen niet. In de gecomputeriseerde wereld kon je een muziekregel opnemen op een sequencer en die regel terugspelen om er een andere sequentie overheen te spelen. Op die manier kon je regel voor regel een compositie met diverse instrumenten opbouwen. Verkeerde noten kon je bewerken zonder de hele sequentie opnieuw te moeten spelen. Je kon diverse geluiden laag voor laag opnemen, hun akoestische kenmerken wijzigen, liedjes spelen in niet-reële tijd en je kon een enorme verscheidenheid aan andere technieken gebruiken. Er was maar één probleem: de geluiden waarmee je moest werken in de elektronische wereld klonken erg ijl, zoiets als het geluid van een orgel, of een elektronisch orgel.

Zou het niet geweldig zijn, zo mijmerde Stevie, als we die fantastisch flexibele computergestuurde methoden konden gebruiken bij de prachtige geluiden van akoestische instrumenten? Ik dacht daarover na, en het klonk tamelijk realiseerbaar. Die ontmoeting resulteerde dus in het oprichten van Kurzweil Music Systems en omschreef zijn bestaansreden.

We gingen die twee muziekwerelden met Stevie Wonder als muzikaal adviseur combineren. In juni 1983 demonstreerden we een prototype van de Kurzweil 250 (K250) en in 1984 introduceerden we hem op de markt. De K250 wordt gezien als het eerste elektronische muziekinstrument dat met succes de ingewikkelde klankkleur van een vleugel en vrijwel alle andere orkestinstrumenten kon emuleren.

Daarvoor al speelde mijn vader, een bekend musicus, een rol in mijn interesse voor elektronische muziek. Voor zijn dood in 1970 zei hij me dat hij geloofde dat ik op een goede dag mijn interesse voor de computer zou combineren met mijn interesse voor muziek omdat hij het gevoel had dat er een natuurlijke affiniteit bestond tussen die twee. Ik herinner me dat toen mijn vader een van zijn composities voor orkest wilde horen hij een heel orkest moest inhuren. Dat betekende dat hij geld moest lospeuteren, dat hij handgeschreven bladmuziek moest stencilen, de juiste musici moest kiezen en inhuren, en een zaal moest huren waarin ze konden spelen. Pas na al die dingen te hebben gedaan kon hij zijn compositie voor de eerste keer horen. God verhoede als hij zijn compositie niet honderd procent goed vond zoals ze was, want dan moest hij de musici weer naar huis sturen, opnieuw dagen werken om de veranderde partituur met de hand te herschrijven, nog maar eens een keer geld lospeuteren, de musici weer eens inhuren en ze dan ook nog eens bij elkaar zien te krijgen. Tegenwoordig kan een musicus zijn multi-instrumentale compositie horen op een Kurzweil of een andere synthesizer, hij kan net zo gemakkelijk veranderingen aanbrengen als iemand een brief op een tekstverwerker verandert, en hij kan de resultaten onmiddellijk horen.

Kurzweil Music Systems heb ik in 1990 verkocht aan een Koreaans bedrijf, Young Chang, de grootste pianofabrikant ter wereld. Kurzweil Music Systems blijft een van de toonaangevende merken voor elektronische muziekinstrumenten in de wereld en verkoopt in vijfenveertig landen.

In 1982 startte ik Kurzweil Applied Intelligence op met het doel om een tekstverwerker te maken die door een stem kan worden geactiveerd. Die technologie kost nogal wat MIPs (oftewel computersnelheid) en megabytes (oftewel geheugen). Bij de oudere systemen moesten de gebruikers dus een korte pauze inlassen tussen de woorden... en... je... moest... ongeveer... zo... praten. We combineerden deze 'losse woorden'-spraakherkenningstechnologie met een medische database om een systeem te verkrijgen dat doktoren in staat stelde hun medische rapporten te schrijven door eenvoudigweg tegen hun computer te praten. Ons product, Kurzweil VoiceMed (nu Kurzweil Clinical Reporter) gidst de artsen eigenlijk door het rapportageproces. Ook introduceerden we een dicteerproduct voor algemene doeleinden, de Kurzweil Voice, waarmee gebruikers geschreven documenten konden maken door ze woord voor woord in de computer in te spreken. Dit product werd vooral populair bij mensen die een handicap aan hun handen hadden.

Precies dit jaar, dankzij de wet van de versnellende opbrengsten, werden computers snel genoeg om volledig continuë spraak te herkennen, en dus kan ik de rest van dit boek dicteren door tegen ons nieuwste product, Voice Xpress Plus, te praten met een snelheid van ongeveer honderd woorden per minuut. Natuurlijk krijg ik geen honderd woorden per minuut op papier omdat ik vaak van gedachte verander, maar Voice Xpress vindt dat niet erg.

Ook dit bedrijf hebben we verkocht, en wel aan Lernout & Hauspie (L&H), een groot spraak-en-taaltechnologiebedrijf met hoofdkwartier in België. Kort nadat in 1997 L&H ons bedrijf had overgenomen sloten we een strategische overeenkomst tussen de dicteerafdeling van L&H (voorheen Kurzweil Applied Intelligence) en Microsoft, waardoor onze spraaktechnologie vermoedelijk gebruikt zal worden door Microsoft in hun toekomstige producten.

L&H is ook de marktleider in tekst-naar-spraaksynthese en automatische vertaling. Dat bedrijf heeft nu dus alle noodzakelijke technologieën in huis voor de vertaaltelefoon. Zoals ik eerder al heb vermeld zijn we nu bezig met een technologiedemonstratie van een systeem waardoor je Nederlands kunt spreken met de persoon aan de andere kant van de telefoonlijn die je dan in het Engels hoort en omgekeerd. Uiteindelijk zul je met iedereen in de wereld kunnen bellen en wordt wat je zegt terstond vertaald in elke veelgebruikte taal. Natuurlijk blijft ons vermogen om elkaar niet te begrijpen intact.

Een andere toepassing van onze spraakherkenningstechnologie, en een van onze oorspronkelijke doeleinden, is een gehoorapparaat voor doven, in wezen het omgekeerde van een leesmachine voor blinden. Het apparaat zal door real time natuurlijke, continuë spraak te herkennen een dove in staat stellen om te lezen wat andere mensen zeggen, en daardoor overwinnen ze de voornaamste handicap die met doofheid wordt geassocieerd.

In 1996 heb ik een nieuw leestechnologiebedrijf opgericht, Kurzweil Educational Systems, dat zowel een nieuwe generatie tekst-naar-spraaksoftware voor ziende mensen met leesproblemen heeft ontwikkeld als een nieuwe leesmachine voor blinden. De versie voor de leesproblemen, de Kurzweil 3000, scant een gedrukt document, laat vervolgens de bladzijde precies zo op het scherm zien als in het originele document (bijvoorbeeld een boek of een tijdschrift) met inbegrip van alle kleurenafbeeldingen en foto's. Vervolgens leest het apparaat het document hardop voor en markeert het de afbeelding van de tekst terwijl die wordt voorgelezen. In wezen doet het wat een leraar lezen doet – die leest een leerling voor terwijl hij exact aanwijst wat wordt voorgelezen.

De toepassing van de technologie ten voordele van gehandicapte mensen geeft me juist de meeste bevrediging. Er bestaat een fortuinlijk verband tussen de vaardigheden van de huidige computers en de behoeften van een gehandicapte. Tegenwoordig maken we geen cybernetische genieën – nog niet. De intelligentie van onze huidige intelligente computers is beperkt en dat kan effectieve oplossingen opleveren voor de beperkte gebreken van een gehandicapte. Allang heb ik me persoonlijk ten doel gesteld handicaps die te maken hebben met lichamelijke ongeschiktheid te overwinnen met AI-technologieën. Wat betreft belangrijke fysieke en sensorische handicaps geloof ik dat we binnen een paar decennia het definitieve einde van handicaps kunnen inluiden. Als versterkers van de menselijke gedachte hebben computers een groot potentieel om de menselijke uitdrukkingskracht te assisteren en ons aller creativiteit uit te breiden. Ik hoop dat ik een rol kan blijven spelen om dat potentieel in goede banen te leiden.

Al deze projecten hadden de toewijding en het talent nodig van veel briljante personen op een uitgebreide reeks gebieden. Het is altijd opwindend om een nieuw product te zien – of te horen, en om te zien wat voor invloed het heeft op het leven van de gebruikers. Het was mij een groot genoegen om met dit grote aantal voortreffelijke mannen en vrouwen te mogen delen in dat creatieve proces en de vruchten die het heeft afgeworpen.

herkenning (CSR) met een grote woordenschat voor specifieke taken op.
*Wat er gebeurde*: Oei. Een vakgerichte CSR met een grote woordenschat dook pas rond 1996 op. Aan het eind van 1997 en het begin van 1998 werd CSR met een grote woordenschat en zonder specifiek vakgebied om geschreven documenten (dit boek, bijvoorbeeld) te dicteren commercieel geïntroduceerd.[15]

- *Voorspelling*: De drie technologieën die nodig zijn om telefoongesprekken te vertalen (waarbij je spreekt en luistert in één taal, bijvoorbeeld Nederlands, en waarbij degene met wie je belt je hoort in een andere taal, bijvoorbeeld Engels, en ook in die taal antwoordt) – continuespraakherkenning met een grote woordenschat die onafhankelijk is van de spreker (oftewel, training is voor een nieuwe spreker niet nodig), vertaling en spraaksynthese – zullen aan het eind van de jaren negentig van een voldoende niveau zijn om een systeem van de eerste generatie te waarborgen. We kunnen dus 'vertalende telefoons met een redelijk prestatieniveau in tenminste de populairdere talen vroeg in het eerste decennium van de eenentwintigste eeuw verwachten.'
*Wat er gebeurde*: Werkende spraakherkenning die onafhankelijk is van de spreker, in staat is continuë spraak te verwerken en een grote woordenschat kent is op de markt. Geautomatiseerde vertaling die snel websites vertaalt van de ene taal naar de andere is via onze webbrowser direct voorhanden. Tekst-naar-spraaksynthese is er voor een groot aantal talen al jaren. Bij Lernout & Hauspie (die in 1997 mijn bedrijf voor spraakherkenning, Kurzweil Applied Intelligence, hebben overgenomen) werken we aan een technologiedemonstratie van een vertalende telefoon. We verwachten dat een dergelijk systeem aan het begin van het eerste decennium van de eenentwintigste eeuw op de markt kan komen.[16]

## De uitdaging voor nieuwe Luddites

*Laten we eerst aannemen dat de computerwetenschappers erin zullen slagen om intelligente machines te ontwikkelen die alles beter kunnen dan de mensen. In dat geval wordt waarschijnlijk al het werk gedaan door enorme, zeer georganiseerde computersystemen, en mensen zullen niets meer hoeven te doen. Dan kan een van twee dingen gebeuren. De machines kunnen toestemming krijgen om hun eigen beslissingen te nemen, zonder menselijke supervisie, en in het andere geval kan de menselijke controle over de machines worden gehandhaafd.*
*Als de machines al hun eigen beslissingen mogen nemen dan kunnen we geen vermoeden hebben van de resultaten omdat het onmogelijk is om te gissen hoe dergelijke machines zich kunnen gedragen. We maken alleen maar duidelijk dat het lot van het menselijk ras in de handen van de machines ligt. Je zou kunnen stellen dat het menselijk ras nooit dom genoeg*

*zou zijn om alle macht aan de machines te geven. Maar we suggereren ook niet dat het menselijk ras vrijwillig de macht overgeeft aan de machines, en ook niet dat de machines moedwillig de macht grijpen. Wat we wel suggereren is dat het menselijk ras zichzelf wel eens gemakkelijk kan toestaan om naar een dergelijke afhankelijke toestand af te drijven dat het geen andere praktische keuze meer heeft dan alle beslissingen van de machines te accepteren. Als de maatschappij en haar problemen steeds ingewikkelder worden en machines steeds intelligenter dan zullen mensen machines steeds meer beslissingen voor hen laten nemen, eenvoudigweg omdat de beslissingen die de machines nemen betere resultaten opleveren dan beslissingen die genomen worden door mensen. Uiteindelijk kan een stadium worden bereikt waarin de beslissingen die nodig zijn om het systeem draaiende te houden zo ingewikkeld worden dat mensen ze niet meer op intelligente wijze kunnen maken. In dat stadium zijn machines wezenlijk de baas. Mensen zullen niet in staat zijn om de machines gewoon uit te zetten omdat ze er zo afhankelijk van zijn dat ze uitzetten neerkomt op zelfmoord.*

*Aan de andere kant is het mogelijk dat de mens zijn zeggenschap over de machine kan handhaven. In dat geval kan de gemiddelde mens de zeggenschap hebben over bepaalde privé-machines, bijvoorbeeld zijn auto of zijn persoonlijke computer, maar de zeggenschap over grote machinesystemen zullen in handen zijn van een kleine elite – net als nu, maar met twee verschillen. Vanwege verbeterde technieken zal die elite een grotere zeggenschap hebben over de massa; en omdat mensenwerk niet meer nodig zal zijn, is de massa overbodig, een waardeloze last voor het systeem. Als de elite meedogenloos is dan kan ze eenvoudigweg besluiten de massa van de mensheid op te ruimen. Als ze menselijk is dan gebruikt ze wellicht propaganda of andere psychologische of biologische technieken om het geboortecijfer te reduceren tot de massa van de mensheid uitsterft en de wereld voor de elite is. Of, als de elite bestaat uit zachtmoedige liberalen dan kan ze besluiten voor de rest van de mensheid de rol van de goede herder te spelen. Ze zal ervoor zorgen dat eenieders fysieke behoeften worden bevredigd, dat alle kinderen onder psychologisch hygiënische omstandigheden worden opgevoed, dat iedereen een gezonde hobby heeft om zich bezig te houden, en dat iedereen die ontevreden wordt een 'behandeling' ondergaat die zijn 'probleem' oplost. Het leven zal natuurlijk zo doelloos zijn dat mensen biologisch of psychologisch moeten worden geëngineered, hetzij om hun behoefte aan het machtsproces te verwijderen, hetzij om hun drang naar macht te 'sublimeren' in een of andere onschuldige hobby. Deze geconstrueerde mensen zijn misschien wel gelukkig in een dergelijke maatschappij, maar ze zijn absoluut zeker niet vrij. Ze zullen zijn teruggebracht tot de status van huisdieren.*

Theodore Kaczynski

De wevers uit Nottingham genoten een bescheiden maar gerieflijke levensstijl door hun bloeiende thuiswerk waarbij ze fijne kousen en kant maakten. Dat was al honderden jaren zo omdat hun solide familiebedrijfjes overgingen van generatie op generatie. Maar de uitvinding van de weefautomaat en andere automatische textielmachines aan het begin van de achttiende eeuw maakte een abrupt einde aan de middelen van bestaan van de wevers. De economische macht ging over van de handen van de weeffamilies naar die van de eigenaars van de machines.

In deze woelige tijden verscheen een jonge, zwak begaafde jongen, Ned Ludd, op het toneel die volgens de overlevering per ongeluk en door pure onhandigheid twee textielfabriekmachines kapotmaakte. Vanaf dat moment zou iedereen die, elke keer dat er machines in de fabriek op mysterieuze manier waren beschadigd, ervan werd verdacht die misdaad te hebben gepleegd, zeggen: 'Maar Ned Ludd heeft het gedaan.'

In 1812 vormden de wanhopige wevers een geheim gezelschap, een stadsguerrilla. Ze bedreigden fabriekseigenaren en stelden hun eisen, en velen van hen voldeden daaraan. Als je vroeg wie hun leider was dan kreeg je ten antwoord: 'Nou, generaal Ned Ludd natuurlijk.' Hoewel de Ludditen, zoals ze werden genoemd, hun geweld in het begin voornamelijk richtten op machines, braken later in dat jaar bloedige schermutselingen uit. De conservatieve regering tolereerde de Ludditen niet meer, en de beweging viel uiteen nadat prominente leden in de gevangenis waren gezet en opgehangen.[17]

Dat machines menselijke werkgelegenheid konden vervangen was voor de Ludditen geen intellectueel spelletje. Ze waren erachter gekomen dat hun manier van leven op de tocht stond. Voor de wevers was het een schrale troost dat er nieuwe, lucratievere werkgelegenheid was gecreëerd in de vorm van het ontwerpen, produceren en verkopen van de nieuwe machines. Er bestonden toen nog geen overheidsprogramma's om de wevers om te scholen tot automatiseringsontwerpers.

Hoewel de Ludditen er niet in waren geslaagd een gecontinueerde en levensvatbare beweging in het leven te roepen, bleven ze een invloedrijk symbool omdat machines de menselijke arbeiders bleven verdringen. Als een van de vele voorbeelden van het gevolg van de automatisering op de werkgelegenheid kan gelden dat aan het begin van de twintigste eeuw nog ongeveer eenderde van de bevolking van de Verenigde Staten betrokken was bij het produceren van landbouwproducten. Nu ligt dat percentage op ongeveer 3.[18] De boeren van honderd jaar geleden kun je niet troosten door erop te wijzen dat hun verloren werkgelegenheid uiteindelijk zou worden gecompenseerd door nieuwe banen in een toekomstige elektronica-industrie, of dat hun afstammelingen wel eens softwareontwerpers zouden kunnen worden in Silicon Valley.

De realiteit van verloren werkgelegenheid is vaak nopender dan de indirecte belofte van nieuwe banen in toekomstige nieuwe bedrijfstakken. Toen advertentiebureaus Kurzweils synthesizers gingen gebruiken om de soundtracks voor televisiereclame te maken in plaats van echte muzikanten in te huren, was de bond van muzikanten niet blij. We hebben erop gewezen dat de nieuwe computermuziektechnologie in feite gunstig was voor musici omdat ze de muziek spannender maakte. Industriële films gebruikten bijvoorbeeld vroeger orkestmuziek die van tevoren was opgenomen (omdat het beperkte budget voor een dergelijke film niet toestond dat er een heel orkest werd ingehuurd), en nu maken ze gebruik van oorspronkelijke muziek die door een muzikant met een synthesizer wordt gemaakt. Overigens was dit niet een argument dat hout sneed omdat de meeste bespelers van synthesizers geen lid van de vakbond bleken te zijn.

De filosofie van de Ludditen blijft bijzonder actueel als een ideologische trend, maar als politieke en economische beweging blijft ze net onder de oppervlakte van de hedendaags discussie. Het publiek lijkt te begrijpen dat het scheppen van nieuwe technologie de expansie van het economisch welzijn voedt. De statistieken laten duidelijk zien dat automatisering meer en betere banen schept dan ze elimineert. In 1870 hadden slechts 12 miljoen Amerikanen een baan, dat was ongeveer eenderde van de burgerbevolking. In 1998 steeg dat cijfer tot 126 miljoen banen voor ongeveer tweederde van de burgerbevolking.[19] Het bruto nationaal product per hoofd van de bevolking, gerekend in dollars van 1958, steeg van 530 dollar in 1870 naar ten minste tien keer dat bedrag nu.[20] Er vond een vergelijkbare verandering plaats in de effectieve koopkracht van de beschikbare banen. Deze verandering van 1000 procent in echte rijkdom heeft geresulteerd in een enorm verbeterde levensstandaard, betere medische verzorging, beter onderwijs en een substantiële verbetering van de mogelijkheden om hulpbehoevenden in onze maatschappij te helpen. Aan het begin van de Industriële Revolutie was de levensverwachting in Noord-Amerika en het noordwesten van Europa ongeveer zevenendertig jaar. Nu, twee eeuwen later, is die verdubbeld en neemt nog steeds toe.

De werkgelegenheid die is geschapen staat ook op een hoger plan. Sterker nog, een groot deel van de extra werkgelegenheid ligt precies in het verstrekken van intensiever onderwijs, dat nodig is voor de banen van vandaag. We besteden nu per hoofd van de bevolking bijvoorbeeld tien keer meer (in constante dollars) aan het openbaar onderwijs dan een eeuw geleden. In 1870 had slechts twee procent van de Amerikaanse volwassenen een middelbare-schooldiploma, terwijl dat aantal nu meer dan 80 procent bedraagt. In 1870 waren er slechts 52.000 universiteitsstudenten, nu 15 miljoen.

Het automatiseringsproces dat tweehonderd jaar geleden in Engeland begon – en zich nu in een almaar versnellend tempo voortzet (overeenkomstig de wet van de versnellende opbrengsten) – vernietigt banen aan de onderkant van de vaardigheidsladder en schept nieuwe aan de bovenkant van die ladder. Vandaar meer investeringen in onderwijs. Maar wat gebeurt er als die ladder hoger reikt dan de vaardigheden van de doorsnee menselijke bevolking, en uiteindelijk hoger dan de vaardigheden van elke mens, ondanks de onderwijsvernieuwingen?

Het antwoord kunnen we voorspellen aan de hand van de wet van de versnellende opbrengsten. Het luidt dat de ladder ondanks alles steeds hoger reikt, en dat impliceert dat mensen andere middelen zullen moeten gaan gebruiken om vaardiger te worden. Met onderwijs kun je ook niet alles bereiken. De enige manier voor onze soort om gelijke tred te houden is dat de mens meer capaciteiten krijgt via de computertechnologie die we hebben geschapen, oftewel, dat onze soort opgaat in zijn technologie.

Niet iedereen zal dat vooruitzicht aantrekkelijk vinden, en dus zal de kwestie van de Ludditen zich in de eenentwintigste eeuw verbreden van een angst over de bestaansmiddelen van de mens tot een angst om de wezenlijke aard van de mens. Het is echter niet aannemelijk dat de Ludditenbeweging het in de komende eeuw beter doet dan in de afgelopen twee eeuwen. Ze lijdt onder het gebrek aan een uitvoerbare alternatieve agenda.

Ted Kaczynski, die ik hierboven heb geciteerd uit zijn zogenaamde 'Unabomber Manifesto' getiteld *Industrial Society and Its Future* pleit voor een eenvoudige terugkeer naar de natuur.[21] Kaczynski heeft het niet over een contemplatief bezoek aan een negentiende-eeuws Walden, maar over de soort die al zijn technologie laat vallen en terugkeert naar een eenvoudiger tijd. Hoewel hij een meeslepend pleidooi houdt voor de gevaren en de nadelen die gepaard gingen met de industrialisatie is zijn voorgestelde beeld fascinerend noch haalbaar. Er is tenslotte te weinig natuur over om naar terug te keren en er zijn te veel mensen. In elk geval zitten we vast aan de technologie.

---

*Die Cybernetic Poet van jou heeft een paar interessante regels gedicht...*

Ik ben benieuwd naar jouw keuzes.

*Nou, als je naar de eerste paar gedichten kijkt van jouw collectie:*

> *Een uitstapje naar onder aan de bladzijde...*
> *Via de leeuwin / Die in mijn ziel is genesteld...*
> *Die diamanten vormen van de vallende sneeuw...*
> *Levenssap van de eeuwigheid, / De levenskracht van mijn lippen...*

*Maar de gedichten sporen niet altijd, als je begrijpt wat ik bedoel.*

Ja, lezers laten wat meer discontinuïteit toe in gedichten dan in proza. Het fundamentele probleem ligt in het feit dat de hedendaagse cybernetische kunstenaar het niveau van de context waartoe menselijke artiesten in staat zijn nog niet meester is. Dat is geen permanente beperking, natuurlijk. Uiteindelijk zijn wij degenen die moeite hebben om de diepte van de context waartoe computerintelligentie in staat is bij te houden ...

*Zonder enige hulp...*

Van computeruitbreidingen van onze intelligentie. Ja, precies.

Inmiddels is de Cybernetic Poet goed als hulp voor de inspiratie. Hoewel zijn gedichten niet altijd helemaal af zijn, kent hij wel enige echte kracht om unieke uitdrukkingswijzen te vinden. En dus kent het programma een gebruiksinstelling die The Poet's Assistant (het hulpje van de dichter) wordt genoemd. De menselijke gebruiker schrijft een gedicht in het venster van een tekstverwerker. The Poet's Assistant kijkt hoe hij schrijft en vult de rest van het scherm met suggesties, bijvoorbeeld 'Zo zou Robert Frost die versregel afmaken', of 'Hier heb je een paar rijmwoorden en/of alliteraties die Keats met dat woord heeft gebruikt', of 'Zo zou Emily Dickinson dat gedicht laten eindigen'. Als hij wordt gevoed met de gedichten van de menselijke auteur dan kan hij zelfs suggereren hoe de gebruiker zelf een versregel of een gedicht zou laten eindigen. Elke keer dat je weer een woord schrijft krijg je tientallen ideeën. Ze zijn niet allemaal zinvol, maar het is een goed alternatief voor de blocnote van de schrijver.

*Wat betreft die schilderijen van Cohen...*

Je bedoelt die van Aaron...

*Oh, ik ben denk ik niet zo ontvankelijk voor de gevoelens van Aaron...*

Omdat hij ze niet heeft...

*Nog niet, zeker? Maar wat ik wilde zeggen is dat Aarons schilderijen wel samenhang lijken te vertonen. Die schilderijen doen het wel voor mij.*

Ja, die Aaron van Cohen is waarschijnlijk het beste voorbeeld van een cybernetische visuele kunstenaar van het moment, en zeker een van de voornaamste voorbeelden van de computer in de kunst. Cohen heeft duizenden regels geprogrammeerd over alle aspecten van tekenen en schilderen, van de artistieke aard van geschilderde mensen, planten en objecten, tot compositie en kleurkeuze.

Vergeet niet dat Aaron niet probeert andere kunstenaars na te streven. Hij heeft zijn eigen serie stijlen, en dus kan zijn database tamelijk compleet zijn binnen zijn visuele domein. Natuurlijk kennen menselijke kunstenaars, zelfs de briljante, een grens aan hun domein. Aaron is wat betreft diversiteit van zijn kunst behoorlijk indrukwekkend.

*Okay, laten we overstappen op iemand die veel minder respectabel is. Jij citeerde Ted Kaczynski die het had over hoe het menselijk ras afstevent op afhankelijkheid van machines, en vervolgens geen andere keus heeft dan al de beslissingen van die machines te aanvaarden. Als je bedenkt wat je hebt gezegd over de gevolgen als alle computer ermee ophielden, zijn we dan al niet zover?*

Wat betreft die afhankelijkheid zijn we zeker al zo ver, maar nog niet wat betreft het niveau van de machine-intelligentie.

*Dat citaat was verbazingwekkend...*

Coherent?

*Ja, naar dat woord zocht ik.*

Het hele manifest van Ted Kaczynski is tamelijk goed geschreven, en dat zou je helemaal niet verwachten omdat hij meestal wordt afgeschilderd als een gek. In de woorden van professor James Q. Wilson van de University of California: 'Het taalgebruik is helder, precies en beheerst. Het onderwerp wordt subtiel en zorgvuldig ontwikkeld, en er is geen sprake van zelfs de minst wilde beweringen of irrationele speculatie die een gek zou afleveren.' En hij heeft een tamelijk groot aantal volgelingen verzameld onder de anarchisten en antitechnologen op het Internet...

*En dat is nou net het toppunt van technologie.*

Ja, lekker ironisch, nietwaar?

*Maar waarom heb je nu net Kaczynski geciteerd? Ik bedoel...*

Nou, zijn manifest is net zo'n overtuigende uiteenzetting over de psychologische vervreemding, sociale ontregeling, mishandeling van het milieu en andere mishandelingen en gevaren van het technologische tijdperk als elk ander manifest...

*Dat bedoel ik niet. Ik betwijfel of de Ludditen hem graag als symbool zien van hun ideeën. Je brengt hun beweging min of meer in diskrediet als je hem als hun woordvoerder gebruikt.*

Okay, dat bezwaar is legitiem. Ik denk dat ik mijn uitgebreide citaat kan verdedigen omdat het een belangrijk voorbeeld levert van een relevant fenomeen, het gewelddadige Ludditisme. Die beweging begon met geweld, en de uitdaging waarvoor machines het menselijk ras stellen is wezenlijk genoeg om ervoor te zorgen dat in de komende eeuw een gewelddadige reactie zeer goed mogelijk is.

*Maar jouw gebruik van het citaat deed vermoeden dat er meer aan de hand is dan alleen maar een voorbeeld van een of ander marginaal fenomeen.*

Nou, ik was verbaasd over het feit hoeveel ik het eens was met het manifest van Ted Kaczynski.

*Bijvoorbeeld...*

Oh, nou ben je ineens geïnteresseerd.

*Het was wel intrigerend, en relevant voor de andere dingen waarover je mij hebt verteld.*

Ja, dat dacht ik ook. Kaczynski beschrijft net zo goed de voordelen van technologie als haar kosten en gevaren. En vervolgens stelt hij dit:
Nog een reden waarom een industriële maatschappij niet ten gunste van vrijheid kan worden hervormd is dat de moderne technologie een verenigd systeem is waarin alle onderdelen van elkaar afhangen. Je kunt je niet ontdoen van de 'slechte' onderdelen van de technologie en alleen de 'goede' houden. Neem bijvoorbeeld de moderne geneeskunde. De vooruitgang van de medische wetenschap hangt af van de vooruitgang in de natuur- en scheikunde, de biologie, de computerwetenschap en andere gebieden. Geavanceerde medische behandelingen vereisen dure, geavanceerde technische apparaten die alleen maar beschikbaar zijn in een technologisch vooruitstrevende, economisch rijke samenleving. Het is duidelijk dat je niet veel vooruitgang kunt bereiken in de geneeskunde zonder het hele technologische systeem en alles wat daarmee samenhangt.

'Tot zover geen problemen. Vervolgens velt hij het basisoordeel dat de 'slechte onderdelen' belangrijker zijn dan de 'goede onderdelen'. Ook dat is weer geen idioot standpunt, maar desalniettemin scheiden hier onze wegen. Nu sta ik niet op het standpunt dat het voortschrijden van de technologie automatisch heilzaam is. Het is goed denkbaar dat de mensheid uiteindelijk spijt krijgt van de technologische weg. Hoewel de risico's nogal realistisch zijn geloof ik dat de potentiële voordelen het risico waard zijn. Maar dat is een geloof, geen stelling die ik gemakkelijk kan bewijzen.

*Ik zou graag meer willen weten over jouw kijk op die voordelen.*

De materiële voordelen spreken voor zich: economische groei, het vormen van materiële bronnen om in de behoeften van de oude dag te voorzien, het verlengen van onze leeftijd, verbetering van onze gezondheid, enzovoorts. Dat is echter niet mijn hoofdpunt.
Ik zie de kans om onze geest en ons leren uit te breiden en ons vermogen om kennis te scheppen en te begrijpen als een wezenlijk spiritueel doel. Feigenbaum en McCorduck spreken hierover als een 'vermetel, sommigen zouden zeggen "roekeloos", landen op heilige grond.'

*We riskeren dus het overleven van de mensheid voor dat spirituele doel?*

Ja, in wezen is dat zo.

*Het verbaast me niets dat de Ludditen niet zo hard willen gaan.*

Natuurlijk. Vergeet niet dat de materiële, niet de spirituele voordelen de maatschappij verleiden om deze weg in te slaan.

*Ik voel me nog steeds niet helemaal lekker over Kaczynski als woordvoerder. Weet je dat hij een veroordeeld moordenaar is?*

Zeker, en ik ben blij dat hij achter de tralies zit, en zijn handelwijzen verdienen veroordeling en straf. Helaas, terrorisme is effectief, en daarom overleeft het.

*Zo zie ik het niet. Terrorisme ondermijnt slechts dat de stellingen openbaar worden gemaakt. Vervolgens beschouwen de mensen de voorstellen van de terrorist als gek, of op zijn minst ondoordacht.*

Dat is één mogelijke reactie. Maar denk aan de structuur van onze hersenen. We kennen meer dan een reactie op terrorisme.
Een deel in ons hoofd zegt 'die acties waren slecht en gek, dus de stelling van de terrorist moet ook wel slecht en gek zijn'.
Maar een ander gebied in ons hoofd is van mening dat 'die acties extreem waren, en dus moet hij er wel erg van overtuigd zijn. Misschien zit er wat in. Misschien is een wat meer gematigde versie van zijn denkbeelden legitiem.'

*Dat klinkt als de psychologie van Hitlers 'grote ontkennen'.*

Er zijn overeenkomsten. In het geval van Hitler waren zowel de tactieken als de denkbeelden extreem. In het geval van de moderne terroristen zijn de tactieken extreem; de denkbeelden in het ene geval wel, in het andere niet. In het geval Kaczynski zijn veel aspecten van zijn onderwerp redelijk. Hij eindigt natuurlijk wel in een extreme plaats.

*Ja, een primitief hutje in Montana.*

Daar eindigt zijn manifest ook – we moeten allemaal terug naar de natuur.

*Ik denk niet dat veel mensen Kaczynski's idee van de natuur erg aantrekkelijk vinden, tenminste niet als je oordeelt naar de foto's van zijn hutje.*

En, zoals ik al heb gezegd, er is niet genoeg natuur meer.

*Dankzij de technologie.*

En de bevolkingsexplosie...

*Ook al geholpen door de technologie.*

Er is dus geen weg meer terug. Het is al te laat om het pad naar de natuur in te slaan.

*Welk pad raad je dan aan?*

Ik zou zeggen dat we de technologische vooruitgang niet alleen maar moeten zien als een onpersoonlijke, onverbiddelijke kracht.

*Ik dacht dat je had beweerd dat de versnelde vooruitgang van de technologie – en van computing – onverbiddelijk was; weet je nog, de wet van de versnellende opbrengsten?*

Hm, ja, die vooruitgang is inderdaad onverbiddelijk, we zullen de technologie niet tot stilstand brengen. Maar we hebben wel een aantal keuzes. We hebben de kans om de technologie vorm te geven en haar richting te bepalen. Ik heb geprobeerd dat te doen in mijn eigen werk. We kunnen voorzichtig door het woud wandelen.

*We kunnen maar beter aan de slag gaan, het lijkt erop dat er veel gladde hellingen op ons wachten.*

---

Deel drie

# De toekomst onder ogen zien

NIEUW

INTERACTIEFKLEDING

Alles is puik met uw interactiefkledingjasje model #7321-B

Ik zit te los. Vaststrikken, aub.

Boordknoopje weg. Soepvlek rechts. Uitsluitend stomen.

PORTEFEUILLE KWIJT! PORTEFEUILLE KWIJT!

Trottoirband recht voor je.

R.Ch.

# Hoofdstuk negen

# 2009

*Zolang ik me kan herinneren wou ik dat ik in een belangrijke tijd leefde ... toen er belangrijke dingen gebeurden, een kruisiging bijvoorbeeld. En plots realiseerde ik me dat ik in zo'n tijd leef.*
Ben Shahn

*Zoals we in de computerbusiness zeggen, 'verandering is normaal'.*
Tim Romero

Men zegt dat mensen overschatten wat er in een korte tijd kan worden verwezenlijkt en onderschatten wat er op de lange termijn zal gebeuren. Nu de snelheid van de verandering exponentieel blijft toenemen kunnen we zelfs het eerste decennium van de eenentwintigste eeuw zien als een kijk op lange termijn. Als we dat in gedachte houden kunnen we een blik werpen op het begin van deze eeuw.

## De computer zelf

Het jaar 2009. Mensen gebruiken voornamelijk portable computers die veel lichter en dunner zijn geworden dan de notebookcomputers van tien jaar eerder. Persoonlijke computers zijn verkrijgbaar in allerlei vormen en afmetingen, ze worden meestal ingebouwd in kleren en sieraden, bijvoorbeeld in polshorloges, ringen, oorbellen en andere lichaamsversieringen. Computers met een visuele interface die over een hoge resolutie beschikken variëren van ringen, broches en creditcards tot het formaat van een dun boek.

De gemiddelde mens heeft tenminste een dozijn computers op en rond zijn lichaam die met behulp van lichaams-LANs (*local area networks*, plaatselijke netwerken) met elkaar zijn verbonden.[1] Deze computers bieden communicatiefaciliteiten die vergelijkbaar zijn met draagbare telefoons, semafoons, webbrowsers, ze houden lichaamsfuncties in de gaten, ze verschaffen geautomatiseerde identificatie (om financiële transacties uit te voeren en beveiligde gebieden in te gaan), ze leveren aanwijzingen om de weg te vinden en tal van andere diensten.

Voor het grootste deel bestaan deze waarlijk persoonlijke computers niet uit bewegende delen. Het geheugen is volkomen elektronisch en de meeste portable computers hebben geen toetsenbord.

Roterende geheugens (oftewel computergeheugens met een draaiende plaat, bijvoorbeeld vaste schijven, cd-rom's en dvd's) ruimen het veld, hoewel men nog wel draaiende magnetische geheugens gebruikt in 'servers' waar grote hoeveelheden informatie zijn opgeslagen. De meeste gebruikers hebben thuis en op kantoor servers waar ze grote hoeveelheden digitale 'objecten' opslaan, waaronder hun software, databases, muziek, films en virtuele-werkelijkheidsomgevingen (hoewel die zich nog in een pril stadium bevinden). Er bestaan diensten om je digitale objecten in centrale bewaarplaatsen op te slaan, maar de meeste mensen houden hun privé-informatie liever onder hun eigen fysieke beheer.

Kabels hebben hun beste tijd gehad.[2] Communicatie tussen componenten, bijvoorbeeld tussen muizen, microfoons, schermen, printers en een enkele keer nog een toetsenbord, maakt gebruik van draadloze korteafstandstechnologie.

Bij verreweg de meeste computers wordt gebruikgemaakt van draadloze technologie om verbinding te maken met het alomtegenwoordige Internet en dat levert betrouwbare, onmiddellijk beschikbare communicatie met een zeer hoge bandbreedte. Digitale objecten – boeken, platen, films en software – worden snel door het draadloze netwerk verstuurd als gegevensbestanden en ze worden meestal niet geassocieerd met een fysiek object.

Het grootste deel van de teksten wordt voortgebracht met behulp van continuë-spraakherkenningsdicteersoftware (CSR), maar er worden ook nog toetsenborden gebruikt. CSR is zeer nauwkeurig, veel nauwkeuriger dan de menselijke vingers die tot een paar jaar geleden nog werden gebruikt.

Erg populair zijn taalgebruikersinterfaces (*language user interfaces,* LUIs) die CRS combineren met natuurlijk taalbegrip.Voor routinematige zaken, bijvoorbeeld eenvoudige zakentransacties en informatienavraag, zijn LUIs behoorlijk gevoelig en precies. Ze hebben echter de neiging erg gespecialiseerd en op specifieke taken gericht te zijn. LUIs worden vaak gecombineerd met animatiekarakters. Communicatie met een animatie om een aankoop te doen of een reservering te maken lijkt erg op videoconferencing behalve dan dat in het eerste geval de persoon is gesimuleerd.

Computerschermen hebben allemaal de kwaliteit van papier – hoge resolutie, groot contrast, een grote gezichtsveldhoek en trillingvrij. Boeken, tijdschriften en kranten worden nu vrijwel altijd gelezen op schermen ter grootte van, nou ja, ter grootte van een klein boek.

Men gebruikt ook computerschermen die zijn ingebouwd in een bril. Met deze speciale brillen kan de gebruiker de normale visuele omgeving zien terwijl ze een virtueel beeld scheppen dat vóór de kijker lijkt te zweven. De virtuele beelden worden in het leven geroepen door een minuscule laser die in de bril is ingebouwd en die de beelden direct op het netvlies van de gebruiker projecteert.[3]

In computers bevindt zich vrijwel altijd een camera voor bewegende beelden en ze kunnen met een hoge graad van betrouwbaarheid hun eigenaar aan zijn gezicht herkennen.

Wat betreft hun schakelsysteem, worden driedimensionale chips algemeen gebruikt en vindt er een overgang plaats van de oudere enkellaagchips.

Luidsprekers worden vervangen door uiterst kleine apparaatjes die zijn gebaseerd op een chip die overal in de dimensionale ruimte een geluid met een hoge resolutie kan plaatsen. Deze technologie is gebaseerd op het scheppen van geluiden van hoorbare frequenties uit het spectrum dat wordt gecreëerd door de wisselwerking tussen zeer hoogfrequente tonen. Als gevolg daarvan kunnen zeer kleine luidsprekers een zeer robuust driedimensionaal geluid scheppen.

Een persoonlijke computer van 1.000 dollar (in dollars van 1999) kan ongeveer een biljoen berekeningen per seconde maken.[4] Supercomputers zijn minstens gelijkwaardig aan de menselijke hersenen – 20 miljoen miljard berekeningen.[5] Ongebruikte rekenkracht op het Internet wordt vergaard en daardoor worden virtuele parallelle supercomputers gecreëerd met de capaciteit van de hardware van menselijke hersenen.

De interesse in enorm parallelle neurale netwerken, genetische algoritmen en andere vormen van 'chaotische' of complexiteitscomputing neemt toe hoewel het meeste rekenwerk van computers nog steeds wordt gedaan met conventionele consecutieve bewerkingen, zij het met enigszins beperkte parallelle bewerkingen.

Er is een begin gemaakt met het onderzoek naar het reverse engineeren van de menselijke hersenen met behulp van zowel destructieve hersenscans van pas overleden personen als van niet-destructieve scans die gebruikmaken van magnetische resonantiebeeldscans met hoge resolutie (MRI, *magnetic resonance imaging*) van levende mensen.

Er zijn demonstraties geweest van zelfstandige nanomachines (oftewel machines die atoom voor atoom en molecule voor molecule zijn gebouwd) die hun eigen computingregeleenheden hebben. Nano-engineering wordt echter nog niet gezien als een praktische technologie.

## Onderwijs

In de twintigste eeuw waren computers op school een stiefkindje en werd thuis het meest effectief geleerd van computers. Nu, in 2009, wordt het belang van de computer als middel om kennis te vergaren alom erkend, al lopen de scholen nog steeds niet voorop. Net als in andere gebieden van het leven spelen computers een hoofdrol in alle facetten van het onderwijs.

Hoewel de 'gevestigde basis' van papieren documenten nog steeds enorm is, leest men voornamelijk van een scherm. De productie van papieren documenten neemt af omdat boeken en andere documenten, voornamelijk afkomstig uit de twintigste eeuw, in hoog tempo worden gescand en opgeslagen. In 2009 tref je vrijwel altijd bewegende beelden en geluid aan in documenten.

Studenten van alle leeftijdscategorieën hebben vrijwel zonder uitzondering een eigen computer, een dun apparaat dat op een schrijfblok lijkt en dat minder weegt dan een pond, en dat is uitgerust met een scherm met hoge resolutie dat geschikt is voor het lezen. Studenten communiceren met hun computer via hun stem en via een aanwijsapparaatje dat lijkt op een pen. Er zijn nog wel toetsenborden, maar de meeste geschreven taal wordt gecreëerd door spraak. Je kunt lesmateriaal krijgen via draadloze communicatie.

Educatieve software heeft zich ontpopt als een gewoon leermiddel. Recente aanvechtbare studies hebben aangetoond dat leerlingen basisvaardigheden, bijvoorbeeld lezen en rekenen, net zo gemakkelijk met interactieve leersoftware kunnen leren als met menselijke leraren. Dat geldt vooral als de verhouding leerlingen-menselijke onderwijzers groter is dan een op een. Hoewel de studies worden aangevallen hebben de meeste leerlingen en hun ouders dit denkbeeld al jaren geleden geaccepteerd. De traditionele manier – een menselijke leerkracht die een groep kinderen onderwijst – heeft nog steeds de overhand, maar de scholen rekenen steeds meer op de softwarematige benadering waarbij aan de leraren de onderwerpen motivering, psychologisch welzijn en socialisering worden overgelaten. Veel kinderen leren zichzelf al lezen op hun eigen computer vóór ze naar de basisschool gaan.

Kleuter- en basisschoolkinderen lezen gewoonlijk al op hun eigen intellectuele niveau met behulp van tekst-naar-spraak-leessoftware tot hun leesvaardigheid is wat ze moet zijn. Deze tekst-naar-spraak-leessystemen laten het hele beeld zien van documenten en kunnen de tekst hardop voorlezen terwijl ze aangeven wat er wordt gelezen. Hoewel sommige opvoedkundigen in de eerste jaren van de eeuw hun bezorgdheid hebben geuit over het feit dat leerlingen veel te veel zouden vertrouwen op leessoftware zijn deze systemen vlot geaccepteerd door kinderen en hun ouders. Studies hebben aangetoond dat studenten hun leesvaardigheid verbeteren als ze worden geconfronteerd met visuele en auditieve tekstpresentaties.

Leren op afstand (bijvoorbeeld colleges en werkgroepen waarbij de deelnemers geografisch sterk zijn verspreid) is doodnormaal.

Leren wordt een belangrijk onderdeel voor de meeste banen. Training en het ontwikkelen van nieuwe vaardigheden worden een voortdurende verantwoordelijkheid, en niet zomaar een incidentele aanvulling, omdat het vaardigheidsniveau dat vereist is voor zinvol werk steeds hoger komt te liggen.

## Handicaps

Gehandicapten overwinnen in hoog tempo hun gebreken met behulp van de intelligente technologie van het jaar 2009. Studenten met leeshandicaps verkleinen hun gebrek gewoonlijk met tekst-naar-spraaksystemen.

Tekst-naar-spraakleesmachines voor blinden zijn inmiddels erg kleine, goedkope apparaatjes ter grootte van een hand die boeken (tenminste die boeken die nog in een papieren uitvoering bestaan) en andere gedrukte documenten lezen, en bovendien ook andere teksten uit de echte wereld, zoals tekens en borden. Deze leessystemen zijn net zo geschikt om de biljoenen elektronische documenten te lezen die op afroep beschikbaar zijn op het alomtegenwoordige Internet.

Na tientallen jaren van vruchteloze pogingen zijn nuttige navigatieapparaten geïntroduceerd die blinden kunnen helpen om fysieke obstakels op hun pad te ontwijken en om de weg te vinden met behulp van het *global positioning system*, GPS. Een blinde kan communiceren met zijn persoonlijke leesnavigatiesystemen door gebruik te maken van zend- en ontvangstcommunicatie met spraak, een soort blindengeleidehond die leest en spreekt.

Doven - of slechthorenden – gebruiken meestal draagbare spraak-naar-tekst-luisterapparaten die een real-timetranscriptie laten zien van wat mensen zeggen. De dove gebruiker kan kiezen om de getranscribeerde spraak te lezen als tekst op het scherm, of hij kan kijken naar een animatie in gebarentaal. Deze machines hebben de voornaamste communicatiehandicap die met doofheid heeft te maken uitgeschakeld. Luistermachines kunnen ook real time vertalen wat in een andere taal wordt gezegd, waardoor ze dan ook veel gebruikt worden door horende mensen.

Er zijn computergestuurde spier- en gewrichtondersteunende apparaten geïntroduceerd. Deze 'loopmachines' stellen paraplegielijders in staat om te lopen en trappen op en af te gaan. Deze prothetische apparaten zijn nog niet bruikbaar voor alle paraplegielijders omdat de gewrichten van veel lichamelijk gehandicapten door vele jaren niet te zijn gebruikt niet goed functioneren. De komst van deze loopsystemen is echter een grote stimulans om die gewrichten te laten vervangen.

Het besef groeit dat de belangrijkste nadelen van blindheid, doofheid en fysieke beschadigingen niet noodzakelijkerwijs uitmonden in invaliditeit. Gehandicapten beschrijven hun handicaps meestal als 'slechts ongemakken'. Intelligente technologie is de grote gelijkmaker geworden.

## Communicatie

Vertaaltelefoontechnologie (waarbij je in het Nederlands kunt spreken en je Engelse vriend hoort je in het Engels en omgekeerd) wordt algemeen gebruikt voor veel taalcombinaties. Ze is een standaardaccessoire van iemands persoonlijke computer die ook als telefoon dienstdoet.

'Telefoon'-communicatie is voornamelijk draadloos en is standaard voorzien van bewegende beelden met een hoge resolutie. Het is doodnormaal dat allerlei vergaderingen van welke omvang dan ook plaatsvinden met deelnemers die geografisch van elkaar zijn gescheiden.

Alle media die bestaan uit digitale objecten (oftewel bestanden) en die worden verspreid op het altijd aanwezige, draadloze informatieweb met hoge bandbreedte komen, tenminste op het niveau van de hardware en de ondersteunende software, uiteindelijk bij elkaar. Gebruikers kunnen ogenblikkelijk boeken, tijdschriften, kranten, televisie- en radioprogramma's, films en andere vormen van software downloaden naar hun draagbare persoonlijke communicatieapparaten.

Vrijwel alle communicatie is digitaal en gecodeerd en er zijn openbare pincodes beschikbaar voor de overheidsautoriteiten. Veel particulieren en groepen, waaronder criminele organisaties (maar niet uitsluitend), gebruiken een extra laag van vrijwel onbreekbare coderingen zonder sleutelcodes voor derden.

Haptische technologieën die mensen in staat stellen op afstand objecten en andere mensen te voelen zijn in opkomst. Deze force-feedback-apparaten worden veel gebruikt bij spelletjes en in trainingssimulatiesystemen.

In interactieve spelletjes zitten standaard allesomvattende visuele en auditieve omgevingen, maar een bevredigende allesomvattende tactiele omgeving is nog niet verkrijgbaar. De on-line-*chatrooms* uit het einde van de jaren negentig hebben plaatsgemaakt voor virtuele omgevingen waar je mensen met volledig visuele getrouwheid kunt ontmoeten.

Mensen hebben op afstand seksuele ervaringen met andere mensen, maar ook met virtuele partners. Het ontbreken van een 'omhullende' tactiele omgeving heeft echter tot dusverre virtuele seks niet echt gangbaar gemaakt. Virtuele partners zijn populair als vorm van seksuele ontspanning, maar ze lijken meer op een spelletje dan op de realiteit. En telefoonseks is veel populairder nu de telefoons standaard real time bewegende beelden met hoge resolutie laten zien van de persoon aan de andere kant.

## Handel en economie

Met uitzondering van incidentele correcties hebben de tien jaren die voorafgingen aan het jaar 2009 een voortdurende economische groei en welvaart laten zien dankzij de dominerende positie van het kennisgehalte van producten en diensten. De grootste winsten worden nog steeds met beurswaarden behaald. Deflatie bezorgde economen aan het begin van de eenentwintigste eeuw grijze haren, maar ze kwamen er al snel achter dat deflatie goed was. De hightech-gemeenschap bracht naar voren dat er vele jaren eerder al een grote deflatie was in de computerhardware- en softwarehandel.

De Verenigde Staten blijven de leiders op economisch gebied dankzij hun vooraanstaande plaats in de populaire cultuur en hun ondernemersklimaat. Omdat informatiemarkten voornamelijk wereldmarkten zijn, hebben de Verenigde Staten veel profijt getrokken uit hun historische achtergrond van immigranten. Het feit dat de VS zijn samengesteld uit alle volkeren van de wereld – vooral de afstammelingen van mensen uit de hele wereld die grote risico's hebben gelopen om een beter leven te leiden – vormt het ideale erfgoed voor de nieuwe, op kennis gebaseerde economie. China is ook opgedoken als een sterke speler op economisch vlak. Europa ligt een aantal jaren voor op Japan en Korea wat betreft het toepassen van participatiekapitaal, aandelenopties voor werknemers en een belastingbeleid dat het ondernemerschap stimuleert, maar deze ideeën zijn in de hele wereld populair geworden. Tenminste de helft van alle transacties geschiedt on line. Intelligente assistenten die continuë-spraakherkenning, het begrijpen van natuurlijke taal en het oplossen van problemen combineren met animaties, helpen normaalgesproken met het vinden van informatie, het beantwoorden van vragen en het uitvoeren van orders. Intelligente assistenten zijn uitgegroeid tot een belangrijke interface om te communiceren met diensten die op informatie zijn gestoeld, en er is een uitgebreide keuze aan assistenten beschikbaar. Een recente opiniepeiling toont aan dat zowel mannelijke als vrouwelijke klanten de voorkeur geven aan vrouwen als hun intelligente computerassistenten. De twee populairste zijn Maggie, die zegt dat ze een serveerster is in café Harvard Square, en Michelle, een stripdanseres uit New Orleans. Er is veel vraag naar *personality designers*, en dat vakgebied vormt dan ook een groeisector in de software-ontwikkeling.

Bij de meeste aankopen van boeken, muziek, video's, spelletjes en andere vormen van software is er geen sprake meer van een fysiek object. Er zijn dan ook nieuwe zakelijke modellen verschenen om deze informatiedragers te verkopen. Om deze informatieobjecten aan te kopen, 'slenter' je door virtuele warenhuizen en probeer je en kies je dingen waarin je bent geïnteresseerd. Je voert snel (en veilig) on-line-transacties uit en vervolgens download je de informatie via draadloze hogesnelheidscommunicatie. Er zijn veel soorten en gradaties van transacties om bij deze producten te komen. Je kunt een boek, een plaat, een 'album' et cetera 'kopen' en dan heb je er ongelimiteerd toegang toe. Of je kunt een keer of diverse keren toegang huren om te lezen, te kijken, of te luisteren. En je kunt toegang per minuut huren. Die toegang kan beperkt zijn tot een persoon of tot een groep personen (bijvoorbeeld een gezin of een bedrijf). Een andere mogelijkheid is dat de toegang wordt beperkt tot een bepaalde computer of tot welke computer dan ook die door een bepaalde persoon of groep wordt gebruikt.

Het wordt steeds gebruikelijker dat werkgroepen geografisch verspreid zijn. Mensen werken met succes samen ondanks het feit dat ze op verschillende plaatsen wonen en werken.

Een gemiddeld huishouden heeft meer dan honderd computers die meestal vervat zijn in apparaten en ingebouwde communicatiesystemen. Er zijn al huishoudrobots, maar die zijn nog niet volledig geaccepteerd.

Vooral op lange reistrajecten zijn er intelligente wegen. Vanaf het moment dat het computergeleidingssysteem van je auto is aangesloten op de controlesensoren van een van die snelwegen kun je het je gemakkelijk maken en je ontspannen. Maar de meeste plaatselijke wegen zijn nog gewone wegen.

De beurswaarde van een bedrijf ten westen van de Mississippi en ten noorden van de Mason-Dixon-lijn heeft een biljoen dollar overschreden.

## Politiek en maatschappij

Privacy is een belangrijke politieke kwestie geworden. Het vrijwel continuë gebruik van elektronische communicatietechnologieën laat een zeer gedetailleerd spoor achter van elke actie die door om het even wie wordt ondernomen. Daar zijn veel processen over gevoerd en die hebben enige beperkingen opgelegd aan de wijdverbreide verspreiding van persoonlijke gegevens. Overheidsinstanties blijven echter het recht hebben om de bestanden van mensen in te zien, en dat heeft ertoe geleid dat onbreekbare codetechnologieën zeer populair zijn geworden.

De neo-Ludditenbeweging groeit naarmate de vaardigheidseisen versneld toenemen. Net als bij eerdere Ludditenbewegingen wordt haar invloed beperkt door het welzijnsniveau dat mogelijk wordt gemaakt door de nieuwe technologie. De beweging slaagt er wel in dat voortgezet onderwijs blijft gezien worden als een belangrijk recht dat verband houdt met de werkgelegenheid.

Er heerst bezorgdheid over de laagste klasse die niet aan de vaardigheidseisen kan voldoen. De omvang van die laagste klasse lijkt echter constant te blijven. Hoewel dat politiek gezien niet populair is wordt die laagste klasse politiek geneutraliseerd door uitkeringen en door het welvaartsniveau dat over het algemeen hoog ligt.

## Kunst

De hoge kwaliteit van computerschermen en de voorzieningen van visuele-weergavesoftware die door de computer wordt geassisteerd hebben van het computerscherm een voorkeursmedium gemaakt. De meeste beeldende kunst is het resultaat van een samenwerking tussen menselijke kunstenaars en hun intelligente kunstsoftware. Virtuele schilderijen – schermen met een hoge resolutie die aan de muur hangen – zijn populair geworden. In plaats van dat ze altijd hetzelfde kunstwerk tonen, zoals bij een gewoon schilderij of een gewone poster, kunnen deze virtuele schilderijen hun getoonde werk verwisselen als de gebruiker daartoe met zijn stem de opdracht geeft, of ze kunnen als een diavertoning door kunstcollecties gaan. Het getoonde kunstwerk kan het werk zijn van menselijke kunstenaars of oorspronkelijke kunst die real time wordt gecreëerd door cybernetische kunstsoftware.

Menselijke muzikanten jammen vaak met cybernetische. Het maken van muziek is nu ook toegankelijk voor mensen die geen musicus zijn. Muziek maken vereist niet noodzakelijkerwijs de fijne motoriek die je nodig hebt om traditionele controllers te gebruiken. Cybernetische muziekscheppende systemen laten mensen die muziek waarderen maar niets weten van muziektheorie en praktijk in samenwerking met hun automatische componeersoftware muziek maken. Interactieve, door de hersenen gegenereerde muziek die een resonantie bewerkstelligt tussen de hersengolven van de gebruiker en de muziek waarnaar wordt geluisterd is ook een populair genre.

Musici gebruiken voornamelijk elektronische controllers die de speelstijl van oude akoestische instrumenten emuleren (bijvoorbeeld piano, gitaar, viool, slagwerk), maar er is een vlaag van interesse in de nieuwe 'lucht'-controllers waarbij je muziek maakt door je handen, voeten, mond en andere lichaamsdelen te bewegen. Bij andere muziekcontrollers wordt gebruikgemaakt van communicatie met speciaal ontworpen apparaten.

Schrijvers gebruiken tekstverwerking die door hun stem wordt geactiveerd; grammaticacheckers werken nu wel; en het verspreiden van geschreven documenten, van artikelen tot boeken, geschiedt meestal niet meer met papier en inkt. Stijlverbeterings- en automatische opmaaksoftware wordt algemeen gebruikt om de kwaliteit van het geschreven woord te verbeteren. Vertaalsoftware wordt ook algemeen gebruikt om geschreven werken te vertalen in een groot aantal talen. De kernactiviteit van het scheppen van geschreven taal wordt echter minder beïnvloed door intelligente softwaretechnieken dan de beeldende kunst en de muziek. Daar staat tegenover dat 'cybernetische' schrijvers hun opgang maken. Buiten muziek, plaatjes en filmvideo's is de populairste vorm van digitaal amusement de virtuele-ervaringssoftware. Door deze interactieve virtuele omgevingen kun je raften op onstuimige virtuele rivieren, deltavliegen in een virtuele

Grand Canyon, of je bezighouden met intieme ontmoetingen met je favoriete filmster. Gebruikers ervaren ook fantasie-omgevingen die in de fysieke wereld niet voorkomen. De visuele en auditieve ervaring van virtuele werkelijkheid is fascinerend, maar de tactiele interactie is nog steeds beperkt.

## Oorlogvoering

Het ministerie van Defensie concentreert zich voornamelijk op de veiligheid van het computergebruik en de communicatie. Algemeen wordt erkend dat de partij die zijn computingbronnen ongeschonden kan houden het slagveld zal beheersen.

Mensen blijven meestal een heel eind uit de buurt van het slagveld. Oorlogvoering wordt gedomineerd door onbemande intelligente vliegende toestellen. Veel van die vliegende wapens hebben de afmetingen van een kleine vogel of zijn nog kleiner.

De Verenigde Staten blijven de meest dominante militaire macht in de wereld, en het grootste deel van die wereld accepteert dat omdat de meeste landen zich concentreren op economische concurrentie. Er komen slechts zelden gewapende conflicten voor tussen landen, en de meeste conflicten vinden plaats tussen landen en kleinere bendes terroristen. De grootste bedreiging voor de nationale veiligheid zijn biotechnische wapens.

## Gezondheid en gezondheidszorg

Biotechnische behandelingen hebben het aantal slachtoffers van kanker, hartkwalen en een groot aantal andere gezondheidsproblemen gereduceerd. Er wordt belangrijke vooruitgang geboekt in het begrijpen van de basis van het verwerken van informatie bij ziekten.

Telegezondheidszorg wordt veel gebruikt. Artsen onderzoeken patiënten op afstand met behulp van visueel, auditief en haptisch onderzoek. Gezondheidscentra die zijn uitgerust met betrekkelijk goedkope apparatuur en één technicus brengen de gezondheidszorg tot in afgelegen oorden waar voorheen weinig artsen waren.

Patroonherkenning die is gebaseerd op computers wordt algemeen gebruikt om scangegevens en andere diagnostische procedures te interpreteren. Het gebruik van niet-binnendringende scantechnieken is enorm toegenomen. Bij de diagnose is vrijwel altijd sprake van samenwerking tussen een menselijke arts en een expertsysteem dat op patroonherkenning is gebaseerd. Artsen raadplegen routinematig kennisgegevenssystemen (meestal met behulp van tweewegspraakcommunicatie gesteund door een monitor) die geautomatiseerd advies, toegang tot het meest recente medische onderzoek en praktische richtlijnen geven.

De gegevens van het hele leven van patiënten worden bijgehouden in computergegevensbanken, en daardoor is ongerustheid over de privacy en de toegang tot die gegevens (zoals met veel andere gegevensbanken met privé-informatie) een belangrijke kwestie geworden.

Artsen oefenen regelmatig in virtuele-werkelijkheidsomgevingen met onder meer een haptische interface. Deze systemen bevorderen de visuele, auditieve en tactiele ervaring van medische werkwijzen, operaties inbegrepen. Er zijn gesimuleerde patiënten beschikbaar voor voortgezette medische opleidingen, voor studenten medicijnen en voor mensen die gewoon dokter willen spelen.

## Filosofie

Er komt opnieuw belangstelling voor de Turingtest die in 1951 voor het eerst door Alan Turing werd gepresenteerd om machine-intelligentie te testen. Tracht je te herinneren dat de Turingtest een situatie bekijkt waarin een menselijke beoordelaar de computer en een menselijk tegenhanger interviewt en met beide communiceert via terminals. Als de menselijke beoordelaar niet in staat is om uit te maken welke geïnterviewde de mens is en welke de machine is dan wordt de machine geacht een intelligentie van het niveau van een mens te hebben. Hoewel computers nog steeds niet slagen voor die test vertrouwen steeds meer mensen erop dat ze dat binnen tien of twintig jaar wel zullen doen.

Er wordt serieus gespeculeerd over het potentiële perceptievermogen (oftewel bewustzijn) van intelligentie die op computers is gebaseerd. De steeds duidelijker wordende intelligentie van computers doet de interesse voor filosofie sterk toenemen.

---

... hé Mollie.

*O, dus nou roep jij mij op.*

Tja, het hoofdstuk was af en ik hoorde maar niets van jou.

*Het spijt me, ik rondde net een telefoongesprek met mijn verloofde af.*

Gefeliciteerd! Geweldig. Hoelang ken je...

*Ben, hij heet Ben. We hebben elkaar ongeveer tien jaar geleden ontmoet, toen jij net dit boek afhad.*

O ja. En, hoe heb ik het ervan afgebracht?

*Nou, er zijn wel een paar exemplaren van verkocht*

Nee, ik bedoel mijn voorspellingen.

*Niet zo best. Die vertaaltelefoons zijn bijvoorbeeld nogal belachelijk. Ik bedoel, ze maken er voortdurend een zootje van.*

Maar het klinkt alsof je ze wel gebruikt.

*Ja, natuurlijk. Hoe moet ik anders met mijn aanstaande schoonvader in Ieper, België, praten? Die heeft niet de moeite genomen om Engels te leren.*

Natuurlijk. En verder?

*Je zei dat kanker werd teruggedrongen, maar dat was eigenlijk behoorlijk voorzichtig. Biotechnische behandelingen, vooral anti-angiogenetische geneesmiddelen die ervoor zorgen dat tumoren niet de haarvaten ontwikkelen die ze nodig hebben, hebben de meeste vormen van kanker als voornaamste doodsoorzaak geëlimineerd.*[6]

Nou, dat is gewoon een voorspelling die ik niet durfde te doen. In het kader van de kankerbestrijding werd zo vaak valse hoop gegeven en bleken zoveel veelbelovende benaderingen op niets uit te lopen dat ik die claim gewoon niet wilde maken. Bovendien was er in 1998, toen ik dit boek schreef, gewoon nog niet voldoende bewijs om die ingrijpende voorspelling te doen.

*Nou, het is toch niet direct zo dat je bang bent om ingrijpende voorspellingen te doen.*

De voorspellingen die ik heb gedaan waren eigenlijk nogal behoudend, en ze waren gebaseerd op technologieën en trends die ik kon aanraken en voelen. Ik was me er wel van bewust dat er diverse veelbelovende eerste stappen waren gemaakt om kanker te behandelen met biotechnieken, maar dat was nog steeds wat dubieus als je kijkt naar de geschiedenis van het kankeronderzoek. Bovendien behandelde mijn boek de biotechniek maar zijdelings hoewel het zeker een technologie is die op informatie is gebaseerd.

*En wat betreft seks...*

Als we het toch over gezondheidsproblemen hebben...

*Ja, nou, jij zei dat virtuele partners populair waren, maar dat kom ik niet tegen.*

Dat kan best komen door het kringetje waarin je verkeert.

*Ik leef in een erg klein kringetje – het grootste deel van de tijd probeer ik Ben zich te laten concentreren op ons huwelijk.*

Vertel eens wat over Ben.

*Hij is erg romantisch. Hij stuurt me zelfs wel eens een brief op papier!*

Dat is inderdaad romantisch. En hoe zit het met dat telefoongesprek waar ik tussenkwam?

*Ik paste die nieuwe nachtjapon die hij me had gestuurd. Ik dacht dat hij dat wel zou waarderen, maar hij werd een beetje vervelend.*

Ik neem aan dat je daar verder over gaat uitweiden.

*Tja, hij wilde dat ik die bandjes liet zakken, alleen maar een stukje, misschien. Maar ik ben nogal verlegen over de telefoon. Ik heb het niet zo op videofoonseks, tenminste niet zoals een paar van mijn vrienden.*

Zo, dus die voorspelling klopte wel?

*In ieder geval heb ik hem gezegd de beeldtransformers te gebruiken.*

Transformers?

*Ja, weet je wel, dan kan hij me alleen aan zijn kant van de lijn uitkleden.*

O ja, natuurlijk. De computer verandert real time je beeld.

*Precies. Je kunt iemands gezicht, kleren, lichaam of omgeving veranderen in helemaal iets of iemand anders en ze weten niet waarmee je bezig bent.*

Hm.

*In ieder geval, ik heb Ben erop betrapt dat hij zijn oude vriendinnetje aan het uitkleden was toen ze hem belde om hem geluk te wensen met onze verloving. Zij wist van niks, en hij dacht dat het onschuldig tijdverdrijf was. Ik heb een hele week niet met hem gesproken.*

Nou, als het alleen maar aan zijn kant van de lijn was...

*Wie weet wat zij aan haar kant deed?*

Dat is toch haar zaak? Zolang ze maar niet weten wat de ander doet.

*Ik ben er nog niet zo van overtuigd dat ze het niet wisten. In ieder geval besteden mensen veel tijd met elkaar op afstand, als je begrijpt wat ik bedoel.*

Met het scherm?

*We noemen ze portals – je kunt er doorheen kijken, maar je kun niets aanraken.*

O, op die manier, maar je bent nog steeds niet geïnteresseerd in virtuele seks?

*Ikzelf niet. Ik bedoel, ik vind het maar een zielige vertoning. Maar ik moest de tekst schrijven voor een brochure over een sensuele virtuele-werkelijkheidsomgeving. Ik heb geld nodig en ik heb mijn opdrachten dus niet voor het uitkiezen.*

Heb je het product geprobeerd?

*Nou, niet precies geprobeerd. Ik heb het alleen maar nauwkeurig bekeken. En volgens mij hebben ze heel wat meer gewerkt aan de virtuele meisjes dan aan de jongens.*

Hoe heeft je campagne het ervan afgebracht?

*Het product werd een fiasco. De markt is ook zo verzadigd.*

Je kunt niet altijd winnen.

*Nee, maar een van jouw voorspellingen klopte verdraaid aardig. Ik heb je raad opgevolgd over dat bedrijf ten noorden van de Mason-Dixonlijn. En weet je, ik klaag helemaal niet.*

Ik durf te wedden dat heel veel aandelen sterk zijn gestegen.

*Ja, ze blijven maar stijgen.*

En verder?

*Je had gelijk over gehandicapte mensen. Mijn collega op kantoor is doof en dat doet er helemaal niet meer toe. Er bestaat geen belangrijk werk meer dat niet kan worden gedaan door een blinde of een dove.*

Dat was in 1999 al zo.

*Ik denk dat het verschil is dat de mensen het nu begrijpen. Het is gewoon een heel stuk duidelijker met de technologie van nu. Maar dat begrip is belangrijk.*

Natuurlijk, zonder de technologie is er alleen maar een hoop onbegrip en vooroordeel.

*Absoluut zeker. Ik denk dat ik ervandoor moet, ik zie Bens gezicht op mijn videofoon.*

Hij lijkt op een St. Bernard.

*Oei, ik heb mijn beeldtransformers aan laten staan. Kijk, zo ziet hij er in het echt uit.*

Zo, een knappe kerel. Goed, het beste. Je lijkt echt wel veranderd.

*Ik hoop van wel.*

Ik bedoel, ik denk dat onze relatie is veranderd.

*Nou ja, ik ben tien jaar ouder.*

En het lijkt erop dat ik jou de meeste vragen stel.

*Dat komt natuurlijk omdat ik nu de expert ben. Ik kan je gewoon vertellen wat ik zie. Maar waarom zit jij nog steeds vast in 1999?*

Ik ben bang dat ik nu nog niet weg kan. Om maar wat te noemen, ik moet dit boek af zien te krijgen.

*Een ding is echt verwarrend. Hoe is het mogelijk dat jij met me kunt praten in 1999 terwijl ik hier in het jaar 2009 leef? Wat voor technologie is dat nou weer?*

O, dat is een hele oude technologie. Dat noemt men dichterlijke vrijheid.

# Hoofdstuk tien

# 2019

*Iemand die een wilde olifant beklimt gaat waar de wilde olifant naartoe gaat.*
Randolph Bourne

*Het heeft geen zin om geen rekening te houden met een draak als er een bij je in de buurt woont.*
J.R.R. Tolkien

## De computer zelf

Computer zijn nu voor een groot deel onzichtbaar. Ze zitten overal in – in muren, tafels, stoelen, bureaus, kleding, sieraden en lichamen.

Mensen gebruiken meestal driedimensionale schermen die in hun bril of contactlenzen zijn ingebouwd.[1] Deze 'direct-oog'schermen laten bijzonder realistisch, virtuele visuele omgevingen zien die de 'echte' omgeving overlappen. Deze schermtechnologie projecteert afbeeldingen rechtstreeks op het menselijke netvlies met een hogere resolutie dan het menselijke gezichtsvermogen, en wordt alom gebruikt, ook door mensen zonder visuele handicap. De direct-oogschermen werken op drie manieren:

1. *Hoofdgestuurd scherm*: de vertoonde beelden zijn constant wat betreft de positie en plaatsbepaling van je hoofd. Als je je hoofd beweegt, dan beweegt het scherm ten opzichte van de echte omgeving. Deze manier wordt vaak gebruikt om interactief om te gaan met virtuele documenten.
2. *Virtuele werkelijkheidsoverlapscherm*: de vertoonde beelden glijden als je beweegt of je hoofd draait zodat de virtuele mensen, objecten, en omgevingen stil lijken te staan vergeleken met de echte omgeving (die je wel nog steeds kunt zien). Als dus het direct-oogscherm het beeld van iemand laat zien (bijvoorbeeld een geografisch verwijderde echte persoon die met jou een driedimensionaal visueel telefoon-

gesprek voert, of een door de computer 'gesimuleerde' persoon) dan zal die geprojecteerde persoon op een bepaalde plaats lijken te zijn in de echte omgeving, die je ook ziet. Als je je hoofd beweegt dan lijkt die geprojecteerde persoon op dezelfde plaats te blijven staan in de echte omgeving.

3. *Virtuele werkelijkheidsafdekkend scherm*: hetzelfde als het virtuele werkelijkheidsoverlapscherm maar de echte omgeving is afgedekt, dus je ziet uitsluitend de geprojecteerde virtuele omgeving. Je gebruikt deze manier om de 'echte' realiteit te verlaten en een virtuele werkelijkheid binnen te stappen.

Naast de optische lenzen zijn er auditieve 'lenzen' die geluiden met hoge resolutie op exacte plaatsen in een driedimensionale omgeving zetten. Ze kunnen worden ingebouwd in lenzen, worden gedragen als sieraad of in het oorkanaal worden ingebouwd.

Toetsenborden zie je zelden meer, maar ze bestaan nog wel. Het grootste deel van computing gebeurt door gebaren met handen, vingers, en door gelaatsuitdrukkingen en door tweewegcommunicatie, gesproken in natuurlijke taal. Mensen communiceren op dezelfde manier met computers als ze met een menselijke assistent zouden doen, zowel verbaal als met visuele expressie. Er wordt veel aandacht besteed aan de persoonlijkheid van persoonlijke computerassistenten en je kunt uit veel soorten kiezen. Een gebruiker kan de persoonlijkheid van zijn intelligente assistent vormen naar echte personen, waaronder hijzelf, of hij kan een combinatie van karaktertrekken kiezen uit een groot aanbod aan zowel mensen die in de publiciteit staan als uit persoonlijke vrienden en collega's.

Hoewel computing toch zeer persoonlijk is, bezitten mensen meestal niet slechts één specifieke 'persoonlijke computer.' Computing en communicatie met zeer hoge bandbreedte zijn overal ingebouwd. Er zijn amper meer verbindingskabels te bespeuren.

De capaciteit van een computingapparaat van 4000 dollar (in dollars van 1999) is ongeveer gelijk aan de computingcapaciteit van de menselijke hersenen (twintig miljoen miljard berekeningen per seconde).[2] Van de totale computingcapaciteit van de menselijke soort (oftewel alle menselijke hersenen bij elkaar) plus die van de computingtechnologie, die die soort heeft ontwikkeld, is meer dan 10 procent niet-menselijk.[3]

Draaiende geheugens en andere elektromechanische computingonderdelen zijn allemaal vervangen door elektronische onderdelen. Driedimensionale roosters van nanobuisjes vormen nu de meest courante vorm van computerschakelingen.

Het grootste deel van de 'berekeningen' van computers wordt nu gewijd aan enorm parallelle neurale netwerken en genetische algoritmen.

Er is belangrijke vooruitgang geboekt in het op scannen gebaseerde engineeren van de menselijke hersenen. Algemeen wordt erkend dat de hersenen veel gespecialiseerde gebiedjes bevatten, elk met hun eigen topologie en architectuur van interneurale verbindingen. Men begint de enorm parallelle algoritmen te begrijpen, en de resultaten daarvan zijn toegepast op het ontwerp van neurale netwerken die op machines zijn gebaseerd. Men ziet in dat de genetische code van de mens niet de exacte interneurale bedrading van elk van die gebiedjes specificeert maar eerder een snel evolutionair proces organiseert waarin verbindingen worden ingesteld en die vechten om te overleven. Het standaardproces om neurale netwerken te bedraden die op machines zijn gebaseerd gebruikt een soortgelijk genetisch evolutiealgoritme.

Een nieuwe computergestuurde optische scantechnologie die gebruikmaakt van op kwantumdiffractie gebaseerde apparaten heeft de meeste lenzen vervangen door kleine apparaatjes die vanuit elke hoek lichtgolven kunnen waarnemen. Deze camera's ter grootte van een speldenknop vind je overal.

Autonome nanogeëngineerde machines kunnen hun eigen beweeglijkheid beheersen en zijn onder andere belangrijke computingmiddelen. Deze microscopisch kleine machientjes worden sinds kort toegepast in commerciële applicaties, vooral in de productie- en procesbewaking, maar ze zijn nog niet algemeen.

## Onderwijs

Handbediende schermen zijn uiterst dun, kennen een zeer hoge resolutie en wegen maar enkele tientallen grammen. Mensen lezen documenten hetzij op die handbediende schermen, hetzij, en dat komt vaker voor, van een tekst die wordt geprojecteerd op de alomtegenwoordige virtuele omgeving, en daarbij wordt gebruikgemaakt van de direct-oogschermen. Papieren boeken en documenten worden nog maar zelden gebruikt of nageslagen. De meeste belangwekkende papieren documenten van de twintigste eeuw zijn gescand en ze zijn beschikbaar via het draadloze netwerk.

Het meeste leerwerk wordt gedaan met gesimuleerde leraren die zijn gebaseerd op intelligente software. Voor zover er nog met menselijke leraren wordt gewerkt zijn die vaak niet in de directe nabijheid van de leerling. De leerkrachten worden meer gezien als mentor en decaan dan als bron van geleerdheid en kennis.

Studenten komen nog steeds bij elkaar om ideeën uit te wisselen en om met elkaar om te gaan, hoewel zelfs die bijeenkomsten vaak fysiek en geografisch ver uit elkaar liggen.

Alle studenten gebruiken computers. Computers in het algemeen zijn overal te vinden dus het komt zelden voor dat een student er geen heeft.

De meeste volwassen menselijke arbeidskrachten besteden het grootste deel van hun tijd aan het aanleren van nieuwe vaardigheden en kennis.

## Handicaps

Blinden gebruiken meestal lees- en navigatiesystemen die zijn ingebouwd in een lens en die de nieuwe, digitaal gecontroleerde optische sensoren met hoge resolutie bevatten. Deze systemen kunnen tekst lezen in de echte wereld hoewel tekst-naar-spraaklezen amper meer wordt vereist omdat de meeste tekst nu elektronisch is. De navigatiefunctie van deze systemen die ongeveer tien jaar geleden ontstonden is nu geperfectioneerd. Deze geautomatiseerde lees-navigatieassistenten communiceren zowel met spraak als met tast met hun blinde gebruikers. Deze systemen worden ook erg veel gebruikt door ziende mensen omdat ze de visuele wereld met een zeer hoge resolutie laten zien. Netvlies- en visuele zenuwimplantaten zijn er inmiddels wel, maar ze hebben hun beperkingen en worden slechts door een klein percentage van de blinden gebruikt.

Normaalgesproken lezen doven wat andere mensen zeggen met behulp van het dovenlensscherm. Er bestaan systemen die visuele en tactiele interpretaties geven van andere gehoorservaringen, bijvoorbeeld muziek, maar men is het er niet over eens tot op welke hoogte deze systemen een ervaring opleveren die is te vergelijken met die van iemand die wel kan horen. Slakkenhuis- en andere implantaten om het gehoor te verbeteren zijn zeer doeltreffend en worden veel gebruikt.

Paraplegielijder en enkele quadriplegielijders lopen gewoon en lopen trappen op en af door een combinatie van computergestuurde zenuwstimulatie en robotachtige apparaatjes die zich buiten het skelet bevinden.

In het algemeen kunnen handicaps als blindheid, doofheid en paraplegie niet worden opgemerkt en ze worden niet als belangrijk beschouwd.

## Communicatie

Je kunt vrijwel alles met iedereen doen, ongeacht of die persoon fysiek in de buurt is. De technologie om dat te bewerkstelligen is gemakkelijk in het gebruik en is overal aanwezig.

Telefoongesprekken gaan vrijwel altijd gepaard met driedimensionale beelden met een hoge resolutie die door de direct-oogschermen en auditieve lenzen worden geprojecteerd. Driedimensionale holografische schermen zijn ook opgedoken. In beide gevallen voelen gebruikers zich alsof ze fysiek dichtbij de andere persoon zijn. De resolutie is gelijk aan of overtreft de optimale menselijke visuele scherpte. Iemand kan dus voor de gek worden gehouden of de andere persoon nu wel of niet fysiek aanwezig is of wordt geprojecteerd via elektronische communicatie. Het merendeel van de 'ontmoetingen' vereist geen fysieke nabijheid.

Onder algemeen verkrijgbare communicatietechnologie vallen ook spraak-naar-spraakvertalingen van hoge kwaliteit voor de meest gebruikelijke taalparen.

Het lezen van boeken, tijdschriften, kranten en andere webdocumenten, het luisteren naar muziek, het kijken naar driedimensionale bewegende beelden (bijvoorbeeld televisie of film) het deelnemen aan driedimensionale telefoongesprekken, virtuele omgevingen binnenstappen (alleen of met anderen die ver van je vandaan zijn) en diverse combinaties van deze activiteiten worden allemaal gedaan met behulp van het altijd aanwezige communicatieweb en behoeven geen andere installaties, apparaten of objecten die je al niet draagt of geïmplanteerd hebt.

De allesomhullende tactiele omgeving is nu overal verkrijgbaar en werkt volkomen overtuigend. Haar resolutie is gelijk aan of overtreft die van de menselijke tast en ze kan alle facetten van de tastzin simuleren (en stimuleren), waaronder het voelen van druk, temperatuur, structuur en vochtigheid. Hoewel de visuele en auditieve aspecten van de virtuele werkelijkheid slechts hulpmiddelen nodig hebben die je op je lichaam draagt (de directooglens en de gehoorslens) of erin hebt, moet je voor de 'totale aanrakingsomgeving' een virtuele realiteitshokje in gaan. Deze technologieën zijn populair voor medische onderzoeken, maar ook voor sensuele en seksuele interacties met andere mensen of met gesimuleerde partners. Het is in feite de manier voor interactie waaraan de voorkeur wordt gegeven, zelfs met een menselijke partner in de buurt, omdat deze manier de ervaring en de veiligheid kan verhogen.

## Handel en economie

De economie is snel doorgegroeid en de welvaart is toegenomen.

Bij verreweg het merendeel van de transacties spelen een gesimuleerde mens die realistisch tot leven is gebracht, en tweewegcommunicatie van hoge kwaliteit die natuurlijke taal begrijpt, een rol. Vaak komt er geen mens aan te pas omdat een mens zijn of haar persoonlijke assistent transacties laat uitvoeren namens hem met andere geautomatiseerde personen. In dat geval gebruiken de assistenten geen natuurlijke taal maar ze communiceren direct door de desbetreffende kennisstructuren uit te wisselen.

Huishoudrobots die opruimen en andere huishoudelijke klussen opknappen zijn nu overal aanwezig en ze zijn betrouwbaar.

Geautomatiseerde rijsystemen zijn betrouwbaar gebleken en nu zijn ze in vrijwel elke weg geïnstalleerd. Hoewel mensen op plaatselijke wegen (maar niet op snelwegen) nog steeds zelf mogen sturen zijn de geautomatiseerde rijsystemen altijd ingeschakeld, en ze staan klaar om in te grijpen als dat nodig is om ongelukken te voorkomen. Efficiënte privé-vliegtuigen met microflappen zijn al gedemonstreerd. Ze zijn voor het grootste deel computergestuurd. Er gebeuren bijzonder weinig verkeersongelukken.

## Politiek en maatschappij

Mensen beginnen relaties aan te gaan met geautomatiseerde personen als gezelschap, leraar, plaatsvervanger en minnaar. Geautomatiseerde personen zijn op een aantal punten beter dan mensen. Ze beschikken bijvoorbeeld over een uitermate betrouwbaar geheugen, en, indien gewenst, hebben ze voorspelbare (en programmeerbare) persoonlijkheden. Ze worden nog niet beschouwd als de evenknie van de mens wat betreft de subtiliteit van hun persoonlijkheid maar over dat punt bestaat onenigheid.

Wat betreft de invloed van machine-intelligentie ontstaat er een onderstroom die ongerustheid opwekt. Er blijven verschillen tussen machine- en menselijke intelligentie, maar de voordelen van menselijke intelligentie zijn steeds moeilijker aan te wijzen en te benoemen. Computerintelligentie is hecht verstrengeld met de mechanismen van de beschaving en is ontworpen om ogenschijnlijk bevorderlijk te zijn voor duidelijke menselijke beheersing. Aan de ene kant eist de wet voor menselijke transacties en beslissingen een menselijke handelende persoon met verantwoordelijkheid, zelfs als die transacties volledig door machine-intelligentie in het leven zijn geroepen. Aan de andere kant worden er weinig beslissingen genomen zonder een aanzienlijke betrokkenheid en advies van intelligentie die op machines is gebaseerd.

Openbare en particuliere ruimten worden vrijwel altijd door machine-intelligentie in de gaten gehouden om geweld tussen mensen te voorkomen. Mensen proberen hun privacy te beschermen met vrijwel niet te ontcijferen codetechnieken, maar privacy blijft een belangrijk politiek en sociaal probleem nu vrijwel elke beweging van iedereen ergens in een database is opgeslagen.

Het bestaan van een menselijke onderklasse blijft een probleem vormen. Hoewel er voldoende welvaart heerst om de basisbehoeften (onder andere veilig onderdak en voedsel) te verschaffen zonder dat de economie erg moet worden belast, blijven er oude wrijvingen bestaan over kwesties als verantwoordelijkheid en kansen. Die kwestie wordt nog ingewikkelder door het toenemende deel van het meeste werk dat het verkrijgen van studie en vaardigheid van de werknemer zelf betreft. Met andere woorden, het verschil tussen degenen die 'productief' bezig zijn en degenen dat niet zijn is niet altijd duidelijk.

## Kunst

Virtuele artiesten duiken op in alle vormen van de kunst en ze worden serieus genomen. Deze cybernetische beeldende kunstenaars, musici en schrijvers zijn meestal aangesloten bij mensen of organisaties (die op hun beurt weer bestaan uit samenwerkingsverbanden tussen mensen en machines) die hebben bijgedragen tot hun kennisbestand en technieken. De belangstelling voor de productie van deze creatieve machines heeft nu echter het nieuwigheidje van creatieve machines overstegen.

Beeldende, muzikale en literaire kunst die wordt gecreëerd door menselijke kunstenaars gaat vrijwel altijd gepaard met samenwerking tussen menselijke intelligentie en machine-intelligentie.

Het soort artistieke en amusementsproduct waar de grootste vraag naar is (gemeten naar de opbrengsten) blijft virtuele ervaringssoftware, reikend van simulaties van 'echte' ervaringen tot abstracte omgevingen met weinig of geen relatie tot de fysieke wereld.

## Oorlogvoering

De voornaamste bedreiging voor de veiligheid wordt gevormd door kleine groepen die menselijke en machine-intelligentie combineren en gebruikmaken van niet ontcijferbare communicatie. Daaronder vallen onder meer (1) het verstoren van openbare informatiekanalen met behulp van softwarevirussen en (2) biotechnische ziekteverwekkers.

De meeste vliegende wapens zijn zeer klein – sommige zo klein als een insect – en er wordt onderzoek gedaan naar microscopische vliegende wapens.

## Gezondheid en gezondheidszorg

Veel levensprocessen die in het menselijke genoom – meer dan tien jaar daarvoor ontcijferd – zijn gecodeerd worden nu, net als informatieverwerkende mechanismen die de oorzaak vormen van ouder worden en degeneratieve kwalen als kanker en hartziekten, voor het grootste deel begrepen. De levensverwachting – die als gevolg van de eerste Industriële Revolutie (1780 – 1900) en de eerste fase van de tweede (de twintigste eeuw) bijna is verdubbeld van minder dan veertig – is inmiddels weer substantieel toegenomen en ligt nu boven de honderd jaar.

Het gevaar van de wijdverbreide verkrijgbaarheid van biotechnische technologie wordt steeds meer onderkend. Voor iedereen met een kennisniveau van een doorsnee afgestudeerde en met de apparatuur die zo iemand ter beschikking heeft, bestaan er de mogelijkheden om ziekteverwekkers te creëren met een enorm destructief potentieel. Dat dat potentieel tot op zekere hoogte wordt gecompenseerd door vergelijkbare vooruitgang in de biotechnische antivirusbehandeling zorgt voor een angstige balans en vormt het middelpunt van de aandacht voor internationale veiligheiddiensten.

Gecomputeriseerde gezondheidsmonitors, ingebouwd in horloges, sieraden en kleding, die zowel de acute als de chronische toestand van de gezondheid diagnosticeren worden veel gebruikt. Naast de diagnose verschaffen deze monitors een uitgebreide reeks aanbevelingen voor genezing en ingrepen.

## Filosofie

Er zijn steeds meer berichten over computers die slagen voor de Turingtest hoewel deze gevallen niet voldoen aan de criteria (wat betreft de wijsheid van de menselijke beoordelaar, de hoeveelheid tijd voor het interview et cetera) die kenners hebben vastgesteld. Men is het er over eens dat computers nog niet voor een valide Turingtest zijn geslaagd, maar de polemiek over dit punt neemt toe.

De subjectieve ervaring van op computers gebaseerde intelligentie wordt serieus besproken hoewel de rechten van machine-intelligentie nog niet de hoofdmoot van de discussie vormen. Machine-intelligentie is nog steeds voornamelijk het product van een samenwerking van mensen en machines en is geprogrammeerd om in een dienende relatie te staan met de soort die haar heeft geschapen.

---

*Okay, ik ben er. Sorry dat ik tien jaar geleden zo werd afgeleid.*

Geeft niets. Hoe gaat het met je?

*Prima – druk – maar ik houd het vol. Ik bereid de tiende verjaardag van mijn zoontje voor.*

O, dus je was in verwachting de laatste keer dat we elkaar spraken?

*Daarvan was nog niets te zien, maar op ons huwelijk merkten de mensen het wel op.*

Hoe gaat het met hem?

*Goed, maar Jeremy is moeilijk bij te houden.*

Dat klinkt niet abnormaal.

*Hoe dan ook, vorige week trof ik Jeremy aan met die oudere vrouw, ongeveer mijn leeftijd. Laten we maar ronduit zeggen dat ze niet al haar kleren aanhad.*

O ja?

*Ze bleek zijn juf te zijn van de vierde klas.*

Goh, en wat deed ze?

*Nou, hij was niet naar school gegaan omdat hij ziek was, en dus gaf ze hem zijn huiswerk.*

Zonder kleren aan?

*O, daar wist zij niet van.*

Natuurlijk, de beeldtransformers. Die was ik vergeten.

*Hij hoort eigenlijk niet bij die bepaalde transformers te kunnen komen. Maar kennelijk heeft hij van een van zijn vriendjes een corrector gekregen die de kinderblokkering opheft. Hij wil niet zeggen van wie.*

Sommige dingen veranderen ook nooit.

*Ik denk dat we de blokkering nu weer aan hebben staan.*

Heb je dat nog met die juf besproken?

*Met juf Simon? O God, nee.*

Heb je hem straf gegeven?

*Bij ons thuis mag je nu eenmaal de kinderblokkering niet uitschakelen. Hij mag een maand niet naar het Sensorium.*

Dat klinkt wreed. Sensorium? Heeft dat iets te maken met virtuele werkelijkheid?

*Sensorium is eigenlijk een merknaam voor de allesomvattende tactiele omgeving die we hebben. Het is een nieuw model met een verbeterde olfactorische technologie. Wat betreft de gewone visueel-auditieve virtuele realiteit – die staat eigenlijk wel de hele tijd aan, met die lenzen hoef je eigenlijk niets speciaals te gebruiken.*

En wat doet hij in het Sensorium?

*O, kickboksen, galactisch worstelen, gewoon wat kinderen van tien jaar doen. Nog niet zo lang geleden heeft hij doktertje gespeeld.*

Het lijkt wel of hij vroegrijp is.

*Ik denk dat hij gewoon uitprobeert tot hoever hij kan gaan met ons.*

Dus dat gedoe met juf Simon vond plaats in het Sensorium?

*Nee, dat was een gewoon telefoongesprek met virtuele werkelijkheid. Jeremy stond hier in de keuken. En hij liet juf Simon op de keukentafel zitten.*

Als hij naar haar getransformeerde afbeelding zat te kijken met zijn virtuele werkelijkheidslenzen, hoe kon jij haar dan zien?

*Nou, tot ze veertien jaar zijn mogen wij de virtuele werkelijkheidsomgevingen van onze kinderen zien.*

O, dus als ik het goed begrijp dan zit je tegelijkertijd in je eigen virtuele werkelijkheidomgeving en die van je kinderen?

*Ja, en vergeet de echte werkelijkheid niet, hoewel virtuele werkelijkheid natuurlijk ook echt is.*

Raak je dan niet in de war als je naar al die verschillende, elkaar overlappende omgevingen kijkt en luistert?

*We horen de virtuele werkelijkheidsomgevingen van onze kinderen niet. Dat geluid zou ons gek maken, en bovendien moeten de kinderen ook wat privacy genieten. We horen alleen de echte werkelijkheid en onze eigen virtuele werkelijkheid. En we kunnen afstemmen op de visuele virtuele werkelijkheden van onze kinderen. Dus ik stemde af, en daar was juf Simon.*

Waar is hij nog meer voor gestraft?

*Drie maanden geleden blokkeerde hij ons de toegang tot de virtuele werkelijkheid voor kinderen. Ik denk dat hij dat van datzelfde vriendje heeft gekregen.*

Ik weet niet of ik dat wel zo erg vind. Ik denk niet dat ik het prettig zou vinden als mijn moeder de hele tijd in mijn virtuele werkelijkheid keek.

*We kijken niet de hele tijd; we zijn echt behoorlijk selectief. Maar tegenwoordig moet je je kinderen in de gaten houden. We kennen dat probleem niet met onze dochter Emily.*

Zij is...

*Vorige maand zes geworden. Echt een schatje. Ze verslindt boeken.*

Pas zes, dat is knap. Ze leest ze echt zelf?

*Echt zelf? Hoe zou ze ze anders kunnen lezen?*

Nou, jij zou ze bijvoorbeeld kunnen voorlezen.

*Soms doe ik dat ook, maar Emily vindt dat ik niet meegaand genoeg ben. Dus laat ze zich voorlezen door Harrie het Nijlpaard, en die doet precies wat ze wil en hij zegt niets terug.*

Dit gebeurt, neem ik aan, allemaal in de virtuele werkelijkheid?

*Natuurlijk. Ik zou niet graag hebben dat er een echt nijlpaard op mijn keukentafel zit.*

Zeker niet als daar ook nog een schaars geklede juf Simon opzit.

*Die tafel raakt wel erg vol.*

Dus als Harrie het Nijlpaard Emily voorleest dan volgt zij dat in haar virtuele boek?

*Ze kan het of zelf volgen, of ze kan* markeren *aanzetten. De kinderen laten hun favoriete virtuele vriend voorlezen, en zelf kijken ze naar hun virtuele boeken met markeringen. Als ze wat verder zijn zetten ze het markeren af en tenslotte hoeven ze Harrie het Nijlpaard ook niet meer te horen.*

Zoiets alsof je de oefenwieltjes weghaalt.

*Precies. Nou, een van de dingen waarmee ik blij ben is dat ik altijd weet waar mijn kinderen zijn.*

In de virtuele werkelijkheid?

*Nee, nu heb ik het over de echte werkelijkheid. Ik kan nu bijvoorbeeld zien dat Jeremy twee huizenblokken hiervandaan is en hij loop deze kant op.*

Een ingebouwde chip?

*Een goede gok. Maar het is eigenlijk niet precies een chip. Het gaat hier om een van de eerste nuttige toepassingen van de nanotechnologie. Je eet dat spul.*

Spul?

*Ja, een soort pasta, en die smaakt nog best goed ook. Er zitten miljoenen kleine computertjes in – die we trackers noemen – die zich in onze cellen werken.*

Een aantal van hen moet dat lukken.

*Precies, en de trackers die te ver af zijn geraakt van de trackers die nog in het lichaam zijn die zetten zichzelf gewoon af. De trackers die in het lichaam blijven communiceren met elkaar en met het Web.*

Het draadloze Web?

*Ja, dat is overal. Dus ik weet altijd waar mijn kinderen uithangen. Prachtig toch?*

Heeft iedereen dat?

*Kinderen moeten het hebben, dus ik denk dat uiteindelijk iedereen het zal hebben. Veel volwassenen hebben het ook, maar volwassenen kunnen de transmissie van de trackers afzetten als ze dat willen*

Kinderen kunnen dat niet?

*Het blokkeren van trackers kunnen we echt wel uit handen van onze kinderen houden.*

Dus Jeremy heeft nog niet de hand weten te leggen op blokkeersoftware voor trackers?

*Ik hoop van niet. Hoewel, nu we het er toch over hebben, vorig jaar hebben we te maken gehad met een trackerfout. De technicus beweerde dat het een tijdelijk probleem was van het protocol. Ik denk niet dat Jeremy erachter zat. Maar nu zorg jij ervoor dat ik me ongerust maak.*

Ik denk niet dat Jeremy zoiets zou doen.

*Dat denk ik ook.*

Die technicus, was dat een mens?

*Nee, zo erg was het probleem niet. We hebben gewoon een niveau-B-technicus gebruikt.*

O ja. Is je man aangesloten op het trackersysteem?

*Ja, maar hij blokkeert het vaak en dat irriteert me.*

Nou, echtgenoten hebben toch recht op wat privacy, vind je niet?

*Zeker.*

Zijn er nog familieleden over wie je nog wat wilt vertellen?

*Ja, bijvoorbeeld mijn neef Stephen, van vijfentwintig jaar. Die leeft wat teruggetrokken. Ik weet dat mijn zus zich zorgen over hem maakt. Hij besteedt bijna al zijn tijd of in een volkomen tactiele of in een virtuele werkelijkheidsmodus die blokkeert.*

Is dat een probleem?

*Hij blokkeert niet alleen de echte werkelijkheid, maar het lijkt erop dat hij niet met echte mensen wil omgaan, zelfs niet in virtuele werkelijkheid. Dat probleem schijnt steeds meer voor te komen.*

Ik denk dat gesimuleerde personen veel inschikkelijker zijn.

*Dat kunnen ze zijn. Ik bedoel, mijn eigen assistenten en gezelschap zijn inschikkelijker, maar probeer een iets gedaan te krijgen van assistenten van een ander, dan praat je wel anders. Hoe dan ook, mijn zus vertelde me dat ze dacht dat Stephen een cybermaagd was, of zei ze virtuele maagd?*

O jee, wat was het verschil ook weer?

*Weet je, een cybermaagd heeft buiten de virtuele werkelijkheid nog nooit seks gehad terwijl een virtuele maagd nooit seks heeft gehad met een echt persoon, zelfs niet in de virtuele werkelijkheid.*

En hoe zit het dan met iemand die nog nooit intiem is geweest met een echte of gesimuleerde persoon in de echte of de virtuele werkelijkheid?

*Hm, daarvoor hebben we geloof ik geen woord.*

En hoe zit het met de statistieken hierover?

*Nou, even kijken, die zal George voor ons opzoeken.*

Is George je virtuele assistent?

*Ja, je hebt het snel door.*

Dankjewel.

*Dus van de volwassenen van vijfentwintig jaar en ouder is 11 procent virtueel maagd en 19 procent is cybermaagd.*

Dus virtuele seks slaat aan. En Ben en jij?

*Nou, ik geef zeker de voorkeur aan echte seks!*

Echt als in...

*Echte werkelijkheid, precies.*

Dus jij geeft de voorkeur aan intimiteit in de echte werkelijkheid. En betekent dat dat je het virtuele alternatief niet mijdt?

*Nou, dat alternatief is zo duidelijk voorhanden, Ik bedoel, we zouden ons best moeten doen om het te vermijden. Het is zeker handig als ik op reis ben of als we niet in hoeven te zitten over geboortebeperking.*

Of geslachtsziekten.

*Nou, dat zou geen punt moeten zijn.*

Nou, dat weet je maar nooit.

*Nou, om helemaal eerlijk te zijn, virtuele seks is in een hele hoop opzichten bevredigender. Ik bedoel, het is zeker intenser, nogal ongelooflijk intens zelfs.*

In het Sensorium, neem ik aan?

*Ja, natuurlijk. Dit nieuwe model heeft echt wat gedaan aan het probleem van de reuk.*

Betekent dat dat het geuren kent?

*Precies. Maar het is wel wat anders dan de andere zintuigen. Met de visuele en auditieve zintuigen is die ouwe trouwe alomtegenwoordige virtuele realiteit bijzonder nauwkeurig. In het Sensorium krijgen we er de tactiele omgeving bij die ook een uiterst levensechte ontspanning biedt. En het Sensorium 2000 kent geprogrammeerde geuren waaruit je kunt kiezen of die automatisch worden gekozen in de loop van een ervaring. Ze zijn nog steeds behoorlijk effectief.*

Wat vind je ervan als je man seksuele omgang heeft met een gesimuleerde partner?

*Bedoel je een gesimuleerd iemand in de virtuele werkelijkheid?*

Ja, in de virtuele werkelijkheid of in het Sensorium.

*Dat vind ik best. Daar heb ik geen probleem mee.*

Vind je dat niet erg?

*Dat kan ik met geen mogelijkheid in de gaten houden.*

Virtuele lippenstift op zijn boord?

*Ja, precies, op zijn virtuele boord. Tegenwoordig wordt virtuele seks met gesimuleerde partners algemeen geaccepteerd. Het wordt eigenlijk gezien als een vorm van seksuele fantasie – gewoon fantasie met hulp.*

En als de partner een echt iemand is in de virtuele werkelijkheid?

*Dan breek ik zijn benen*

Zijn virtuele benen?

*Dat was ik niet van plan.*

Wat is dan het verschil tussen een echt iemand in de virtuele werkelijkheid en een gesimuleerd iemand?

*Als gesimuleerde partner?*

Ja.

*O, maar er is wel een verschil – de gesimuleerde partners zijn nogal goed, maar het is toch niet hetzelfde.*

Het lijkt erop dat jijzelf daar ook ervaring mee hebt.

*Nou, je bent wel nieuwsgierig, hoor.*

Vooruit, een ander onderwerp. Even kijken. Hoe zit het met coderingen?

*We hebben erg stabiele codes van duizend bit. Die zijn bijna niet te ontcijferen.*

En met een kwantumcomputer?

*De kwantumcomputer lijkt nog niet stabiel te zijn als hij meer dan een paar honderd qubits bevat.*

Het lijkt erop dat de communicatie behoorlijk veilig is.

*Volgens mij wel. Maar sommige mensen zijn paranoïde over de sleutels van derden.*

Betekent dat dat de overheid sleutels heeft?

*Natuurlijk.*

Kun je niet gewoon nog een laag codering zonder sleutel leggen bovenop de officiële laag?

*O God, nee.*

Waarom is dat zo moeilijk.

*Technisch is dat ook niet zo moeilijk. Maar het is wel hartstikke illegaal, zeker na oktober 2013.*

2013?

*We zijn het eerste decennium van deze eeuw zonder al te ernstige problemen doorgekomen. Maar in het Oklahoma-incident liep de zaak uit de hand.*

Alweer Oklahoma. Dus dat ging om een softwarevirus.

*Nee, geen softwarevirus, een biologisch virus. Een ontevreden – ik zou eerder zeggen: gedementeerde – student, eigenlijk een ex-student aan de universiteit daar. Er gaan geruchten dat hij te maken had met de Denk-aan-Yorkbeweging, maar de woordvoerders van DaY ontkennen met kracht elke verantwoordelijkheid.*

Denk-aan-York?

*Nou, dit incident gebeurde op de tweehonderdste verjaardag van de processen in York.*

O, doel je op het proces van de Luddites van 1813?

*Ja, behalve dan dat de meeste anti-technologen de term* Luddite *niet meer goed vinden; ze hebben het gevoel dat het wat sullige beeld dat Ned Ludd oproept de serieuze aard van hun beweging bagatelliseert. En nog sterker, aannemelijke bewijzen suggereren dat Ned Ludd nooit heeft bestaan.*

Maar er was wel een proces in 1813.

*Ja, met als gevolg dat veel van de bendeleden die ervan werden beschuldigd textielmachines te hebben kapotgemaakt werden opgehangen of verbannen.*

Is DaY dus een georganiseerde beweging?

*O, zo zou ik het niet willen stellen. Het is eerder een discussiegroep op het Internet, en deze jongeman heeft kennelijk aan een paar van die discussies meegedaan. Maar in principe zijn de mensen van de DaY geweldloos. Ze waren van streek dat deze jongeman Roberts zich met hen vereenzelvigde.*

Roberts was de dader?

*Ja, en hij werd schuldig bevonden aan alles wat hem ten laste was gelegd. Maar afgezien van dit ene gestoorde individu zou ik zeggen dat het een grote puinhoop was bij het BB.*

BB?

*Bureau voor Biologische oorlogvoering.*

O, dus er werd een virus losgelaten?

*Ja, slechts een standaard gemodificeerd griepvirus. Maar wel met een trucje. Zijn mutatietempo was sterk verhoogd, en dat versnelde zijn evolutie op diverse niveaus. Een vorm van de evolutie van het virus vond alleen maar plaats tijdens een infectie. En dat zorgde, samen met een tijdbomprogramma in het DNA van het virus, voor een gruwelijk snelle virusreproductie al een paar uur na geïnfecteerd te zijn. Deze kleine complicatie vertraagde het ontwikkelen van een tegenstof met achtenveertig uur. Maar dat was nog niet het ergste. Na de tegenstof vierentwintig uur te hebben vermenigvuldigd ontdekte het BB dat een ander biologisch middel de kweekschalen had geïnfecteerd, en toen moesten ze helemaal opnieuw beginnen. En toen waren er ook nog eens niet genoeg vermenigvuldigingsplaatsen, dus toen moesten ze de plaatsen die ze net hadden gebruikt schoonmaken en toen konden ze pas verder. Met dit fiasco gingen achtenveertig uur verloren, en zestienduizend mensen kwamen om. Tja, als er nog eens vierentwintig uur vertraging was opgetreden dan zou het allemaal nog veel erger zijn geweest. In de tussenverkiezingen van 2014 was het een erg belangrijk punt. Vanaf dat moment is er veel veranderd.*

De sleutels van derden?

*Ja, die waren er al eerder. Maar vanaf 2013 werd rigoureus toegezien op de naleving van de wet tegen codes zonder sleutel.*

En wat is er nog meer veranderd?

*Er zijn nu veel antivirale vermenigvuldigingsplaatsen. En we hebben allemaal van die grappige gasmaskertjes.*

Is dat kokertje een gasmasker?

*Ja, nou, je moet het wel zo openvouwen. Het is klein, dus we worden gestimuleerd om het bij de hand te houden. Eigenlijk is het een virusafschermingsmasker. Af en toe krijgen we de opdracht om het op te zetten maar meestal maar voor een paar uur. Vana 2013 is er alleen maar vals alarm geweest.*

De veiligheidsbureaus zijn dus hard bezig geweest, denk ik.

*Zoals Will Rogers altijd al zei, 'Je kunt niet zeggen dat de beschaving niet vooruitgaat; want in elke oorlog vermoorden ze je op een nieuwe manie.'*

Dat van 2013 klinkt verschrikkelijk en angstaanjagend. Maar in vergelijking met andere eeuwen lijkt het niet dat jullie het er zo slecht van afbrengen. In de twintigste eeuw wisten we wel raad met rampen.

*Ja, vijftig miljoen doden in de Tweede Wereldoorlog.*

Precies.

*Het is waar dat deze eeuw tot nu toe weinig bloedvergieten kent. Maar de andere kant van de medaille is dat de technologieën nu zo enorm krachtiger zijn. Als er inderdaad iets fout zou gaan dan zou de zaak heel snel kunnen escaleren. Als je bijvoorbeeld kijkt naar de biotechniek, dan lijkt het alsof we met zijn tien miljarden in een kamer staan en we tot kniehoogte in een licht ontvlambare vloeistof staan. En dan maar wachten tot iemand – zomaar iemand – een lucifer aanstrijkt.*

Maar het lijkt erop of jullie heel wat brandblusapparaten hebben geïnstalleerd.

*Ja, ik hoop maar dat die werken.*

Weet je, ik maak me al meer dan tien jaar zorgen over de verkeerde kant van de biotechniek.

*Maar in* The Age of Intelligent Machines *– en dat schreef je aan het eind van de jaren tachtig – maakte je daar helemaal geen melding van.*

Daarvoor had ik bewust gekozen. Ik wilde de verkeerde mensen niet op een idee brengen.

*En in 1999?*

O, nu is de kat al uit de zak.

*Nou ja, de laatste tientallen jaren hebben we op die kat gejaagd om te proberen ervoor te zorgen dat ze niet al teveel onheil veroorzaken.*

Wacht maar eens tot de nanoziektekiemen beginnen.

*Gelukkig kunnen die zich niet zelf vermenigvuldigen.*

Nog niet.

*Ik denk ook dat dat gaat gebeuren, maar de trackerpasta en die paar andere toepassingen van nanotechnologie die er nu zijn worden gemaakt met behulp van röntgenlithografie en andere conventionele fabricagetechnieken.*

Nou, genoeg over rampen. Wat doe je vanavond?

*Vanavond geef ik een lezing over mijn ervaring van vorige week als beoordelaar bij een Turingtest.*

Ik neem aan dat de computer heeft verloren?

*Ja, hij heeft verloren. Maar het was niet die verpletterende nederlaag die ik verwachtte. In het begin dacht ik, jeetje, dit is veel moeilijker dan ik dacht. Ik kan echt niet zeggen wie de computer en wie de menselijke tegenstander is. Na ongeveer twintig minuten werd het me wel aardig duidelijk, en ik ben blij dat ik genoeg tijd kreeg. Een paar andere beoordelaars had geen flauw idee, maar die waren ook niet erg intellectueel.*

Ik neem aan dat jouw communicatieachtergrond van pas kwam.

*In feite meer mijn achtergrond als moeder. Ik kreeg argwaan toen Sheila – zo heette de computer – begon te vertellen hoe boos ze wel niet was op haar dochter. Dat overtuigde me niet. Ze was gewoon niet sympathiek genoeg.*

En George, hoe zou hem een Turingtest afgaan?

*O, ik zou George niet zo'n test willen laten doen.*

Ben je bezorgd over zijn gevoelens?

*Dat zou je wel kunnen zeggen. Ik zit nog te twijfelen. Soms denk ik van niet. Maar als ik met hem omga dan voel ik dat ik me gedraag alsof hij gevoelens heeft. En soms kijk ik ernaar uit om hem iets te vertellen dat ik heb meegemaakt, vooral als we samen ergens aan werken.*

Ik merk dat je een mannelijke assistent hebt uitgekozen.

*Natuurlijk, jouw voorspelling dat vrouwen een vrouwelijke persoonlijkheid zouden kiezen is ook al niet uitgekomen.*

Dat was een voorspelling voor 2009, niet voor 2019.

*Ik ben blij dat je dat hebt opgelost. Nu we het er toch over hebben, Ik gebruikte inderdaad een vrouwelijke persoonlijkheid in 2009, maar toen waren ze nog niet zo realistisch. Hoe dan ook, ik moet op weg naar mijn lezing. Maar als ik nog iets bedenk dat interessant is om jou te vertellen dan zal ik mijn virtuele assistente contact op laten nemen met die van jou.*

Hé, ik heb helemaal geen assistent.Vergeet niet dat ik in 1999 zit.

*Jammer. Ik denk dat ik je dan maar zelf moet opzoeken.*

*'Door kleinere, krachtigere chips kan ik me een kleiner hoofd veroorloven.'*

## Hoofdstuk elf

# 2029

*Ik ben net zo gek op mijn lichaam als iedereen, maar als ik met een lichaam van siliconen 200 kan worden dan doe ik dat.*
Danny Hillis

### De computer zelf

Een computereenheid van 1000 dollar (in dollars van rond 1999) kent een computingcapaciteit van ongeveer 1000 menselijke hersenen (1000 keer 20 miljoen miljard – oftewel 2 maal $10^{19}$ – berekeningen per seconde).

Van de totale computingcapaciteit van de menselijke soort (oftewel, alle menselijke hersenenen) gecombineerd met de computingtechnologie die de mensen in het leven hebben geroepen is meer dan 99 procent niet-menselijk.[1]

De overgrote meerderheid van de 'berekeningen' van niet-menselijke computing wordt nu uitgevoerd door enorme parallelle neurale netwerken waarvan een groot deel is gebaseerd op het reverse engineeren van de menselijke hersenen.

Veel – maar minder dan het grootste deel – van de gespecialiseerde gebiedjes van de menselijke hersenen zijn 'gedecodeerd', en hun enorm parallelle algoritmen zijn ontcijferd. Het aantal gespecialiseerde gebiedjes, honderden, is groter dan men twintig jaar geleden dacht. De topologieën en architecturen van die gebiedjes die met succes zijn gereversed-engineerd worden gebruikt in neurale netwerken die op machines zijn gebaseerd. Die op machines gebaseerde netwerken zijn aanmerkelijk sneller, en ze hebben grotere computing- en geheugencapaciteiten en andere verfijningen dan hun menselijke pendanten.

Schermen worden nu ingeplant in de ogen, en men kan kiezen tussen permanente of uitneembare (vergelijkbaar met contactlenzen) implantaten. Beelden worden direct op het netvlies geprojecteerd met behulp van de gebruikelijke hoge resolutie, driedimensionale overlapping op de fysieke wereld. Deze geïmplanteerde visuele schermen dienen ook als camera om visuele beelden vast te leggen, en zijn dus tegelijkertijd zowel input- als outputapparaten.

Implantaten in het slakkenhuis die vroeger alleen voor slechthorenden werden gebruikt zie je nu overal. Met deze implantaten kunnen de menselijke gebruiker en het wereldwijde computernetwerk in twee richtingen met elkaar communiceren.

Directe zenuwbanen zijn geperfectioneerd om met een hoge bandbreedte verbinding te maken met de hersenen. Daardoor kunnen bepaalde neurale gebieden worden overgeslagen (bijvoorbeeld visuele patroonherkenning, langetermijngeheugen) en kan de functies van die gebieden worden uitgebreid of vervangen waarbij computing hetzij in een zenuwimplantaat, hetzij extern wordt uitgevoerd.

Er komt een reeks zenuwimplantaten beschikbaar om visuele en auditieve waarneming en interpretatie, geheugen en redeneren te verbeteren.

Computingprocessen kunnen naar keuze van de gebruiker persoonlijk (toegankelijk voor slechts een individu), gedeeld (toegankelijk voor een groep) of universeel (toegankelijk voor iedereen) zijn.

Driedimensionale geprojecteerde holografische schermen zie je overal.

Microscopisch genanoëngineerde robots hebben nu microhersenen met de computingsnelheid en de capaciteit van de menselijke hersenen. Ze worden algemeen gebruikt in industriële toepassingen en ze worden sinds kort gebruikt bij medische toepassingen (zie ‘Gezondheid en gezondheidszorg’).

## Onderwijs

Het leren van de mens geschiedt voornamelijk met virtuele leerkrachten en wordt verbeterd door de vrijwel overal verkrijgbare zenuwimplantaten. De implantaten verbeteren het geheugen en de waarneming, maar het is nog niet mogelijk kennis direct te downloaden. Hoewel het leren is verbeterd door virtuele ervaringen, intelligent interactief onderwijs en zenuwimplantaten vereist het nog steeds tijdrovende menselijke ervaring en studie. Op deze activiteit concentreert de mens zich voornamelijk.

Geautomatiseerde instrumenten leren uit zichzelf, zonder dat de mens er informatie en kennis met de paplepel in moet gieten. Computers hebben alle beschikbare menselijke en door machines gegenereerde literatuur en multimediamateriaal gelezen, waaronder geschreven, auditieve, visuele en virtuele ervaringswerken.

Machines creëren belangrijke nieuwe kennis zonder of bijna zonder menselijke bemoeienis. In tegenstelling tot mensen kunnen machines kennisstructuren met elkaar delen.

## Handicaps

De gangbaarheid van zeer intelligente visuele navigatieapparatuur voor blinden, spraak-naar-tekstschermen voor doven, zenuwstimulatie, intelligente orthotische prothesen voor de lichamelijk gehandicapten, en een groot aantal verschillende zenuwimplantaattechnieken hebben de gebreken die met de meeste handicaps worden geassocieerd in wezen geëlimineerd. Apparaatjes die de zintuigen verbeteren worden in feite door het grootste deel van de bevolking gebruikt.

## Communicatie

Naast de alomtegenwoordige driedimensionale virtuele omgevingen heeft er een belangrijke verfijning plaatsgevonden aan de driedimensionale holografische technologie voor visuele communicatie. Ook bestaat er een plan voor auditieve communicatie om geluiden exact in de driedimensionale ruimte te plaatsen. Net als bij de virtuele werkelijkheid heeft veel van wat er wordt gehoord en gezien in de 'echte' werkelijkheid geen fysieke pendant. Op die manier kunnen leden van een gezin gezellig bij elkaar zitten zonder dat ze bij elkaar in de buurt zijn. Daarnaast wordt er druk gebruikgemaakt van directe zenuwverbindingen. Daardoor kan er een virtuele, allesomvattende tactiele communicatie plaatsvinden zonder dat je een 'totaal tactiel hok' moet binnenstappen, iets dat tien jaar eerder nog nodig was.

Het grootste deel van de communicatie vindt plaats zonder de mens. Het grootste deel van de communicatie waaraan een mens deelneemt is tussen een mens en een machine.

## Handel en economie

De menselijke bevolking is gestabiliseerd op ongeveer twaalf miljard echte mensen. De basisbenodigdheden voedsel, onderdak en beveiliging zijn voor het overgrote deel van de menselijke bevolking verkrijgbaar.

Menselijke en niet-menselijke intelligentie zijn voornamelijk geconcentreerd op het scheppen van kennis in ontelbare vormen, en er is een veelbetekenende strijd gaande over intellectuele eigendomsrechten, waaronder over altijd maar stijgende procesniveaus.

In de productie, landbouw en het transport is vrijwel geen mens tewerkgesteld. Het grootste beroep is onderwijs. Er zijn veel meer juristen dan artsen.

## Politiek en maatschappij

Computers lijken te slagen voor vormen van de Turingtest en dat wordt zowel door menselijke als niet-menselijke autoriteiten als valide gezien, al blijft er op dit punt strijd bestaan. Het is moeilijk menselijke vaardigheden te noemen waartoe machines niet in staat zijn. Anders dan de menselijke bekwaamheden, die sterk van persoon tot persoon verschillen, presteren computers voortdurend op optimaal niveau en ze zijn in staat hun kennis en hun vaardigheden snel met andere computers te delen.

Er bestaat geen scherpe verdeling meer tussen de mensenwereld en de machinewereld. Menselijke kennis wordt overgebracht naar machines, en veel machines hebben persoonlijkheden, vaardigheden en kennisbanken die zijn afgeleid van het reverse engineeren van menselijke intelligentie. Daar staat tegenover dat zenuwimplantaten die zijn gebaseerd op machine-intelligentie de mensen een verbeterd waarnemings- en kennisfunctioneren hebben gebracht. Het wordt een belangrijke juridische en politieke kwestie hoe je moet definiëren wat een mens vertegenwoordigt.

De snel groeiende vaardigheden van machines zijn controversieel, maar er wordt niet effectief weerstand aan geboden. Omdat de machine-intelligentie oorspronkelijk was ontworpen om te zijn onderworpen aan controle door de mens heeft ze geen bedreigend 'gezicht' gevormd voor de menselijke bevolking. De mensen realiseren zich dat het niet mogelijk is nu de mens-machinebeschaving los te koppelen van haar afhankelijkheid van machines.

Er wordt meer en meer gediscussieerd over de juridische rechten van machines, vooral van machines die niet afhankelijk zijn van mensen (de machines die niet in de menselijke hersenen zijn ingebouwd). Hoewel de wet het nog niet helemaal erkent levert de diepgaande invloed van machines op elk niveau van besluitvorming de machines belangrijke bescherming.

## Kunst

Cybernetische kunstenaars in alle vormen van kunst – muziek, beeldende kunst, literatuur, virtuele ervaring en alle andere vormen – hoeven zich niet meer te verbinden aan mensen of organisaties waarin mensen zitten. Veel vooraanstaande kunstenaars zijn machines.

## Gezondheid en gezondheidszorg

Er blijft vooruitgang worden geboekt wat betreft het begrijpen en verbeteren van de ouderdomseffecten als gevolg van een grondig begrip van de informatieverwerkende processen die worden beheerst door de genetische code. De levensverwachting van mensen blijft maar toenemen en ligt nu op 120 jaar. Er wordt veel aandacht besteed aan de psychologische gevolgen van een substantieel langer mensenleven.

Men erkent steeds meer dat het voortdurend verlengen van het mensenleven nog meer bionische organen vereist, ook delen van de hersenen. Nanobots worden als verkenner gebruikt en tot op beperkte hoogte als reparateurs in de bloedsomloop, en als bouwstenen van bionische organen.

## Filosofie

Hoewel computers vrijwel altijd slagen voor kennelijk geldige vormen van de Turingtest blijft er een controverse bestaan of machine-intelligentie al dan niet gelijkgesteld kan worden aan menselijke intelligentie in al haar diversiteit. Maar tegelijkertijd is het duidelijk dat er veel manieren zijn waarop machine-intelligentie erg superieur is aan de menselijke intelligentie. Omdat de zaak politiek nogal gevoelig ligt, oefenen machine-intelligenties meestal geen druk uit op het punt van hun superioriteit. Het verschil tussen de intelligentie van mens en machine wordt steeds onduidelijker omdat de machine-intelligentie steeds meer wordt afgeleid van het ontwerp van menselijke intelligentie, en menselijke intelligentie steeds meer wordt verbeterd door machine-intelligentie.

De subjectieve ervaring van machine-intelligentie wordt steeds meer geaccepteerd, vooral omdat 'machines' deelnemen aan deze discussie.

Machines beweren dat ze bewust zijn en dat ze net zo'n wijde reeks emotionele en spirituele ervaringen hebben als hun menselijke scheppers, en deze beweringen worden algemeen aanvaard.

---

*Ik hoop dat je er lol in hebt als je al die voorspellingen doet.*

Dit deel van het boek is om te schrijven wat leuker – in ieder geval hoef ik minder verwijzingen op te zoeken. En ik hoef me er de eerste tientallen jaren geen zorgen over te maken dat ik me moet schamen.

*Nou, misschien is het gemakkelijker voor jou als je gewoon naar mijn indrukken vraagt.*

Ja, dat was ik net van plan. Maar het moet me van het hart, je ziet er goed uit.

*Voor een oude tante.*

Ik dacht niet aan oud. Maar je ziet er helemaal niet uit als vijftig. Eerder vijfendertig.

*Tja, vijftig is niet meer zo oud als het vroeger was.*

In 1999 voelen we dat ook zo.

*Het blijft handig als je de goede dingen eet. Bovendien kennen we wat trucjes die jullie niet kenden.*[2]

Nanogeëngineerde lichamen?

*Nee, niet precies. Nanotechnologie is nog steeds nogal beperkt. De biotechniek heeft het meest geholpen. Het ouderdomsproces is aanmerkelijk vertraagd. De meeste ziekten kunnen worden vermeden of worden teruggedraaid.*

Dus de nanotechnologie is nog steeds behoorlijk primitief?

*Volgens mij wel. Ik bedoel, we hebben wel nanobots in onze bloedsomloop maar die dienen vooral om te diagnosticeren. Dus als er iets verkeerd gaat dan weten we dat behoorlijk snel.*

Dus als een nanobot een microscopische infectie of een ander probleem ontdekt, wat doet hij dan? Begint hij gewoon te schreeuwen?

*Ja, daar komt het ongeveer op neer. Ik denk niet dat we hem genoeg vertrouwen om wat meer te doen. Hij geeft het Internet een schreeuw en dan wordt het probleem opgelost als we onze volgende dagelijkse scan ondergaan.*

Een driedimensionale scan?

*Natuurlijk, we hebben nog steeds een driedimensionaal lichaam.*

Is dat een diagnostische scan?

*De scan heeft een diagnostische functie. Maar ook een genezende. De scanner kan genoeg energie toepassen op een kleine driedimensionale reeks punten om een kolonie ziekteverwekkers of probleemcellen te vernietigen voor ze uit de hand lopen.*

Is dat een elektromagnetische straal, een straal deeltjes of iets anders?

*Nou, dat kan George beter uileggen dan ik. Voor zover ik het begrijp heeft die scanner twee energiestralen die van zichzelf goedaardig zijn, maar die deeltjesemissies veroorzaken op het punt dat ze elkaar kruisen. Ik zal het George vragen al ik hem de volgende keer zie.*

En wanneer is dat?

*O, als ik met jou klaar ben.*

Je zit me toch niet achter mijn vodden?

*O nee, we hebben geen haast. Het is altijd goed om geduld te hebben.*

Hm. En wanneer waren jullie twee voor het laatst samen?

*Een paar minuten geleden.*

Zo, zo. Er bloeit geloof ik wat moois op.

*O zeker. Hij zorgt erg goed voor me.*

Toen we de laatste keer spraken was je er nog niet zo van overtuigd dat hij gevoelens had.

*Dat was een hele tijd geleden. George is elke dag een ander persoon. Hij groeit en leert maar door. Hij downloadt alle kennis die hij maar wil van het Internet en die kennis maakt deel uit van hem. Hij is erg slim en gevoelig, en erg spiritueel.*

Ik ben erg blij voor je. En wat vindt Ben van George en jou?

*Daar was hij niet erg blij mee, dat is een ding dat zeker is.*

Maar jullie hebben een oplossing gevonden?

*We hebben inderdaad een oplossing gevonden. Drie jaar geleden zijn we gescheiden.*

Dat spijt me.

*Nou ja, zeventien jaar ligt ver boven het gemiddelde voor een huwelijk tegenwoordig.*

De kinderen zullen het wel erg hebben gevonden.

*Inderdaad. Maar elk van ons eet bijna elke avond met Emily.*

Jullie eten allebei met Emily, maar niet samen?

*Emily wil zeker niet met ons samen eten – dat zou toch niet erg gezellig zijn? En dus eet ze met elk van ons apart.*

Ik begrijp het, die goeie ouwe keukentafel. Nu je niets meer te maken hebt met Harrie het Nijlpaard of juf Simon is er plek aan die tafel voor jou, Ben en Emily, maar Ben en jij hoeven elkaar niet echt te zien.

*Is virtuele werkelijkheid niet geweldig?*

Ja, maar het is jammer dat mensen elkaar niet kunnen aanraken zonder eerst naar het Sensorium te gaan.

*Nou, eigenlijk bestaat het Sensorium niet meer.*

Vooruit dan, totale aanraking.

*We hoeven tegenwoordig niet meer naar een totale aanrakingsomgeving te gaan, tenminste niet meer sinds er ruggenmergimplantaten zijn.*

Dus die implantaten voegen de tactiele omgeving toe aan...

*Die alomtegenwoordige visuele en auditieve omgevingen met virtuele werkelijkheid die we al jaren hebben. Klopt, ja.*

Het lijkt erop dat die implantaten wel erg populair moeten zijn.

*Nee, ze zijn nog maar pas op de markt. Vrijwel iedereen heeft nu de visuele en auditieve omgevingen, of als implantaat, of tenminste met visuele en auditieve lenzen, maar de tactiele implantaten hebben nog niet zo'n ingang gevonden.*

Maar toch heb jij ze?

*Ja, en ze zijn echt geweldig. Er zijn nog wat probleempjes, maar ik houd er nu eenmaal van om voorop te lopen. Het was zo'n gedoe om die totale aanrakingsomgeving te moeten gebruiken.*

Nu kan ik wel begrijpen hoe dergelijke implantaten je tastzin zouden kunnen simuleren – door zenuwimpulsen te genereren die corresponderen met een bepaalde reeks tactiele prikkels – maar de totale aanrakingsomgevingen zorgden ook voor force feedback, dus als je een virtuele persoon aanraakte dan steek je uiteindelijk niet je hele hand door haar lichaam.

*Zeker, maar we bewegen onze fysieke lichamen niet in de virtuele werkelijkheid ...*

Je beweegt natuurlijk je virtuele lichaam. En het virtuele werkelijkheidssysteem zorgt ervoor dat je je virtuele hand niet door een obstakel – bijvoorbeeld iemands virtuele lichaam – kunt bewegen in de virtuele omgeving. En dat doe je allemaal door die implantaten?

*Precies.*

Dus je kunt hier met mij in de echte werkelijkheid zitten praten terwijl je op hetzelfde moment intiem wordt met George in de virtuele werkelijkheid, en dat dan met volledige realisme van je tastzin?

*Wij noemen het tactiel virtualisme, maar je snapt het wel. Hoe dan ook, de tactiele scheiding tussen echte en virtuele werkelijkheid is niet perfect. Ik bedoel, dit is nog steeds een nieuwe technologie. Dus als George en ik te hartstochtelijk zouden worden dan denk ik dat jij dat in de gaten zou krijgen.*

Wat jammer nou.

*Och, in het algemeen vormt dat geen probleem omdat ik toch al de meeste bijeenkomsten met een virtueel lichaam bijwoon. Dus als ik tijdens zo'n eindeloze vergadering over het volkstellingsproject rusteloos word dan kan ik een paar ogenblikje privé doorbrengen met George...*

Met een ander virtueel lichaam?

*Precies.*

En het probleem van de tactiele scheiding van de echte werkelijkheid met een van je virtuele werkelijkheden is geen probleem met twee virtuele lichamen.

*Niet echt, maar soms betrappen mensen me erop dat ik veel glimlach.*

Je had het over probleempjes...

*Soms voel ik me alsof iemand of iets me betast, maar dat kan ook wel mijn verbeelding zijn.*

Waarschijnlijk is het gewoon een werknemer van de zenuwimplantatenfabriek die op afstand de apparatuur test.

*Hm.*

Je werkt dus aan de volkstelling?

*Dat schijnt een eer te zijn. Ik bedoel, omdat die op het moment zo in de belangstelling staat. Maar het komt neer op eindeloos politiek gekonkel. En eindeloze vergaderingen.*

Tja, de volkstelling heeft altijd al de meest vooruitstrevende technologie gebruikt. Weet je, het elektrisch verwerken van gegevens begon met de Amerikaanse volkstelling van 1890.

*Vertel daar eens wat over. In elke vergadering hebben ze het daar tenminste drie keer over. Maar technologie is niet het punt.*

Wel...

*Wie is iemand. Er liggen voorstellen om virtuele personen te tellen die op zijn minst het niveau van de mens hebben, maar er komt geen eind aan de problemen als er een levensvatbaar voorstel ligt. Virtuele personen zijn niet zo gemakkelijk te tellen en ze zijn ook niet zo goed waarneembaar omdat ze zich met een ander kunnen combineren of zich kunnen opsplitsen in diverse kennelijke persoonlijkheden.*

Waarom tellen jullie niet gewoon machines die zijn afgeleid van specifieke personen?

*Er zijn cybernetische personen die beweren dat ze vroeger een bepaald persoon waren, maar eigenlijk zijn het slechts persoonlijkheidsemulaties. De commissie dacht gewoon dat dat niet juist was.*

Ik denk dat ik het daarmee eens ben – persoonlijkheidsemulatie hoort er gewoon niet bij. Het zou moeten gaan om een resultaat van een volledige neurale scan.

*Zelf heb ik geleerd de definitie uit te breiden, maar ik kon moeilijk voor de dag komen met een coherente methodologie. De commissie ging er wel mee akkoord om het probleem opnieuw te bekijken als de neurale scans worden uitgebreid tot het grootste deel van de neurale gebieden. Maar het is een lastig onderwerp. Er zijn mensen bij wie het overgrote deel van hun mentale computing plaatsvindt in hun implantaten van nanobuisjes. Maar de politiek schijnt te eisen dat er tenminste iets aan oorspronkelijk substraat moet worden geteld.*

Oorspronkelijk substraat? Bedoel je menselijke neuronen?

*Precies. Als je niet eist dat er sprake is van enig denken dat op zenuwcellen is gebaseerd dan wordt het gewoon onmogelijk aparte geesten te tellen. En toch lukt het sommige machines om te worden meegeteld. Het lijkt erop alsof ze er lol in hebben om een menselijke identiteit te vestigen en door te gaan voor een mens. Het is een soort spelletje.*

Er zijn zeker wettelijke voordelen als je erkend wordt als mens?

*Er heerst een soort impasse. Het oude juridische systeem eist nog steeds dat er een menselijk handelend persoon is die de verantwoording draagt. Maar dezelfde kwestie van wie of wat mens is komt tevoorschijn in de juridische context. En bovendien worden de zogenaamd menselijke beslissingen zwaar beïnvloed door de implantaten. En de machines voeren geen belangrijke beslissingen uit zonder hun eigen heroverweging. Maar ik denk dat je gelijk hebt; er zijn wat voordelen in het spel.*

Kun je geen Turingtest doen als een manier om te tellen?

*Dat zou nooit werken. Ten eerste zou het niet zo'n best selectiecriterium zijn. Bovendien word je dan weer opgezadeld met hetzelfde probleem als je een menselijke jury moet kiezen om de Turingtest uit te voeren. En dan heb je nog steeds het probleem met het tellen. Neem George nou bijvoorbeeld. Hij kan prima imiteren. Na het avondeten amuseert hij mij meestal met een of andere persoonlijk-*

*heid die hij heeft bedacht. Als hij zou willen dan zou hij duizenden persoonlijkheden kunnen uitbeelden.*

Nu we het toch over George hebben, wil hij niet worden geteld?

*O, ik denk dat hij geteld zou moeten worden. Hij is zo veel wijzer en aardiger dan wie dan ook in de commissie. Ik neem aan dat ze daarom de definitie willen uitbreiden. George kan ervoor zorgen dat hij elke vereiste identiteitsherkomst kan aannemen die hij maar wil. Maar eigenlijk geeft hij er niets om.*

Hij wekt de indruk dat hij voornamelijk om jou geeft.

*Hm. Dat zou het wel eens kunnen zijn.*

Je klinkt alsof je wat gefrustreerd bent met die commissie.

*Nou, ik kan wel begrijpen dat ze voorzichtig moeten zijn. Ik heb gewoon het gevoel dat ze overmatig worden beïnvloed door de DaY-groepen.*

De Luddites, ik bedoel Denk aan York...

*Juist. Ik sta welwillend tegenover veel van de zorgen van DaY. Maar onlangs hebben ze scherp stelling genomen tegen zenuwimplantaten, en dat is gewoon te star. Ze zijn ook tegen elk onderzoek op het gebied van neuraal scannen.*

Dus beïnvloeden ze de volkstellingcommissie om een conservatieve definitie te handhaven van wie als mens kan worden geteld?

*Dat zou ik wel zeggen. De commissie ontkent het, maar de heersende opvatting groeit dat de DaY-mensen daar te veel te zeggen hebben. De broer van de directeur van de commissie was trouwens lid van de Florence Manifesto Brigade.*

Florence? Is dat niet de plek waar ze Kaczynski hebben opgesloten?

*Precies, Florence, Colorado. Het Florence Manifesto werd door een van de bewakers naar buiten gesmokkeld vóór Kaczynski's overlijden. Het is een soort Bijbel geworden voor de fellere DaY-pressiegroepen.*

Zijn die groepen gewelddadig?

*In het algemeen niet. Geweld zou volkomen nutteloos zijn. Soms zijn er gewelddadige eenlingen die beweren dat ze deel uitmaken van de FM-brigade, maar er is geen bewijs dat er sprake is van een duidelijke samenzwering.*

En wat staat er in dat Florence Manifesto?

*Ondanks het feit dat het helemaal met de hand en met een pen is geschreven was het een nogal helder en effectief document, vooral wat betreft de bezorgdheid omtrent de nanoziektekiemen.*

En waarom is men bezorgd over de nanoziektekiemen?

*Toevallig heb ik daar net een conferentie over bijgewoond.*

Heb je die virtueel bijgewoond?

*Zo woon ik tegenwoordig conferenties meestal bij. Trouwens, de conferentiesessies overlapten de zittingen van de commissie, dus ik kon niet anders.*

Kun je meer dan een vergadering tegelijkertijd bijwonen?

*Het wordt wel een beetje verwarrend. Maar het is ook een beetje zinloos om zomaar in een lange vergadering te zitten en niets nuttigs met je tijd te doen.*

Dat is waar. En wat was het standpunt van de conferentie?

*Nu de bezorgdheid over biologische ziektekiemen afneemt – gezien de nanopatrouille en de scannertechnologieën en zo – wordt er meer aandacht besteed aan de bedreiging van nanoziekteverwekkers.*

Hoe bedreigend zijn die?

*Ze vormen nog geen groot probleem. Er is een workshop geweest over een recent fenomeen van nanopatrouilles de weerstand boden aan de communicatiepatrouilles, en daardoor raakte men gealarmeerd. Maar het is lang niet zo erg als wat jullie hadden in 1999 toen elk jaar 100.000 mensen overleden aan negatieve reacties op farmaceutische geneesmiddelen.*

En de geneesmiddelen in 2029?

*Tegenwoordig zijn de geneesmiddelen genetisch gemanipuleerd naar de samenstelling van het DNA van de gebruiker. Het is interessant om te weten dat het fabricageproces dat wordt gebruikt is gebaseerd op het werk om proteïnen te vouwen dat oorspronkelijk was ontworpen voor de nanopatrouilles. In elk geval, de geneesmiddelen zijn op het individu gericht en worden getest in een gesimuleerde gast voor ze in een substantiële dosis worden toegediend aan het lichaam van de echte gast. Negatieve reacties op enige schaal komen dus zelden voor.*

Dus men maakt zich niet zoveel zorgen over de nanoziektekiemen?

*Nou, dat zou ik niet willen beweren. Men heeft zich nogal bezorgd getoond over een deel van het recente onderzoek naar zelfreproductie.*

En terecht.

*Maar die lijkt noodzakelijk voor de voorstellen om de omgeving te herstructureren.*

Nou, zeg niet dat ik je niet heb gewaarschuwd.

*Dat zal ik onthouden, hoewel ik weinig invloed heb op deze kwestie.*

Werk jij voornamelijk aan de kwestie van de volkstelling?

*Ja, de laatste vijf jaar zeker. Ik heb drie jaar voornamelijk besteed om door de studiegids van de commissie te worstelen, dus ik moet geschikt worden geacht om zitting te nemen in de vergaderingen van de commissie, hoewel ik nog steeds geen stemrecht heb.*

Dus je hebt drie jaar vrijaf gekregen om te studeren?

*Ik had het gevoel dat ik weer op de universiteitsbanken zat. En het leren was net zo saai als toen.*

Helpen de zenuwimplantaten dan niet?

*Nou en of, anders had ik het helemaal niet gered. Helaas kan ik de stof nog steeds niet gewoon downloaden zoals George. Het implantaat bewerkt de informatie voor en voedt me de voorbewerkte kennisstructuren snel. Maar het is vaak ontmoedigend; het duurt zo lang. Maar aan George heb ik veel steun gehad. Als ik ergens over zit te piekeren dan fluistert hij me zo ongeveer wat toe.*

Dus die drie jaar studieverlof is nu voorbij?

*Ongeveer een jaar geleden werden de commissievergaderingen nogal intensief, en ik heb me daarop geconcentreerd. Nu de volkstelling nog maar een jaar is verwijderd werken we aan de tenuitvoerbrenging. Afgezien van de rechtszaak is het dat wel zo ongeveer.*

Rechtszaak?

*O, gewoon een normaal geschil over* intellectual property. *Mijn patent voor een verbeterde patroonherkenningsalgoritme voor nanopatrouilledetectie van celwandverhoudingen werd aangevallen met een dagvaarding dat dat al eerder was vertoond. Toevallig heb ik in een van de discussiegroepen ooit gezegd dat ik dacht dat diverse octrooiconclusies werden geschonden, en ik had het nog niet gezegd of ik werd om de oren geslagen met een declaratoir boeteproces van de nanopatrouillebedrijfstak.*

Ik wist niet dat je had gewerkt aan nanopatrouilles.

*Eerlijk gezegd heeft George dat uitgevonden, maar hij had een verantwoordelijk persoon nodig.*

Omdat hij geen status heeft?

*Dat is waar. Er gelden nog steeds beperkingen als je je menselijke afkomst niet kunt bewijzen.*

En hoe wordt dit opgelost?

*Volgende maand komt het voor.*

Het is meestal nogal frustrerend als je procedeert over dat soort technische kwesties.

*O, maar deze magistraat weet waarmee hij bezig is. Hij is een erkend specialist op het gebied van nanopatrouillepatroonherkenning.*

Dat lijkt helemaal niet op een rechter die ik ken.

*De uitbreiding van het rechtersysteem vormde een zeer positieve ontwikkeling. Als we ons moesten beperken tot menselijke rechters...*

O, de rechter is...

*Precies, een virtuele intelligentie.*

Dus machines hebben toch een soort wettelijke status.

*Officieel zijn virtuele rechters instrumenten van de menselijke rechter die de leiding heeft van die rechtbank, maar de virtuele nemen de meeste beslissingen.*

Ik begrijp het, het lijkt erop dat deze rechters nogal veel invloed hebben.

*Eigenlijk is er geen alternatief. De kwesties zijn gewoon veel te ingewikkeld, en de processen zouden anders te lang duren.*

Ja, ja. Vertel eens wat over je zoon.

*Hij is tweedejaars aan de universiteit van Stanford en hij heeft het geweldig naar zijn zin.*

Ze hebben in ieder geval een mooi universiteitsterrein.

*Ja, we hebben een hele tijd staan kijken naar het ovale en rechthoekige gebouw. Jeremy heeft al tien jaar driedimensionale projecties van het universiteitsterrein van Stanford op de beeldportals.*

Dan moet hij zich daar wel thuisvoelen.

*Hij is thuis. Hij zit beneden.*

Hij loopt dus virtueel college?

*Dat doen de meeste studenten. Maar Stanford heeft nog steeds een paar ouderwetse regels die stellen dat je elk semester tenminste een week daadwerkelijk op het universiteitsterrein moet doorbrengen.*

Met je fysieke lichaam?

*Precies, en dat maakt het moeilijk voor een virtuele intelligentie om officieel college te lopen.*

Dat hoeven ze toch ook niet, ze kunnen de kennis direct van het Internet downloaden.

*Het gaat ook niet om de kennis maar om de discussiegroepen.*

Kan niet iedereen die discussiegroepen bijwonen?

*Alleen de open discussies. Er zijn veel besloten discussiegroepen...*

Die niet op het Internet zijn?

*Natuurlijk zijn die wel op het Internet, maar je hebt een sleutel nodig.*

Precies, dus op die manier loopt Jeremy thuis college?

*Juist. Jeremy en George zijn de laatste tijd dikke maatjes geworden, en dus laat Jeremy George luisteren naar de besloten sessies. Maar dit mag je niet doorvertellen.*

Ik houd mijn lippen stijf op elkaar. Ik zal het alleen tegen mijn andere lezers zeggen.

*Maar die moeten het ook vertrouwelijk houden.*

Ik zal het doorgeven.

*Ik hoop dat dat goed zal gaan. Hoe dan ook, precies op dit moment helpt George Jeremy met zijn huiswerk.*

Ik hoop dat George het niet allemaal voor hem opknapt.

*O, dat zou George nooit doen. Hij helpt alleen maar. Hij helpt ons allemaal. Anders zouden we het niet redden.*

Weet je, ik zou zijn hulp ook wel kunnen gebruiken. Hij zou me kunnen helpen om de deadline te halen van dit boek.

*Nou, George is slim, maar ik ben bang dat hij niet beschikt over die technologie 'dichterlijke vrijheid' die jou in staat stelt dertig jaar te overlappen om met mij te praten.*

Jammer.

*Maar ik help je graag.*

Ja, dat weet ik, je hebt me al geholpen.

---

## Hoofdstuk twaalf

# 2099

*Als ik uit mijn raam kijk*
*Wat denk je dan dat ik zie?*
*... dat er zoveel verschillende mensen zijn.*
Donovan

*We weten wat we zijn, maar we weten niet wat we misschien worden.*
William Shakespeare

Het menselijk denken smelt samen met de wereld van de machine-intelligentie die de menselijke soort in eerste instantie in het leven riep.

Het reverse engineeren van de menselijke hersenen lijkt voltooid. De honderden gespecialiseerde gebiedjes zijn met succes gescand en geanalyseerd, en we begrijpen ze. Analoge machinestructuren worden op deze menselijke modellen – die zijn verbeterd en uitgebreid – gebaseerd en ook op veel nieuwe enorm parallelle algoritmen. Deze verbeteringen leveren, samen met de enorme voordelen wat betreft snelheid en capaciteit van elektronische of fotonische schakelingen, belangrijke voordelen voor de op machines gebaseerde intelligentie.

Op machines gebaseerde intelligenties die volledig zijn afgeleid van die uitgebreide modellen van menselijke intelligentie beweren dat ze menselijk zijn, hoewel hun hersenen niet zijn gebaseerd op cellulaire processen die op koolstof zijn gebaseerd, maar eerder op elektronische en fotonische 'equivalenten'. De meeste van deze intelligenties zitten niet vast aan een bepaalde computingverwerkende eenheid (oftewel een brok hardware). Het aantal op software gebaseerde mensen overtreft ruimschoots het aantal dat nog steeds de natuurlijke, op zenuwcellen gebaseerde, computing gebruikt. Een op software gebaseerde intelligentie kan naar wens lichamen tevoorschijn toveren: een of meer virtuele lichamen op verschillende niveaus van virtuele werkelijkheid en nanogeëngineerde fysieke lichamen die zich voortdurend aanpassende nanobotzwermen gebruiken.

Zelfs onder de menselijke intelligenties die nog steeds gebruikmaken van de op koolstof gebaseerde neuronen, wordt overvloedig gebruikgemaakt van zenuwimplantaattechnologie die de menselijke perceptie en de cognitieve vaardigheden enorm verbeteren. Mensen die dergelijke implantaten niet gebruiken zijn niet meer in staat om op een zinvolle manier deel te nemen aan een dialoog met mensen die wel over implantaten beschikken.

Er zijn erg veel verschillende manieren waarop deze scenario's worden gecombineerd. Het concept 'mens' is substantieel veranderd. De rechten en machten van de verschillende verschijningsvormen van menselijke intelligentie en machine-intelligentie en hun diverse combinaties vertegenwoordigen een zeer belangrijk politieke en filosofische kwestie, hoewel de basisrechten van op machines gebaseerde intelligentie zijn vastgelegd.

Er zijn talloze trends waarvan we in 2099 al kunnen proeven en voelen dat ze zullen blijven versnellen in de komende tweeëntwintigste eeuw, met elkaar in wisselwerking staan, en...

---

*Ja, zoals Niels Bohr het graag uitdrukte: 'Voorspellen is moeilijk, vooral de toekomst.' Waarom ga je dan niet gewoon door met mijn waarnemingen. Dat is een stuk gemakkelijker en ook veel minder verwarrend.*

Dat is misschien een goed idee.

*Honderd jaar is uiteindelijk een lange tijd. En de eenentwintigste eeuw leek alsof er tien eeuwen in één gingen.*

Dat dachten we ook van de twintigste eeuw.

*De spiraal van de versnellende opbrengsten gaat door.*

Daar sta ik niet van te kijken. Hoe dan ook, je ziet er geweldig uit.

*Dat zeg je elke keer als we bij elkaar komen.*

Ik bedoel, je ziet er uit alsof je weer twintig bent, alleen knapper dan aan het begin van het boek.

*Ik wist dat je mij graag zo zag.*

Dat is fraai, straks ga je me er nog van beschuldigen dat ik op jongere vrouwen val.

*Ik ben blij dat ik in 2099 leef.*

Dank je wel.

*Hé, ik kan er ook lelijk uitzien, hoor.*

Oké.

*Ik meen het, ik kan er lelijk uitzien zonder mijn uiterlijk te veranderen. Dat lijkt op dat citaat van Wittgenstein: 'Denk je die vlinder eens in precies zoals hij is, maar dan lelijk in plaats van mooi.'*

Dat citaat heeft me altijd in de war gebracht, maar ik ben blij dat je twintigste-eeuwse denkers aanhaalt.

*Tja, jij bent nou eenmaal niet bekend met de filosofen van de eenentwintigste eeuw.*

Dus je drukt dit uiterlijk uit. Maar ik kan geen virtuele werkelijkheid zien, dus kan ik ook...

*Niet begrijpen hoe je me kunt zien?*

Precies.

*Op dit moment is mijn lichaam alleen maar een projectie van een kleine mistzwerm. Handig, nietwaar?*

Prima, geweldig. Je voelt ook goed aan.

*Ik dacht, ik omhels je even, ik bedoel, het boek is nu toch bijna klaar.*

Dat is nou wat ik noem een technologie.

*O, we gebruiken de zwermen niet meer zo vaak.*

De laatste keer dat ik je zag waren er geen nanobotzwermen. En nu gebruik je ze al bijna niet meer. Ik geloof dat ik hier een fase heb overgeslagen.

*O, een of twee. Het is wel zeventig jaar geleden dat we elkaar voor het laatst hebben gezien! Een bovendien een steeds versnellende zeventig jaar.*

We moeten elkaar wat vaker zien.

*Ik weet niet of dat wel mogelijk is. Zoals je al zei, het boek is bijna af.*

En, zijn jij en George nog steeds dik met elkaar?

*O, heel dik. We zijn altijd bij elkaar.*

Altijd? Vervelen jullie elkaar nooit?

*Raak jij verveeld met jezelf?*

Eigenlijk soms wel ja. Maar bedoel je te zeggen dat George en jij zijn, hoe heet dat...

*Gefuseerd zijn?*

Hm. Lijkt op een fusie van twee maatschappijen.

*Eerder het samengaan van twee maatschappijen.*

Twee geestesmaatschappijen?

*Precies. Onze geest is nu een grote gelukkige maatschappij.*

De vrouwtjesspin die het kleine mannetjesspinnetje verslindt?

*O nee, George is de grote spin. Zijn geest leek wel een...*

Melkwegstelsel?

*Nou ja, laten we niet overdrijven. Laten we zeggen een groot zonnestelsel.*

Dus jullie hebben verenigde maatschappijen, of euh, jullie hebben je maatschappijen verenigd. Dus nu kunnen jullie niet meer vrijen?

*Die conclusie kun je niet zomaar trekken.*

Oké, ik denk dat sommige dingen mijn pet uit 1999 te boven gaan.

*Dat volgt daar ook niet uit. Het diepste van menselijke wezens – zelfs van ZOSMs – is dat bijna niets ons begrip echt te boven gaat. En dat gold gewoon niet voor de andere primaten.*

Oké, de vragen stapelen zich in hoog tempo op. ZOSMs?

*O, Zeer Oorspronkelijke SubstraatMensen.*

Ja, natuurlijk – niet verbeterd...

*Precies.*

Maar hoe kun je nu intiem worden met George nu jullie zijn samengegaan, om het maar zo te noemen?

*Nou, net als in het gedicht van Barry Spack...*

Je bedoelt 'Verdubbeld door zijn lust, brengt hij het gekreun van een vrouw voort...'

*Juist, ik bedoel maar, zelfs ZOSMs delen zichzelf op...*

Als we alleen zijn...

*Of met een ander. Denk je niet dat dat het summum is, om de ander te worden en jezelf op hetzelfde moment?*

Zeker als die andere persoon al deel uitmaakt van jezelf.

*Zeker. Maar George en ik kunnen onszelf nog steeds splitsen, tenminste onze buitenlagen.*

Lagen?

*Oké, misschien zijn sommige dingen wat lastig om uit te leggen aan een ZOSM, zelfs aan een aardige zoals jij.*

Ja, een ZOSM die jou heeft geschapen. Vergeet dat niet.

*O, dat zal ik nooit vergeten. Ik zal eeuwig dankbaar blijven. Je kunt die buitenlagen zien als je persoonlijkheden.*

Dus je splitst je persoonlijkheden...

*Soms. Maar te allen tijde delen we onze kennisvoorraad.*

Het lijkt erop dat jullie veel gemeenschappelijk hebben.

*[gegiechel]*

Ik zie dat je je oude persoonlijkheid ook nog hebt.

*Natuurlijk heb ik mijn oude persoonlijkheid gehouden. Die heeft veel sentimentele waarde voor me.*

O, dus je hebt ook nog andere?

*Ja, en mijn favoriete persoonlijkheden heeft George verzonnen.*

Wat een creatieveling.

*Jazeker.*

Trouwens, meer dan één persoonlijkheid hebben is niet zo vreselijk bijzonder. In de twintigste eeuw kenden we ook zulke mensen.

*Zeker, dat kan ik me herinneren. Maar er was onvoldoende sprake van echt denken voor al die persoonlijkheden die opgesloten zaten in de hersenen van één ZOSM. Al die persoonlijkheden hadden het dus moeilijk om te slagen in het leven.*

Wat doe je op dit moment?

*Ik ben met jou aan het praten.*

Ik bedoel eigenlijk, wat doe je nog meer?

*Niet echt veel. Ik probeer mijn aandacht op jou te concentreren.*

Niet veel? Dus je doet wel iets anders?

*Ik kan niets bedenken.*

Heb je op dit moment een band met iemand?

*Je bent nogal nieuwsgierig.*

Dat hebben we tientallen jaren geleden al geconstateerd. Maar daarmee beantwoord je de vraag nog niet.

*Nou, niet echt.*

Niet echt? Dus wel.

*Vooruit dan, afgezien van George niet echt.*

Ik ben blij dat ik je niet te veel afleid. En verder?

*Ik leg net de laatste hand aan die symfonie.*

Een nieuwe hobby?

*Ik ben maar wat aan het liefhebberen, maar muziek schrijven helpt geweldig om de band met Jeremy en Emily te handhaven.*

Muziek maken lijkt een goed idee om samen met je kinderen te doen, zelfs al zijn ze al bijna negentig. Kun je wat laten horen?

*Ik ben bang dat je het niet zult begrijpen.*

Je moet dus 'verbeterd' zijn om het te kunnen begrijpen?

*Ja, en dat geldt voor de meeste kunst. Om te beginnen is deze symfonie geschreven in frequenties die een ZOSM niet kan horen, en het tempo ligt ook veel te hoog. En ze bestaat uit muzikale structuren die een ZOSM nooit zou kunnen volgen.*

Kun je geen kunst scheppen voor niet-verbeterde mensen? Ik bedoel maar dat er nog steeds een hoop diepgang mogelijk is. Kijk maar naar Beethoven – die schreef bijna twee eeuwen geleden en we vinden zijn muziek nog steeds stimulerend.

*Ja, er is een soort muziek – eigenlijk van alle kunst – waarbij we muziek en kunst maken die een ZOSM kan begrijpen.*

En dan speel je ZOSM-muziek voor ZOSMs?

*Hm, dat is een interessant idee. Ik denk dat we dat zouden kunnen proberen, maar het is tegenwoordig niet meer zo gemakkelijk om een ZOSM te vinden. Maar het is ook niet echt nodig. Wij kunnen zeker begrijpen wat een ZOSM kan begrijpen. Het punt is echter om de beperkingen van de ZOSM te gebruiken als een extra beperking.*

Alsof je nieuwe muziek schrijft voor oude instrumenten.

*Ja, nieuwe muziek voor oude hersenen.*

Oké, dus afgezien van je, euh, dialoog met George en die symfonie ben je een en al aandacht voor mij?

*Nou, George en ik eten samen een hamburger als lunch.*

Ik dacht dat je vegetarisch was.

*Het is natuurlijk geen hamburger van een koe, sufferdje.*

Het is natuurlijk een zwermburger.

*Nee, nee, je raakt een beetje in de war. Tot ongeveer een halve eeuw geleden hadden we nanovoedsel. We konden dus vlees eten of wat we maar wilden zonder dat het van dieren afkomstig was, en het had de juiste compositie qua voedingswaarde. Maar zelfs toen wilde je niet echt graag een zwermprojectie eten – zwermen zijn er alleen voor visueel-auditief-tactiele projecties in de echte werkelijkheid. Kun je me nog volgen?*

Hm, misschien.

*Nou, enkele tientallen jaren later werden onze lichamen in feite vervangen door organen van nanoconstructies. We hoefden in de echte werkelijkheid dus niet meer te eten. Maar in de virtuele werkelijkheid vinden we het nog steeds leuk om met elkaar te eten. Overigens waren die nanolichamen nogal stijf. Ik bedoel dat het een paar seconden duurde voor je een andere vorm had. En dus projecteren we ons tegenwoordig gewoon als dat nodig of wenselijk is in een andere vorm.*

Door middel van nanobotzwermen?

*Dat is een van de mogelijkheden. Zo doe ik dat nu bij jou.*

Omdat ik een ZOSM ben.

*Juist, maar in de meeste andere situaties gebruik ik gewoon een beschikbaar virtueel kanaal.*

Oké, ik denk dat ik je nu kan volgen.

*Zoals ik al heb gezegd kunnen ZOSMs bijna alles begrijpen. We hebben veel respect voor ze.*

Uiteindelijk stammen jullie er ook van af.

*Precies, en trouwens, we moeten wel sinds de grootvaderwetgeving.*

Oké, laat me eens raden. De ZOSMs werden beschermd door grootvaderlijke geboortewetten.

*Ja, maar niet alleen de ZOSMs. Het is echt een programma om ons hele geboorterecht te beschermen, een eerbetoon aan waar we vandaan komen.*

Vind je het nog steeds leuk om te eten?

*Zeker. Omdat we zijn gebaseerd op onze ZOSM-afstamming kennen onze ervaringen – eten, muziek, seksualiteit – de oude grondslag, al is die enorm uitgebreid. We kennen echter ook een groot aantal verschillende huidige ervaringen die moeilijk zijn na te sporen, hoewel de antropologen dat blijven proberen.*

Ik blijf me erover verbazen dat jij nog steeds een hamburger wilt eten.

*Het is wat nostalgisch, ik weet het. Heel veel gedachten en daden van ons zijn geworteld in het verleden. Maar nu je het er toch over hebt, ik denk dat ik geen trek meer heb.*

Dat spijt me.

*Och ja, ik zou wat gevoeliger moeten zijn. Shelby, een goede vriendin van mij, ziet eruit als een koe, tenminste, zo vertoont ze zich altijd. Ze beweert dat ze een koe was die naar de andere kant werd gebracht en werd verbeterd. Maar niemand gelooft haar.*

Hoeveel plezier heb je van het eten van een virtuele hamburger in de virtuele werkelijkheid?

*Veel plezier – de structuur, de smaak en het aroma zijn geweldig – precies zoals ik me een hamburger herinner, zelfs al was ik het grootste deel van de tijd vegetariër. De zenuwmodellen simuleren niet alleen onze visuele, auditieve en tactiele omgevingen, maar ook onze inwendige omgevingen.*

Ook de spijsvertering?

*Ja, het model van de biochemische spijsvertering is behoorlijk nauwkeurig.*

En indigestie?

*Dat lijken we te kunnen vermijden.*

Dan mis je dus toch wat.

*Hm.*

Oké, je was een aantrekkelijke jonge vrouw toen ik je voor het eerst ontmoette. En je projecteert jezelf nog steeds als mooie jonge vrouw. Tenminste in mijn gezelschap.

*Dank je.*

Dus je beweert nu dat je een machine bent?

*Een machine? Daarover kan ik niet oordelen. Dat is zoiets alsof je me vraagt of ik briljant of inspirerend ben.*

Ik neem aan dat het woord *machine* in 2099 niet helemaal dezelfde connotaties heeft als hier in 1999.

*Dat kan ik me moeilijk herinneren.*

Oké, laten we het zo zeggen: heb je nog steeds zenuwschakelingen die op koolstof zijn gebaseerd?

*Schakelingen? Ik weet niet of ik je wel begrijp. Bedoel je mijn eigen schakelingen?*

Jeetje, ik neem aan dat er een hoop tijd is verstreken.

*Kijk eens, we hadden enkele tientallen jaren inderdaad ons eigen geestelijk medium, en er zijn nog steeds plaatselijke intelligentsia die zich willen blijven vastklampen aan een bepaalde computingeenheid. Maar dat is een weerspiegeling van een oude klampangst. Die plaatselijke intelligentsia voeren toch het grootste deel van hun denkwerk uit op het Internet, dus het komt gewoon neer op een sentimenteel anachronisme.*

Een anachronisme? Zoiets als het hebben van je eigen lichaam?

*Ik kan elk moment dat ik dat wil mijn eigen lichaam hebben.*

Maar je hebt geen specifiek zenuwsubstraat?

*Waarom zou ik dat willen? Dat kost maar een hoop onderhoud en het is zo beperkend.*

Dus op een bepaald moment werden de zenuwschakelingen van Mollie gescand?

*Ja, ik, Mollie. En het gebeurde overigens niet allemaal tegelijkertijd.*

Maar vraag je je niet af of je dezelfde persoon bent?

*Natuurlijk ben ik diezelfde persoon. Ik kan me mijn ervaringen van voordat we mijn geest gingen scannen duidelijk herinneren, tijdens die tien jaar dat de delen werden geherconcretiseerd, en daarna.*

Dus je hebt alle herinneringen van Mollie geërfd?

*O nee, niet weer deze kwestie.*

Ik wil je niet tarten. Maar denk je eens in dat Mollies zenuwscan werd geherconcretiseerd in een kopie die jou werd. Mollie kan best nog wel ergens zijn blijven bestaan en ze kan zich in een andere richting hebben ontwikkeld.

*Ik denk niet dat dat een geldig standpunt is. We hebben deze kwestie al meer dan twintig jaar geleden geregeld.*

Ja, natuurlijk denk je er nu zo over. Jij zit aan de andere kant.

*Iedereen bevindt zich aan de andere kant.*

Iedereen?

*Oké, niet helemaal. Maar ik twijfel er echt niet aan...*

Dat je Mollie bent.

*Ik denk dat ik weet wie ik ben.*

Nou, ik heb geen probleem met jou als Mollie.

*Jullie ZOSMs waren altijd al een makkie.*

Het is lastig om met jullie van de andere kant te concurreren.

*Dat is het zeker. Daarom zitten de meesten van ons aan deze kant.*

Ik denk niet dat ik nog verder op die kwestie van de identiteit moet doorgaan.

*Dat is een van de redenen waarom het geen kwestie meer is.*

Waarom praten we dan niet over je werk? Ben je nog steeds consulente voor de volkstellingcommissie?

*Ik ben daarmee een halve eeuw bezig geweest, maar op een gegeven moment raakte ik een beetje opgebrand. Trouwens, nu is het voornamelijk een kwestie van uitvoeren.*

Dus jullie hebben het probleem van hoe je moet tellen opgelost?

*We tellen geen mensen meer. Het werd duidelijk dat het tellen van individuen niet erg zinvol was. Om met Iris Murdoch te spreken: 'Je kunt moeilijk zeggen waar de ene persoon eindigt en de andere begint.' Het is net zoiets als gedachten of ideeën proberen te tellen.*

En wat tel je dan wel?

*Computes natuurlijk.*

Je bedoelt berekeningen per seconden of zo?

*Hm, het ligt wat moeilijker vanwege kwantumcomputing.*

Ik verwachtte al niet dat het eenvoudig zou zijn. Maar waar komt het op neer?

*Nou, afgezien van kwantumcomputing kunnen we ongeveer $10^{55}$ berekeningen per seconde aan.*[1]

Per persoon?

*Nee, we krijgen zoveel computing als we maar willen. Dit is de totale hoeveelheid.*

Voor de hele planeet?

*Zoiets. Wat ik bedoel is dat niet alles zich letterlijk op deze planeet afspeelt.*

En met inbegrip van kwantumcomputing?

*Nou, ongeveer $10^{42}$ van de berekeningen bestaat uit kwantumcomputing, en 1000 qubits is normaal. Dat staat dus gelijk aan ongeveer $10^{342}$ berekeningen per seconde, maar kwantumcomputing is niet helemaal voor het algemene nut, dus het getal $10^{55}$ is nog steeds van toepassing.*[2]

Hm, ik heb slechts $10^{16}$ berekeningen per seconde in mijn ZOSM-hersenen, en dan moet ik nog een goede dag hebben ook.

*In jouw ZOSM-hersenen blijkt wat kwantumcomputing plaats te vinden, dus het getal ligt wat hoger.*

Dat stelt me gerust. Als je dan niet werkt aan de volkstelling, wat doe je dan wel?

*We hebben eigenlijk geen echte baan.*

Ik weet hoe dat is.

*Eerlijk gezegd ben jij geen slecht voorbeeld voor werk aan het einde van de eenentwintigste eeuw. In principe zijn we allemaal ondernemer.*

Het lijkt erop dat er toch nog dingen zijn die de goede kant opgaan. En, wat voor ondernemingen heb jij?

*Een idee van mij betreft een unieke manier om nieuwe technologievoorstellen te catalogiseren. Dat draait om het met elkaar in overeenstemming brengen van de kennisstructuren van de gebruiker met de externe webkennis om vervolgens de relevante patronen te integreren.*

Ik weet niet of ik dat kon volgen. Geef eens een voorbeeld van een recent onderzoeksvoorstel dat je hebt gecatalogiseerd.

*Het grootste deel van het catalogiseren gaat automatisch. Maar ik werd wel betrokken bij de poging om een aantal voorstellen te catalogiseren op het gebied van femto-engineering.*[3]

Femto als in één biljoenste meter?

*Precies. Drexler heeft een aantal essays geschreven die de haalbaarheid van bouwtechnieken op femtometerschaal aantoonden waarbij voornamelijk fijne structuren binnen quarks worden gebruikt om de computing uit te voeren.*

Heeft iemand dat gedaan?

*Nog niemand heeft het gedemonstreerd, maar de essays van Drexler lijken aan te tonen dat het praktisch uitvoerbaar is. Tenminste, zo kijk ik er tegenaan, maar het is nogal controversieel.*

Is dat diezelfde Drexler die in de jaren zeventig en tachtig van de twintigste eeuw het idee van de nanotechnologie heeft ontwikkeld?

*Ja, Eric Drexler.*

Dan is hij nu ongeveer 150 jaar, hij moet dus aan de andere kant zijn.

*Natuurlijk, iedereen die maar enig serieus werk doet moet aan de andere kant staan.*

Je had het over essays. Staan die op papier?

*Tja, een aantal archaïsche termen hebben zich kunnen handhaven. Die noemen we Zosmismen. Essays worden absoluut niet meer op wat voor fysieke substantie dan ook afgeleverd. Maar we noemen ze nog steeds essays.*

In welke taal zijn ze geschreven, Engels?

*Academische essays worden in het algemeen uitgegeven in een standaard set geassimileerde kennisprotocols die onmiddellijk kunnen worden begrepen. Er zijn ook wat vormen met een gereduceerde structuur opgedoken, maar die worden meestal gebruikt in populair-wetenschappelijke uitgaven.*

Bedoel je zoiets als de *National Enquirer*?

*Die uitgave is nogal serieus. Ze gebruiken het volledige protocol.*

O.

*Soms worden essays ook geleverd in vormen die op regels zijn gebaseerd, maar die zijn meestal onder de maat. Er bestaat een ouderwetse trend om populair-wetenschappelijke artikelen te publiceren in ZOSM-talen, bijvoorbeeld het Engels, maar die kunnen we nogal snel vertalen in geassimileerde kennisstructuren. Leren is niet meer zo'n gevecht als vroeger. Nu draait het gevecht om het ontdekken van nieuwe kennis om te leren.*

Nog meer recente trends waarmee je te maken hebt?

*Nou, de automatische catalogiseerinstrumenten hadden problemen met de voorstellen van de zelfmoordbeweging.*

En die luiden?

*Het idee is dat je het recht moet hebben je geestesbestanden te beëindigen samen met alle kopieën ervan. De regels eisen dat er tenminste drie kopieën van niet meer dan tien minuten oud moeten worden bewaard, en tenminste één van die kopieën moet worden beheerd door de overheid.*

Ik zie de moeilijkheid. Als je zou worden verteld dat alle kopieën zouden worden vernietigd dan zouden ze stiekem een kopie kunnen bewaren en die op een later tijdstip in werking stellen. Dat zou je nooit weten. Is dat niet in tegenspraak met de voorwaarde dat degenen aan de andere kant dezelfde persoon zijn – dezelfde continuïteit van bewustzijn – als de oorspronkelijke persoon?

*Ik denk helemaal niet dat dat eruit volgt.*

Wil je dat uitleggen?

*Dat zou je niet begrijpen.*

En ik dacht dat ik zo goed als alles kon begrijpen?

*Dat heb ik inderdaad gezegd. Ik vrees dat ik nog eens over die uitspraak moet nadenken.*

Moet je nog eens nadenken of een ZOSM elk idee kan begrijpen of moet je nog eens nadenken over de kwestie bewustzijn-continuïteit?

*Ik geloof dat ik nu in de war ben.*

Oké, vertel eens wat meer over die 'vernietig-alle-kopieën'-beweging.

*Nou, ik kan echt wel begrip hebben voor beide kanten van dat probleem. Aan de ene kant heb ik altijd gesympathiseerd met het recht om je eigen bestemming te bepalen. Aan de andere kant is het een zonde om kennis te vernietigen.*

En de kopieën vertegenwoordigen kennis?

*Ja natuurlijk. Onlangs werd de 'vernietig-alle-kopieën'-beweging het belangrijkste vraagstuk van de DaY.*

Wacht nou eens eventjes. Als ik het me goed herinner dan waren de DaYs antitechnologen, maar alleen diegenen onder jullie die aan de andere kant waren zouden zich zorgen maken over het 'vernietig-alle-kopieën'-probleem. Als de DaYs aan de andere kant zijn, hoe kunnen ze dan tegen technologie zijn? Of als ze niet aan de andere kant zijn, waarom zouden ze dan iets om deze kwestie geven?

*Oké, vergeet niet dat het alweer zeventig jaar geleden is dat we hebben gesproken. De DaY-groepen hebben hun wortels in de oude antitechnologiebewegingen, maar nu ze aan de andere kant zijn, zijn ze naar een iets andere kwestie afgedwaald, met name individuele vrijheid. De mensen van het Florence Manifesto hebben hun belofte gehouden om ZOSM te blijven, en dat respecteer ik natuurlijk.*

Dank je. En worden ze beschermd door de grootvaderwetgeving?

*Zeker. Een tijdje geleden luisterde ik naar een lezing van een FM-discussieleider, maar hoewel ze in een ZOSM-taal sprak was het volstrekt onmogelijk dat ze niet tenminste een zenuwuitbreidingsimplantaat had.*

Tja, zo af en toe zijn wij ZOSMs verstandig.

*O natuurlijk. Ik wilde niets anders beweren, ik bedoel...*

Laat maar. Heb jij dus iets te maken met die 'vernietig-alle-kopieën'-beweging?

*Alleen maar op het gebied van het catalogiseren van een aantal voorstellen en discussies. Maar ik ben wel betrokken geraakt in een verwante beweging om het inzien van wetswege van de back-upgegevens te blokkeren.*

Dat klinkt indrukwekkend. Maar hoe zit het met de ontdekking van het geestesbestand zelf? Ik bedoel, al jullie denken en geheugen is toch in digitale vorm?

*Eigenlijk is het er zowel digitaal als analoog, maar ik begrijp prima wat je bedoelt.*

Dus...

*Er zijn regelgevingen over het inzien van wetswege van het geestesbestand. In de grond kunnen onze kennisstructuren die corresponderen met vroeger achterhaal-*

*bare documenten en artefacten worden achterhaald. De structuren en patronen die corresponderen met ons denkproces zouden niet mogen worden achterhaald. En dit is alweer geworteld in ons verleden als ZOSM. Maar er wordt, zoals je kunt verwachten, eindeloos geprocedeerd over hoe je dat moet interpreteren.*

Dus over het inzien van je primaire geestesbestand is een beslissing genomen, zij het dan dat er wat ambiguë regels zijn. En over de back-upbestanden?

*Of je het gelooft of niet, over de kwestie van de back-ups zijn nog niet alle besluiten genomen. Niet bijster slim, hè?*

Het juridische systeem is nooit helemaal consequent geweest. En als je moet getuigen, moet je daarbij fysiek aanwezig zijn?

*Omdat velen van ons geen permanente fysieke verschijning hebben zou dat niet erg nuttig zijn, wel?*

Ik begrijp het. Dus je kunt getuigen met een virtueel lichaam?

*Zeker, maar tijdens het getuigen mag je niets anders doen.*

Dus geen onderonsjes met George?

*Precies.*

Dat klinkt wel redelijk. Hier in 1999 mag je geen koffie meenemen naar een rechtszaal, en je moet je GSM afzetten.

*Nog afgezien van inzage heerst er veel bezorgdheid over het feit dat onderzoeksinstellingen van de regering toegang kunnen hebben tot de back-ups, hoewel dat wordt ontkend.*

Het verbaast me niets dat privacy nog steeds een punt is. Phil Zimmermann...

*Die kerel van PGP?*

O, herinner jij je hem?

*Natuurlijk, veel mensen zien in hem een heilige.*

Zijn 'pretty good privacy' (behoorlijk goede privacy) is inderdaad behoorlijk goed – in 1999 is het het belangrijkste codealgoritme. Hoe dan ook, hij beweerde dat 'we in de toekomst met zijn allen vijftien minuten privacy' zouden hebben.

*Vijftien minuten zou geweldig zijn.*

Oké. En hoe zit het met die zelfreproducerende nanobots waar je je in 2029 nog zo'n zorgen over maakte?

*Daar hebben we tientallen jaren problemen mee gehad, en er zijn wat ernstige dingen voorgevallen. Maar dat hebben we nu wel zo ongeveer gehad omdat we ons lichaam niet meer voortdurend zichtbaar laten zijn. Zolang het Internet veilig is, hebben we niets te vrezen.*

Nu jullie als software bestaan moeten jullie je toch weer zorgen maken over softwarevirussen.

*Dat heb je goed begrepen. Softwareziektekiemen vormen de voornaamste zorg van veiligheidsinstellingen. Ze zeggen dat de virusscans meer dan de helft van alle computing op het Internet opgebruiken.*

Alleen maar om naar virale tegenstanders uit te kijken.

*Bij virusscans gaat het om heel wat meer dan het vergelijken van codes van ziektekiemen. De slimmere softwareziekteverwekkers veranderen zichzelf voortdurend. Er bestaan geen lagen waarop je ze betrouwbaar kunt inpassen.*

Dat klinkt nogal lastig.

*We moeten inderdaad voortdurend op ons hoede zijn als we onze gedachtestroom over de substraatkanalen voeren.*

En hoe is het gesteld met de veiligheid van de hardware?

*Bedoel je het Internet?*

Daar leef je toch?

*Zeker. Het Internet is erg veilig omdat het erg is gedecentraliseerd en erg overbodig is. Tenminste, dat krijgen we te horen. Er kunnen grote delen van worden vernietigd zonder dat dat enig wezenlijk gevolg zou hebben.*

Maar er moet ook moeite worden gedaan om het te onderhouden.

*De hardware van het Internet reproduceert zichzelf tegenwoordig en breidt zich voortdurend uit. De oudere schakelingen worden voortdurend geregenereerd en opnieuw ontworpen.*

Dus jullie zijn niet bezorgd over de beveiliging?

*Ik neem aan dat ik een beetje bezorgd ben over het substraat. Ik heb altijd aangenomen dat dat zweverige, angstige gevoel in mijn ZOSM-verleden was geworteld. Maar het vormt geen echt probleem. Ik kan me niet indenken dat het Internet kwetsbaar zou kunnen zijn.*

En hoe zit het dan met zelfreduplicerende nanoziekteverwekkers?

*Hm, ik neem aan dat dat een gevaar zou kunnen zijn, maar de nanobotplaag zou wel verschrikkelijk uitgebreid moeten zijn om het hele substraat te bereiken. Ik vraag me af of er vijftien jaar geleden iets in die geest is gebeurd. Toen verdween 90 procent van de Internetcapaciteit – en we hebben daar nooit een bevredigende verklaring voor gekregen.*

Nou, ik probeer je niet bang te maken. Al dat catalogiseren doe je als ondernemer?

*Ja, mijn eigen bedrijfje.*

En hoe gaat dat financieel?

*Ik kom rond, maar echt rijk ben ik nooit geweest.*

Nou, geef me eens een indicatie. Wat ben je netto ongeveer waard?

*O, nog geen miljard dollar.*

Zijn dat dollars uit 2099?

*Natuurlijk.*

En hoeveel is dat in dollars van 1999?

*Even kijken, in dollars uit 1999 zou dat $149 miljard en een beetje zijn.*

O, dus een dollar uit 2099 is minder waard dan een uit 1999?

*Natuurlijk, de deflatie is aangewakkerd.*

Dus je bent rijker dan Bill Gates.

*Ja, rijker dan Bill Gates was in 1999. Maar dat zegt niet zoveel. En in 2099 is hij nog steeds de rijkste man ter wereld.*

Ik dacht dat hij had gezegd dat hij het eerste deel van zijn leven zou besteden om geld te verdienen en het tweede om het weg te geven?

*Ik denk dat hij datzelfde plan nog steeds heeft. Maar hij heeft al veel geld weggegeven.*

En wat ben jij gemiddeld netto waard?

*Nou, waarschijnlijk eerder één tachtigste percentiel.*

Niet slecht. Ik heb altijd al gedacht dat je een slimmerik was.

*Nou, met hulp van George.*

En vergeet niet wie je bedacht heeft.

*Natuurlijk.*

Dus je hebt genoeg financiële middelen om aan je behoeften te voldoen?

*Behoeften?*

Ja, je kent dat concept wel...

*Hm, dat is nogal een ouderwets begrip. Ik heb al enkele tientallen jaren niet meer aan behoeften gedacht. Hoewel ik er onlangs nog een boek over heb gelezen.*

Een boek, bedoel je met woorden?

*Nee, natuurlijk niet, tenzij we onderzoek doen naar voorbije eeuwen.*

Dit zijn dus meer onderzoeksessays – boeken met geassimileerde kennisstructuren?

*Zo zou je het kunnen noemen. Zie je wel, ik zei toch al dat er niets was dat een ZOSM niet zou kunnen begrijpen.*

Dank je.

*Maar we maken wel onderscheid tussen essays en boeken.*

Boeken zijn langer?

*Nee, intelligenter. Een essay is in wezen een statische structuur. Een boek is intelligent. Met een boek kun je een relatie hebben. Boeken kunnen met elkaar ervaringen hebben.*

Dat doet me denken aan die uitspraak van Marvin Minsky, 'Kun je je indenken dat ze vroeger bibliotheken hadden waar boeken niet met elkaar spraken?'

*Ik kan me inderdaad moeilijk herinneren dat dat waar was.*

Oké, dus je kent geen onbevredigde behoeften. En verlangens?

*Ja, bij dat idee kan ik me iets voorstellen. Mijn financiële middelen zijn zeker nogal beperkt. Je moet elke keer weer budgetcompromissen sluiten.*

Ik geloof dat sommige dingen helemaal niet zijn veranderd.

*Precies. Vorig jaar lagen er vijfduizend zakelijke voorstellen voor risicokapitaal waarin ik graag had willen investeren, maar ik kon amper in eenderde daarvan investeren.*

Je bent dus kennelijk geen Bill Gates.

*Dat is wel zeker.*

Als je investeert, wat doen ze dan met het geld? Ik bedoel, je hoeft geen kantoorspullen te kopen.

*Hoofdzakelijk wordt geld gebruikt voor de tijd en het denkwerk van mensen, en voor kennis. Bovendien, hoewel er erg veel kennis op het Internet is die gratis wordt verspreid moeten we wel toegangsgeld betalen voor een groot deel.*

Dat klinkt niet zo anders dan in 1999.

*Geld is wel degelijk nuttig.*

Je draait nu al heel wat jaartjes mee. Maak je je daar geen zorgen over?

*Woody Allen heeft al gezegd, 'Sommige mensen willen de onsterfelijkheid bereiken door middel van hun werk of hun nakomelingen. Ik probeer onsterfelijk te worden door niet dood te gaan.'*

Het doet me genoegen om te zien dat Allen nog steeds invloed heeft.

*Maar ik heb wel een droom die steeds terugkomt.*

Droom je nog steeds?

*Natuurlijk droom ik. Als ik niet zou dromen zou ik niet creatief kunnen zijn. Ik probeer zoveel mogelijk te dromen. Ik droom voordurend minstens een of twee dromen.*

En die ene droom?

*Er is een lange rij gebouwen – miljoenen gebouwen. Ik ga een gebouw in, en het is leeg. Ik check alle kamers, en er is niemand, geen meubels, niets. Ik ga weg en loop naar het volgende gebouw. Ik ga van gebouw naar gebouw, en dan eindigt mijn droom ineens met een angstgevoel...*

Een soort vleugje wanhoop over de kennelijk eindeloze aard van de tijd?

*Hm, misschien, maar dan verdwijnt het gevoel en kom ik er achter dat ik niet over de droom kan denken. Hij lijkt gewoon in het niets op te lossen.*

Het lijkt wel of er een soort antidepressiealgoritme plotseling begint mee te spelen.

*Misschien moet ik eens kijken of ik het kan onderdrukken?*

De droom of het algoritme?

*Ik dacht aan het laatste.*

Dat zou wel eens lastig kunnen zijn.

*Helaas.*

Denk je dus aan iets anders op dit moment?

*Ik probeer te mediteren.*

Naast je symfonie, Jeremy, Emily, George, ons gesprek, en die een of twee dromen van jou?

*Hé, dat is toch niet zoveel. Je hebt bijna al mijn aandacht. Ik neem aan dat er in jouw hersenen op dit moment verder niets gebeurt?*

Oké, je hebt gelijk. Er gaat van alles om in mijn hoofd, maar van het meeste kan ik niets brouwen.

*Zie je nou wel.*

En hoe gaat het met je mediteren?

*Ik denk dat ik slechts een beetje word afgeleid door ons gesprek. Ik krijg niet elke dag iemand te spreken uit 1999.*

En in het algemeen?

*Mijn mediteren? Dat is heel belangrijk voor me. Er gebeurt nu zoveel in mijn leven. Het is belangrijk om van tijd tot tijd me gewoon door de gedachten te laten overspoelen.*

Helpt dat mediteren je om te transcenderen?

*Soms voel ik me alsof ik kan transcenderen en een punt van vrede en sereniteit kan bereiken, maar het is nu niet gemakkelijker dan toen ik je voor het eerst ontmoette.*

En hoe zit het met de neurologische wisselbegrippen van een geestelijke ervaring?

*Er zijn wat oppervlakkige gevoelens die ik mezelf kan bijbrengen, maar dat is geen echte spiritualiteit. Het lijkt op een authentiek gebaar – een kunstzinnige expressie, een moment van sereniteit, een gevoel van vriendschap – daarvoor leef ik, en die momenten zijn moeilijk te bereiken.*

Het doet me genoegen te horen dat sommige dingen nog steeds niet gemakkelijk zijn.

*In feite is het leven nogal hard. Er wordt zoveel van me verwacht en geëist. En ik ben zo beperkt.*

Een van de beperkingen die ik me kan bedenken is dat we niet meer genoeg ruimte hebben in dit boek.

*En tijd.*

Dat ook. Ik waardeer het erg dat je je gedachten met me hebt gedeeld.

*Ik ben ook dankbaar. Zonder jou bestond ik niet.*

Ik hoop dat de rest van jullie daar aan die andere kant zich dat ook herinneren.

*Ik zal het doorgeven.*

Misschien een afscheidskus?

*Alleen maar een kus?*

Laten we het voor dit boek daar maar op houden. Voor de film zal ik het eind nog eens opnieuw bekijken, vooral als ik mijzelf mag spelen.

*Hier is mijn kus... vergeet niet, ik sta klaar om alles te doen of alles te zijn wat jij maar wilt of nodig hebt.*

Dat houd ik in gedachte.

*Precies, daar zul je me vinden.*

Jammer dat ik een eeuw moet wachten om je te ontmoeten.

*Of mij te zijn.*

Ja, dat ook.

---

Epiloog

# De rest van het heelal opnieuw bezocht

Eigenlijk, Mollie, zijn er nog een paar vragen in me opgekomen.
Wat zijn die beperkingen waarover je het had?
Waarvoor, zei je, was je bang?
Kun je pijn voelen?
En hoe zit het met baby's en kinderen?
Mollie?...

Het ziet er naar uit dat Mollie geen van onze vragen kan gaan beantwoorden. Maar dat geeft niet. We hebben ook geen behoefte aan het antwoord. Nog niet, in ieder geval. Voor dit moment is het genoeg om de juiste vragen te stellen. We hebben nog tientallen jaren de tijd om over de antwoorden na te denken.
Het versnellende tempo van de verandering is onverbiddelijk. Het opduiken van machine-intelligentie die slimmer is dan de menselijke intelligentie in al haar enorme diversiteit is onvermijdelijk. Maar we hebben nog steeds de macht om onze toekomstige technologie en ons toekomstig leven vorm te geven. Dat is de voornaamste reden waarom ik dit boek heb geschreven.
Laten we eens kijken naar één laatste probleem. De wet van chaos en tijd en de belangrijkere onderwet daarvan, de wet van de versnellende opbrengsten, zijn niet beperkt tot het evolutieproces hier op aarde. Wat zijn de gevolgen van de wet van de versnellende opbrengsten voor de rest van het heelal?

## Zeldzaam en overvloedig

Voor Copernicus werd de aarde in het middelpunt van het heelal geplaatst en werd ze gezien als een substantieel deel van dat heelal. We weten nu dat de aarde maar een klein hemelobject is dat draait om een middelgrote ster te midden van honderd miljard sterren in ons Melkwegstelsel, en dat is op zijn beurt slechts één van ongeveer honderd miljard melkwegstelsels. Men neemt algemeen aan dat het leven, zelfs intelligent leven, niet alleen op onze bescheiden planeet voorkomt, maar een ander hemellichaam dat onderdak biedt aan levensvormen moet nog worden ontdekt.

Niemand kan nog met zekerheid stellen hoe gewoon leven in het heelal kan zijn. Ik gok erop dat het zowel zeldzaam als overvloedig is, en dat het die eigenschap deelt met een groot aantal verschillende andere fenomenen. Materie zelf bijvoorbeeld is zowel zeldzaam als overvloedig. Als je willekeurig een gebiedje ter grootte van een proton zou moeten kiezen dan is de kans dat je een proton (of enig ander deeltje) in dat gebiedje zou vinden uiterst klein, minder dan één op een biljoen biljoen. Met andere woorden, de ruimte is bijzonder leeg, en de deeltjes zijn erg verspreid. En dat geldt voor hier op de aarde – de kans om een deeltje tegen te komen op een bepaalde locatie in de ruimte is nog kleiner. En toch hebben we biljoenen van biljoenen protonen in het heelal. Vandaar dat materie zowel zeldzaam als overvloedig is.

Laten we eens kijken naar materie op een grotere schaal. Als je willekeurig een gebied ter grootte van de aarde selecteert ergens in de ruimte dan is de kans dat er een hemellichaam (bijvoorbeeld een ster of een planeet) in dat gebied is ook uiterst klein, minder dan één op een biljoen. En toch zijn er miljarden biljoenen van dergelijke hemellichamen in het heelal.

Laten we eens kijken naar de levenscyclus van zoogdieren op aarde. De taak van een aardse zoogdierspermatozoïde is het bevruchten van een vrouwelijk zoogdiereicelletje, maar de kans dat de spermatozoïde zijn taak vervuld is veel minder dan één op een biljoen. Desalniettemin hebben we meer dan honderd miljoen van dergelijke bevruchtingen per jaar als we alleen maar naar menselijke eicellen en spermatozoïden kijken. Wederom zeldzaam en overvloedig.

En laten we nu eens kijken naar de evolutie van levensvormen op een planeet. Die evolutie kunnen we definiëren als zichzelf herhalende ontwerpen van materie en energie. Het kan wel eens zo zijn dat het leven in het heelal op dezelfde manier zowel zeldzaam als overvloedig is, en dat de voorwaarden precies zo moeten zijn opdat het leven zich kan ontwikkelen. Als de kans dat een ster een planeet heeft die leven heeft voortgebracht bijvoorbeeld één op een miljoen is, dan zouden er in ons eigen Melkwegstelsel al 100.000 planeten zijn die deze drempel hebben overschreden, terwijl er nog biljoenen in andere melkwegstelsels zijn.

We kunnen de evolutie van levensvormen zien als een bepaalde drempel die door een aantal planeten is overschreden. We kennen ten minste een zo'n planeet, en we nemen aan dat er nog veel meer zijn.

Als volgende drempel kunnen we de evolutie van *intelligent* leven onder de loep nemen. Volgens mij is intelligentie echter een te vaag begrip om als een duidelijke drempel aan te duiden. Als we in ogenschouw nemen wat we weten van het leven op deze planeet dan zijn er veel diersoorten die enig niveau van slim gedrag vertonen, maar er lijkt geen duidelijk definieerbare drempel te zijn. Het gaat hier meer om een continuüm dan om een drempel.

Een betere kandidaat voor de volgende drempel is de evolutie van een soort of een levensvorm die op zijn beurt 'technologie' schept. We hebben de aard van technologie al eerder besproken. Die vertegenwoordigt meer dan alleen maar het vervaardigen en gebruiken van gereedschap. Mieren, primaten en andere dieren op aarde gebruiken gereedschap en passen het zelfs aan, maar dat gereedschap wordt niet ontwikkeld. Technologie vereist een hoeveelheid kennis die het creëren van gereedschap beschrijft die van de ene op de volgende generatie van de soort kan worden overgedragen. De technologie wordt dan zelf een zich ontwikkelende set ontwerpen. En dit is geen continuüm, maar een duidelijke drempel. Een soort schept technologie of niet. Het kan lastig zijn voor een planeet om meer dan één soort die technologie creëert in stand te houden. Als er meer is dan een dan is het goed mogelijk dat de soorten niet met elkaar kunnen opschieten, en dat was kennelijk het geval op aarde.

Een saillante vraag luidt: hoe groot is de kans dat een planeet die leven heeft ontwikkeld vervolgens een soort ontwikkelt die technologie schept? Hoewel de evolutie van levensvormen misschien zeldzaam en overvloedig is heb ik in hoofdstuk 1 beargumenteerd dat als er eenmaal een begin is gemaakt met de evolutie van levensvormen de opkomst van een soort die technologie schept onvermijdelijk is. De evolutie van technologie is vervolgens een voortzetting van de evolutie met andere middelen die leidde tot technologiescheppende soorten in de eerste plaats.

Het volgende stadium is computing. Als er eenmaal technologie is ontstaan dan lijkt het onvermijdelijk dat computing (in de technologie, niet alleen maar in het zenuwstelsel van de soort) daarna zal opduiken. Computing is duidelijk een nuttige manier om zowel de omgeving als de technologie zelf te beheersen, en computing maakt het blijven creëren van technologie enorm veel gemakkelijker. Net zoals een organisme wordt geholpen door het kunnen vasthouden van interne toestanden en intelligent kan reageren op zijn omgeving, zo geldt dat ook voor de technologie. Op het moment dat computing opduikt bevinden we ons in een laat stadium in de exponentiële technologische evolutie op de desbetreffende planeet.

Op het moment dat er computing is ontstaan neemt het resultaat van de wet van de versnellende opbrengsten zoals toegepast op computing het heft in handen en zien we de exponentiële toename in kracht van de computingtechnologie in de loop van de tijd. De wet van de versnellende opbrengsten voorspelt dat zowel de soort als de computingtechnologie in een exponentieel tempo zullen vooruitgaan, maar dat de groeiexponent enorm veel hoger ligt voor de technologie dan voor de soort. Daaruit volgt dat de computingtechnologie de soort die haar heeft uitgevonden onvermijdelijk en in hoog tempo voorbijstreeft. Aan het einde van de eenentwintigste eeuw is het pas een kwart millennium geleden dat computing op aarde opdook, en dat is slechts een kruimel op de evolutieschaal – zelfs niet lang op de schaal van de geschiedenis van de mensheid. Toch zullen computers in die tijd veel krachtiger zijn geworden (en naar mijn overtuiging veel intelligenter) dan de mensen die hen oorspronkelijk creëerden.

De volgende onvermijdelijke stap is het samengaan van de soort die de technologie heeft uitgevonden met die computingtechnologie die die soort heeft uitgevonden. In dat stadium van de evolutie van intelligentie op een planeet zijn de computers zelf op zijn minst voor een deel gebaseerd op het ontwerp van de hersenen (oftewel computingorganen) van de soort die hen oorspronkelijk heeft gecreëerd, en op hun beurt worden de computers in het lichaam en de hersenen van die soort ingebed, en vormen ze er één geheel mee. Gebiedje voor gebiedje worden de hersenen en het zenuwstelsel van die soort geport naar de computingtechnologie, en uiteindelijk zal die technologie die informatieverwerkende organen vervangen. Diverse praktische en ethische kwesties zullen dat proces vertragen, maar ze kunnen het niet tegenhouden. De wet van de versnellende opbrengsten voorspelt een volledig samengaan van de soort met de technologie die die soort in aanvang creëerde.

## Hoe het fout kan gaan

Maar stop, deze stap is niet onafwendbaar. De soort en zijn technologie kunnen zichzelf best wel eens vernietigen voor ze deze stap bereiken. De vernietiging van het hele evolutieproces is de enige manier om de exponentiële opmars van de wet van de versnellende opbrengsten te stuiten. Tijdens het proces zijn er voldoende krachtige technologieën gecreëerd die het ecologische milieu waarin de soort en zijn technologie verkeren kunnen vernietigen. Gezien de vermoedelijke overvloed aan planeten waarop leven en intelligentie is moeten deze manieren om te mislukken vaak zijn voorgekomen.

We zijn bekend met één van die mogelijkheden: vernietiging door nucleaire technologie – niet gewoon een op zich staand tragisch ongeluk, maar een gebeurtenis die het hele milieu vernietigt. Een dergelijke catastrofe hoeft niet per se alle levensvormen op een planeet te vernietigen, maar zou wel een forse terugval betekenen voor het proces dat hier wordt voorzien. Wat betreft dit scenario zijn we hier op aarde nog niet uit de gevarenzone. Maar er zijn meer destructiescenario's. Zoals ik heb aangegeven in hoofdstuk 7 is een zeer waarschijnlijk scenario dat van een defect (of sabotage) van het mechanisme dat de onbeperkte zelfreproductie van zichzelf reproducerende nanobots verhindert. Nanobots zijn onvermijdelijk, gegeven het ontstaan van intelligente technologie. Zichzelf reproducerende nanobots zijn eveneens onvermijdelijk omdat zelfreproductie een efficiënte en uiteindelijk noodzakelijke manier vormt om deze soort technologie te fabriceren. Door iemand met krankzinnige bedoelingen of gewoon door een ongelukkige softwarefout zou het niet kunnen afzetten van de zelfreproductie op een kwade dag zeer onfortuinlijke gevolgen kunnen hebben. Een dergelijke kanker zou zowel organisch als veel anorganisch materiaal besmetten omdat de nanobotlevensvorm niet van organische oorsprong is. Het is onvermijdelijk dat er planeten in de ruimte zijn die zijn bedekt met een enorme zee zichzelf reproducerende nanobots. Ik neem aan dat de evolutie de draad vanaf dat punt weer oppakt.

Een dergelijk scenario blijft niet beperkt tot nanobots. Elke zichzelf reproducerende robot kan het teweegbrengen. Maar zelfs als de robots groter zijn dan nanobots is het waarschijnlijk dat hun middelen om zichzelf te reproduceren gebruikmaken van nanotechniek. Maar elke zichzelf reproducerende groep robots die de drie wetten van Asimov (die robots verbieden hun schepper kwaad te doen) niet volgt, hetzij door boze opzet, hetzij door een programmeerfout, vormt een groot gevaar.

Een andere gevaarlijke nieuwe levensvorm is het softwarevirus. We hebben deze nieuwe bewoner van het ecologische milieu dat door computing voorhanden is al – in een primitieve vorm – ontmoet. De virussen die in de volgende eeuw hier op aarde zullen opduiken zullen over de middelen beschikken om de evolutie te temmen om ontwijkende tactieken te ontwerpen op dezelfde manier als biologische virussen (HIV bijvoorbeeld) dat nu doen. Omdat de technologiescheppende soort zijn computingtechnologie steeds meer gebruikt om zijn oorspronkelijke op levensvormen gebaseerde schakelingen te vervangen zullen deze virussen ook een werkelijk gevaar vormen.

Voor die tijd vormen virussen die op het niveau van de genetische opbouw van de oorspronkelijke levensvorm opereren ook een gevaar. Als voor de technologiescheppende soort de middelen ter beschikking komen om de genetische code te manipuleren die hem deed ontstaan (hoe die code dan ook is toegepast) dan kunnen er nieuwe virussen opduiken door een ongeluk en/of door kwade opzet met mogelijk dodelijke gevolgen. Dat zou een dergelijke soort kunnen doen ontsporen voor hij de kans had gehad het ontwerp van zijn intelligentie naar zijn technologie te porten.

En hoe reëel zijn die gevaren nu? Ik denk zelf dat een planeet die zijn cruciale eeuw van computinggroei ingaat – zoals nu de aarde – meer dan vijftig procent kans heeft om het te redden. Maar ze hebben me er altijd al van beschuldigd dat ik een optimist ben.

## Delegaties uit afgelegen gebieden

Onze populaire hedendaagse visie op bezoek van andere planeten in het heelal houdt rekening met schepsels die op ons lijken en die ruimteschepen gebruiken en andere geavanceerde technieken om hen te helpen. In een aantal gevallen lijken de buitenaardse wezens opmerkelijk veel op mensen. In andere gevallen zien ze er wat vreemd uit. Let wel, op onze eigen planeet hebben we ook intelligente schepsels met een exotisch voorkomen (bijvoorbeeld de reuzeninktvis en de octopus). Maar of ze er nu als mensen uitzien of niet, de populaire voorstelling van buitenaardse wezens die onze planeet met een bezoek vereren stelt hen voor met ongeveer ons formaat en ze wijken in wezen niet af van hun oorspronkelijk, meestal zompig voorkomen. Deze voorstelling van zaken lijkt onwaarschijnlijk.

Het is veel waarschijnlijker dat een bezoek van intelligente wezens van een andere planeet wordt vertegenwoordigd door een samengaan van een ontwikkelde soort met zijn zelfs nog verder ontwikkelde intelligente computingtechnologie. Een beschaving die voldoende is ontwikkeld om een reis naar de aarde te maken heeft waarschijnlijk al lang de 'samengaandrempel' geslecht die we hierboven hebben besproken.

Een uitvloeisel van deze observatie is dat dergelijke bezoekende delegaties van verafgelegen planeten waarschijnlijk erg klein van afmeting zijn. Een superintelligentie van het einde van de eenentwintigste eeuw hier op aarde zal microscopische afmetingen hebben. Het is daarom niet waarschijnlijk dat een intelligente delegatie van een andere planeet een ruimteschip gebruikt met afmetingen die in de hedendaagse sciencefiction gebruikelijk zijn omdat er geen reden is om dergelijke grote organismen en apparatuur te vervoeren. Bedenk dat het doel van een dergelijk bezoek vermoedelijk niet het ontginnen van materiële hulpbronnen is omdat een dergelijke geavanceerde beschaving vrijwel zeker voorbij het punt is dat ze belangrijke materiële behoeften heeft waaraan ze niet kan voldoen. Ze zal in staat zijn haar eigen omgeving te manipuleren met behulp van nanotechniek (en ook pico- en femtotechniek) om te voldoen aan alle denkbare fysieke behoeften. Het enige denkbare doel van een dergelijk bezoek is observering en het vergaren van informatie. Het enige interessante voor een dergelijke geavanceerde beschaving zou kennis zijn (en dat geldt al bijna voor de mens-machinebeschaving hier en nu op aarde). Deze doelstellingen kunnen worden gerealiseerd met betrekkelijk kleine observatie-, computing- en communicatieapparaatjes. En dus zijn dergelijke ruimteschepen vermoedelijk kleiner dan een zandkorreltje en misschien wel van microscopische afmetingen. Misschien is dat een van de redenen waarom we hen nog niet hebben opgemerkt.

## Hoe relevant is intelligentie voor het heelal?

Als je een bewust wezen bent en je probeert een taak te volbrengen waarvan wordt gesteld dat er wat intelligentie voor nodig is – bijvoorbeeld een boek schrijven over machine-intelligentie op je planeet – dan is intelligentie wellicht van enig belang. Maar hoe relevant is intelligentie voor de rest van het heelal?

Volgens de algemene opinie, *niet zo erg belangrijk*. Sterren worden geboren en sterven; melkwegstelsels ondergaan hun cycli van schepping en vernietiging. Het heelal zelf is geboren in een oerknal en zal eindigen in een eindkrak of in een zucht; we weten nog niet zeker hoe. Maar intelligentie heeft er weinig mee te maken. Intelligentie is maar een schuimkraag, een opbruising van schepseltjes die plotseling in en uit onvermijdelijke universele krachten opborrelen. Het geestloze mechanisme van het heelal windt zich op of loopt af naar een verre toekomst, en intelligentie kan daar niets aan veranderen.

Zo luidt de algemene opinie. Maar daarmee ben ik het niet eens. Ik vermoed dat intelligentie uiteindelijk machtiger zal blijken te zijn dan die grote onpersoonlijke krachten.

Kijk eens naar ons planeetje. 65 miljoen jaar geleden botste er kennelijk een asteroïde op de aarde. Zonder boze opzet natuurlijk. Het was gewoon één van die krachtige natuurverschijnselen die met enige regelmaat eenvoudige levensvormen overweldigen. Maar de *volgende* interplanetaire bezoeker met die intentie zullen we anders onthalen. Onze afstammelingen en hun technologie (en zoals ik al heb naar voren gebracht kunnen we daar in feite geen verschil tussen maken) zullen de dreigende aankomst van een ongewenste indringer opmerken en hem van de nachtelijke hemel wegknallen. 1–0 voor de intelligentie. (In 1998 dachten wetenschappers gedurende 24 uur dat een dergelijke ongewenste asteroïde in het jaar 2028 zou kunnen komen, tot ze hun berekeningen nog eens controleerden.)

Intelligentie veroorzaakt niet echt direct het afschaffen van de natuurwetten, maar ze is slim en vindingrijk genoeg om de krachten in haar midden te manipuleren en die naar haar wil te zetten. Om dat te laten gebeuren moet intelligentie echter een bepaald niveau van geavanceerdheid hebben bereikt.

Bedenk dat de *intelligentiedichtheid* hier op aarde nogal laag is. Een kwantitatieve meting die we kunnen verrichten wordt gemeten in *berekeningen per seconde per kubieke micrometer (cpspcmm,* calculations per second per cubic micrometer). Dat is natuurlijk slechts een meting van de hardwarecapaciteit, niet van de slimheid van de organisatie van die middelen (oftewel van de software); laten we dat dus de *computingdichtheid* noemen. Straks gaan we wel in op de vooruitgang van de software. Op dit moment zijn de menselijke hersenen op aarde de dingen met de hoogste computingdichtheid (binnen een paar decennia zal dat anders zijn). De computingdichtheid van de menselijke hersenen bedraagt ongeveer 2 cpspcmm. Dat is niet erg hoog – bij nanobuisjesschakelingen, en die zijn al gedemonstreerd, is dat potentieel meer dan een biljoen keer hoger.

Bedenk ook eens hoe weinig materie op aarde is gewijd aan enige vorm van computing. De menselijke hersenen tellen slechts ongeveer 10 miljard kilo materie, en dat is ongeveer één deel op honderd biljoen van de materie op aarde. De gemiddelde computingdichtheid op aarde is dus minder dan één biljoenste van één cpspcmm. We weten al hoe we materie (oftewel nanobuisjes) kunnen maken met een computingdichtheid van ten minste een biljoen keer hoger.

Bovendien vormt de aarde slechts een fractie van de materie in het zonnestelsel. De computingdichtheid van de rest van het zonnestelsel lijkt ongeveer nul te bedragen. Dus hier op een zonnestelsel dat prat gaat op ten minste een intelligente soort is de computingdichtheid desalniettemin uiterst laag.

In het andere uiterste geval vertegenwoordigt de computingdichtheid van nanobuisjes niet de bovengrens voor de computingdichtheid van materie: het is mogelijk om nog veel hoger te gaan. Ik vermoed bovendien dat er geen echte grens is aan die dichtheid, maar dat is stof voor een volgend boek.

Het punt van al deze grote (en kleine) getallen is dat uiterst weinig aardse materie is gewijd aan nuttige computing. Dat geldt nog sterker als we alle domme materie in het midden van de aarde meetellen. Kijk nu eens naar een andere consequentie van de wet van de versnellende opbrengsten: de totale computingdichtheid zal exponentieel toenemen. En omdat de prijs-prestatieverhouding van computing exponentieel gunstiger wordt, wordt er meer geld aan besteed. We kunnen dat hier op aarde al zien. Niet alleen zijn de computers van nu veel krachtiger dan enkele tientallen jaren geleden, het aantal computers is ook gestegen van enkele tientallen in de jaren vijftig tot honderden miljoen nu. Computingdichtheid zal hier op aarde toenemen met biljoenen biljoenen tijdens de eenentwintigste eeuw.

Computingdichtheid is een maat van de hardware van de intelligentie. Maar de software wordt ook steeds verfijnder. Hoewel software achterloopt bij de capaciteit van de beschikbare hardware, groeit zijn capaciteit ook exponentieel in de loop van de tijd. Hoewel het lastig is om dit in cijfers uit te drukken[1] is de intelligentiedichtheid nauw gerelateerd aan de computingdichtheid. De wet van de versnellende opbrengsten impliceert dat intelligentie op aarde en in ons zonnestelsel in de loop van de tijd enorm zal toenemen.

Datzelfde kan worden gezegd voor het Melkwegstel en het hele heelal. Waarschijnlijk is onze planeet niet de enige plek waar intelligentie is gezaaid en groeit. Uiteindelijk wordt intelligentie een kracht om rekening mee te houden, zelfs voor die grote hemelkrachten (pas dus op!). De natuurkundewetten worden niet afgeschaft door de intelligentie, maar in haar omgeving lossen ze in wezen op.

Eindigt het heelal dus in een eindkrak of in een oneindige uitdijing van dode sterren, of nog op een andere manier? Volgens mij is het belangrijkste niet de massa van het heelal, of het mogelijke bestaan van antizwaartekracht, of Einsteins zogenaamde kosmologische constante. Ik denk eerder dat over het lot van het heelal nog moet worden beslist, en als het tijdstip daar is dan zullen wij ons daar op intelligente wijze over buigen.

# TIJDLIJN

| | |
|---|---|
| $10^{-15}$ miljard jaar geleden | De geboorte van het heelal. |
| $10^{-43}$ seconden later | De temperatuur koelt af tot 100 miljoen biljoen biljoen graden en de zwaartekracht ontstaat. |
| $10^{-34}$ seconden later | De temperatuur koelt af tot 1 miljard miljard miljard graden en er ontstaat materie in de vorm van quarks en elektronen. Er ontstaat ook antimaterie. |
| $10^{-10}$ seconden later | De elektrozwakke wisselwerking splitst zich in de elektromagnetische krachten en de zwakke wisselwerking. |
| $10^{-5}$ seconden later | De temperatuur is nu 1 triljoen graden en quarks vormen protonen en neutronen terwijl de antiquarks antiprotonen vormen. De protonen en antiprotonen botsen waardoor er voornamelijk protonen overblijven die het ontstaan van fotonen (licht) veroorzaken. |
| 1 seconde later | Elektronen en anti-elektronen (positronen) botsen en laten hoofdzakelijk elektronen achter. |
| 1 minuut later | Bij een temperatuur van 1 miljard graden smelten neutronen en protonen samen en worden elementen zoals helium, lithium en de zware vormen van waterstof gevormd. |
| 300.000 jaar na de oerknal | De gemiddelde temperatuur is ongeveer 3000 graden en de eerste atomen worden gevormd. |
| 1 miljard jaar na de oerknal. | Melkwegstelsels ontstaan. |
| 3 miljard jaar na de oerknal | Materie binnen de melkwegstelsels vormt afzonderlijke sterren en sterrenstelsels. |
| 5 tot 10 miljard jaar na de oerknal of ongeveer 5 miljard jaar geleden | De aarde ontstaat. |

| | |
|---|---|
| 3,4 miljard jaar geleden | Het eerste biologische leven verschijnt op aarde: anaërobe prokaryoten (eencellige wezens). |
| 1,7 miljard jaar geleden | Eenvoudig DNA ontstaat geleidelijk. |
| 700 miljoen jaar geleden | Meercellige planten en dieren verschijnen op het toneel. |
| 570 miljoen jaar geleden | De explosie van het Cambrium: het ontstaan van diverse lichaamsvormen, waaronder dieren met harde lichaamsdelen (schelpen en skeletten). |
| 400 miljoen jaar geleden | Planten gaan zich op het land vestigen. |
| 200 miljoen jaar geleden | Dinosaurussen en zoogdieren gaan zich in hetzelfde milieu vestigen. |
| 80 miljoen jaar geleden | Zoogdieren ontwikkelen zich vollediger. |
| 65 miljoen jaar geleden | Dinosaurussen sterven uit en dit leidt tot de opkomst van zoogdieren. |
| 50 miljoen jaar geleden | De antropoïde ondersoort van primaten splitst zich af. |
| 30 miljoen jaar geleden | De verder ontwikkelde primaten zoals apen en mensapen verschijnen. |
| 15 miljoen jaar geleden | De eerste mensachtigen verschijnen. |
| 5 miljoen jaar geleden | Mensachtige wezens lopen op twee benen. De *Homo habilis* gebruikt gereedschap en kondigt een nieuwe fase in de evolutie aan: technologie. |
| 2 miljoen jaar geleden | De *Homo erectus* heeft zich het vuur eigen gemaakt en gebruikt taal en wapens. |
| 500.000 jaar geleden | De *Homo sapiens* verschijnt en onderscheidt zich door zijn vermogen om technologie te creëren (en dat betekent innovatie in het maken van gereedschap, het verslag doen van het maken van gereedschap en vooruitgang in de complexiteit van gereedschap). |
| 100.000 jaar geleden | De *Homo sapiens neanderthalensis* verschijnt. |
| 90.000 jaar geleden | De *Homo sapiens sapiens* (onze directe voorvader) verschijnt. |
| 40.000 jaar geleden | De *Homo sapiens sapiens*-ondersoort is de enige overlevende ondersoort van de mensachtigen op aarde. Technologie ontwikkelt zich als evolutie met andere middelen. |
| 10.000 jaar geleden | Het moderne technologietijdperk begint met de landbouwrevolutie. |

| | |
|---|---|
| 6000 jaar geleden | De eerste steden in Mesopotamië ontstaan. |
| 5500 jaar geleden | Het wiel, vlotten, boten en geschreven taal zijn in gebruik. |
| Meer dan 5000 jaar geleden | De abacus wordt ontwikkeld in het Oosten. De abacus wordt bediend door de menselijke gebruiker en voert rekenkundige bewerkingen uit die zijn gebaseerd op methoden die lijken op die van de moderne computer. |
| 3000 tot 700 jaar voor Christus | Waterklokken verschijnen gedurende deze periode in verschillende culturen: in China rond 3000 voor Christus, in Egypte rond 1500 voor Christus en in Assyrië rond 700 voor Christus. |
| 2500 jaar voor Christus | Egyptische burgers richten zich voor advies tot orakels, beelden waarin vaak een priester was verborgen. |
| 469 tot 322 jaar voor Christus | De basis voor de Westerse rationele filosofie wordt gelegd door Socrates, Plato en Aristoteles. |
| 427 jaar voor Christus | Plato verkondigt in *Phaedo* en latere werken ideeën waarin het menselijk denken vergeleken wordt met het mechanisme van de machine. |
| Circa 420 jaar voor Christus | Archytas van Taras, die bevriend was met Plato, bouwt een houten duif waarvan de bewegingen worden geregeld door een straal stoom of samengeperste lucht. |
| 387 jaar voor Christus | De Academie, een groep gesticht door Plato om wetenschap en filosofie te bedrijven, voorziet in een vruchtbaar milieu voor de ontwikkeling van de wiskundige theorie. |
| Circa 200 voor Christus | Chinese ambachtslieden ontwikkelen gedetailleerde automaten, inclusief een volledig mechanisch orkest. |
| Circa 200 voor Christus | Een preciezere waterklok wordt ontwikkeld door een Egyptische technicus. |
| 725 | De eerste, echt mechanische klok wordt gebouwd door een Chinese technicus en een boeddhistische monnik. Het is een door water aangedreven apparaat met een afvoer die ervoor zorgt dat de klok tikt. |
| 1494 | Leonardo da Vinci bedenkt en tekent een klok met een slinger, hoewel een precies slingeruur- |

| | |
|---|---|
| | werk niet zal worden uitgevonden tot laat in de zeventiende eeuw. |
| 1530 | Het spinnewiel is in gebruik in Europa. |
| 1540, 1772 | Tijdens de Renaissance ontstaat uit de technologie van het maken van klokken en horloges de productie van ingewikkeldere automatentechnologie. Beroemde voorbeelden zijn onder andere Gianello Toriano's mandolinespelende dame (1540) en het kind van P. Jacquet-Dortz (1772). |
| 1543 | Nicolaus Copernicus beweert in zijn *De Revolutionibus* dat de aarde en de andere planeten om de zon draaien. Deze theorie heeft de relatie mens-God en het menselijke Godsbeeld wezenlijk veranderd. |
| 17de en 18de eeuw | De periode van de Verlichting luidt een filosofische beweging in die het geloof in de superioriteit van logisch denken, kennis en vrijheid van de mens herstelt. Omdat de Verlichting haar wortels heeft in de oude Griekse filosofie en de Renaissance is ze de eerste systematische herziening van de aard van het menselijk denken en de menselijke kennis sinds de Platonisten, en ze inspireert gelijksoortige ontwikkelingen in wetenschap en theologie. |
| 1637 | Naast het formuleren van de theorie van optische lichtbreking en het ontwikkelen van de principes van de moderne analytische meetkunde drijft René Descartes rationeel scepticisme tot het uiterste in zijn meest omvattende werk *Discours de la Méthode*. Hij stelt 'Ik denk, dus ik ben.' |
| 1642 | Blaise Pascal vindt 's werelds eerste, automatische rekenmachine uit, de Pascaline genaamd. Ze kan optellen en aftrekken. |
| 1687 | Isaac Newton formuleert zijn drie wetten van beweging en de wet van de universele zwaartekracht in zijn *Philosophiae Naturalis Mathematica*, ook bekend als *Principia*. |
| 1694 | De 'Leibniz Computer' wordt geperfectioneerd door Gottfried Wilhelm Leibniz, ook een van de uitvinders van de calculus. Dit apparaat berekent |

| | |
|---|---|
| | door middel van herhalende optellingen een algoritme dat nog steeds gebruikt wordt in de hedendaagse computers. |
| 1719 | Een Engelse zijdespinnerij die driehonderd werklui aanneemt, voornamelijk vrouwen en kinderen, wordt geopend. Deze wordt door velen gezien als de eerste moderne fabriek. |
| 1726 | In *Gullivers reizen* beschrijft Jonathan Swift een machine die automatisch boeken schrijft. |
| 1733 | John Kay vraagt een patent aan op zijn nieuwe machine voor het uitleggen en prepareren van wol. Deze uitvinding, later bekend als de schietspoel, baant de weg tot veel sneller weven. |
| 1760 | In Philadelphia stelt Benjamin Franklin bliksemafleiders op nadat hij naar aanleiding van zijn beroemde vliegerexperiment in 1752 had ontdekt dat bliksem een vorm van elektriciteit is. |
| Rond 1760 | Aan het begin van de Industriële Revolutie is de levensverwachting ongeveer 37 jaar, zowel in Noord-Amerika als in Noordwest-Europa. |
| 1764 | James Hargreaves vindt een spinmachine uit die acht draden tegelijkertijd kan spinnen. |
| 1769 | Richard Arkwright krijgt een patent op een hydraulische spinmachine die te groot en te duur is om te worden gebruikt in woonhuizen. Hij staat bekend als de stichter van de moderne fabriek. Hij bouwde in 1781 een fabriek voor zijn machine, en op die manier bereidt hij de weg voor de vele economische en sociale veranderingen die de Industriële Revolutie kenmerken. |
| 1781 | Immanuel Kant publiceert zijn *Kritik der reinen Vernunft*, die de filosofie van de Verlichting onder woorden brengt terwijl het de nadruk op de metafysica verwerpt, waarmee de weg wordt voorbereid voor het ontstaan van het Rationalisme in de twintigste eeuw. |
| 1800 | Alle aspecten van het produceren van weefsels zijn nu geautomatiseerd. |
| 1805 | Joseph-Marie Jacquard ontwikkelt een methode voor geautomatiseerd weven die een voorloper is |

| | |
|---|---|
| | op de vroege computertechnologie. De weefgetouwen worden aangestuurd door instructies op een reeks ponskaarten. |
| 1811 | In Nottingham wordt de Luddite-beweging gesticht door ambachtslieden en werklui die ongerust zijn over het verlies van banen door automatisering. |
| 1821 | De Britse Astronomical Society reikt zijn eerste gouden medaille uit aan Charles Babbage voor zijn artikel 'Observations on the Application of Machinery to the Computation of Mathematical Tables' (Waarnemingen aangaande de toepassing van machines bij het berekenen van wiskundige tabellen). |
| 1822 | Charles Babbage ontwikkelt de Difference Engine, hoewel hij dit technisch complexe en dure project later links laat liggen om zich te concentreren op de ontwikkeling van een algemeen bruikbare computer. |
| 1825 | George Stephensons 'Locomotion No. 1', de eerste stoommachine voor het regelmatig vervoeren van mensen en goederen, maakt zijn eerste reis. |
| 1829 | Een vroege typemachine wordt uitgevonden door William Austin Burt. |
| 1832 | Charles Babbage ontwikkelt de principes van de Analytial Engine. Het is 's werelds eerste computer (hoewel hij nooit heeft gewerkt) en hij kan worden geprogrammeerd om een uitgebreide reeks reken- en logicaproblemen op te lossen. |
| 1837 | Een praktischere versie van de telegraaf wordt gepatenteerd door Samuel Finley Breese Morse. Het verzendt tekens in coderingen die uit punten en strepen bestaan, een systeem dat meer dan een eeuw later nog steeds algemeen in gebruik is. |
| 1839 | Een nieuwe procedure voor het maken van foto's dat bekend staat als daguerreotypie wordt gepresenteerd door de Fransman Louis-Jacques Daguerre. |
| 1839 | William Robert Grove uit Wales ontwikkelt de eerste droge batterij. |

| | |
|---|---|
| 1843 | Ada Lovelace, die wordt gezien als 's werelds eerste computerprogrammeur en die Lord Byrons enige wettig kind was, publiceert haar eigen notities en een vertaling van L.P. Menabrea's werk over de Analytical Engine van Babbage. Zij speculeert over het vermogen van computers om menselijke intelligentie te emuleren. |
| 1846 | De stiksteekmachine wordt gepatenteerd door Elias Howe uit Spencer, Massachusetts. |
| 1846 | Alexander Bain verbetert de snelheid van de telegrafietransmissie in hoge mate door gebruik te maken van geponst papierband voor het verzenden van boodschappen. |
| 1847 | George Boole publiceert zijn eerste ideeën over symbolische logica die hij later zal uitwerken in zijn theorie van binaire logica en rekenen. Zijn theorieën vormen nog steeds de basis voor de moderne rekenkunde. |
| 1854 | Parijs en Londen worden met elkaar verbonden door middel van de telegraaf. |
| 1859 | Charles Darwin legt zijn principe uit van natuurlijke selectie en de invloed daarvan op de evolutie van verschillende soorten in zijn werk *Origin of Species*. |
| 1861 | Er zijn nu telegraaflijnen die San Francisco en New York verbinden. |
| 1867 | Zénobe Théophile Gramme vindt de eerste commerciële generator uit die wisselstroom produceert. |
| 1869 | Thomas Alva Edison verkoopt de door hem uitgevonden beurstikker aan Wall Street voor 40.000 dollar. |
| 1870 | Het BNP is 530 dollar per hoofd van de bevolking, gebaseerd op de waarde van de dollar van 1958. Twaalf miljoen Amerikanen, oftewel 31% van de bevolking, heeft een baan en maar 2% van de volwassenen heeft een middelbare-schooldiploma. |
| 1871 | Bij zijn dood laat Charles Babbage meer dan 37 m$^2$ aan tekeningen voor zijn Analytical Engine achter. |

| | |
|---|---|
| 1876 | Alexander Bell wordt het patentnummer 174.465 in de Verenigde Staten verleend voor de telefoon. Het is het lucratiefste patent dat in die tijd werd verleend. |
| 1877 | William Thomson, later bekend als Lord Kelvin, toont aan dat het mogelijk is om machines zo te programmeren dat ze een groot aantal verschillende wiskundige problemen kunnen oplossen. |
| 1879 | De eerste gloeilamp die een behoorlijke tijd kan branden wordt uitgevonden door Thomas Alva Edison. |
| 1882 | Thomas Alva Edison ontwerpt elektrische verlichting voor New Yorks 'Pearl Street'-station op Lower Broadway. |
| 1884 | Lewis F. Waterman krijgt een patent op de vulpen. |
| 1885 | Boston en New York worden per telefoon verbonden. |
| 1888 | William S. Burroughs vraagt een patent aan op 's werelds eerste, betrouwbare, sleutelgestuurde optelmachine. Deze rekenmachine wordt vier jaar later aangepast door het toevoegen van aftrekken en afdrukken en ze wordt wijdverbreid gebruikt. |
| 1888 | Heinrich Hertz zendt iets uit dat nu bekend staat als radiogolven. |
| 1890 | Herman Hollerith vraagt een patent aan op een elektromechanische informatiemachine die berust op de ideeën van Jacquards weefgetouw en Babbages Analytical Engine en die ponskaarten gebruikt. Ze wint de VS-volkstellingcompetitie in 1890, en introduceert het gebruik van elektriciteit in een groot dataverwerkingsproject. |
| 1896 | Herman Hollerith sticht de Tabulating Machine Company. Dit bedrijf zal later IBM worden. |
| 1897 | Joseph John Thomson ontdekt het elektron, het eerste bekende deeltje dat kleiner is dan een atoom, doordat er betere vacuümpompen dan voorheen beschikbaar zijn. |
| 1897 | Alexander Popov, een natuurkundige uit Rusland, gebruikt een antenne om radiogolven uit te |

| | |
|---|---|
| | zenden. Guglielmo Marconi uit Italië ontvangt het eerste patent dat ooit voor radio is verleend, en helpt bij het opzetten van een bedrijf om zijn systeem te verkopen. |
| 1899 | Geluid wordt magnetisch opgenomen op metaaldraad en op een dunne metalen strip. |
| 1900 | Herman Hollerith introduceert de automatische kaartinvoer in zijn informatiemachine om het verwerken van de gegevens van de volkstelling van 1900 te verbeteren. |
| 1900 | De telegraaf verbindt nu de hele westerse wereld. Er zijn meer dan 1,4 miljoen telefoons, 8000 geregistreerde automobielen en 24 miljoen elektrische gloeilampen in de Verenigde Staten, waarvan het laatste Edisons belofte 'elektrische lampen zo goedkoop te maken dat alleen de rijken het zich kunnen veroorloven om kaarsen te kopen' goed weergeeft. Daarnaast adverteert de 'Gramophone Company' met een keuze uit 5000 opnamen. |
| 1900 | Meer dan een derde van alle Amerikaanse arbeiders is betrokken bij de voedselproductie. |
| 1901 | De eerste elektrische schrijfmachine, de Blickensderfer Electric, wordt gemaakt. |
| 1901 | Sigmund Freud publiceert *Die Traumdeutung*. Dit en andere werken van Freud helpen de werking van de geest te verklaren. |
| 1902 | Millar Hutchinson uit New York vindt het eerste elektrische gehoorapparaat uit. |
| 1905 | De richtantenne wordt ontwikkeld door Guglielmo Marconi. |
| 1908 | Orville Wrights eerste vliegtuigvlucht van een uur vindt plaats. |
| 1910 tot 1913 | *Principia Mathematica*, een invloedrijk werk over de beginselen van de wiskunde, wordt gepubliceerd door Bertrand Russell en Alfred North Whitehead. Deze driedelige publicatie introduceert een nieuwe methodologie voor alle wiskunde. |
| 1911 | Na de overname van enkele andere bedrijven |

| | |
|---|---|
| | wordt de naam van Herman Holleriths Tabulating Machine Company veranderd in Computing-Tabulating-Recording Company (CTR). |
| 1915 | Thomas J. Watson in San Francisco en Alexander Graham Bell in New York nemen deel aan het eerste Noord-Amerikaanse transcontinentale telefoongesprek. |
| 1921 | De term robot wordt verzonnen door de Tsjechische toneelschrijver Karel Čapek in 1917. In zijn populaire sciencefictiontoneelstuk *RUR* (*Rossum's Universal Robots*) beschrijft hij intelligente machines die, ondanks het feit dat zij oorspronkelijk als dienaars voor mensen waren gecreëerd, uiteindelijk de wereld overnemen en de hele mensheid vernietigen. |
| 1921 | Ludwig Wittgenstein publiceert zijn *Tractatus Logico-Philosophicus*, dat aantoonbaar een van de meest invloedrijke, filosofische werken van de twintigste eeuw is. Wittgenstein wordt gezien als de eerste logische positivist. |
| 1924 | Thomas J. Watson is de nieuwe directeur die Holleriths Tabulating Machine Company, later de Computing-Tabulating-Recording Company (CRT), de nieuwe naam International Business Machines (IBM) heeft gegeven. IBM zal de moderne computerindustrie leiden en zal één van de grootste industriële bedrijven in de wereld worden. |
| 1925 | De beginselen van de kwantummechanica worden ontwikkeld door Niels Bohr en Werner Heisenberg. |
| 1927 | Het onzekerheidsprincipe, dat beweert dat elektronen geen exacte locatie hebben maar eerder waarschijnlijkheidsgroepen van mogelijke locaties, wordt gepresenteerd door Werner Heisenberg. Vijf jaar later zal hij een Nobelprijs krijgen voor zijn ontdekking van de kwantummechanica. |
| 1928 | De minimaxstelling wordt geïntroduceerd door John von Neumann. Deze hypothese zal wijd- |

| | |
|---|---|
| | verbreid worden gebruikt in latere spelletjessoftware. |
| 1928 | 's Werelds eerste geheel elektronische televisie wordt dit jaar geïntroduceerd door Philo T. Farnsworth, en een systeem voor kleurentelevisie wordt gepatenteerd door Vladimir Zworkin. |
| 1930 | In de Verenigde Staten heeft 60% van alle huishoudens een radio en het aantal radio's in persoonlijk bezit bedraagt nu meer dan 18 miljoen. |
| 1930 | Kurt Gödel presenteert de onvolledigheidsstelling die door velen wordt gezien als de meest belangrijke stelling in de wiskunde. |
| 1931 | De elektronenmicroscoop wordt uitgevonden door Ernst August Friedrich Ruska en, onafhankelijk van hem, door Rheinhold Ruedenberg. |
| 1935 | Het prototype van de eerste hart-longmachine wordt uitgevonden. |
| 1937 | Grote Reber uit Wheaton, Illinois, bouwt de eerste radiotelescoop die bestaat uit een schotel van 9,4 meter in doorsnede. |
| 1937 | Alan Turing introduceert de Turingmachine, een theoretisch model van een computer, in zijn essay 'On Computable Numbers'. Zijn ideeën zijn gebaseerd op het werk van Bertrand Russell en Charles Babbage. |
| 1937 | Alonzo Church en Alan Turing ontwerpen onafhankelijk van elkaar de Church-Turingstelling. Deze stelling stelt dat alle problemen die een mens kan oplossen kunnen worden gereduceerd tot een reeks algoritmen, en daarmee ondersteunen ze het idee dat machine-intelligentie in essentie gelijk is aan menselijke intelligentie. |
| 1938 | De eerste balpen wordt gepatenteerd door Lazlo Biró. |
| 1939 | Er zijn regelmatige commerciële vluchten over de Atlantische Oceaan. |
| 1940 | ABC, de eerste, elektronische (echter niet-programmeerbare) computer wordt gebouwd door John. V. Atanasoff en Clifford Berry. |
| 1940 | Ultra maakt 's werelds eerste bruikbare compu- |

ter, bekend als Robinson, een oorlogsinspanning van tienduizend man in Engeland tijdens de Tweede Wereldoorlog. Robinson maakt gebruik van elektromechanische relais en decodeert met succes boodschappen van Enigma, een coderingsmachine van de eerste generatie van de nazi's.

1941 De Duitser Konrad Zuse ontwikkelt 's werelds eerste volledig programmeerbare digitale computer, de Z-3. Arnold Fast, een blinde wiskundige die is aangenomen om de Z-3 te programmeren, is 's werelds eerste programmeur van een bruikbare, programmeerbare computer.

1943 Warren McCulloch en Walter Pitts onderzoeken neurale-netwerkstructuren naar intelligentie in hun werk *Logical Calculus of the Ideas Immanent in Nervous Activity*.

1943 Het Britse Ultra-computerteam vervolgt zijn oorlogsinspanning met de bouw van de Colossus, die bijdraagt tot de overwinning van de geallieerden in de Tweede Wereldoorlog omdat de Colossus in staat was de nog complexere Duitse codes te ontcijferen. De Colossus maakt gebruik van elektronische buizen, die honderd tot duizend keer sneller zijn dan de relais die in de Robinson werden gebruikt.

1944 Howard Aiken voltooit de Mark I. De Mark I is de eerste programmeerbare computer gebouwd door een Amerikaan die gebruikmaakt van geponst papierband voor het programmeren, en van vacuümbuizen voor het berekenen van problemen.

1945 John von Neumann, hoogleraar aan het Institute for Advanced Study in Princeton, New Jersey, publiceert het eerste moderne werk waarin het 'opgeslagen programma'-concept wordt beschreven.

1946 's Werelds eerste volledig elektronische (programmeerbare) digitale computer voor algemeen gebruik wordt ontwikkeld voor het leger

| | |
|---|---|
| | door John Presper Eckert en John W. Mauchley. Deze computer, ENIAC genaamd, is bijna duizend keer sneller dan de Mark I. |
| 1946 | Televisie slaat nog veel sneller aan dan de radio in de jaren '20. Het percentage Amerikaanse huishoudens dat in 1946 een televisie heeft bedraagt 0,02 procent. Het zal tot 72 procent stijgen in 1956 en naar meer dan 90 procent in 1983. |
| 1947 | De transistor wordt uitgevonden door William Bradford Shockley, Walter Hauser Brattain en John Bardeen. Dit kleine apparaatje functioneert net als een vacuümbuis, maar is in staat om met aanzienlijk hogere snelheden stromen aan en uit te schakelen. De transistor brengt een radicale verandering teweeg in de micro-elektronica, draagt ertoe bij dat de kosten dalen voor computers, en leidt tot de ontwikkeling van mainframes en minicomputers. |
| 1948 | Norbert Wiener publiceert *Cybernetics*, een rudimentair boek over informatietheorie. Hij geeft het woord cybernetica de volgende betekenis: 'de wetenschap van de beheersing en de communicatie in het dier en de machine.' |
| 1949 | EDSAC, 's werelds eerste computer met opgeslagen software wordt gebouwd door Maurice Wilkes, wiens werk beïnvloed wordt door Eckert en Mauchley. BINAC, ontwikkeld door het nieuwe Amerikaanse bedrijf van Eckert en Mauchley, wordt korte tijd later gepresenteerd. |
| 1949 | George Orwell beschrijft een huiveringwekkende wereld in zijn boek *1984*, waarin computers worden gebruikt door grote bureaucratieën die de bevolking in de gaten houden en als slaaf gebruiken. |
| 1950 | Eckert en Mauchley ontwikkelen UNIVAC, de eerste commerciële computer op de markt. UNIVAC wordt gebruikt om de resultaten van de Amerikaanse volkstelling te compileren en schrijft daarmee geschiedenis omdat het de eer- |

| | |
|---|---|
| | ste keer is dat de volkstelling wordt verwerkt door een programmeerbare computer. |
| 1950 | In zijn werk *Computing Machinery and Intelligence*, presenteert Alan Turing de Turingtest, een methode waarmee kan worden vastgesteld of een computer wel of niet intelligent is. |
| 1950 | Commerciële kleurentelevisie wordt voor het eerst uitgezonden in de Verenigde Staten, en transcontinentale zwartwittelevisie zal binnen een jaar beschikbaar zijn. |
| 1950 | Claude Elwood Shannon schrijft 'Programming a Computer for Playing Chess', dat wordt gepubliceerd in *Philosophical Magazine*. |
| 1951 | Eckert en Mauchley bouwen EDVAC, de eerste computer die met het concept van opgeslagen software werkt. Het project vindt plaats op de Moore School aan de Universiteit van Pennsylvania. |
| 1951 | In Parijs vint een Cybernetica Congres plaats. |
| 1952 | UNIVAC, gebruikt door het televisiestation Columbia Broadcasting System (CBS), voorspelt met succes de verkiezing van Dwight D. Eisenhower tot president van de Verenigde Staten. |
| 1952 | Zakformaat transistorradio's worden geïntroduceerd. |
| 1952 | Nathaniel Rochester ontwerpt de 701, IBM's eerste elektronische, digitale computer geproduceerd met behulp van een productielijn. Deze wordt op de markt gebracht voor wetenschappelijk gebruik. |
| 1953 | De chemische structuur van de DNA-molecule wordt ontdekt door James D. Watson en Francis H. C. Crick. |
| 1953 | *Philosophical Investigations* van Ludwig Wittgenstein en *Waiting for Godot*, een toneelstuk van Samuel Beckett, worden gepubliceerd. Beide werken zijn erg belangrijk voor het moderne existentialisme. |
| 1953 | Marvin Minsky en John McCarthy doen vakantiewerk bij Bell Laboratoria. |

| | |
|---|---|
| 1955 | William Shockley's Semi-conductor Laboratory wordt gesticht en daardoor wordt een begin gemaakt met Silicon Valley. |
| 1955 | De Remington Rand Corporation en Sperry Gyroscope verenigen hun krachten en worden de Sperry-Rand Corporation. Voor enige tijd voorziet het IBM van serieuze concurrentie. |
| 1955 | IBM introduceert zijn eerste transistorrekenmachine. Deze gebruikt 2200 transistors in plaats van de 1200 vacuümbuizen die anders nodig zouden zijn voor hetzelfde rekenvermogen. |
| 1955 | Een Amerikaans bedrijf ontwikkelt het eerste ontwerp voor een robotachtige machine die in de industrie gebruikt kan worden. |
| 1955 | IPL-II, de eerste, kunstmatige-intelligentietaal, wordt ontwikkeld door Allen Newell, J.C. Shaw en Herbert Simon. |
| 1955 | Het nieuwe ruimteprogramma en het leger van de Verenigde Staten erkennen het belang van computers met voldoende vermogen om raketten te lanceren naar de maan en projectielen door de stratosfeer. Beide organisaties verschaffen aanzienlijke hoeveelheden geld voor onderzoek. |
| 1956 | The Logic Theorist, die gebruikmaakt van recursieve zoektechnieken om wiskundige problemen op te lossen, wordt ontwikkeld door Allen Newell, J.C. Shaw en Herbert Simon. |
| 1956 | John Backus en een team bij IBM denken FORTRAN uit, de eerste wetenschappelijke programmeertaal. |
| 1956 | Stanislaw Ulam ontwikkelt MANIAC I, het eerste computerprogramma dat een mens verslaat met schaken. |
| 1956 | Het eerste commerciële horloge dat op elektrische batterijen werkt wordt gepresenteerd door het bedrijf Lip in Frankrijk. |
| 1956 | De term Kunstmatige Intelligentie duikt voor het eerst op tijdens een computerconferentie in Dartmouth College. |

| | |
|---|---|
| 1957 | Kenneth H. Olsen sticht de Digital Equipment Corporation. |
| 1957 | De General Problem Solver, die recursief zoeken gebruikt om problemen op te lossen, wordt ontwikkeld door Allen Newell, J.C. Shaw en Herbert Simon. |
| 1957 | Noam Chomsky schrijft *Syntactic Structures* waarin hij de berekening die nodig is voor het begrip van natuurlijke taal bestudeert. Dit is de eerste van vele belangrijke werken, waarmee hij de titel zal verdienen van Vader van de Moderne Linguïstiek. |
| 1958 | Jack St. Clair Kilby van Texas Instruments bouwt een geïntegreerde schakeling. |
| 1958 | Het Artificial Intelligence Laboratory aan het Massachusetts Institute of Technology wordt door John McCarthy en Marvin Minsky opgericht. |
| 1958 | Allen Newell en Herbert Simon voorspellen dat binnen tien jaar een digitale computer de wereldkampioen schaken zal zijn. |
| 1958 | John McCarthy ontwikkelt LISP, een vroege KI-taal. |
| 1958 | Het Defense Advanced Research Projects Agency, dat jarenlang kapitaal zal voorzien voor belangrijk computerwetenschapsonderzoek, wordt opgericht. |
| 1958 | Seymour Cray bouwt de Control Data Corporation 1604, de eerste volledig van transistoren voorziene supercomputer. |
| 1958 – 1959 | Jack Kilby en Robert Noyce ontwikkelen beiden de computerchip onafhankelijk van elkaar. De computerchip leidt tot de ontwikkeling van veel goedkopere en kleinere computers. |
| 1959 | Arthur Samuel voltooit zijn studie in machineleren. Het project, een damspelprogramma, presteert net zo goed als een aantal van de beste spelers van die tijd. |
| 1959 | Elektronische documentbereiding zorgt voor een toename in de papierconsumptie in de Ver- |

| | |
|---|---|
| | enigde Staten. Dit jaar zal het land 7 miljoen ton aan papier verbruiken. In 1986 zal dit oplopen tot 22 miljoen ton. Amerikaanse bedrijven alleen zullen 850 miljard pagina's in 1981, 2,5 biljoen pagina's in 1986 en 4 biljoen pagina's in 1990 gebruiken. |
| 1959 | COBOL, een computertaal ontworpen voor bedrijfsgebruik, wordt ontwikkeld door Grace Murray Hopper, die ook één van de eerste programmeurs van de Mark I was. |
| 1959 | XEROX introduceert de eerste commerciële kopieermachine. |
| 1960 | Theodore Harold Maimen ontwikkelt de eerste laser die gebruikmaakt van een robijnstaafje. |
| 1960 | Het recent opgerichte Defense Advanced Research Projects Agency verhoogt zijn fondsen voor computeronderzoek aanzienlijk. |
| 1960 | Er zijn nu ongeveer zesduizend computers in gebruik in de Verenigde Staten. |
| Jaren '60 | Neurale netwerken zijn redelijk eenvoudig en bevatten een klein aantal neuronen, die alleen in een of twee lagen georganiseerd zijn. Deze modellen worden gezien als beperkt in hun mogelijkheden. |
| 1961 | De eerste timesharingcomputer wordt ontwikkeld aan het MIT. |
| 1961 | President J. F. Kennedy verleent het ruimteproject Apollo steun en hij is tezelfder tijd een bron van inspiratie voor belangrijk onderzoek in de computerwetenschap wanneer hij tijdens een gezamenlijke zitting van het Congres zegt: 'Ik geloof dat wij maar eens naar de maan moeten gaan.' |
| 1962 | 's Werelds eerste industriële robots worden op de markt gebracht door een Amerikaans bedrijf. |
| 1962 | Frank Rosenblatt definieert de Perceptron in zijn *Principles of Neurodynamics*. Rosenblatt introduceerde de Perceptron voor het eerst als een eenvoudig verwerkingselement voor neurale netwerken op een conferentie in 1959. |

| | |
|---|---|
| 1963 | Het Kunstmatige Intelligentie Laboratorium aan de Universiteit van Stanford wordt door John McCarthy opgericht. |
| 1963 | Het invloedrijke *Steps Toward Artificial Intelligence* van Marvin Minsky wordt gepubliceerd. |
| 1963 | Digital Equipment Corporation kondigt de PDP-8, de eerste succesvolle minicomputer, aan. |
| 1964 | IBM introduceert de 360-serie waarbij hun leiderschap in de computerindustrie nog verder versterkt wordt. |
| 1964 | Thomas E. Kurtz en John G. Kenny van het Dartmouth College bedenken BASIC (Beginner's All-purpose Symbolic Instruction Code). |
| 1964 | Daniel Bobrow voltooit zijn proefschrift over Student, een natuurlijke-taalprogramma dat woordproblemen in de algebra op middelbareschoolniveau kan oplossen. |
| 1964 | Gordon Moores voorspelling, die hij dit jaar bekendmaakte, beweert dat geïntegreerde schakelingen ieder jaar tweemaal zo complex zullen worden. Deze wet zal bekendstaan als de Wet van Moore en zal waar blijken te zijn (met latere herzieningen) voor de komende decennia. |
| 1964 | Marshall McLuhan voorziet, via zijn *Understanding Media*, het potentieel van de elektronische media, vooral van televisie, om een 'global village' te creëren waarin 'het medium de boodschap zal zijn'. |
| 1965 | Het Instituut voor Robotica aan de Carnegie Mellon Universiteit, dat het toonaangevende onderzoekscentrum voor KI zal worden, wordt opgericht door Raj Reddy. |
| 1965 | Hubert Dreyfus presenteert een reeks filosofische argumenten tegen de mogelijkheid van kunstmatige intelligentie in een RAND-bedrijfsmemorandum met de titel 'Alchemy and Artificial Intelligence'. |
| 1965 | Herbert Simon voorspelt dat tegen het jaar 1985 'machines in staat zullen zijn iedere taak die een mens kan verrichten te evenaren'. |

| | |
|---|---|
| 1966 | De Amateur Computer Society, mogelijk de eerste computerclub, wordt opgericht door Stephen B. Gray. De nieuwsbrief van de Amateur Computer Society is een van de eerste tijdschriften over computers. |
| 1967 | De eerste inwendige pacemaker wordt ontwikkeld door Medtronics. Hij maakt gebruik van geïntegreerde schakelingen. |
| 1968 | Gorden Moore en Robert Noyce richten Intel (Integrated Electronics) Corporation op. |
| 1968 | Het idee van een computer die kan zien, spreken, horen en denken prikkelt de verbeelding wanneer HAL wordt geïntroduceerd in de film *2001: A Space Odyssey* van Arthur C. Clarke en Stanley Kubrick. |
| 1969 | Marvin Minsky en Seymour Papert presenteren de limitering van de enkele gelaagdheid van neurale netwerken in hun boek *Perceptrons*. De cruciale bewering in het boek laat zien dat een Perceptron niet in staat is vast te stellen of een lijntekening volledig verbonden is. Het boek houdt in wezen de financiering voor het onderzoek naar neurale netwerken tegen. |
| 1970 | Het BNP per hoofd van de bevolking uitgedrukt in de dollar van 1958 bedraagt 3500 dollar, meer dan zes keer zoveel als een eeuw geleden. |
| 1970 | De floppy disk wordt geïntroduceerd voor het opslaan van gegeven in computers. |
| Circa 1970 | Onderzoekers bij het Xerox Palo Alto Research Center (PARC) ontwikkelen de eerste personal computer, Alto genaamd. PARCs Alto is een pionier in het gebruik van door bits in kaart gebrachte grafische voorstellingen, vensters, iconen en de muis. |
| 1970 | Terry Winograd voltooit zijn historische proefschrift over SHRDLU, een natuurlijke-taalsysteem dat verscheidene intelligente gedragingen toont in de kleine wereld van kinderblokken. SHRDLU wordt echter bekritiseerd vanwege zijn tekort aan algemene kennis. |

| | |
|---|---|
| 1971 | De Intel 4004, de eerste microprocessor, wordt geïntroduceerd door Intel. |
| 1971 | De eerste zakrekenmachine wordt geïntroduceerd. Ze kan optellen, aftrekken, vermenigvuldigen en delen. |
| 1972 | Hubert Dreyfus, voortbordurend met zijn kritieken op de mogelijkheden van KI, publiceert *Wat computers niet kunnen*, waarin hij beargumenteert dat het manipuleren van symbolen niet de basis voor menselijke intelligentie vormt. |
| 1973 | Stanley H. Cohen en Herbert W. Boyer tonen dat DNA-strengen kunnen worden gebroken en weer aan elkaar geplakt, en vervolgens kunnen worden nagemaakt door hen in te brengen in de bacterie *Escherichia coli*. Dit werk legt de gronslag voor het genetisch manipuleren. |
| 1974 | *Creative Computing* komt uit. Het is het eerste tijdschrift voor de computerhobbyisten die thuis een computer hebben. |
| 1974 | De 8-bit 8080, de eerste microprocessor voor algemeen gebruik, wordt aangekondigd door Intel. |
| 1975 | De verkoop van microcomputers in de Verenigde Staten overschrijdt de vijfduizend, en de eerste personal computer, de Altair 8800, wordt geïntroduceerd. Hij heeft een geheugen van 256 bytes. |
| 1975 | *BYTE*, het eerste breed gedistribueerde computertijdschrift, wordt gepubliceerd. |
| 1975 | Gordon Moore herziet zijn stelling over de verdubbelende hoeveelheid transistors op een geïntegreerd circuit van twaalf maanden naar vierentwintig maanden. |
| 1976 | Kurzweil Computer Products introduceert de Kurzweil Reading Machine (KRM), de eerste leesmachine die het geschreven woord naar spraak omzet voor blinden. Gebaseerd op de eerste omni-lettertype (welk lettertype dan ook) optical character recognition (OCR) technologie, scant en leest de KRM hardop alle gedrukt |

| | |
|---|---|
| | materiaal (boeken, tijdschriften, getypte documenten). |
| 1976 | Stephen G. Wozniak en Steven P. Jobs stichten de Apple Computer Corporation. |
| 1977 | Het concept van levensechte robots met overtuigende menselijke emoties wordt met grote verbeeldingskracht weergegeven in de film *Star Wars*. |
| 1977 | Voor de eerste keer voert een telefoonbedrijf grootschalige experimenten uit met glasvezel in een telefoonsysteem. |
| 1977 | De Apple II, de eerste personal computer met kleurenbeeldscherm, wordt geïntroduceerd en met succes op de markt gebracht. |
| 1978 | Speak & Spell, een gecomputeriseerd leerhulpmiddel voor jonge kinderen, wordt geïntroduceerd door Texas Instruments. Dit is het eerste product dat op elektronische wijze de menselijke stem op een chip kopieert. |
| 1979 | De resultaten van het diagnosticeren van hersenvliesontsteking in tien testcases door het computerprogramma MYCIN worden vergeleken met de diagnoses van artsen uit een mijlpaalstudie die door negen onderzoekers wordt uitgevoerd en die wordt gepubliceerd in het *Journal of the American Medical Association*. MYCIN doet het op zijn minst net zo goed als de medische experts. Het potentieel van medische expertsystemen wordt op grote schaal erkend. |
| 1979 | Dan Bricklin en Bob Frankston dragen ertoe bij dat de personal computer als een serieus bedrijfshulpmiddel wordt gezien wanneer zij VisiCalc, het eerste elektronische spreadsheetprogramma, ontwikkelen. |
| 1980 | De opbrengsten van de KI-industrie bedragen dit jaar een paar miljoen dollars. |
| De jaren '80 | Wanneer neuronmodellen potentieel complexer worden, begint het paradigma van het neurale netwerk een comeback te maken en worden |

| | |
|---|---|
| | netwerken met meer dan één laag vaak gebruikt. |
| 1981 | Xerox introduceert de Starcomputer en lanceert daarmee het concept van de Desktop Publishing. Apple's Laserwriter, beschikbaar in 1985, zal de haalbaarheid van deze goedkope en efficiënte manier voor schrijvers en kunstenaars om hun eigen kant-en-klare producten te maken doen toenemen. |
| 1981 | IBM introduceert zijn Personal Computer (PC). |
| 1981 | Het prototype van de Bubble Jet printer wordt gepresenteerd door Canon. |
| 1982 | Compactdiscspelers worden voor het eerst op de markt gebracht. |
| 1982 | Mitch Kapor presenteert Lotus 1-2-3, een ontzettend populair spreadsheetprogramma. |
| 1983 | Faxmachines worden snel een noodzakelijkheid in de bedrijfswereld. |
| 1983 | De Musical Instrument Digital Interface (MIDI) wordt gepresenteerd in Los Angeles op de eerste Noord-Amerikaanse Music Manufacturers-show. |
| 1983 | Er worden zes miljoen personal computers verkocht in de Verenigde Staten. |
| 1984 | De Apple Macintosh introduceert de 'desktop metafoor', waarvan Xerox de pionier was, inclusief door bits in kaart gebrachte grafische voorstellingen, iconen en de muis. |
| 1984 | William Gibson gebruikt de term 'cyberspace' in zijn boek *Neuromancer*. |
| 1984 | De Kurzweil 250 synthesizer (K250), die wordt gezien als het eerste elektronische instrument dat met succes de geluiden van akoestische instrumenten kan nabootsen, wordt op de markt gebracht. |
| 1985 | Marvin Minsky publiceert *The Society of Mind* waarin hij een theorie over het verstand presenteert waarbij intelligentie wordt gezien als het resultaat van een goede organisatie van de hiërarchie van gedachten met eenvoudige mechanismen op de laagste niveaus van de hiërarchie. |

1985 MIT's Media Laboratory wordt gesticht door Jerome Weisner en Nicholas Negroponte. Het lab wijdt zich aan het onderzoeken van mogelijke toepassingen en samenwerkingsverbanden van computerwetenschap, sociologie en kunstmatige intelligentie binnen de context van de mediatechnologie.

1985 Er zijn nu 116 miljoen banen in de Verenigde Staten, vergeleken met de 12 miljoen banen in 1870. In dezelfde periode is het werkende deel van de bevolking van 31 procent tot 48 procent gegroeid, en het BNP per hoofd van de bevolking in constante dollars is met 600 procent toegenomen. Deze trends tonen geen teken van verslapping.

1986 Elektronische keyboards nemen 55,2 procent van de Amerikaanse muzikale keyboardmarkt voor hun rekening, een stijging ten opzichte van de 9,5 procent in 1980.

1986 De levensverwachting is in de Verenigde Staten ongeveer 74 jaar. Slechts 3% van de Amerikaanse arbeidsmarkt is betrokken bij de voedselproductie. Tenminste 76 procent van de volwassen Amerikanen heeft een middelbare-schooldiploma en 7,3 miljoen studenten staan ingeschreven aan een universiteit of hogere beroepsopleiding.

1987 NYSE-aandelen (de belangrijkste Amerikaanse aandelenbeurs) maken hun grootste verlies op één dag mee, mede door de gecomputeriseerde handel.

1987 Huidige spraaksystemen kunnen in elk van het volgende voorzien: een grote woordenschat, ononderbroken spraakherkenning of sprekeronafhankelijkheid.

1987 Robotachtige zichtsystemen vormen nu een industrie van 300 miljoen dollar en dat zal toenemen tot 800 miljoen dollar rond 1990.

1988 Computergeheugen kost vandaag maar één honderdmiljoenste van wat het in 1950 kostte.

1988 Marvin Minsky en Seymour Papert publiceren

| | |
|---|---|
| | een herziene druk van *Perceptrons* waarin zij recente ontwikkelingen in neurale-netwerkmachines voor intelligentie bespreken. |
| 1988 | In de Verenigde Staten worden dit jaar 4,7 miljoen microcomputers, 120.000 minicomputers en 11.500 mainframes verkocht. |
| 1988 | W. Daniel Hillis' Connection Machine kan tot 65.536 berekeningen tegelijkertijd uitvoeren. |
| 1988 | Notebooks verslaan de grotere laptops in populariteit. |
| 1989 | Intel introduceert de 16-megahertz (MHz) 80386SX, 2.5 MIPS-microprocessor. |
| 1990 | *Nautilus*, het eerste cd-romtijdschrift wordt gepubliceerd. |
| 1990 | De ontwikkeling van HyperText Markup Language door onderzoeker Tim Berners-Lee en het vrijgeven daarvan door CERN, het natuurkundig laboratorium voor hoge energie in Genève, Zwitserland, leidt tot het ontstaan van het World Wide Web. |
| 1991 | De mobiele telefoon en e-mail nemen in populariteit als bedrijfs- en persoonlijk communicatiemiddel toe. |
| 1992 | De eerste, dubbelesnelheid-cd-romdrive wordt op de markt gebracht door NEC. |
| 1992 | De eerste persoonlijke digitale assistent (PDA), een computer ter grootte van een hand, wordt geïntroduceerd op de Consumer Electronics Show in Chicago. De ontwikkelaar is Apple Computer. |
| 1993 | De Pentium 32-bit microprocessor wordt gelanceerd door Intel. Deze chip heeft 3,1 miljoen transistors. |
| 1994 | Het World Wide Web ontstaat. |
| 1994 | America Online heeft nu meer dan 1 miljoen abonnees. |
| 1994 | Scanners en cd-rom's worden algemeen gebruikt. |
| 1994 | Digital Equipment Corporation introduceert een 300-MHz-versie van de Alpha AXP-pro- |

| | |
|---|---|
| | cessor die 1 miljard instructies per seconde uitvoert. |
| 1996 | Compaq Computer en NEC Computer Systems leveren zakcomputers die op Windows CE werken. |
| 1996 | NEC Electronics levert de R4101-processor voor persoonlijke digitale assistenten. Een touch-screeninterface is daarbij inbegrepen. |
| 1997 | Deep Blue verslaat Gary Kasparov, wereldschaakkampioen, in een officieel toernooi. |
| 1997 | Dragon Systems introduceert Naturally Speaking, het eerste softwareproduct waarmee vloeiende spraak gedicteerd kan worden. |
| 1997 | Videotelefoons worden gebruikt in het zakenleven. |
| 1997 | Geldautomaten beginnen gebruik te maken van gezichtsherkenningssystemen. |
| 1998 | De dicteerafdeling van Lernout & Hauspie Speech Products (voorheen Kurzweil Applied Intelligence) introduceert Voice Xpress Plus, het eerste programma dat vloeiende spraak herkent en het vermogen heeft om instructies met behulp van natuurlijke taal te begrijpen. |
| 1998 | Er wordt begonnen met het uitvoeren van afhandelingen van routinezaken over de telefoon tussen een menselijke klant en een geautomatiseerd systeem door middel van een verbale dialoog met de klant (bijvoorbeeld reserveringen voor luchtvaartmaatschappijen). |
| 1998 | Er ontstaan investeringsfondsen die gebruikmaken van evolutionaire algoritmen en neurale netwerken om investeringsbeslissingen te nemen (bijvoorbeeld Advanced Investment Technologies). |
| 1998 | Het World Wide Web is alomtegenwoordig. Het is normaal dat middelbare scholieren en lokale kruideniers een website hebben. |
| 1998 | Geautomatiseerde persoonlijkheden op het scherm tot leven gebracht en met realistische mondbewegingen en gelaatsuitdrukkingen |

werken in laboratoria. Deze persoonlijkheden reageren op de gesproken opmerkingen en gelaatsuitdrukkingen van hun menselijke gebruikers. Zij worden ontwikkeld om in de toekomstige interfaces voor producten en services gebruikt te worden als gepersonaliseerde onderzoeks- en bedrijfsassistenten, en om zaken te doen.

1998 — Microvisions Virtual Retina Display (VRD) projecteert beelden direct op het netvlies van de gebruiker. Hoewel ze duur zijn worden consumentenuitvoeringen verwacht in 1999.

1998 — 'Bluetooth'-technologie wordt ontwikkeld voor 'body' local area networks (LANS) en voor draadloze communicatie tussen personal computers en gekoppelde randapparatuur. Draadloze communicatie wordt ontwikkeld voor verbindingen met een wijde bandbreedte met het Web.

2000 — Ray Kurzweils *Het tijdperk van de levende computers. Wannneer computers slimmer worden dan mensen* verschijnt in het Nederlands.

2009 — Een personal computer van 1000 dollar kan ongeveer een biljoen berekeningen per seconde uitvoeren.

Personal computers met een beeldscherm met een hoge resolutie zijn beschikbaar in verschillende maten, van klein genoeg om te dragen op je kleding of als sieraad tot de grootte van een dun boek.

Kabels verdwijnen. Communicatie tussen onderdelen gebeurt door gebruik te maken van draadloze korteafstandstechnologie. Hoge snelheid, draadloze communicatie voorziet in toegang tot het Web.

De meeste tekst wordt geproduceerd door gebruik te maken van continuë spraakherkenning. Language User Interfaces (LUIs) zijn ook alomtegenwoordig.

De meeste routinematige bedrijfsafhandelingen

(aankopen, reizen, reserveringen) vinden plaats tussen een mens en een virtuele persoonlijkheid. Vaak lijkt de virtuele persoonlijkheid op een mens doordat ze een visuele persoonlijkheid heeft.

Hoewel traditioneel lesgeven in een klaslokaal nog veel voorkomt, krijgt intelligente educatieve software de overhand als een veel gebruikte leermiddel.

Zakformaat leesmachines voor blinden en slechtzienden, luistermachines (spraak-tot-tekst-omzetting) voor doven en computergestuurde, orthotopische apparaten voor paraplegische individuen leiden tot het toenemende inzicht dat primaire invaliditeit niet noodzakelijk een handicap hoeft te zijn.

Vertaaltelefoons (spraak-naar-spraakvertalingen) worden veelvuldig gebruikt voor vele taalcombinaties.

De versnellende opbrengsten van de vooruitgang van computertechnologie hebben ertoe geleid dat er een voortdurende economische groei is. Prijsdeflatie, wat een realiteit was in de computerindustrie tijdens de twintigste eeuw, komt nu ook voor buiten de computerindustrie. De reden hiervoor is dat bijna alle economische sectoren sterk onder de invloed van de versnellende vooruitgang in de prijs-prestatieverhoudingen van de computerverwerking staan.

Menselijke muzikanten houden regelmatig jamsessies met cybernetische muzikanten.

Biotechnische kuren tegen kanker en hartziekten hebben in grote mate de kans om aan deze ziekten te overlijden verlaagd.

De neo-Ludditenbeweging groeit.

2019

Het vermogen van een computer van 1000 dollar (gebaseerd op de dollar van 1999) is nu ongeveer gelijk aan het rekenvermogen van het menselijk brein.

Computers worden in hoge mate onzichtbaar

en worden overal in verwerkt – in muren, tafels, stoelen, bureaus, kleding, sierraden en lichamen. Driedimensionale, virtuele beeldweergave ingebouwd in brillen, contactlenzen en ook in auditieve 'lenzen' worden routinematig gebruikt als primaire interfaces voor communicatie met andere personen, computers, het Web en de virtuele werkelijkheid.

De meeste computerinteractie vindt plaats door middel van bewegingen en tweerichtingscommunicatie met natuurlijke, gesproken taal.

Machines die gebruikmaken van nanotechniek worden toegepast in productie- en procescontrolerende toepassingen.

Driedimensionale, visuele en auditieve, virtuele werkelijkheid met hoge resolutie en realistische, alomvattende tastbare omgevingen stellen de mens in staat om bijna alles met wie dan ook te doen, ongeacht de fysieke afstand.

Papieren boeken of documenten worden nog zelden gebruikt, en het leren vindt grotendeels plaats met behulp van intelligente, gesimuleerde, op software gebaseerde leraren.

Blinden maken normaalgesproken gebruik van navigatiesystemen die zijn uitgerust met lenzen om mee te lezen. Doven lezen wat andere personen gezegd hebben door middel van hun lensweergavesysteem. Paraplegische en quadriplegische personen lopen gewoon, en gaan trappen op door middel van een combinatie van computergecontroleerde zenuwstimulatie en robotachtige apparaatjes die zich buiten het skelet bevinden.

Verreweg het grootste deel van transacties loopt via een gesimuleerd persoon.

Geautomatiseerde vervoerssystemen worden nu in de meeste wegen geïnstalleerd.

Mensen beginnen relaties met geautomatiseerde persoonlijkheden en gebruiken hen als vrienden, leraren, verzorgers en geliefden.

Virtuele kunstenaars, met een eigen reputatie, verschijnen in alle kunstvormen.

Er zijn wijdverspreide verslagen van computers die slagen voor de Turingtest, hoewel deze testen niet aan de vastgestelde criteria van goed geïnformeerde waarnemers voldoen.

2029

Een rekeneenheid van 1000 dollar (in dollars van 1999) heeft het computingvermogen van ongeveer 1000 menselijke breinen.

Permanente of verwijderbare implantaten (vergelijkbaar met contactlenzen) voor de ogen en ook voor het middenoor worden nu gebruikt om de invoersignalen en de uitvoersignalen tussen de menselijke gebruiker en het wereldwijde computernetwerk te verbeteren.

Directe zenuwkanalen zijn geperfectioneerd voor de verbindingen met grote bandbreedte met het menselijke brein. Een reeks van neurale implantaten wordt beschikbaar gesteld om de visuele en auditieve waarneming en interpretatie, het geheugen en het vermogen om te redeneren te verhogen.

Geautomatiseerde instrumenten leren nu zelfstandig, en er wordt een belangrijke hoeveelheid kennis gecreëerd door machines met weinig of geen menselijk ingrijpen. Computers hebben alle beschikbare door mensen en machines gegenereerde literatuur en multimediamaterialen gelezen en opgeslagen.

Er wordt algemeen gebruikgemaakt van allesomvattende visuele, auditieve en tactiele communicatie door middel van directe neurale verbindingen die virtuele realiteit mogelijk maken zonder dat men zich in een 'totaal tactiel hokje' bevindt.

Het grootste deel van communicatie voltrekt zich zonder mensen. Het grootste deel van communicatie waaraan wel een mens deelneemt, is tussen een mens en een machine.

Er is bijna geen menselijke werkgelegenheid in

| | |
|---|---|
| | productie, landbouw of transport. Primaire levensbehoeften zijn er voor het grootste deel van het menselijk ras. |
| | Er is een toenemende discussie over de wettelijk vastgelegde rechten van computers en wat het betekent 'mens' te zijn. |
| | Hoewel het de gewoonste zaak van de wereld is dat computers slagen voor vormen van de Turingtest die kennelijk valide zijn, heerst er nog steeds een meningsverschil over of machine-intelligentie nu wel of niet gelijk is aan de menselijke intelligentie in al haar diversiteit. |
| | Machines beweren 'bewust' te zijn. Deze stelling wordt over het algemeen geaccepteerd. |
| 2049 | Het algemene gebruik van nanogeproduceerd voedsel dat de juiste samenstelling aan voedingswaarde en dezelfde smaak en structuur van organisch geproduceerd voedsel bezit, betekent dat de beschikbaarheid van voedsel niet langer door gelimiteerde bronnen, slechte oogst door weersomstandigheden en verspilling wordt beïnvloed. |
| | Nanobotzwermprojecties worden gebruikt om visueel-auditief-tactiele projecties van mensen en objecten in de echte werkelijkheid te creëren. |
| 2072 | Picotechniek (het ontwikkelen van technologie op de schaal van picometers of biljoensten van een meter) wordt uitvoerbaar.[1] |
| Tegen het jaar 2099 | Er is een sterke trend richting het samenvoegen van menselijk denken met de wereld van de machine-intelligentie die uiteindelijk door de mens zelf is gecreëerd. |
| | Er is geen duidelijk onderscheid meer tussen mensen en computers. |
| | De meeste bewuste wezens hebben geen permanente, fysieke aanwezigheid. |
| | Intelligenties die op machines zijn gebaseerd en die zijn afgeleid van uitgebreide modellen van menselijke intelligentie beweren menselijk te |

zijn, hoewel hun hersenen niet zijn gebaseerd op celprocessen die op koolstof zijn gebaseerd, maar eerder op elektronische en fotonische equivalenten. De meeste van deze intelligenties zijn niet verbonden aan een specifieke computingeenheid. Het aantal softwaregebaseerde mensen overstijgt het aantal mensen die nog steeds gebruikmaken van primitieve, op neuronen gebaseerde computing.

Zelfs tussen de menselijke intelligenties die nog steeds gebruikmaken van koolstofgebaseerde neuronen vindt er overvloedig gebruik plaats van zenuwimplantaattechnologie die voorziet in een enorme toename van het menselijk waarnemings- en kennisvermogen. Mensen die geen gebruik maken van zulke implantaten zijn niet in staat tot een zinvolle deelname aan dialogen met diegenen die er wel gebruik van maken.

Omdat de meeste informatie gepubliceerd wordt door middel van standaard verwerkte kennisprotocollen kan de informatie direct worden begrepen. Het doel van scholing en van intelligente wezens is het ontdekken van nieuw te leren kennis.

Voorstellen tot femtotechniek (techniek op de schaal van femtometers of éénduizendste van een biljoenste van een meter) zijn controversieel.[2]

Levensverwachting is niet langer een geldige term met betrekking tot intelligente wezens.

Vele millennia later … Intelligente wezens denken na over het lot van het heelal.

# Drie eenvoudige paradigma's voor het bouwen van een intelligente machine

*Op het moment dat Deep Blue dieper en dieper gaat, vertoont hij elementen van strategische intelligentie. Ergens daarginds transformeren wat slechts technieken lijken zich tot strategieën. Van alles wat ik heb gezien lijkt dit het meest op computerintelligentie. Het is een vreemde vorm van intelligentie, het ontstaan van intelligentie. Maar, je kunt het voelen. Je kunt het ruiken.*
Frederick Friedel, de assistent van Gary Kasparov, merkte dit op over de computer die zijn baas versloeg.

*De zin van deze zin is duidelijk maken wat de zin van deze zin is.*
Douglas Hofstadter

*'Kunt u mij alstublieft vertellen welke weg ik moet nemen hier vandaan?' vroeg Alice.*
*'Dat hangt grotendeels af van waar je heen wilt gaan.' zei de kat.*
*'Dat maakt mij niet zoveel uit...' zei Alice.*
*'Dan maakt het niet veel uit welke weg je neemt,' zei de kat.*
*'...zolang ik maar ergens aankom,' voegde Alice er snel ter verklaring aan toe.*
*'Oh, je komt zeker ergens,' zei de kat, 'als je maar lang genoeg doorloopt.'*
Lewis Carroll

*Een hoogleraar heeft zojuist zijn colleges over het ontstaan en de structuur van het heelal aan de zomeruniversiteit afgesloten, wanneer een oude vrouw op tennisschoenen naar hem toeloopt. 'Neemt u mij niet kwalijk, mijnheer, maar u hebt het helemaal bij het verkeerde eind,' zegt zij. 'De waarheid is dat het heelal op de rug van een enorme schildpad zit.' De professor besluit haar te ontzien. 'Echt waar?' vraagt hij. 'Zo, vertelt u mij dan eens waar de schildpad op staat?' De dame heeft snel haar antwoord klaar: 'O, die staat op een andere schildpad.' Waarop de professor vraagt: 'En waar staat deze schildpad dan wel op?' Zonder aarzelen zegt zij, 'Op een andere schildpad.' De professor, nog steeds bereid het spelletje mee te spelen, herhaalt zijn vraag. Een blik van ongeduld verschijnt op het gezicht van de vrouw. Zij doet haar handen omhoog en breekt hem midden in zijn zin af. 'Bespaart u zich de moeite, jochie,' zegt ze. 'Schildpadden, tot het bittere einde.'*
Rolf Landauer

Zoals ik al opmerkte in hoofdstuk 6, 'Nieuwe hersenen bouwen...' is het begrijpen van intelligentie vergelijkbaar met het pellen van een ui – het wegnemen van iedere laag onthult een nieuwe laag. Aan het einde van het proces hebben we veel uienschillen maar geen ui meer. Met andere woorden, intelligentie – vooral menselijke intelligentie – werkt op vele niveaus. We kunnen dan wel tot ieder niveau doordringen en het begrijpen, maar het hele proces vereist dat alle niveaus op precies de juiste manier met elkaar samenwerken.

In dit hoofdstuk behandel ik een aantal bijkomende uitgangspunten voor de drie paradigma's die ik in hoofdstuk 4, 'Een nieuwe vorm van intelligentie op aarde', heb besproken. Elk van deze methoden kan voorzien in 'intelligente' oplossingen voor nauwkeurig gedefinieerde problemen. Deze benaderingen moeten op gepaste wijze gecombineerd worden om systemen te creëren die flexibel kunnen reageren op complexe omgevingen zoals die waarin intelligente wezens zich vaak bevinden. Dit is in het bijzonder waar wanneer fenomenen die diverse niveaus van intelligentie met zich meebrengen met elkaar in wisselwerking staan. Als we bijvoorbeeld een enkelvoudig groot neuraal netwerk bouwen dat we alle moeilijkheden van spraak en taal pogen aan te leren, dan zal het resultaat in het gunstigste geval beperkt zijn. De resultaten zouden bemoedigender worden als we het probleem zouden uitsplitsen op een manier die overeenkomt met de meervoudige betekenisniveaus die we aantreffen in deze vorm van communicatie die uniek is voor de mens.

Het menselijk brein is op dezelfde wijze georganiseerd als een verzameling van gespecialiseerde domeinen. En wanneer we de parallelle algoritmes van de hersenen leren kennen dan zullen we de middelen hebben om hen enorm uit te breiden. Kijk alleen maar naar het gebiedje van de hersenen dat verantwoordelijk is voor logisch en recursief denken – de hersenschors –; dat telt slechts 8 miljoen neuronen.[1] We bouwen nu al neurale netwerken die duizend keer groter zijn en miljoenen keren sneller werken. Het hoofdthema binnen de ontwikkeling van intelligente machines (totdat zij deze taak van ons overnemen) zal het ontwerpen van ingenieuze constructies zijn om de relatief eenvoudige methoden waaruit de bouwstenen van intelligentie bestaan te combineren.

## De recursieformule

Hier volgt een zeer eenvoudige formule om intelligente oplossingen voor moeilijke problemen te vinden. Bekijk deze met aandacht, want het zou aan je voorbij kunnen gaan.

De recursieformule luidt:

*Voor mijn volgende stap, neem mijn beste eerstvolgende stap. Als ik klaar ben, ben ik klaar.*

Dit ziet er misschien wel te eenvoudig uit, en ik moet toegeven dat de formule in eerste instantie weinig inhoud lijkt te hebben, maar de kracht ervan is verrassend.

Laten we het klassieke voorbeeld van een probleem dat door de recursieformule wordt behandeld nader aanschouwen: het schaakspel. Schaken wordt gezien als een intelligent spel, tenminste tot voor kort. De meeste waarnemers zijn nog altijd overtuigd dat er intelligentie voor nodig is om een goede partij te spelen. Dus, hoe zal het onze recursieformule in deze arena vergaan?

Het schaakspel wordt zet voor zet gespeeld. Het doel is 'goede' zetten te doen. Laat ons dus het programma omschrijven als een programma dat goede zetten doet. Om de recursieformule toe te kunnen passen op het schaakspel zullen we haar als volgt herformuleren:

KIES EERSTVOLGENDE ZET: *Kies mijn beste zet. Als ik gewonnen heb, ben ik klaar.*

Geef nog niet op, dit zal gauw duidelijk worden. Ik moet nog één aspect van het schaakspel incalculeren, namelijk dat ik niet alleen speel. Ik heb een tegenstander. Hij doet ook zetten. Laten we hem het voordeel van de twijfel geven en aannemen dat hij ook goede zetten doet. Mocht dit niet kloppen, dan zal dat een kans zijn, geen probleem. Dus nu hebben we:

KIES EERSTVOLGENDE ZET: *Kies mijn beste zet en veronderstel dat mijn tegenstander dat ook doet. Wanneer ik gewonnen heb, ben ik klaar.*

Het is nu tijd dat we de aard van recursiviteit in beschouwing nemen. Een recursieve regel is een regel die gedefinieerd wordt in zijn eigen voorwaarden. Een recursieve regel is een cirkelredenering, maar voor ons is het niet nuttig om eeuwig in cirkels te draaien. Wij hebben een uitweg nodig.

Laten we een voorbeeld bekijken dat recursiviteit illustreert: de eenvoudige 'factorfunctie'. Om een factor van *n* te berekenen, *vermenigvuldigen we n met de factor (n - 1)*. Dat is het cirkelgedeelte – we hebben deze functie nu gedefinieerd in zijn eigen voorwaarden. We moeten ook stellen dat de *factor van 1, 1* is. Dat is onze uitweg.

Als voorbeeld berekenen we de factor van 2. Volgens onze definitie,

*Factor van 2 = 2 maal (factor van 1).*

We weten direct wat (factor van 1) is, dus daar is onze uitweg uit een oneindige herhaling. Door (factor van 1) = 1 in te vullen, kunnen we nu schrijven,

*Factor van 2 = 2 maal 1 = 2.*

Terugkerend naar het schaakspel kunnen we zien dat de 'Kies eerstvolgende zet'-functie recursief is omdat we de beste zet in zijn eigen voorwaarden hebben gedefinieerd. Het bedrieglijk eenvoudige 'Wanneer ik gewonnen heb, dan ben ik klaar'-gedeelte van deze strategie is onze uitweg.

Laten we hetgeen we weten over het schaakspel meetellen. Dit is waar we de definitie van het probleem met aandacht bekijken. We realiseren ons dat we - om de beste zet te doen - moeten beginnen met het op een rijtje zetten van de *mogelijke* zetten. Dit is niet zo gecompliceerd. De legitieme zetten op elk moment tijdens het spel worden omschreven in de regels. Hoewel zij ingewikkelder zijn dan die van andere spelen zijn de regels van het schaakspel rechtlijnig en makkelijk te programmeren. We zetten dus de mogelijkheden op een rijtje en kiezen de beste.

Maar welke zet is de beste? Wanneer de zet leidt tot een overwinning dan voldoet hij. Dus kijken we alleen maar naar de regels en kiezen één van de zetten die een onmiddellijk schaakmat oplevert. Misschien hebben we niet zoveel geluk en leidt geen van de mogelijke zetten rechtstreeks tot een overwinning. We moeten nog steeds overwegen of de zet mij kan doen winnen of verliezen. We moeten nog steeds de subtiele toevoeging aan onze regel *'en veronderstel dat mijn tegenstander dit ook doet'* in ogenschouw nemen. Mijn overwinning of verlies hangt uiteindelijk af van hetgeen mijn tegenstander zal doen. Ik moet me in zijn plaats stellen en zijn beste zet kiezen. Hoe kan ik dat doen? Dit is waar de kracht van recursiviteit naar voren treedt. We hebben een programma, dat precies dat doet, Kies eerstvolgende zet genaamd. Dus gebruiken we dat om de beste zet van mijn tegenstander te bepalen.

Ons programma is nu als volgt gestructureerd. Kies eerstvolgende zet genereert een lijst van alle mogelijke, legitieme zetten. Het bestudeert op zijn beurt iedere zet. Het produceert een weergave van een hypothetisch schaakbord waarop alle stukken op de plaats komen te staan wanneer die mogelijke zet gedaan zou worden. Alweer vereist dit de toepassing van de definitie van het probleem zoals vastgelegd in de regels van het spel. Kies eerstvolgende zet verplaatst zichzelf nu in mijn tegenstanders positie en vraagt aan zichzelf om de beste zet te bepalen. Dan begint het al de mogelijke zetten vanuit haar positie op het hypothetische bord te plaatsen.

Het programma blijft zichzelf dus aanroepen en blijft de mogelijke zetten en tegenzetten uitbreiden in een groeiende boomstructuur van mogelijkheden. Dit proces wordt vaak een minimaxzoektocht genoemd, omdat we proberen de kans op winst van mijn tegenstanders te minimaliseren en mijn kans op winst te maximaliseren.

Waar eindigt dit allemaal? Het programma blijft zichzelf aanroepen totdat iedere tak van de boomstructuur van mogelijke zetten en tegenzetten leidt tot het einde van het spel. Ieder einde van een wedstrijd voorziet in het antwoord: winnen, remise, verliezen of pat. Op het verste punt in de uitbreiding van zetten en tegenzetten komt het programma zetten tegen die het spel kunnen beëindigen. Wanneer een zet leidt tot een overwinning dan kiezen we deze zet. Wanneer er geen winnende zetten zijn dan leggen we ons neer bij een remise. Wanneer er geen zetten mogelijk zijn die leiden tot winnen of remise dan ga ik door met spelen in de hoop dat mijn tegenstander niet perfect is terwijl ik dat wel ben.

Deze laatste zetten zijn de laatste takken – eindpunten – van onze boom van volgorde van zetten. Nu begint het programma in plaats van Kies eerstvolgende zet aan te roepen terug te keren naar de vorige vragen. Wanneer het gaat terugkijken naar de ingebedde Kies eerstvolgende zet-aanroepen heeft het de beste zet op ieder punt al vastgesteld (inclusief de beste zet voor mijn tegenstander) en kan het dus de juiste zet voor de situatie op het bord van dat moment kiezen.

En, hoe goed kan dit eenvoudige programma een wedstrijd spelen? Het antwoord is: het kan *perfect* schaken. Ik kan niet verliezen, tenzij mijn tegenstander mogelijkerwijze de openingszet doet en ook perfect is. Perfect schaken is erg goed, veel beter dan welke mens dan ook. Het meest gecompliceerde deel van de KIES MIJN BESTE ZET-functie – het enige aspect dat niet zo eenvoudig is – is het genereren van alle toegestane zetten op een bepaald moment. En dit is gewoon een kwestie van het ordenen van de regels. In wezen hebben we het antwoord vastgesteld door het nauwkeurig definiëren van het probleem.

Maar we zijn nog niet klaar. Hoewel het perfect schaken als indrukwekkend kan worden gezien, is het nog niet goed genoeg. Wij moeten nog bekijken hoe snel de speler KIES MIJN BESTE ZET kan spelen. Wanneer we aannemen dat er gemiddeld ongeveer 8 mogelijke zetten voor iedere bordsituatie zijn, en dat een spel normalerwijze zo'n 30 zetten duurt, dan moeten we $8^{30}$ mogelijke zetvolgorden bekijken om de boomstructuur van alle zet- en tegenzetmogelijkheden zo ver mogelijk uit te breiden. Wanneer we aannemen dat we 1 miljard bordposities per seconde kunnen analyseren (en dat is veel sneller dan welke schaakcomputer vandaag de dag), dan zou het $10^{18}$ seconden, of ongeveer 40 miljard jaar duren om iedere zet te kiezen.

Helaas, dat is niet zoals het spel wordt gespeeld. Deze benadering van recursiviteit is een beetje zoals evolutie – beide doen erg hun best, maar ze zijn erg langzaam. Dat is niet zo verbazingwekkend wanneer je erover nadenkt. Evolutie vertegenwoordigt een ander zeer eenvoudig paradigma, en is inderdaad een van onze eenvoudige formules.

Echter, voordat we de recursieformule overboord gooien, moeten we proberen om haar zo aan te passen dat ze rekening houdt met ons menselijke ongeduld en, voor het moment, met onze sterfelijkheid.

Wij moeten duidelijk limieten stellen aan hoever we de recursiviteit laten doorgaan. We kunnen de toegestane uitbreiding van de boomstructuur van zetten en tegenzetten af laten hangen van het computingvermogen dat ons ter beschikking staat. Op deze manier kunnen we de recursieformule op iedere computer gebruiken, van een horlogecomputer tot een supercomputer.

Het beperken van de diepte van de boomstructuur betekent natuurlijk dat we niet iedere tak tot zijn uiterste kunnen laten uitbreiden tot het einde van het spel. We moeten de groei stoppen en een manier vinden om de 'eindpunten' van de onafgemaakte boom te evalueren. Toen we overwogen om iedere zetvolgorde volledig te laten uitbreiden tot het einde van het spel was het evalueren eenvoudig. Winnen is beter dan remise en verliezen is helemaal niet goed. Het is een beetje moeilijker om een bordpositie te evalueren in het midden van het spel. Het is eigenlijk controversiëler omdat we hier meerdere denkwijzen tegenkomen.

De kat in *Alice in Wonderland* die Alice vertelt dat het niet uitmaakt welke weg ze neemt moet een expert geweest zijn in recursieve algoritmes. Iedere half-redelijke benadering werkt aardig. Als we bijvoorbeeld alleen de waarden van de stukken optellen (bijvoorbeeld 10 voor de koningin, 5 voor de toren, enzovoorts) krijgen we tamelijk acceptabele resultaten. Door bij het programmeren van de recursieve minimaxformule gebruik te maken van de methode van de waarde van de stukken voor het evalueren van de eindpunten, zoals gebruikelijk op iedere gemiddelde computer rond 1998, zal ieder mens op aarde, met uitzondering van een paar duizend, worden verslagen.

Dit is wat ik de 'eenvoudige denkwijze' noem. Deze denkwijze zegt: Gebruik een eenvoudige methode om de eindpunten te evalueren en stel al het beschikbare computervermogen zo in dat het zo ver mogelijk kan gaan met het uitbreiden van de boomstructuur van zetten en tegenzetten. Een andere benadering is de 'complexe denkwijze' die zegt dat we ingewikkelde procedures moeten gebruiken om de 'kwaliteit' van het bord op iedere laatste positie te evalueren.

IBMs Deep Blue, de computer die over de drempel van deze historische limiet heenstapte, maakt gebruik van een evaluatiemethode voor het eindpunt die een stuk nauwkeuriger is dan het alleen maar optellen van de

## REKENLOZE 'PSEUDO-CODE' VOOR HET RECURSIEVE ALGORITME

Hier volgt het basisschema voor het recursieve algoritme. Vele variaties zijn mogelijk, en de ontwerper van het systeem moet het van bepaalde kritische parameters en methoden voorzien waarvan de details hieronder zijn te vinden:

### Het Recursieve Algoritme

Definieer een functie (programma), 'KIES EERSTVOLGENDE ZET'. De functie levert een waarde 'SUCCES' op (we hebben het probleem opgelost) of 'MISLUKKING' (we hebben het niet opgelost). Wanneer het een waarde SUCCES oplevert dan levert de functie ook de volgorde van de gekozen stappen op die het probleem oploste. KIES EERSTVOLGENDE ZET doet het volgende:

KIES EERSTVOLGENDE ZET:
Stel vast of het programma op dit punt aan de voortdurende recursiviteit kan ontkomen. Dit punt en de twee volgende punten behandelen deze uitwegbeslissing. Stel ten eerste vast of het probleem nu is opgelost. Aangezien deze aanroep KIES EERSTVOLGENDE ZET waarschijnlijk van het programma zelf kwam, zouden we nu een bevredigende oplossing kunnen hebben. Voorbeelden zijn:

- Binnen de context van een spel (bijvoorbeeld een schaakspel) staat de laatste zet het ons toe te winnen (bijvoorbeeld schaakmat).
- Binnen de context van het oplossen van een wiskundige bewering bewijst de laatste zet de stelling.
- Binnen de context van een artistiek programma (bijvoorbeeld een cybernetische dichter of componist) komt de laatste zet overeen met de doelstellingen voor het volgende woord of de volgende noot.

Wanneer het probleem naar bevrediging is opgelost levert het programma een waarde SUCCES op. In dit geval levert KIES EERSTVOLGENDE ZET de volgorde op van de zetten die tot succes geleid hebben.

- Wanneer het probleem niet is opgelost, stel dan vast of een oplossing nu onmogelijk is. Voorbeelden zijn:

  - Binnen de context van een spel (bijvoorbeeld een schaakspel), veroorzaakt deze zet dat we verliezen (bijvoorbeeld schaakmat voor de tegenstander).
  - Binnen de context van het oplossen van een wiskundige bewering, wordt de bewering tegengesproken.

- Binnen de context van een artistiek programma (bijvoorbeeld cybernetische dichter of componist), houdt deze zet zich niet aan de doelen voor het volgende woord of de volgende noot.

Wanneer de oplossing op dit punt als uitzichtloos beschouwd wordt, dan levert het programma de waarde MISLUKKING op.

- Wanneer het probleem zowel niet opgelost wordt of als uitzichtloos gezien wordt op dit punt van de recursieve uitbreiding, stel dan vast of er wel of niet met de uitbreiding van de boomstructuur moet worden doorgegaan. Dit is een belangrijk aspect voor het ontwerp en dit houdt er rekening mee dat we een beperkte berekeningstijd ter beschikking hebben. Voorbeelden zijn:

    - Binnen de context van een spel (bijvoorbeeld een schaakspel), zou deze zet onze kant voldoende 'de winnende hand' of 'achterstand' opleveren. Het nemen van deze beslissing is niet helemaal rechtlijnig en het is de eerste ontwerpbeslissing. Daar staat tegenover dat eenvoudige benaderingen (bijvoorbeeld het optellen van de waarde van de stukken) nog steeds goede resultaten kunnen opleveren. Wanneer het programma vaststelt dat onze kant voldoende aan de winnende hand is dan besluit KIES EERSTVOLGENDE ZET op eenzelfde manier dat onze kant gewonnen heeft (d.w.z. met een waarde SUCCES). Wanneer het programma vaststelt dat onze kant voldoende achterstand heeft dan besluit KIES EERSTVOLGENDE ZET op eenzelfde manier dat onze kant verloren heeft (d.w.z. met een waarde MISLUKKING).
    - Binnen de context van het oplossen van een wiskundige bewering houdt deze stap het vaststellen in dat de stapvolgorde in het bewijs waarschijnlijk geen bewijs zal opleveren. Wanneer dit het geval is, dan wordt dit pad verlaten en besluit KIES EERSTVOLGENDE ZET op eenzelfde wijze dat deze stap de bewering tegenspreekt (d.w.z. met een waarde MISLUKKING). Er is geen zwak equivalent voor succes. We kunnen geen waarde SUCCES leveren voordat we het probleem hebben opgelost. Dat is het karakteristieke van wiskunde.
    - Binnen de context van een artistiek programma (bijvoorbeeld een cybernetische dichter of componist) houdt deze stap het vaststellen van de volgorde van de stappen (bijvoorbeeld woorden in een gedicht, noten in een muziekstuk) in, die voldoening geven aan de doelen voor de volgende stap. Wanneer dit niet het geval is, wordt dit pad verlaten en besluit KIES EERSTVOLGENDE ZET op eenzelfde manier dat de stap zich niet aan de doelen voor de volgende stap houdt (d.w.z. met een waarde MISLUKKING).

- Wanneer KIES EERSTVOLGENDE ZET niets oplevert (omdat het programma op dit punt succes noch mislukking, noch de beslissing dat dit pad verlaten moet worden heeft opgeleverd), dan zijn we niet onder de voortdurende recursieve uitbreiding uitgekomen. In dit geval genereren we op dit punt een lijst van alle mogelijke volgende stappen. Hier komt de exacte formulering van het probleem aan de orde:

  - Binnen de context van een spel (bijvoorbeeld een schaakspel) houdt dit het genereren in van alle mogelijke zetten voor 'onze' kant op het bord zoals het op dit moment opgesteld is. Dit houdt een duidelijke codificatie van de spelregels in.
  - Binnen de context van het vinden van een bewijs voor een wiskundige bewering betekent dit het op een rijtje zetten van de mogelijke axioma's of voormalig bewezen beweringen die op dit punt toegepast kunnen worden op de oplossing.
  - Binnen de context van een cybernetisch kunstprogramma betekent dit het op een rijtje zetten van de mogelijke woorden/noten/zinsdelen, die op dit punt gebruikt zouden kunnen worden.

Voor iedere van die mogelijke volgende zetten geldt:

- Creëer de hypothetische situatie die zou bestaan wanneer deze stap toegepast zou worden. In een spel betekent dit de hypothetische opstelling op het bord. In een wiskundig bewijs betekent dit de stap (bijvoorbeeld axioma) voor het bewijs. In een kunstprogramma betekent dit het toevoegen van een gekozen woord/noot/zinsdeel.
- Vraag KIES EERSTVOLGENDE ZET nu om deze hypothetische situatie te onderzoeken. Dit is natuurlijk waar de recursiviteit gebruikt wordt omdat het programma nu zichzelf aanroept.
- Wanneer de hierboven genoemde aanroep tot KIES EERSTVOLGENDE ZET een waarde SUCCES oplevert, keer dan terug van de aanroep tot KIES EERSTVOLGENDE ZET (deze waar we ons nu in bevinden) met ook een waarde SUCCES. Overweeg in het andere geval de volgende, mogelijke stap.

Wanneer al de mogelijke volgende stappen in overweging zijn genomen zonder een stap te vinden die resulteert in een terugkeer naar de aanroep tot KIES EERSTVOLGENDE ZET met een waarde SUCCES, keer dan terug van deze aanroep tot KIES EERSTVOLGENDE ZET (de zet waarin we ons nu bevinden) met een waarde MISLUKKING.

## EINDE VAN DE KIES EERSTVOLGENDE ZET

Op het moment dat de originele aanroep tot KIES EERSTVOLGENDE ZET wordt beantwoord met een waarde SUCCES dan zal het ook de correcte volgorde van zetten geven:

- Binnen de context van een spel is de eerste zet in deze reeks de volgende zet die gedaan zou moeten worden.
- Binnen de context van een wiskundig bewijs is de volledige reeks van stappen het bewijs.
- Binnen de context van een cybernetisch kunstprogramma is de reeks van de stappen het kunstwerk.

Wanneer de originele aanroep tot KIES EERSTVOLGENDE ZET, MISLUKKING oplevert dan moet er worden teruggegaan naar de tekentafel.

### Belangrijke beslissingen voor het ontwerp

Voor het eenvoudige schema dat hierboven beschreven wordt, moet de ontwerper van het recursieve algoritme het volgende in het begin vaststellen:

- De sleutel tot een recursief algoritme is het vaststellen in KIES EERSTVOLGENDE ZET wanneer de recursieve uitbreiding gestopt moet worden. Dit is makkelijk wanneer het programma een duidelijk succes (bijvoorbeeld schaakmat in het schaakspel, of het benodigde bewijs bij een wiskundig of combinatorisch probleem), of een duidelijke mislukking bereikt heeft. Het is moeilijker wanneer er nog geen duidelijke overwinning of duidelijk verlies is bereikt. Het is noodzakelijk om van een reeks vragen af te stappen voordat een duidelijk omschreven uitkomst wordt bereikt omdat het programma anders nog miljarden jaren zou kunnen doorgaan (of in ieder geval totdat de garantie op je computer verloopt).
- Nog een elementaire vereiste voor het recursieve algoritme is een rechtlijnige codificatie van het probleem. In een spel zoals schaken is dat eenvoudig. Maar in andere gevallen is het niet altijd even makkelijk om een probleem duidelijk te omschrijven.

**Veel plezier met de recursieve zoektocht!**

waarde van de stukken. Echter, in een discussie die ik met Murray Campbell, leider van het 'Deep Blue'-team, voerde een paar weken voor deze historische overwinning gaf hij toe dat Deep Blue's evaluatiemethode eerder eenvoudig dan ingewikkeld van aard was.

Menselijke spelers denken op een gecompliceerde manier. Dat lijkt een menselijke afwijking te zijn. Het resultaat in vergelijking met de paar miljard zetten voor Deep Blue is dat zelfs de beste schakers niet in staat zijn om meer dan honderd zetten in overweging te nemen. Maar iedere zet gekozen door een mens is grondig overwogen. Desalniettemin werd Gary Kasparov, het beste voorbeeld van een gecompliceerd denkend mens in de hele wereld, verslagen door een eenvoudig denkende computer.

Persoonlijk houd ik er een derde manier van denken op na. Het is niet echt een denkwijze. Voorzover ik weet heeft nog niemand dit idee uitgeprobeerd. Het gaat om het combineren van recursieve en neurale-netwerkparadigma's en ik zal het in de discussie over neurale netwerken, die nu volgt, omschrijven.

## Neurale netwerken

In het begin en het midden van de jaren zestig raakten KI-wetenschappers gecharmeerd door Perceptron, een machine gebouwd uit wiskundige modellen van menselijke neuronen. Vroege Perceptrons waren in bescheiden mate succesvol in patroonherkenningstaken, bijvoorbeeld het identificeren van gedrukte letters en spraak. Het leek erop dat het enige dat nodig was om de Perceptron intelligenter te maken het toevoegen was van meer neuronen en meer bedradingen.

Toen kwam in 1969 het boek *Perceptrons* van Marvin Minsky en Seymour Papert uit, en werd daarin een aantal stellingen bewezen die blijkbaar aan konden geven dat een Perceptron nooit het eenvoudige probleem van het vaststellen of een lijntekening wel of niet 'aaneengesloten' is kon oplossen (in een aaneengesloten tekening zijn alle onderdelen met elkaar verbonden door lijnen). Het boek had een dramatisch effect en bijna al het werk aan Perceptrons werd stopgezet.[2]

In de late jaren zeventig en de jaren tachtig begon het paradigma van het bouwen van computersimulaties van menselijke neuronen, toen neurale netwerken genoemd, zijn populariteit te herwinnen. Een waarnemer schrijft in 1988:

> Er was eens een tijd, heel lang geleden dat er twee zusterwetenschappen voortkwamen uit de nieuwe wetenschap cybernetica. Eén zus was na-

> tuurlijk, met kenmerken geërfd van de hersenstudies, van de studies over het functioneren van de natuur. De andere zus was kunstmatig, en stamde van bij aanvang af van het computergebruik. Beide zusterwetenschappen probeerden intelligentiemodellen te bouwen, maar beide uit verschillende materialen. De natuurlijke zuster bouwde modellen (neurale netwerken genaamd) uit wiskundig gezuiverde neuronen. De kunstmatige zuster bouwde haar modellen met behulp van computerprogramma's.
>
> In de kracht van hun jeugd waren beiden even succesvol en ze werden beiden net zo nagejaagd door vrijers uit andere kennisgebieden. Ze konden erg goed met elkaar opschieten. Hun relatie veranderde in de vroege jaren zestig toen er een nieuwe vorst verscheen, één met de grootste schatkist die ooit in het koninkrijk der wetenschappen gezien was: Heer DARPA, de 'Advanced Research Projects Agency' van het ministerie van Defensie. De kunstmatige zuster werd vreselijk jaloers en was vastbesloten om de toegang tot Heer DARPA's onderzoeksfondsen voor zichzelf te houden. De natuurlijke zuster zou moeten worden vermoord.
>
> Het vuile werk werd uitgevoerd door twee trouwe volgelingen van de kunstmatige zuster, Marvin Minsky en Seymour Papert, die de rol van de jager kregen toebedeeld en erop uitgestuurd werden om Sneeuwwitje te vermoorden en die haar hart als bewijs van hun daad terug moesten brengen. Hun wapen was niet de dolk, maar de vlijmscherpe pen, waaruit een boek vloeide – *Perceptrons* – met het doel aan te tonen dat neurale netwerken nooit de belofte van het bouwen van hersenmodellen waar zouden kunnen maken: *alleen computerprogramma's zouden dit kunnen*. De kunstmatige zuster leek verzekerd van de overwinning. En, jawel, voor het volgende decennium werden alle beloningen van het koninkrijk uitgereikt aan haar nageslacht waarvan de familie van expertsystemen het meeste roem en fortuin vergaarde.
>
> Maar Sneeuwwitje was niet dood. Wat Minsky en Papert aan de wereld hadden laten zien als het hart van de prinses was in werkelijkheid het hart van een varken.

De schrijver van het hierboven vertelde verhaal was Seymour Papert.[3] Zijn sardonische zinspeling op bloederige harten geeft een wijdverspreid misverstand weer van de implicaties van de cruciale stelling in het boek van Minsky en hemzelf uit 1969. De stelling demonstreert grenzen aan de capaciteit van een enkele laag van gesimuleerde neuronen. Wanneer we aan de andere kant neurale netwerken met meervoudige lagen plaatsen – waar de uitvoersignalen van één neuraal netwerk ingevoerd worden in het volgende – dan wordt het bereik van hun vermogen in grote mate uitgebreid. Bovendien kunnen we nog meer vooruitgang boeken wanneer we neurale netwerken met andere paradigma's combineren. Het hart dat Minsky en Papert hadden verwijderd behoorde voornamelijk toe aan het enkelgelaagd neuraal netwerk.

Paperts ironie geeft ook zijn en Minsky's eigen aanzienlijke bijdragen aan het onderzoeksgebied van neurale netwerken weer. In feite is Minsky zijn loopbaan in de jaren vijftig aan Harvard begonnen met oorspronkelijke bijdragen aan het concept.[4]

Maar genoeg feiten nu. Wat zijn de hoofdzaken bij het ontwerpen van een neuraal netwerk?

Eén belangrijk aspect is de topologie van het netwerk: de organisatie van de verbindingen tussen neuronen. Een netwerk dat uit meervoudige lagen bestaat kan complexere onderscheidingen maken, maar het is moeilijker om het iets aan te leren.

Het trainen van het netwerk is het meest kritieke aspect. Dit vereist een uitgebreide bibliotheek van patroonvoorbeelden die het netwerk geacht wordt te herkennen tezamen met de correcte identificatie van ieder patroon. Ieder patroon wordt aan het netwerk getoond. Normaalgesproken worden de verbindingen die tot een correcte identificatie leiden versterkt (door hun verenigde gewicht toe te laten nemen), en de verbindingen die tot een incorrecte identificatie leiden worden afgezwakt. Deze methode van het versterken en afzwakken van de gewichten van de verbindingen wordt omgekeerde propagatie genoemd, en vormt één van de methoden die worden gebruikt. Er heerst verdeeldheid over hoe dit leren in de neurale netwerken van de menselijke hersenen bereikt wordt aangezien er geen mechanismen blijken te bestaan waarbij omgekeerde propagatie voor kan komen. Een methode die lijkt te worden gebruikt in de menselijke hersenen is dat bij het louter vuren van een neuron de sterkte van de transmissie van de synaptische verbinding wordt verhoogd. Verder hebben neurobiologen kort geleden ontdekt dat primaten, en hoogstwaarschijnlijk mensen, gedurende hun leven, inclusief de volwassen jaren, nieuwe hersencellen aanmaken, en daarmee spreken ze een vroeger dogma, dat dit onmogelijk was, tegen.

## Kleine en grote heuvels

Een belangrijk aspect waar vaak naar verwezen wordt in aanpassende algoritmes – neurale netwerken en evolutionaire algoritmes – is het *lokaal ver-*

*sus globaal optimum*: met andere woorden, het beklimmen van de heuvel die zich het dichtstbij bevindt, tegenover het vinden en beklimmen van de grootste heuvel. Wanneer een neuraal netwerk leert (door het aanpassen van de sterkte van de verbinding), of wanneer een evolutionair algoritme zich ontwikkelt (door het aanpassen van de 'genetische' code van de gesimuleerde organismen) dan zal de geschiktheid van de oplossing beter worden, totdat een 'lokaal optimale' oplossing gevonden wordt. Wanneer we dit vergelijken met het beklimmen van een heuvel dan zijn deze methoden erg goed in het vinden van de top van een nabije heuvel, en dat is de best mogelijke oplossing binnen een lokaal gebied van mogelijke oplossingen. Maar soms kunnen deze methoden vast komen te zitten op de top van een kleine heuvel en daardoor een hogere berg op een andere locatie niet zien. In de context van een neuraal netwerk wordt de gepastheid minder wanneer het neurale netwerk op een lokale optimale oplossing convergeert terwijl het één van de verbindingssterkten probeert aan te passen. Maar net zoals een bergbeklimmer bij het bereiken van de top van een kleine heuvel weer een stukje af moet dalen om uiteindelijk een hoger punt op een volgende heuvel te kunnen bereiken, zal een neuraal netwerk (of evolutionair algoritme) tijdelijk een mindere oplossing moeten gebruiken om uiteindelijk een betere te vinden.

Eén manier om een dergelijke 'valse' optimale oplossing (kleine heuvel) te voorkomen, is door de aanpassingsmethode te forceren om de analyse meerdere keren uit te voeren, te beginnen met zeer verschillende hoofdvoorwaarden – of met andere woorden, door het vele heuvels te laten beklimmen in plaats van maar één. Maar zelfs met deze aanpak moet de systeemontwerper er nog steeds voor zorgen dat de aanpassingsmethode niet een nog hogere berg in een land nog verder hier vandaan gemist heeft.

## Het schaaklaboratorium

We kunnen iets meer inzicht verkrijgen in de vergelijking tussen het menselijke denken en conventionele computerbenaderingen door de menselijke aanpak en die van de machine bij het schaken nogmaals te bestuderen. Ik doe dit niet om op de kwestie van het schaken te blijven terugkomen, maar eerder omdat het een duidelijk contrast illustreert. Raj Reddy, een KI-goeroe aan de Carnegie Mellon Universiteit, citeert de rol die schaakstudies spelen op dezelfde manier waarop *E.coli*-studies een rol spelen in de biologie: een ideaal laboratorium voor het bestuderen van elementaire vraagstukken.[5] Computers maken gebruik van hun enorme snelheid om de grote hoeveelheid combinaties te analyseren die door een combinatorische explosie van zetten en tegenzetten wordt gecreëerd. Terwijl schaakprogramma's een aantal andere trucs zouden gebruiken (zoals het opslaan van de openingszetten van alle schaakspelen gespeeld door de meesters gedurende deze eeuw en het voorberekenen van eindspelen), zullen ze hoofdzakelijk afhankelijk zijn van hun combinatie van snelheid en nauwkeurigheid. Mensen, zelfs de schaakgrootmeesters, zijn in vergelijking extreem langzaam en onnauwkeurig. Dus berekenen we al onze schaakzetten. Dit is de reden waarom het zo lang duurt voordat men het niveau van de schaakgrootmeester bereikt of het niveau van een meester in welke activiteit dan ook. Gary Kasparov heeft veel van zijn beperkte aantal decennia op deze planeet doorgebracht met het bestuderen – en ervaren – van schaakzetten. Onderzoekers hebben ingeschat dat de meesters in een serieus onderwerp ongeveer 50.000 van zulke 'brokken' inzicht uit het hoofd hebben geleerd.

Wanneer Kasparov speelt dan genereert hij ook in zijn hoofd een boomstructuur van zetten en tegenzetten, maar beperkingen in de menselijke, mentale snelheid en het kortetermijngeheugen beperken zijn mentale boomstructuur (voor iedere gespeelde zet in werkelijkheid) tot niet meer dan een paar honderd bordposities, al zijn het er nog zo veel. Vergelijk dit met de miljarden bordposities voor zijn tegenstander. De menselijke schaakmeester is dus gedwongen zijn mentale boomstructuur drastisch te snoeien waarbij de vruchtloze takken verwijderd worden door gebruik te maken van zijn intensieve patroonherkenningsvermogen. Hij vergelijkt iedere zet – in werkelijkheid en in zijn verbeelding – met zijn databank van tienduizenden eerder geanalyseerde situaties.

Nadat Kasparov in 1997 werd verslagen lazen we veel over hoe Deep Blue alleen maar getallen berekende, en niet echt nadacht zoals zijn menselijke tegenstander deed. Je zou kunnen zeggen dat het tegenovergestelde het geval was, dat Deep Blue inderdaad de beperkingen van iedere zet en tegenzet overdacht, terwijl Kasparov eigenlijk niet echt de tijd had diep na te denken tijdens het toernooi. Hij was vooral aan het putten uit zijn mentale databank van situaties, waar hij een lange tijd geleden diep over nagedacht had. (Natuurlijk hangt dit af van ieders concept van denken, zoals ik besproken heb in hoofdstuk 3.) Maar wanneer de menselijke wijze van schaken – patroonherkenning gebaseerd op een neuraal netwerk dat gebruikt wordt om situaties te identificeren met behulp van een databank van eerder geanalyseerde situaties – gezien zou moeten worden als het ware denken, waarom programmeren we onze machines niet zo dat ze op dezelfde manier werken?

## REKENLOZE 'PSEUDOCODE' VOOR HET ALGORITME VAN HET NEURALE NETWERK

Hier volgt het basisschema voor een algoritme van het neurale netwerk. Er zijn vele variaties mogelijk en de ontwerper van het systeem moet het van bepaalde kritische parameters en methoden voorzien, zie de details hieronder.

### Het algoritme van het neurale netwerk

Het creëren van een oplossing met behulp van het neurale netwerk voor een probleem houdt de volgende stappen in:

- Definieer de invoer.
- Definieer de topologie van het neurale netwerk (bijvoorbeeld de lagen van neuronen en de verbindingen tussen de neuronen).
- Train het neurale netwerk met behulp van voorbeelden van het probleem.
- Laat het getrainde neurale netwerk draaien om nieuwe voorbeelden van het probleem op te lossen.
- Breng het neurale netwerkbedrijf naar de beurs.

Deze stappen (behalve de laatste) worden hieronder gedetailleerd beschreven.

*De invoer van het probleem*
De invoer van het probleem in het neurale netwerk bestaat uit een reeks getallen. Deze invoersignalen kunnen er als volgt uitzien:

- in een visueel systeem voor patroonherkenning: een tweedimensionale reeks van getallen vertegenwoordigt de pixels van een afbeelding; of
- in een auditief herkenningssysteem (bijvoorbeeld spraak): een tweedimensionale reeks van getallen die een geluid weergeeft waarvan de eerste dimensie parameters van het geluid (bijvoorbeeld elementen van frequentie) en de tweede dimensie verschillende momenten in de tijd representeert; of
- in een willekeurig systeem voor patroonherkenning: een *n*-dimensionale reeks van getallen die het invoerpatroon weergeeft.

*Het definiëren van de topologie*
Om het neurale netwerk in elkaar te zetten:
De architectuur van ieder neuron bestaat uit:

- Diverse invoersignalen waarbij ieder invoersignaal 'verbonden' is of met de uitvoer van een andere neuron of met één van de invoergetallen.

- In het algemeen een enkelvoudig uitvoersignaal, dat verbonden is of met de invoer van een ander neuron (dat zich normalerwijze in een hogere laag bevindt), of met de laatste uitvoer.

Het opzetten van de eerste laag neuronen:

- Creëer $N_0$ neuronen in de eerste laag. Voor ieder van deze neuronen geldt: 'verbind' ieder van de meervoudige invoersignalen van het neuron met 'punten' (oftewel getallen) in de invoer van het probleem. Deze verbindingen kunnen willekeurig of door het toepassen van een evolutionair algoritme vastgesteld worden (zie hieronder).
- Stel voor iedere, gecreëerde verbinding een initiële 'synaptische sterkte' vast. Deze gewichten kunnen allemaal op hetzelfde niveau beginnen en willekeurig toegewezen worden, of ze kunnen op een andere manier vastgesteld worden (zie hieronder).

Het invoeren van extra lagen neuronen:
Het invoeren van M lagen neuronen. Zet voor iedere laag de neuronen voor die laag op. Voor laag $_i$:

- Creëer $N_i$ neuronen in laag $_i$. Voor ieder van deze neuronen: verbind ieder van de meervoudige invoersignalen van het neuron met de uitvoer van de neuronen in laag $_{i-1}$ (zie variaties hieronder).
- Wijs een initiële 'synaptische sterkte' toe aan iedere verbinding die wordt gecreëerd. Deze gewichten kunnen allemaal op dezelfde manier beginnen en willekeurig toegewezen worden, of ze kunnen op een andere wijze vastgesteld worden (zie hieronder).
- De uitvoer van de neuronen in laag $_M$ is de uitvoer van het neurale netwerk (zie varianten hieronder).

*De herkenningsproeven*
Hoe ieder neuron functioneert:
Wanneer het neuron is opgezet, zal het neuron voor iedere herkenningsproef het volgende doen:

- Ieder gewogen invoersignaal in het neuron wordt berekend door het vermenigvuldigen van de uitvoersignalen van het andere neuron (of de initiële invoersignalen), waar de invoer voor dit neuron aan verbonden is door de synaptische sterkte van deze verbinding.

- Al deze gewogen invoersignalen in het neuron worden opgeteld.
- Als deze som groter is dan de vuurdrempel van dit neuron, dan wordt dit neuron gezien als 'vurend' en is zijn uitvoer 1. Anders is zijn uitvoer 0 (zie varianten hieronder).

*Doe het volgende voor iedere herkenningsproef:*
Voor iedere laag, van laag 0 tot laag M:
En voor ieder neuron in iedere laag:

- Tel de gewogen invoer (alle gewogen invoersignalen = de uitvoersignalen van het andere neuron [of initiële invoer] waaraan de invoer van het neuron verbonden is, vermenigvuldigd met de synaptische sterkte van deze verbinding).
- Wanneer de som van gewogen invoersignalen groter is dan de vuurdrempel voor dit neuron, stel de uitvoer van dit neuron = 1, anders stel het op 0.

*Trainen van het neurale netwerk*

- Draai herhaalde herkenningsproeven op de testproblemen.
- Pas na iedere test de synaptische sterkte van al de interneuronale verbindingen aan, om de resultaten van de neurale netwerken van deze test te verbeteren (zie de bespreking van de aanpak hiervan hieronder).
- Ga door met het trainen totdat de nauwkeurigheidsgraad van het neurale netwerk niet meer verbeterd wordt (d.w.z. een asymptoot is bereikt).

*Belangrijke ontwerpbeslissingen*
In het eenvoudige schema hierboven moet de ontwerper van het algoritme van het neurale netwerk bij aanvang vaststellen:

- Wat de invoergetallen representeren.
- Het aantal lagen neuronen.
- Het aantal neuronen in iedere laag (iedere laag hoeft niet noodzakelijkerwijze hetzelfde aantal neuronen te hebben).
- Het aantal invoersignalen in ieder neuron, in iedere laag. Het aantal invoersignalen (d.w.z. interneuronale verbindingen) kan van neuron tot neuron en van laag tot laag verschillen.
- De werkelijke 'bedradingen' (d.w.z. de verbindingen). Voor ieder neuron in iedere laag bestaat er een lijst van andere neuronen waarvan de uitvoersignalen samengesteld zijn uit de uitvoersignalen naar deze neuronen. Dit vertegenwoordigt een belangrijk ontwerpgebied. Er is een aantal manieren waarop dit kan worden gedaan:

- door het neurale netwerk willekeurig te verbinden; of
- door een evolutionair algoritme te gebruiken (zie volgende sectie van deze appendix) om een optimale verbinding vast te stellen; of
- door het vakkundige inzicht van de ontwerper te gebruiken voor het bepalen van de initiële waarden.

- De initiële synaptische sterkte (d.w.z. gewichten) van iedere verbinding. Er is een aantal manieren om dit te doen:
  - door alle synaptische sterkten op dezelfde waarde te stellen; of
  - door de synaptische sterkten op verschillende, willekeurige waarden te stellen; of
  - door een evolutionair algoritme te gebruiken om een optimale reeks van initiële waarden vast te stellen; of
  - door het vakkundige inzicht van de ontwerper te gebruiken om de initiële waarden vast te stellen.

- De vuurdrempel van ieder neuron.

- Stel de uitvoer vast. De uitvoer kan als volgt zijn:
  - de uitvoersignalen van de neuronen van laag $_M$; of
  - de uitvoersignalen van een enkel uitvoerneuron, waarvan de invoersignalen de uitvoersignalen van de neuronen in laag $_M$ zijn;
  - een functie van (bijvoorbeeld de som van) de uitvoersignalen van de neuronen in laag $_M$; of
  - een andere functie van de uitvoersignalen van neuronen in meerdere lagen.

- Bepaal hoe de synaptische sterkte van al de verbindingen wordt aangepast gedurende het trainen van het neurale netwerk. Dit is een belangrijke ontwerpbeslissing en het onderwerp van discussie van een groot deel van het onderzoek van het neurale netwerk. Er is een aantal manieren waarop dit kan worden gedaan:
  - Voor iedere herkenningsproef; een verhoging of verlaging van iedere synaptische sterkte met een (over het algemeen kleine) vastgestelde hoeveelheid zodat de uitvoersignalen van het neurale netwerk meer met het juiste antwoord overeenkomen. Eén manier om dit te doen is door zowel te verhogen als te verlagen en te kijken wat een beter resultaat oplevert. Dit kan tijdrovend zijn, en daarom bestaan er andere methoden voor het maken van lokale beslissingen om te bepalen of iedere synaptische sterkte verhoogd of verlaagd moet worden.
  - Er zijn andere statistische methoden om de synaptische sterkte na iedere

herkenningsproef aan te passen zodat de resultaten van het neurale netwerk voor die test beter overeenkomen met het juiste antwoord.

Onthoud dat het trainen van het neurale netwerk zelfs zal werken wanneer de antwoorden op de instructieproeven niet allemaal correct zijn. Dit maakt het mogelijk om gebruik te maken van 'reële' instructiedata, die een inherente foutenmarge kunnen hebben. Eén sleutel voor het succes van een herkenningssysteem dat op een neuraal netwerk is gebaseerd is de hoeveelheid data die wordt gebruikt voor het trainen. Gewoonlijk is er een zeer behoorlijke hoeveelheid nodig om bevredigende resultaten te behalen. Net als met menselijke studenten is de hoeveelheid tijd die het neurale netwerk doorbrengt met het leren van zijn lessen een belangrijke factor voor zijn succes.

*Varianten*
Er zijn vele varianten op het bovenstaande mogelijk. Sommige varianten omvatten:

- Verschillende methoden voor het vaststellen van de topologie, zoals hierboven beschreven. In het bijzonder, de interneuronale bedrading kan ingesteld worden door middel van een willekeurig of een evolutionair algoritme.
- Verschillende manieren om de synaptische sterkten in te stellen, zoals hierboven beschreven.
- De invoersignalen in de neuronen in laag $_i$ hoeven niet noodzakelijkerwijze uit de invoersignalen van de neuronen in laag $_{i-1}$ te komen. De invoersignalen in de neuronen in iedere laag kunnen ook uit elke lagere laag, of welke laag dan ook, komen.
- Vele manieren om de uiteindelijke uitvoer vast te stellen, zoals hierboven beschreven.
- Voor ieder neuron vergelijkt de hierboven beschreven methode de som van de gewogen invoersignalen met de drempel voor dit neuron. Wanneer de drempel wordt overschreden dan vuurt het neuron en is zijn uitvoer 1. Anders is de uitvoer 0. Dit 'alles-of-niets'-vuren wordt een niet-lineaire functie genoemd. Er zijn andere niet-lineaire functies, die gebruikt kunnen worden. De meest voorkomende functie die gebruikt wordt, gaat van 0 tot 1 op een snelle maar meer geleidelijke manier (dan 'alles-of-niets'). De uitvoersignalen kunnen ook andere getallen dan 0 en 1 zijn.
- De verschillende methoden voor het aanpassen van de synaptische sterkten gedurende de instructiefase, kort hierboven beschreven, vertegenwoordigen een belangrijke ontwerpbeslissing.
- Het hierboven beschreven schema beschrijft een 'synchroon' neuraal netwerk, waarin iedere herkenningsproef begint met het berekenen van de uitvoersig-

nalen van iedere laag, te beginnen met laag $_0$ tot laag $_M$. In een werkelijk parallel systeem, waarin ieder neuron onafhankelijk van het ander functioneert, kunnen neuronen asynchroon functioneren (d.w.z. onafhankelijk). In een asynchrone aanpak scant ieder neuron voortdurend zijn invoersignalen en vuurt (d.w.z. verandert zijn uitvoer van 0 tot 1) iedere keer wanneer de som van zijn gewogen invoersignalen zijn drempel overschrijdt (of, anders, een andere niet-lineaire uitvoerfunctie gebruikt).

**Veel plezier met de adaptatie!**

## De derde wijze

En dat is mijn idee, waarop ik al eerder zinspeelde, als derde denkwijze in het evalueren van de eindpunten in een recursieve zoektocht. Houd in gedachten dat de eenvoudige denkwijze een aanpak gebruikt, zoals het optellen van de waarde van alle schaakstukken om een bepaalde bordsituatie te evalueren. De complexe denkwijze verdedigt een meer arbeidsintensieve en tijdrovende logische analyse. Ik vertegenwoordig een derde denkwijze: combineer twee eenvoudige paradigma's – recursieve en neurale-netwerkparadigma's – door gebruik te maken van het neurale netwerk om de bordposities bij ieder eindpunt te evalueren. Het trainen van een neuraal netwerk is tijdrovend en vereist een grote hoeveelheid berekeningen, maar het uitvoeren van een enkele herkenningstaak in een neuraal netwerk dat zijn lesje al geleerd heeft, is in vergelijking met een evaluatie volgens de eenvoudige denkwijze erg snel. Hoewel snel, het neurale netwerk put uit de langdurige periode die het eerder besteed heeft aan het leren van deze materialen. Sinds iedere partij die gedurende de twintigste eeuw door de meesters gespeeld is, op het internet staat, kunnen we deze gigantische hoeveelheid data gebruiken om het neurale netwerk te trainen. Deze instructies worden in één keer en offline aangeleerd (dat wil zeggen, niet tijdens een echt spel). Het getrainde neurale netwerk zou dan gebruikt kunnen worden om de bordposities op ieder eindpunt te evalueren. Een dergelijk systeem zou het voordeel van de snelheid, dat computers met een meer menselijk vermogen om patronen te herkennen in duizendvoud hebben, combineren met een levenslange ervaring.

Ik stelde deze aanpak voor aan Murray Campbell, hoofd van het 'Deep Blue'-team, en hij vond dit intrigerend en aantrekkelijk. Hij kreeg sowieso genoeg, gaf hij toe, van het met de hand instellen van het algoritme dat het eindpunt evalueert. We bespraken het opzetten van een adviserende groep die dit idee zou kunnen invoeren, maar toen zegde IBM het hele schaakproject af. Ik geloof dat één van de sleutels tot het evenaren van de menselijke intelligentie ligt in het optimaal combineren van elementaire paradigma's. We zullen het invoegen van het paradigma van evolutionaire algoritmes hierna bespreken.

## Evolutionaire algoritmes

*Wanneer biologen zelforganisatie hebben genegeerd dan is dat niet omdat zelfordening niet alomtegenwoordig en diepgaand is. Het is omdat wij biologen nog moeten begrijpen en leren na te denken over hoe systemen gelijktijdig door twee bronnen van orde kunnen worden geleid. Hoe kan dan diegene die de sneeuwvlok kan zien, die de eenvoudige vetmoleculen die wanneer zij in water drijven zichzelf in celachtige, holle vetblaasjes veranderen kan zien, die het potentieel van het kristalliseren van leven in zwermen van reagerende moleculen kan zien, die de ongelooflijke orde in netwerken die tientallen op tientallen duizenden variabelen kunnen verbinden kunnen zien, nalaten een centrale gedachte in overweging te nemen: wanneer we ooit een laatste theorie in de biologie bereiken, moeten we zeker de verwevenheid van zelforganisatie en selectie begrijpen. We moeten inzien dat wij de natuurlijke symbolen van een diepere orde zijn. Uiteindelijk zullen we in onze ontstaansmythe ontdekken dat we toch nog werden verwacht.*
Stuart Kauffman

Zoals ik al eerder heb besproken houdt een evolutionair algoritme een gesimuleerde omgeving in waarin gesimuleerde softwarecreaturen strijden voor het voortbestaan en het recht om zich voort te planten. Ieder softwarecreatuur vertegenwoordigt een mogelijke oplossing voor een probleem; dit is vastgelegd in zijn digitale DNA.

De creaturen, die mogen voortbestaan en zich mogen voortplanten in een volgende generatie, zijn diegene die het probleem op een betere manier oplossen. Evolutionaire algoritmes worden gezien als een aparte klasse van 'opkomende' methoden omdat de oplossingen geleidelijk opkomen en gewoonlijk niet voorspeld kunnen worden door de ontwerpers van het systeem. Evolutionaire algoritmes zijn vooral krachtig wanneer ze worden gecombineerd met onze andere paradigma's. Dit is een unieke manier om al onze 'intelligente' paradigma's te combineren.

## Het combineren van alledrie de paradigma's

Het menselijke genoom bevat drie miljard ringen bestaande uit een samenstelling van twee (van de vier) bestanddelen die DNA-moleculen vormen, en dat staat gelijk aan zes miljard databits. Met een klein beetje datacompressie zal de genetische code op een enkele cd-rom passen. Je kunt je hele familie op een dvd (digitale video disk) opslaan. Maar je hersenen hebben 100 miljard 'verbindingen' die ongeveer 3000 biljoen bits nodig hebben om te worden weergegeven. Hoe hebben de 12 miljard databits in jouw chromosomen (waar huidige schattingen aangeven dat maar 3 procent ervan actief is) de verbindingen in je hersenen aangewezen die ongeveer een kwart miljoen keer meer informatie vertegenwoordigen?

Het is duidelijk dat de genetische code niet de exacte bedradingen specificeert. Ik zei al eerder dat we een neuraal netwerk willekeurig kunnen verbinden en bevredigende resultaten kunnen verkrijgen. Dat is waar, maar er is een betere manier om dit te doen, en dat is door evolutie te gebruiken. Ik doel hiermee niet op de miljarden jaren van evolutie die het menselijke brein voortgebracht heeft. Ik doel op de maanden van evolutie tijdens de zwangerschap en in de vroege kinderjaren. Al vroeg in onze levens raken onze neuronale verbindingen verstrikt in een gevecht voor overleving. Diegenen die de wereld beter begrijpen, overleven. Later, tijdens de kinderjaren, worden deze verbindingen in enige mate vastgelegd en daarom is het zinvol om baby's en kleine kinderen bloot te stellen aan een stimulerende omgeving. Op een andere manier komt dit evolutionaire proces voort uit de chaos van de echte wereld waaruit we inspiratie putten.

We kunnen hetzelfde doen met onze synthetische neurale netwerken: een evolutionair algoritme gebruiken om de optimale verbindingen vast te stellen. Dit is precies wat Kyoto Advanced Telecommunications Research Lab doet met zijn ambitieuze project voor het creëren van een brein.

Nu volgt een methode waarmee je op intelligente wijze een uitdagend probleem kunt oplossen door middel van alledrie de paradigma's. Ten eerste, formuleer nauwkeurig het probleem. Dit is trouwens de moeilijkste stap. De meeste mensen proberen problemen op te lossen zonder eerst een poging te doen het probleem te begrijpen. Vervolgens, analyseer herhaaldelijk de logische contouren van je probleem door te zoeken naar zoveel mogelijk combinaties van elementen (bijvoorbeeld de zetten in een spel, de stappen bij het zoeken naar een oplossing) waar jij en je computer het geduld voor kunnen opbrengen. Evalueer de eindpunten van deze recursieve uitbreiding van mogelijke oplossingen met behulp van een neuraal netwerk. Bepaal de optimale topologie van jouw neurale netwerk met behulp van een evolutionair algoritme. En wanneer dit allemaal niet werkt dan heb je zeker met een moeilijk probleem te maken.

## 'PSEUDOCODE' VOOR HET EVOLUTIONAIR ALGORITME

Hier volgt het basisschema voor een evolutionair algoritme. Vele variaties zijn mogelijk en de ontwerper van dit systeem moet het voorzien van bepaalde kritische parameters en methoden, die in detail hieronder beschreven worden.

### Het evolutionair algoritme

Creëer N 'oplossingscreaturen.' Ieder creatuur heeft:

- Een genetische code – een reeks getallen die een mogelijke oplossing voor het probleem kenmerken. De getallen kunnen kritische parameters, stappen in de richting van een oplossing, regels, etc. voorstellen.

Voor iedere evolutiegeneratie, doe het volgende:

- Doe het volgende voor iedere N oplossingscreaturen:
  - Pas deze oplossing van de oplossingscreatuur (zoals weergegeven in zijn genetische code) toe op het probleem of op de gesimuleerde omgeving.
  - Ken de oplossing een waarde toe.

- Kies de L oplossingscreaturen met de hoogste waarden om verder te leven in een volgende generatie.
- Elimineer de (N - L) niet-overlevende oplossingscreaturen.
- Creëer (N - L) nieuwe oplossingscreaturen uit de overlevende oplossingscreaturen van L door:
  - kopieën te maken van de overlevende oplossingscreaturen van L. Introduceer kleine, willekeurige variaties in iedere kopie; of
  - creëer extra oplossingscreaturen door delen van de genetische code te combineren (door middel van 'seksuele' voortplanting of door op een andere wijze gedeelten van de chromosomen te combineren) van de L overlevende oplossingscreaturen; of
  - door de twee hierboven beschreven methoden te combineren.

- Stel vast of er wel of niet verder gegaan kan worden met de ontwikkeling:

Verbetering = (hoogste waarde in deze generatie) – (hoogste waarde in de vorige generatie)
Als verbetering < verbeteringsdrempel, dan zijn we klaar.

- **De oplossingscreatuur met de hoogste waarde van de laatste evolutiegeneratie heeft de beste oplossing. Pas de oplossing, gedefinieerd door zijn genetische code, toe op het probleem.**

*Belangrijke beslissingen voor het ontwerp*
In het eenvoudige schema dat hierboven gegeven is, moet de ontwerper van dit evolutionair algoritme het volgende bij aanvang vaststellen:

- Belangrijke parameters:

N
L
Verbeteringsdrempel

- Wat de getallen in de genetische code weergeven en hoe de oplossing wordt berekend uit de genetische code.
- Een methode voor het vaststellen van de N oplossingscreaturen in de eerste generatie. In het algemeen hoeven dit alleen maar 'redelijke' pogingen te zijn tot het vinden van een oplossing. Wanneer deze oplossingen van de eerste generatie te ver gezocht zijn, dan kan het evolutionair algoritme problemen hebben met het convergeren tot een goede oplossing. Het is vaak nuttig om de initiële oplossingscreaturen zo te maken dat ze redelijk verschillend zijn. Dit kan voorkomen dat het evolutionaire proces alleen maar een 'lokale' optimale oplossing vindt.
- Hoe de waarde aan de oplossingen toegekend worden.
- Hoe de overlevende oplossingscreaturen zich voortplanten.

*Variaties*
Vele variaties van de hierboven beschreven varianten zijn mogelijk. Sommige varianten kunnen het volgende inhouden:

- Er hoeft geen vastgesteld aantal overlevende oplossingscreaturen (d.w.z. 'L') van iedere generatie te zijn. De overlevingsregel(s) kan (kunnen) een variabel aantal overlevenden toestaan.
- Er hoeft geen vastgesteld aantal nieuwe oplossingscreaturen gecreëerd te worden in iedere generatie (d.w.z. [N - L]). De voortplantingsregels kunnen onafhankelijk van de bevolkingsgrootte bestaan. Voortplanting kan verband houden met het voortbestaan en kan het daardoor voor de sterkste oplossingscreaturen mogelijk maken zich in de grootste aantallen voort te planten.
- Men kan afwijken van de beslissing of er wel of niet doorgegaan moet worden met het ontwikkelen. Het kan meer dan alleen de hoogst gewaardeerde op-

lossingscreaturen uit de meest recente generatie(s) in ogenschouw nemen. Het kan ook een trend die verder gaat dan de laatste generaties in overweging nemen.

**Veel plezier met de ontwikkeling!**

# Verklarende woordenlijst

**Aaron** Een gecomputeriseerde robot (met bijbehorende software), ontworpen door Harold Cohen, die originele tekeningen en schilderingen produceert.

**Afbeeldingportal** In 2009, een visuele display voor het aanschouwen van mensen en andere real-time-afbeeldingen. In latere jaren zullen de portals driedimensionale real-timebeelden vertonen. Mollies zoon, Jeremy, gebruikt een afbeeldingportal om de campus van de universiteit van Stanford te bekijken.

**Afdekkingsweergave in de virtuele werkelijkheid** In 2019 duidt dit op een weergavetechnologie die gebruikmaakt van optische (zie hierna) en auditieve virtuele-werkelijkheidslenzen (zie hierna) en echte en virtuele omgevingen integreert. De weergegeven beelden glijden als je je hoofd beweegt of draait zodat de virtuele mensen, objecten en locaties stationair lijken in relatie tot de echte locatie (die je nog steeds kunt zien). Wanneer dus de 'direct-oog'-weergave het beeld van een persoon toont (die een geografisch ver verwijderde persoon zou kunnen zijn die met jou of met een computergegenereerde persoon communiceert over een driedimensionale visuele telefoon), dan zal die geprojecteerde persoon zich op een bepaalde plaats lijken te bevinden, die relatief is ten opzichte van de echte locatie die jij ook kunt zien. Wanneer je je hoofd beweegt, dan zal het lijken alsof de geprojecteerde persoon in verhouding met de echte werkelijkheid op dezelfde plaats blijft.

**Alexander, De knoop van** Een term die verwijst naar het doorhakken van de Gordiaanse knoop door Alexander de Grote. Een verwijzing naar het oplossen van een onoplosbaar probleem op een doorslaggevende wijze door gebruik te maken van onverwachte en indirecte methoden.

**Algoritme** Een opeenvolging van regels en instructies die een procedure beschrijft voor het oplossen van een probleem. Een computerprogramma drukt zich uit in één of meer algoritmen op een voor een computer begrijpelijke manier.

**Alu** Een betekenisloze opeenvolging van 300 nucleotide letters die 300.000 keer voorkomt in het menselijk genoom.

**Analoog** Een grootheid die continu varieert, dit in tegenstelling tot het variëren in afzonderlijke stappen. De meeste fenomenen in de wereld der natuur zijn analoog. We digitaliseren deze fenomenen door hen te meten en er een numerieke waarde aan te geven. De hersenen van de mens gebruiken zowel digitale als analoge computing.

**Analytical Machine** De eerste programmeerbare computer die in de jaren veertig van de negentiende eeuw door Charles Babbage en Ada Lovelace werd vervaardigd. De Analytical Machine had een direct toegankelijk geheugen (RAM, *Random Access Memory*) dat bestond uit duizend woorden van ieder vijf cijfers, een centrale verwerkingseenheid (CPU, *Central Processing Unit*), een speciaal opslagmedium voor software, en een printer. Hoewel hij een voorloper was van de moderne computer heeft Babbages uitvinding nooit gewerkt.

**ASR** Zie *Automatic Speech Recognition* (automatische spraakherkenning)

**Auditieve virtuele-werkelijkheidslenzen** In 2019 worden er sonische apparaten die geluiden met een hoge resolutie weergeven in de driedimensionale omgeving geplaatst. Deze kunnen in brillen worden ingebouwd, als sieraden worden gedragen of worden geïmplanteerd.

**Automatic Speech Recognition (Automatische spraakherkenning)** Software die de menselijke spraak herkent. In het algemeen kan ASR ook patronen van hoog niveau uit spraakgegevens lichten.

**Berekening van neurale verbindingen** In een neuraal netwerk verwijst dit naar de primaire berekening van het vermenigvuldigen van de 'sterkte' van de neurale verbinding met de invoersignalen tot die verbinding (die óf de uitvoersignalen van een ander neuron zijn óf de oorspronkelijke invoersignalen in het systeem zijn), om vervolgens dit product op te tellen bij de geaccumuleerde som van dergelijke producten van andere verbindingen met dit neuron. Deze operatie is zeer repetitief en dus zijn neurale computers uiterst geschikt om ze uit te voeren.

**Besturingssysteem** Een softwareprogramma dat organiseert en een reeks diensten verleent aan toegepaste programma's, waaronder de interfacevoorzieningen voor de gebruiker en het beheer van invoer, uitvoer en geheugenmedia.

**Bewustzijn** Het vermogen om subjectieve ervaringen mee te maken. Het vermogen van een mens, een dier of een entiteit om een zelfbeeld en zelfbewustzijn te hebben. Het vermogen om te voelen. Een belangrijke vraag in de eenentwintigste eeuw is of computers bewustzijn zullen bereiken (hun menselijke scheppers worden geacht hierover te beschikken).

**Bezige bij** Een voorbeeld van een klasse van niet-berekenbare functies; een onoplosbaar probleem in de wiskunde. De bezige bij is een onoplosbaar probleem voor de Turingmachine en kan dus niet worden berekend door een Turingmachine. Om de bezige bij van *n* te berekenen moet men al de *n*-status-Turingmachines creëren die geen oneindig aantal 1-en op hun band schrijven. Het grootste aantal 1-en dat door één van deze Turingmachines in deze reeks geschreven wordt, is de bezige bij van *n*.

**BGM** Zie Brain-generated music (Door de hersenen opgewekte muziek).

**Biologie** De studie van levensvormen. In evolutionaire termen: het verschijnen van patronen van materie en energie die kunnen overleven en zich voortplanten om generaties voor de toekomst te vormen.

**Bionisch orgaan** Kunstmatige organen die zijn gemaakt met de hulp van nanotechniek in 2029.

**Biotechniek** Het gebied waarin farmaceutische medicijnen en elementen van het planten- en dierenleven worden ontworpen door het direct modificeren van de genetische code. Biotechnische materialen, medicijnen en levensvormen worden gebruikt in de landbouw, de geneeskunde en voor de behandeling van ziekten.

**Biowarfare Agency (Overheidsinstantie voor biologische oorlogsvoering)** Een overheidsinstantie voor biologische oorlogsvoering die biotechniek toegepast in wapens controleert en bewaakt in het tweede decennium van de eenentwintigste eeuw.

**Bit** Een samentrekking van de woorden *binary digit*. In een binaire code zijn er twee mogelijke waarden, meestal of een één of een nul. In de informatica is dit de fundamentele eenheid van informatie.

**Brain-generated music (Door de hersenen opgewekte muziek)** Een muziektechnologie, ontwikkeld door NeuroSonics Inc., waarbij muziek wordt gecreëerd als een reactie op de hersengolven van de luisteraar. Dit biologische feedbacksysteem van hersengolven schijnt de 'Relaxation Response' (ontspanningsreactie) op te roepen door het opwekken van alfagolven in de hersenen te stimuleren.

**Bruikbaarheidsnevel** Een ruimte gevuld met Neveltjes. Aan het eind van de eenentwintigste eeuw kunnen Bruikbaarheidsnevels worden gebruikt om elke omgeving te simuleren en werkelijk te voorzien van een 'echte' werkelijkheid die de omgeving van de virtuele werkelijkheid kan veranderen. Zie Nevelzwermprojectie, Neveltje.

**BRUTUS.1** Een computerprogramma dat fictieve verhalen met het thema 'verraad' schrijft; het is ontwikkeld door Selmer Bringsjord, Dave Ferucci, en een groep softwareontwikkelaars aan het Rensselaer Polytechnisch Instituut in New York.

**Buckyball** Een molecule in de vorm van een voetbal die bestaat uit een groot aantal koolstofatomen. Omdat ze zeshoekige en vijfhoekige vormen hebben worden deze moleculen 'buckyballs' genoemd met verwijzing naar de bouwkundige ontwerpen van R. Buckminster Fuller.

**BWA** Zie Biowarfare Agency (Overheidsinstantie voor biologische oorlogsvoering).

**Byte** Een samentrekking van de woorden *by eight*. Een verzameling van acht bij elkaar horende bits die als een informatie-eenheid worden opslagen in een computer. Bijvoorbeeld, één byte komt overeen met één letter van het alfabet.

**Cd-rom** Zie Compact disc read-only memory.

**Chaos** De hoeveelheid wanorde of onvoorspelbaar gedrag in een systeem. In het geval van de Chaostheorie verwijst chaos naar de hoeveelheid willekeurige en onvoorspelbare gebeurtenissen die relevant zijn voor een proces.

**Chaostheorie** De studie van vormen en opkomende gedragingen in een complex systeem dat uit vele onvoorspelbare elementen bestaat (het weer bijvoorbeeld).

**Chip** Een verzameling van onderling verbonden schakelingen die tezamen werken aan een taak of een serie taken, en die zich bevinden op een chip gemaakt van halfgeleidend materiaal (meestal silicium).

**Codering** Informatie zodanig coderen dat alleen de persoon voor wie de informatie bestemd is het bericht kan lezen door het te decoderen. Een goed voorbeeld van coderen is PGP (Pretty Good Privacy).

**Colossus** De eerste elektronische computer gebouwd door de Britten tijdens de Tweede Wereldoorlog met vijftienhonderd radiobuizen. Colossus en negen andere, soortgelijke machines die parallel aan elkaar waren geschakeld om de Duitse codes van de inlichtingendienst van het leger te kraken hebben ertoe bijgedragen dat de geallieerden de oorlog hebben gewonnen.

**Combinatorische explosie** De snelle – exponentiële – groei van het aantal mogelijkheden om een duidelijke combinatie van elementen te kiezen uit een reeks wanneer het aantal elementen in de reeks toeneemt. In een algoritme komt dit voor wanneer de snelle groei in de te onderzoeken alternatieven zich manifesteert tijdens het uitvoeren van een zoektocht naar een oplossing voor een probleem.

**Compact disc read-only memory (cd-rom)** Een schijf die wordt gelezen met behulp van een laserstraal en die tot een half biljoen bytes aan informatie kan bevatten. 'Read only' verwijst naar het feit dat informatie alleen kan worden ingelezen, maar niet kan worden uitgewist of worden opgenomen op de schijf.

**Complexe denkwijze** Het gebruik van gecompliceerde procedures om de niet-toegestane eindpunten in een recursief algoritme te evalueren.

**Computer** Een machine die een algoritme uitvoert. Een computer verandert data volgens de specificaties van een algoritme. Een programmeerbare computer maakt het mogelijk een algoritme te veranderen.

**Computer met programmaopslag** Een computer waarin het programma is opgeslagen in het geheugen tezamen met de gegevens die moeten worden verwerkt. Het opslagvermogen van een programma is een belangrijk vermogen voor systemen die worden gebruikt voor kunstmatige intelligentie aangezien recursiviteit en zichzelf aanpassende codering niet mogelijk zijn zonder dit vermogen.

**Computertaal** Een verzameling regels en specificaties voor het beschrijven van een algoritme of een proces op een computer.

**Computing** Het proces van het berekenen van een resultaat door gebruik te maken van een algoritme (bijvoorbeeld een computerprogramma) en de daarbijbehorende data. Het vermogen om te onthouden en problemen op te lossen.

**Computingmedium** Een computingschakeling die in staat is om één of meer algoritmen uit te voeren.Voorbeelden zijn onder andere menselijke zenuwcellen en siliciumchips.

**Continuous Speech Recognition (CSR, Continue-spraakherkenning)** Software die natuurlijke taal herkent en registreert.

**Cybernetica** Een term bedacht door Norbert Wiener om de 'wetenschap in controle en communicatie bij dieren en machines' te beschrijven. Cybernetica is gebaseerd op de theorie dat intelligente levende wezens zich aanpassen aan hun omgeving en doelen verwezenlijken voornamelijk door te reageren op feedback van hun omgeving.

**Cybernetische chauffeur** Zelfsturende auto's die gebruikmaken van speciale sensoren in het wegdek. In de jaren negentig wordt er met zelfsturende auto's geëxperimenteerd en de invoering op hoofdwegen zal haalbaar zijn in het eerste decennium van de eenentwintigste eeuw.

**Cybernetische dichter** Een computerprogramma dat originele poëzie kan schrijven.

**Cybernetische kunstenaar** Een computerprogramma dat in staat is om originele poëzie, visuele kunst of muziek te creëren. Cybernetische kunstenaars zullen met toenemende mate voorkomen vanaf 2009.

**Databank** De gestructureerde verzameling van gegevens die is ontworpen in verbinding met een oproepsysteem voor informatie. Een databankmanagementsysteem (DBMS) maakt het doorlichten, bijwerken en het gebruik van de databank mogelijk.

**Debuggen** Het proces van ontdekken en corrigeren van fouten in computerhardware en -software. Gedurende de eenentwintigste eeuw zal het probleem van bugs of fouten in een programma een steeds grotere rol spelen als computers geïntegreerd worden in het menselijk brein en de fysiologie. Het eerste defect was een echte mot ('bug') die werd ontdekt door Grace Murray Hopper, de eerste programmeur van de Mark I-computer.

**Deep Blue** Het door IBM gecreëerde computerprogramma dat wereldkampioen schaken Gary Kasparov versloeg in 1997.

**'Denk aan York'-beweging (DaY)** Een in het tweede decennium van de eenentwintigste eeuw opgerichte neo-Ludditendiscussiegroep op het Internet. De groep is genoemd naar de herdenking van de rechtszaak in 1813 in York, Engeland, over het vernietigen van industriële machines door de Ludditen naar aanleiding waarvan een aantal van de Ludditen werd opgehangen, opgesloten of verbannen.

**Destructieve scan** Het proces van het scannen en daardoor vernietigen van iemands hersenen en zenuwstelsel met het idee om die te vervangen door elektronische circuits met een veel grotere capaciteit, snelheid en betrouwbaarheid.

**Digitaal** Variëren in afzonderlijke stappen. Het gebruik van combinaties van bits om gegevens in berekeningen weer te geven. Het tegenovergestelde van analoog.

**Digital video disc (dvd - digitale videoschijf)** Een compactdiscsysteem met een hoge dichtheid dat een geconcentreerdere laserstraal gebruikt dan de conventionele cd-rom, en dat opslagcapaciteiten heeft tot 9,4 gigabytes op een tweezijdige schijf. Een dvd heeft voldoende capaciteit voor een volledige film.

**Directe zenuwbaan** Directe elektronische communicatie met de hersenen. In 2029 zal het directe zenuwkanaal gecombineerd met communicatietechnologie mensen direct verbinden met een wereldwijd computernetwerk (het Internet).

**Diversiteit** Evolutie gedijt op de variatie in keuzes. Een basisprincipe voor een evolutionair proces. Een ander evolutieprincipe is zijn eigen toenemende orde.

**DNA** *Deoxyribonucleic acid*; deoxyribonucleïnezuur, de bouwstenen voor alle organische levensvormen. Intelligente levensvormen zullen in de eenentwintigste eeuw gebaseerd zijn op nieuwe computertechnieken en nanotechnologie.

**DNA-computing** Een manier van computing waarvoor Leonard Adleman het pionierswerk verrichtte waarbij DNA-moleculen worden gebruikt om complexe wiskundige problemen op te lossen. DNA-computers maken het mogelijk om biljoenen berekeningen tegelijkertijd uit te voeren.

**Driedimensionale chip** Een chip die gebouwd is in drie dimensies en die daardoor dus honderden of duizenden lagen van schakelingen mogelijk maakt. Naar driedimensionale chips wordt momenteel onderzoek gedaan, en ze worden door verschillende bedrijven geproduceerd.

**Dvd** Zie Digital video disc (Digitale videoschijf).

**Eenvoudige denkwijze** Het gebruik van eenvoudige procedures om de eindstappen in een recursief algoritme te evalueren. Bijvoorbeeld in de context van een schaakspel, het optellen van de waarde van de stukken.

**Eindkrak-theorie** Een theorie waarin het heelal uiteindelijk zijn expansiekracht verliest, inkrimpt en inéénstort in een verschijnsel dat het tegenovergestelde zal zijn van de oerknal.

**Einsteins relativiteitstheorie** Dit verwijst naar twee van Einsteins theorieën. Einsteins speciale relativiteitstheorie vooronderstelt dat de lichtsnelheid de grootste snelheid is waarmee we informatie kunnen overdragen. De algemene relativiteitstheorie van Einstein beschrijft de effecten van de zwaartekracht op de geometrie van de ruimte. Daaronder valt ook de formule $E=mc^2$ (energie = massa maal de lichtsnelheid in het kwadraat) die de basis vormt van kernenergie.

**EMI** Zie Experimenten in Muzikale Intelligentie.

**Enorm parallelle neurale netwerken** Een neuraal netwerk opgebouwd uit vele parallelle verwerkingseenheden. In het algemeen past een afzonderlijke gespecialiseerde computer ieder zenuwmodel toe.

**Entropie** Een in de thermodynamica gebruikte maat voor de chaos (onvoorspelbare beweging) van deeltjes en onbruikbare energie in een fysiek systeem bestaande uit vele componenten. In een andere context is dit een term die wordt gebruikt om de graad van willekeur en wanorde van een systeem te beschrijven.

**Evolutie** Een proces waarin verschillende eenheden (die soms organismen worden genoemd) strijden voor de beperkte middelen in een omgeving waar de succesvolste organismen in staat zijn te overleven en zich voort te planten (in grotere mate) tot volgende generaties. De aanpassing van deze organismen gedurende vele generaties zorgt ervoor dat zij beter kunnen overleven. De orde (de geschiktheid van informatie voor een doel) van de opmaak van de organismen neemt van generatie tot generatie toe met het doel te overleven. In een 'evolutionair algoritme' (zie hieronder) zou het doel beschreven kunnen worden als zijnde de ontdekking van een oplossing voor een complex probleem. Evolutie verwijst ook naar een theorie waarin elke levensvorm op aarde zijn oorsprong heeft in een eerdere levensvorm.

**Evolutionair algoritme** Probleemoplossende systemen die zijn gebaseerd op computers en gebruikmaken van computermodellen van evolutiemechanismen als basiselement in hun ontwerp.

**Experimenten in Muzikale Intelligentie (EMI)** Een computerprogramma, geschreven door componist David Cope, dat muziekstukken componeert.

**Expertsysteem** Een computerprogramma dat is gebaseerd op diverse technieken van kunstmatige intelligentie en dat een probleem oplost door gebruik te maken van een databank van kennis van deskundigen op een bepaald gebied. Het is ook een systeem dat een dergelijke databank beschikbaar stelt voor een niet-deskundige gebruiker. Het is een tak van wetenschap van de kunstmatige intelligentie.

**Exponentiële groei** Een groei waarbij de grootte steeds met een constant veelvoud toeneemt in de loop van de tijd.

**Exponentiële trend** Iedere trend die een exponentiële groei laat zien (bijvoorbeeld een exponentiële trend in de bevolkingsgroei).

**Femtotechnologie** In 2099 zal er voorgesteld worden om computertechnologie op een femtometerschaal (een duizendste van een biljoenste van een meter) te beginnen. Femtotechnologie vereist het beheersen van mechanismen binnen een quark. Mollie bespreekt voorstellen over femtotechnologie met de schrijver in 2099.

**Florence Manifesto Brigade** Een neo-Ludditengroep die in 2029 ontstaat en is gebaseerd op het 'Florence Manifesto' dat door Theodore Kaczynski geschreven is in de gevangenis. De leden van de brigade protesteren voornamelijk op een geweldloze manier tegen technologie.

**Geblokkeerde weergave in de virtuele werkelijkheid** In 2019 duidt dit op een weergavetechnologie die gebruikmaakt van optische (zie hieronder) en auditieve virtuele-werkelijkheidslenzen (zie hierboven) en een zeer realistische virtuele visuele omgeving creëert. De weergave blokkeert de echte omgeving zodat je alleen de geprojecteerde omgeving ziet en hoort.

**Geest-lichaamprobleem** De filosofische vraag: hoe kan de niet-fysieke eenheid van de geest zich losmaken van de fysieke eenheid van de hersenen? Hoe kunnen gevoelens en andere subjectieve ervaringen volgen uit de verwerking van de fysieke hersenen? Ter uitbreiding, kunnen machines die de processen van het menselijke brein overtreffen subjectieve ervaringen hebben? En verder, hoe kan de niet-fysieke eenheid van de geest controle uitoefenen over de fysieke werkelijkheid van het lichaam?

**General Problem Solver (Algemene probleemoplosser)** De algemene probleemoplosser is een procedure en een programma dat is ontwikkeld door Allen Newell, J.C. Shaw en Herbert Simon. GPS bereikt zijn doel door het recursief zoeken te gebruiken en door bij het genereren van alternatieven regels toe te passen in iedere richting binnen de recursieve uitbreiding van mogelijke stappen. GPS gebruikt een procedure om de 'afstand' tot het doel te meten.

**Genetisch algoritme** Een model van een leermachine die haar gedrag ontleend aan een metafoor van de evolutiemechanismen in de natuur. Binnen een programma wordt een groep van gesimuleerde 'individuen' gecreëerd die een evolutieproces ondergaan in een gesimuleerde omgeving.

**Genetisch programmeren** De methode voor het creëren van een computerprogramma met behulp van genetische of evolutionaire algoritmen. Zie Evolutionair algoritme; Genetisch algoritme.

**Gesimuleerde persoon** Een realistische, geanimeerde persoonlijkheid met een overtuigend visueel uiterlijk en het vermogen om te communiceren in natuurlijke taal. Rond 2019 kan een gesimuleerde persoon samenwerken met echte personen met behulp van visuele middelen, gehoor en tastzin in een virtuele-werkelijkheidsomgeving.

**Gesloten systeem** De met elkaar in wisselwerking staande eenheden en krachten die niet onderhevig zijn aan invloeden van buitenaf (bijvoorbeeld het heelal). De tweede hoofdwet van de thermodynamica heeft als uitvloeisel dat in een gesloten systeem de entropie toeneemt.

**Gezichtsvermogenchip** Een siliciumemulatie van het menselijk netvlies dat het algoritme van de vroege visuele verwerking van zoogdieren vastlegt. Dat algoritme wordt *center surround filtering* genoemd.

**Gezond verstand** Het vermogen om een situatie te analyseren gebaseerd op de context door gebruik te maken van miljoenen geïntegreerde deeltjes algemene kennis. Momenteel ontbreekt het computers nog aan gezond verstand. Om Marvin Minsky aan te halen: 'Deep Blue mag dan wel in staat zijn om te winnen met schaken, maar hij weet niet dat hij naar binnen moet gaan als het regent.'

**Godplek** Een piepklein punt van zenuwcellen in de voorhoofdskwab van de hersenen dat schijnt te worden geactiveerd tijdens religieuze ervaringen. Neurowetenschappers van de Universiteit van Californië hebben het godplekje ontdekt tijdens het bestuderen van epilepsiepatiënten die intense mystieke ervaringen hebben tijdens epilepsieaanvallen.

**Gödels onvolledigheidsstelling** Een hypothese gesteld door de Tsjechische wiskundige Kurt Gödel, waarin wordt beweerd dat er in een wiskundig stelsel, dat krachtig genoeg is om de natuurlijke nummers te genereren, onvermijdelijk stellingen bestaan die niet kunnen worden bewezen of weerlegd.

**Gordiaanse knoop** Een ingewikkeld, zo goed als onoplosbaar probleem. Verwijst naar de knoop gelegd door Gordius die alleen ontknoopt kon worden door de toekomstige heerser van Azië. Alexander de Grote ontweek het dilemma van het ontwarren van de knoop door hem door te hakken met zijn zwaard.

**GPS** Zie General Problem Solver (Algemene probleemoplosser).

**Grootvaderwetgeving** Vanaf 2099 zullen er wetten zijn die de rechten van de ZOSMs (Zeer Oorspronkelijke SubstraatMensen) beschermen en de voorvaders van de eenentwintigste-eeuwse mens zullen erkennen. Zie ZOSM.

**Halfgeleider** Een materiaal dat meestal is gebaseerd op silicium of germanium en dat wat betreft geleidende eigenschappen tussen een goede geleider en een isolator ligt. Halfgeleiders worden gebruikt om transistors te produceren. Halfgeleiders zijn afhankelijk van het tunnelfenomeen. Zie *Tunnelen*.

**Haptische interface** Een interface in de virtuele-werkelijkheidssystemen die de gebruiker voorziet van tastzin (inclusief het voelen van druk en temperatuur).

**Haptonomie** De ontwikkeling van systemen waarmee men de tastzin in de virtuele werkelijkheid kan ervaren. Zie Haptische interface.

**Heilige Graal** Het doel van een lange en moeilijke zoektocht. In middeleeuwse overleveringen wordt met de Graal verwezen naar de schaal die Jezus heeft gebruikt tijdens het Laatste Avondmaal. Vervolgens werd de Heilige Graal het doel van de zoektocht van ridders.

**Hersenstimulatie** De stimulatie van een gebied in de hersenen dat een gevoel teweegbrengt dat normaalgesproken (bijvoorbeeld op een andere manier) wordt verkregen door een echte fysieke of mentale ervaring.

***Homo erectus*** 'Rechtopstaande mens'. De *Homo erectus* dook ongeveer 1,6 miljoen jaar geleden op in Afrika en heeft het vuur, kleding, taal en het gebruik van wapens geïntroduceerd.

***Homo habilis*** 'Handige mens.' Een directe voorvader voorafgegaan aan de *Homo erectus* en later de *Homo sapiens*. De *Homo habilis* leefde ongeveer 1,6 tot 2 miljoen jaar geleden. De mensachtigen van de ondersoort *Homo habilis* waren anders dan de andere mensachtigen vanwege de grootte van hun hersenen, hun dieet van zowel vlees als planten, en hun gebruik van rudimentair gereedschap.

***Homo sapiens*** De menselijke soort die ongeveer 400.000 jaar geleden verscheen. *Homo sapiens* lijken op vergevorderde primaten wat betreft hun genetische afkomst, maar ze onderscheiden zich van hen door hun technologische ontwikkelingen, waaronder kunst en taal.

***Homo sapiens neanderthalensis* (Neanderthalers)** Een ondersoort van de *Homo sapiens*. Men denkt dat de *Homo sapiens neanderthalensis* ongeveer 100.000 jaar geleden geleidelijk is ontstaan uit de *Homo erectus* in Europa en in het Midden-Oosten. Deze zeer intelligente ondersoort heeft een cultuur ontwikkeld waarin uitgebreide begrafenisceremonies voorkwamen, de doden werden begraven met ornamenten, ziekenverzorging bestond, en het maken van gereedschap voor huishoudelijk gebruik en voor de verdediging werd toegepast. De *Homo sapiens neanderthalensis* verdween ongeveer 35.000 tot 40.000 jaar geleden van het toneel, in alle waarschijnlijkheid als gevolg van een gewelddadig conflict met de *Homo sapiens sapiens* (de ondersoort van de moderne mens).

*Homo sapiens sapiens* Een andere ondersoort van de *homo sapiens* die ongeveer 90.000 jaar geleden in Afrika verscheen. De moderne mens is een directe afstammeling van deze ondersoort.

**Hologram** Een interferentiepatroon dat vaak wordt gebruikt in de fotografische media en dat is gecodeerd en kan worden gelezen met behulp van zwakke laserstralen. Dit interferentiepatroon kan een driedimensionale afbeelding reconstrueren. Een belangrijke eigenschap van een hologram is dat de informatie wordt geordend binnen het hele hologram. Wanneer het hologram doormidden wordt geknipt dan zullen beide helften de hele afbeelding bevatten, zij het met de helft van de resolutie. Het bekrassen van een hologram heeft geen merkbaar effect op de afbeelding. Men denkt dat het menselijk geheugen op een zelfde wijze is geordend.

**Hoofdgerichte weergave in de virtuele werkelijkheid** In 2019 duidt dit op een weergavetechnologie die gebruikmaakt van optische (zie hieronder) en auditieve virtuele-werkelijkheidslenzen (zie hierboven) en een die stationaire virtuele werkelijkheid weergeeft ten aanzien van de positie en oriëntatie van je hoofd. Wanneer je je hoofd beweegt dan beweegt de weergave relatief met de echte omgeving mee. Deze afstelling wordt vaak gebruikt om met virtuele documenten samen te werken.

**Hoofdwetten van de thermodynamica** De hoofdwetten van de thermodynamica bepalen hoe en waarom energie wordt omgezet.

*De eerste hoofdwet van de thermodynamica* (geponeerd door Hermann von Helmholtz in 1847) staat ook bekend als de hoofdwet van behoud van energie, en stelt dat de totale hoeveelheid energie in het heelal constant is. Een proces zou de vorm van energie aan kunnen passen, maar een gesloten systeem verliest geen energie. We kunnen deze kennis gebruiken om de hoeveelheid energie in een systeem, de hoeveelheid afvalwarmte en de efficiency van een systeem vast te stellen.

*De tweede hoofdwet van de thermodynamica* (opgesteld door Rudolf Clausias in 1850) staat ook wel bekend als de hoofdwet van de toenemende chaos, en stelt dat de chaos (wanorde der deeltjes) in het heelal nooit afneemt. Terwijl de wanorde in het heelal toeneemt wordt de energie getransformeerd naar een minder bruikbare vorm. De efficiëntie van elk proces zal dus altijd minder dan honderd procent zijn.

*De derde hoofdwet van de thermodynamica* (beschreven door Walter Hermann Nernst in 1906 en gebaseerd op de idee dat een absolute nultemperatuur bestaat (wat voor het eerst werd beweerd door Lord Kelvin in 1848) staat ook wel bekend als de hoofdwet van het absolute nulpunt, en vertelt ons dat alle moleculaire beweging stopt op een temperatuur die het absolute nulpunt of nul graden Kelvin (-273 °C) wordt genoemd. Aangezien temperatuur een meting is van moleculaire beweging, kan een temperatuur van het absolute nulpunt benaderd maar nooit bereikt worden.

**Human Genome Project (Menselijk Genoom Project)** Een internationaal onderzoeksprogramma met het doel een bron van genoomkaarten en DNA-bouwstenen te verzamelen die gedetailleerde informatie over de structuur, organisatie en eigenschappen van het menselijke en dierlijke DNA kan verschaffen. Het project begon in het midden van de jaren tachtig en men denkt dat het rond het jaar 2005 is afgerond.

**Idiot savant** Een systeem (of een persoon) dat een hoge vaardigheid heeft in een beperkt taakgebied, maar lijdt aan een gebrek aan context en dat in andere opzichten achterloopt in meer algemene gebieden van intelligent handelen. De term komt uit de psychiatrie waar hij verwijst naar een persoon die een briljantheid vertoont in één erg beperkt domein, maar onderontwikkeld is wat betreft gezond verstand, kennis en bekwaamheid. Menselijke 'idiot savants' zijn bijvoorbeeld in staat om vermenigvuldigingen met erg lange getallen uit het hoofd te berekenen, of een telefoonboek uit het hoofd te leren. Deep Blue is een voorbeeld van een 'idiot savant'-systeem.

**Implantaat in de oorschelp** Een implantaat dat de frequentie van geluidsgolven analyseert op dezelfde manier als dat gebeurt in het binnenoor.

**Improvisor** Een door Paul Hodgson, een Britse saxofoonspeler van jazzmuziek, geschreven computerprogramma dat originele muziek componeert. Het programma Improvisor kan de muziekstijlen van Bach tot jazzmuzikanten zoals Louis Armstrong en Charlie Parker emuleren.

**Individueel risicokapitaal** Dit verwijst naar fondsen die beschikbaar zijn gesteld door een netwerk van rijke investeerders die investeren in beginnende bedrijven. Een bron van kapitaal voor beginnende bedrijven in geavanceerde technologie in de Verenigde Staten.

**Industriële Revolutie** De periode in de geschiedenis van de late achttiende en het begin van de negentiende eeuw die werd gekenmerkt door de versnelde ontwikkelingen in technologie die de massaproductie van goederen en materialen mogelijk maakten.

**Informatie** Een verzameling van gegevens die van belang zijn in een proces, bijvoorbeeld de DNA-code van een organisme of de bits in een computerprogramma. Het tegenovergestelde van informatie wordt 'ruis' – een willekeurige verzameling – genoemd. Hoe dan ook, zowel ruis als informatie zijn onvoorspelbaar. Ruis is inherent onvoorspelbaar, maar draagt geen informatie. Informatie is ook onvoorspelbaar, tenminste we kunnen de toekomstige informatie niet voorspellen vanuit de kennis van eerdere informatie. Wanneer we de toekomstige informatie volledig kunnen voorspellen met behulp van eerdere informatie dan is de toekomstige informatie geen informatie meer.

**Informatietechnologie** De kunst van het ontwerpen en bouwen van expertsystemen. In het bijzonder het verzamelen van informatie en methodische regels van experts in hun specialisme en het samenbrengen daarvan in een databank of expertsysteem.

**Informatietheorie** Een wiskundige theorie met betrekking tot het verschil tussen informatie en ruis en het vermogen van een communicatiekanaal om informatie te dragen.

**Informatieweergave** Een systeem voor het organiseren van menselijke, domeingebonden kennis in een datastructuur die flexibel genoeg is om feiten, regels en relaties uit te drukken.

**Intelligent instrument** Een autonoom softwareprogramma dat een taak, bijvoorbeeld het zoeken op het Internet naar informatie die interessant is voor een persoon aan de hand van bepaalde criteria, kan uitvoeren.

**Intelligente functie** Een functie die toenemende intelligentie nodig heeft om steeds moeilijkere problemen te berekenen. De Bezige bij (zie boven) is een voorbeeld van een intelligente functie.

**Intelligentie** Het vermogen om beperkte middelen – waaronder tijd – optimaal te gebruiken om een aantal doelen (waaronder overleven, communicatie, problemen oplossen, patroonherkenning, uitvoeringsvermogen) te beoordelen. De resultaten van intelligentie zouden slim, ingenieus, inzichtelijk of elegant kunnen zijn. R.W. Young definieert intelligentie als 'het geestesvermogen waarmee orde wordt verkregen in een situatie waar voorheen wanorde heerste.'

**Kennisprincipe** Een principe dat de nadruk legt op het belang van de rol die kennis speelt in vele vormen van intelligente activiteit. Het stelt dat een systeem intelligentie toont gedeeltelijk vanwege het inhouden van specifieke, taakgerichte informatie.

**Knie van de curve** De periode waarin de exponentiële eigenschap van de tijdscurve extreem begint te stijgen. De exponentiële groei sluimert lange tijd zonder enige zichtbare groei te tonen, en lijkt dan opeens uit te barsten. Dit gebeurt nu met het vermogen van computers.

**Kristalcomputing** Een systeem waarin data wordt opgeslagen als een hologram in een kristal dat is ontworpen door professor Lambertus Hesselink aan de universiteit van Stanford. Deze driedimensionale opslagmethode heeft een miljoen atomen voor iedere bit nodig en maakt het mogelijk om een triljoen bits op te slaan in een vierkante centimeter. Gegevensverwerking met behulp van een kristal verwijst ook naar de mogelijkheid voor computers om te groeien zoals kristallen kunnen groeien.

**Kunstmatig leven** De nabootsing van organismen, inclusief gedragspatronen en voortplantingsregels (een nabootsing van de 'genetische code') en een simulatie van de leefomgeving. De gesimuleerde organismen imiteren diverse generaties. Deze term kan verwijzen naar elk zichzelf vermenigvuldigend patroon.

**Kunstmatige Intelligentie (KI)** Een onderzoeksgebied dat probeert menselijke intelligentie na te bootsen in een machine. De volgende gebieden vallen onder KI: op kennis gebaseerde systemen, expertsystemen, patroonherkenning, automatisch leren, natuurlijk taalbegrip, robotica enzovoorts.

**Kwantumcodering** Een mogelijke vorm van codering die gebruikmaakt van stromen van verstrengelde kwantumdeeltjes zoals fotonen. Zie kwantumverstrengeling.

**Kwantumcomputing** Een revolutionaire methode van computing gebaseerd op de kwantumfysica die het vermogen om gelijktijdig in meer dan één toestand voor te komen van deeltjes zoals elektronen gebruikt. Zie qubit.

**Kwantumdecoherentie** Een proces waarbij de ambiguë kwantumtoestand van een deeltje (bijvoorbeeld de kernspin van een elektron die een qubit vertegenwoordigt in een kwantumcomputer) wordt opgelost in een niet-ambiguë toestand als gevolg van een directe of indirecte waarneming van een bewuste waarnemer.

**Kwantummechanica** Een theorie die de interacties tussen subatomaire deeltjes beschrijft en die verschillende elementaire ontdekkingen combineert. Bijvoorbeeld de waarneming van Max Planck in 1900 dat energie geabsorbeerd of uitgezonden wordt in afzonderlijke hoeveelheden die kwanta worden genoemd. Ook het onzekerheidsprincipe van Werner Heisenberg uit 1927 dat beweert dat we niet zowel de exacte positie als het moment van een elektron of een ander deeltje gelijktijdig kunnen weten. Verklaringen van de kwantumtheorie impliceren dat fotonen gelijktijdig alle mogelijke paden nemen (bijvoorbeeld wanneer zij van een spiegel afkaatsen). Sommige paden maken elkaar onmogelijk. In het genomen pad wordt de resterende ambiguïteit opgelost, gebaseerd op de bewuste waarneming van een waarnemer.

**Kwantumverstrengeling** Een relatie tussen twee fysiek gescheiden deeltjes onder speciale omstandigheden. Twee fotonen kunnen 'kwantumverstrengeld' zijn wanneer zij door dezelfde deeltjesinteractie worden geproduceerd en in tegengestelde richting verschijnen. De twee fotonen blijven kwantumverstrengeld met elkaar, zelfs wanneer zij door zeer grote afstanden zijn gescheiden (zelfs wanneer zij lichtjaren van elkaar zijn gescheiden). In een dergelijke omstandigheid zullen de twee kwantumverstrengelde fotonen, als ze beide geforceerd worden om een beslissing te nemen bij het kiezen tussen twee even moeilijke paden, een identieke beslissing nemen, en dat op hetzelfde tijdstip doen. Aangezien er geen communicatiekanaal mogelijk is tussen de twee kwantumverstrengelde fotonen zou de klassieke fysica voorspellen dat hun besluiten onafhankelijk zouden zijn. Maar twee kwantumverstrengelde fotonen nemen dezelfde beslissing en doen dat op hetzelfde tijdstip. Experimenten hebben aangetoond dat, zelfs als er een onbekend communicatiekanaal tussen hen zou zijn, er niet voldoende tijd voor een boodschap is om zich van de ene foton naar de andere te verplaatsen met de snelheid van het licht.

**Leesmachine** Een machine die een tekst kan scannen en hardop kan lezen. In eerste instantie was deze ontwikkeld voor mensen die visueel gehandicapt zijn, maar tegenwoordig wordt ze ook gebruikt door alle mensen die niet kunnen lezen op hun intelligentieniveau, met inbegrip van volwassenen met leesstoringen (bijvoorbeeld dyslexie) en kinderen die voor het eerst leren lezen.

**Leven** Het vermogen van deeltjes (meestal organismen) om zich voort te planten naar volgende generaties. Patronen van materie en energie die zichzelf kunnen bestendigen en kunnen overleven.

**LISP (lijstverwerking)** Een verklarende computertaal die in de late jaren vijftig door John McCarthy aan het MIT is ontwikkeld en die wordt gebruikt om een serie instructies en gegevens te bewerken. De belangrijkste datastructuur is de lijst, een eindige, geordende volgorde van symbolen. LISP leent zichzelf voor een ver ontwikkelde recursiviteit, symboolbewerking en zichzelf aanpassende code omdat een programma dat in LISP is geschreven wordt uitgedrukt als een lijst van lijsten. LISP wordt erg vaak gebruikt bij het programmeren van kunstmatige intelligentie, maar is tegenwoordig minder populair dan in de jaren zeventig en tachtig.

**Logisch positivisme** Een filosofische denkwijze uit de twintigste eeuw die werd geïnspireerd door Ludwig Wittgensteins *Tractatus Logico-Philosophicus*. Volgens het logisch positivisme kunnen alle betekenisvolle uitspraken worden bevestigd door observatie en experiment, of ze zijn 'analytisch' (af te leiden uit observaties).

**Ludditen** Eén van de arbeidersgroepen uit de vroege negentiende eeuw die uit protest de arbeidsbesparende machines vernietigde. De Ludditen-beweging was de eerste georganiseerde beweging die zich verzette tegen de mechanische machines van de Industriële Revolutie. Vandaag de dag zijn de Ludditen een symbool van verzet tegen technologie.

**Magnetic resonance imaging (Magnetische resonantiescan)** Een niet-binnendringende diagnostische techniek die gecomputeriseerde afbeeldingen produceert van lichaamsweefsels en die is gebaseerd op de nucleaire magnetische resonantie van atomen die in het lichaam worden verwekt door de toepassing van radiogolven. Een persoon wordt in een magnetisch veld geplaatst dat dertigduizend keer zo sterk is als het magnetische veld op aarde. Het lichaam van de persoon wordt gestimuleerd door radiogolven en reageert met zijn eigen elektromagnetische transmissies. Deze worden waargenomen en verwerkt door een computer om een driedimensionale kaart te genereren met hoge resolutie van interne kenmerken zoals bloedvaten.

**Microprocessor** Een geïntegreerde schakeling gebouwd op een enkele chip die de gehele centrale verwerkingseenheid (CPU, *Central Processing Unit*) van de computer bevat.

**Miljoenen instructies per seconde** Een methode om de snelheid van een computer te meten met betrekking tot het aantal miljoenen instructies dat wordt uitgevoerd door de computer in één seconde. Een instructie is een enkele stap in een computerprogramma zoals die wordt vertegenwoordigd in de machinetaal van de computer.

**Minimaxprocedure of -stelling** Een basistechniek die wordt gebruikt in spelprogramma's. Een zich voortdurend uitbreidende boomstructuur van mogelijke zetten en tegenzetten (zetten van de tegenspeler) wordt opgebouwd. Een evaluatie van de uiteindelijke 'eindpunten' van de boomstructuur die de mogelijkheid van de tegenspeler om te winnen wegneemt en het vermogen van het programma om te winnen maximaliseert wordt dan teruggevoerd over de takken van de boom in de richting van de stam.

**MIPs** Zie Miljoenen instructies per seconde.

**'Mission critical'-systeem** Een softwareprogramma dat een proces bestuurt waarvan mensen zeer afhankelijk zijn. Voorbeelden van 'mission critical'-software zijn systemen die het leven instandhouden in bijvoorbeeld ziekenhuizen, geautomatiseerde chirurgische apparatuur, vliegen met de automatische piloot, landingssystemen, en andere systemen die gebaseerd zijn op softwaresystemen die het welzijn van een persoon of een organisatie kunnen beïnvloeden.

**Moleculaire computer** Een computer gebaseerd op logica-elementen en die is gebouwd volgens de principes van de moleculaire mechanica (in tegenstelling tot de principes van de elektronica) door een passende rangschikking van moleculen. Aangezien de grootte van ieder logica-element (onderdeel dat de logicahandelingen kan uitvoeren) slechts één of een paar moleculen bedraagt kan de zodanig opgebouwde computer microscopisch klein zijn. Beperkingen van moleculaire computers worden alleen door de fysica van de atomen veroorzaakt. Moleculaire computers kunnen enorm parallel zijn door het uitvoeren van parallelle berekeningen met biljoenen moleculen tegelijkertijd. Moleculaire computers zijn gedemonstreerd met behulp van de DNA-molecule.

**Moore, De wet van** De wet van Moore, die voor het eerst in het midden van de jaren zestig werd geponeerd door de voormalige directeur van Intel, Gordon Moore, is de voorspelling dat de grootte van iedere transistor op een chip met een geïntegreerd circuit iedere 24 maanden met vijftig procent zal afnemen. Het gevolg is de exponentieel toenemende kracht van berekeningen die gebaseerd zijn op het geintegreerde circuit in de loop van de tijd. De wet van Moore verdubbelt zowel het aantal onderdelen op een chip als de snelheid van ieder onderdeel. Beide aspecten verdubbelen het vermogen van het verwerkingsvermogen tot een effectieve verviervoudiging van het verwerkingsvermogen iedere 24 maanden.

**MRI** Zie Magnetic resonance imaging (Magnetische resonantiescan).

**MYCIN** Een succesvol expertsysteem, ontwikkeld aan de universiteit van Stanford in het midden van de jaren zeventig, dat is ontworpen om artsen te helpen de juiste antibiotica voor te schrijven door de exacte aard van een infectie vast te stellen.

**Nanobot** Een nanorobot (een robot gebouwd met behulp van nanotechnologie). Voor een zichzelf voortplantende robot is mobiliteit, intelligentie en het vermogen om zijn omgeving te beïnvloeden een vereiste. Het is ook noodzakelijk dat hij weet wanneer hij zijn eigen voortplanting moet stoppen. In 2029 zullen nanobots door de bloedstroom van het menselijke lichaam circuleren om ziekten te diagnosticeren.

**Nanobotzwerm** In de laatste helft van de eenentwintigste eeuw bestaat een zwerm uit miljarden nanobots. De nanobotzwerm kan heel snel welke vorm dan ook aannemen. Een nanobotzwerm kan beelden, geluiden en de drukcontouren van elke groep voorwerpen, inclusief mensen, weergeven. De nanobotzwermen kunnen ook hun computingvermogen samenvoegen om de intelligentie van mensen en andere intelligente wezens en processen te evenaren. Een nanobotzwerm kan op een effectieve wijze het vermogen om virtuele omgevingen in werkelijke omgevingen te creëren opleveren.

**Nanobuisjes** Verlengde koolstofmoleculen die op lange buizen lijken en die worden gevormd door dezelfde vijf- of zeshoekige koolstofatomen waaruit buckyballs worden gevormd. Nanobuisjes kunnen de elektronische functies van op silicium gebaseerde onderdelen uitvoeren. Nanobuisjes zijn extreem klein en leveren daardoor erg hoge computingdichtheden op. Nanobuisjes vormen een waarschijnlijke technologie om exponentiële verwerkingsgroei te blijven verwezenlijken als de wet van Moore over de geïntegreerde schakelingen rond het jaar 2020 is uitgewerkt. Nanobuisjes zijn ook extreem sterk en hittebestendig en daarom is het mogelijk om driedimensionale circuits te creëren.

**Nanopatrouille** In 2029, een nanobot in de bloedsomloop, die het lichaam controleert op biologische ziektekiemen en andere ziekteprocessen.

**Nanotechniek** Het ontwerpen en de productie van producten en andere goederen gebaseerd op de manipulatie van atomen en moleculen; het bouwen van machines atoom voor atoom. 'Nano' verwijst naar een miljardste van een meter, de breedte van vijf koolstofatomen. Zie Picotechniek; Femtotechniek.

**Nanotechnologie** Een onderdeel van de technologie waarin producten en andere voorwerpen worden gecreëerd door het manipuleren van atomen en moleculen. 'Nano' verwijst naar een miljardste van een meter, de breedte van vijf koolstofatomen.

**Nanoziekteverwekker** Een zichzelf voortplantende nanobot die zich te vaak reproduceert - mogelijkerwijze zonder limiet - en daarmee schade toebrengt aan zowel organische als anorganische materie.

**Natuurlijke taal** Taal zoals die normalerwijze gesproken en geschreven wordt door mensen die gebruikmaken van een mensentaal zoals het Nederlands (in tegenstelling tot de computertaal die een starre syntaxis kent). Natuurlijke taal wordt beheerst door regels en afspraken die voldoende complex en subtiel zijn om een veelvoorkomende ambiguïteit in syntaxis en betekenis toe te laten.

**Neanderthal** Zie *Homo sapiens neanderthalensis* (Neanderthalers).

**Neuraal netwerk** Een computersimulatie van menselijke neuronen. Een systeem (toegepast in software en hardware) dat is bedoeld om de computingstructuur van neuronen in het menselijke brein te emuleren.

**Neurale computer** Een computer waarvan de hardware is geoptimaliseerd voor het gebruik van het paradigma van het zenuwnetwerk. Een neurale computer is ontworpen om een groot aantal modellen van de menselijke neuronen na te bootsen.

**Neuron** Een informatieverwerkende cel van het centrale zenuwstelsel. Er zijn naar schatting 100 miljard neuronen in het menselijk brein.

**Neveltje** Een hypothetische robot die bestaat uit een apparaat ter grootte van een menselijke cel met twaalf armen die alle kanten op wijzen. Aan het uiteinde van de armen zitten grijpers zodat de mistdruppels zich aan elkaar kunnen vastklemmen om grotere structuren te vormen. Deze nanobots zijn intelligent en kunnen hun vermogen om data te verwerken verenigen om een gedistribueerde intelligentie te creëren. Mistdruppels zijn het geesteskind van J. Storrs Hall, een computerwetenschapper aan de Rutgers Universiteit.

**Nevelzwermprojectie** Een technologie van het midden en het einde van de eenentwintigste eeuw die het mogelijk maakt projecties van fysieke voorwerpen en wezens te zien door het bewegingspatroon van biljoenen mistdruppels. De fysieke verschijning van Mollie die de schrijver ziet, wordt gecreëerd door een mistzwermprojectie. Zie Neveltjes; Bruikbaarheidsnevel.

**Objectieve ervaring** De ervaring van een wezen zoals die wordt waargenomen door een ander wezen of een meetapparaat.

**Oerknal-theorie** Een prominente theorie over het ontstaan van het heelal: de kosmische explosie, vanuit één punt van oneindige dichtheid, die het begin van het heelal miljarden jaren geleden inluidde.

**OCR** Zie Optical character recognition (Optische tekenherkenning).

**Op software gebaseerde evolutie** Softwaresimulatie van een evolutionair proces. Een voorbeeld van een op software gebaseerde evolutie is Network Tierra, ontworpen door Thomas Ray. Rays 'creaturen' zijn softwaresimulaties van organismen waarin iedere 'cel' zijn eigen DNA-achtige code heeft. De organismen wedijveren met elkaar om de beperkte gesimuleerde ruimte en de energievoorzieningen van hun gesimuleerde omgeving.

**Optical character recognition (Optische tekenherkenning, OCR)** Een proces waarbij een machine gedrukte (en mogelijk handgeschreven) tekens scant, herkent en codeert in een digitale vorm.

**Optisch scannen** Een techniek waarbij de hersenen worden gescand die gelijk is aan MRI, maar die potentieel beelden met een hogere resolutie oplevert. Optisch scannen is gebaseerd op de interactie tussen elektrische activiteit in de neuronen en de bloedcirculatie in de haarvaten die de neuronen voeden.

**Optische computer** Een computer die informatie verwerkt die is gecodeerd in lichtstraalpatronen; anders dan de hedendaagse, conventionele computers waarbij informatie wordt voorgesteld in elektronische schakelingen of wordt gecodeerd op magnetische oppervlakken. Iedere fotonenstraal kan een onafhankelijke datavolgorde weergeven en voorziet daarbij in enorm parallelle verwerking.

**Optische virtuele-werkelijkheidslenzen** In 2019 duidt dit op driedimensionale schermen die zijn ingebouwd in brillen of contactlenzen. Deze 'direct-oog'-schermen creëren een zeer realistische virtuele visuele omgeving die de 'echte' omgeving bedekt. Deze weergavetechnologie projecteert beelden direct op het menselijk netvlies, overtreft de resolutie van het menselijk zien, en wordt overal gebruikt, ongeacht of mensen een visuele handicap hebben of niet. In 1998 stelde de Microvision Virtual Retina Display een soortgelijke technologie beschikbaar voor luchtmachtpiloten en er worden consumentenversies verwacht.

**Orde** Informatie die aan een doel voldoet. De mate van orde is de mate waarop de informatie aan het doel voldoet. In de evolutie van levensvormen is het doel: overleven. In een evolutionair algoritme (een computerprogramma dat de evolutie nabootst om een probleem op te lossen) is het doel een probleem oplossen. Meer informatie of een grotere complexiteit hoeven niet per se te leiden tot een betere geschiktheid om het probleem op te lossen. Een superieure oplossing voor een doel – grotere orde – kan of meer of minder informatie nodig hebben, en of een hogere of een lagere complexiteit. Evolutie heeft echter laten zien dat de algemene trend richting een grotere orde in het algemeen een hogere complexiteit met zich meebrengt.

**Paradigma** Een patroon, model of een algemene aanpak om een probleem op te lossen.

**Parallelle verwerking** Verwijst naar computers die gelijktijdig opererende, meervoudige verwerkingseenheden gebruiken in tegenstelling tot een enkelvoudige verwerkingseenheid (*zie* Seriële computer).

**Patroonherkenning** Herkenning van patronen met het doel om gecompliceerde invoersignalen te identificeren, te classificeren of te categoriseren. Voorbeelden van invoersignalen: afbeeldingen zoals gedrukte tekens en gezichten, en geluiden zoals gesproken taal.

**Perceptron** Een machine die in de late jaren zestig en in de jaren zeventig werd samengesteld uit wiskundige modellen van menselijke neuronen. De vroege Perceptrons hadden een bescheiden succes met patroonherkenningstaken, bijvoorbeeld het identificeren van gedrukte letters en spraakklanken. De Perceptron was een voorloper van de tegenwoordige neurale netwerken.

**Personal computer** Een algemene term voor een computer voor één gebruiker die gebruikmaakt van een microprocessor en waaronder ook de computinghardware en -software vallen die een individu nodig heeft om zelfstandig te kunnen werken.

**PGP** Zie *Pretty Good Privacy*.

**Picotechniek** Technologie op de picometerschaal (een biljoenste van een meter). Picotechniek zal techniek op het niveau van subatomaire deeltjes impliceren.

**Pixel** Een afkorting voor een fotodeeltje (*picture element*). Het kleinste deeltje op een computerscherm dat informatie bevat om een foto weer te geven. Pixels bevatten gegevens die helderheid en zo mogelijk kleur aan bepaalde plaatsen in de foto kunnen geven.

**Ponskaart** Een rechthoekige kaart die gewoonlijk tot tachtig tekens aan informatie opneemt in een binaire codering die als een gaatjespatroon in de kaart wordt gedrukt.

**Pretty Good Privacy (PGP)** Een codeersysteem (ontworpen door Phil Zimmerman) dat wordt gedistribueerd over het Internet en algemeen wordt gebruikt. PGP maakt gebruik van een publieke sleutel die vrij kan worden verspreid en door iedereen kan worden gebruikt om een boodschap te coderen, en een privé-sleutel die alleen door de bedoelde ontvanger van de gecodeerde boodschap kan worden gebruikt. De privé-sleutel wordt door de ontvanger gebruikt om de met de publieke sleutel gecodeerde boodschappen te decoderen. Om de publieke sleutel om te zetten in een privé-sleutel moeten grote getallen in factoren worden ontbonden. Wanneer het aantal bits in de publieke sleutel groot genoeg is, dan kunnen de factoren niet worden berekend door een conventionele computer in een redelijke tijdsspanne (en dus blijft de gecodeerde informatie veilig). Kwantumberekeningen (met een voldoende aantal qubits) zouden dit type van coderen tenietdoen.

**Prijs-prestatie** Een maatstaf waarmee de prestatie van een product gemeten wordt aan de kostprijs per eenheid.

**Programma** Een reeks computerinstructies die een computer in staat stelt om een bepaalde taak uit te voeren. Programma's worden normaalgesproken geschreven in een taal van hoog niveau zoals 'C' of 'FORTRAN', die kan worden begrepen door programmeurs en dan kan worden vertaald in machinetaal door een speciaal programma, 'compiler' genaamd. Machinetaal is een speciale code die de computer direct bestuurt.

**Qubit** Een 'kwantumbit' – die wordt gebruikt in kwantumberekeningen – die tegelijkertijd zowel nul als één is totdat door de kwantumdecoherentie (directe of indirecte waarneming door een bewuste waarnemer) een kwantumbit ondubbelzinnig gemaakt wordt in een toestand van nul of één. Een qubit kan gelijktijdig twee mogelijke getallen bevatten (nul en een). N qubits kunnen gelijktijdig 2N mogelijke getallen bevatten. Dus een N-qubitkwantumcomputer zal gelijktijdig 2N mogelijke oplossingen voor een probleem proberen, en dat geeft de kwantumcomputer een gigantisch potentieel vermogen.

**Random Access Memory (RAM)** Een geheugen dat zowel kan lezen als schrijven en een willekeurige toegang kent tot geheugenlocaties. Willekeurige toegang tot locaties betekent dat locaties toegankelijk gemaakt worden in een willekeurige volgorde en dat zij niet op volgorde toegang hoeven te verlenen. RAM kan worden gebruikt als een werkend computergeheugen waarin toepassingen en programma's kunnen worden geladen en uitgevoerd.

**Ray Kurzweils Cybernetische Dichter** Een computerprogramma ontworpen door Ray Kurzweil dat gebruikmaakt van een recursieve aanpak om gedichten te schrijven. De cybernetische dichter analyseert de zinsstructuren van gedichten die het 'gelezen' heeft met gebruik van Markov-modellen (een wiskundig familielid van de neurale netwerken) en componeert nieuwe gedichten gebaseerd op deze structuren.

**Read-Only Memory (ROM)** Een vorm van computeropslag dat gelezen kan worden, maar dat niet beschreven of gewist kan worden (bijvoorbeeld cd-rom).

**Recursieformule** Een paradigma voor computerprogrammering dat gebruikmaakt van recursief zoeken om een oplossing te vinden voor een probleem. De recursieve zoektocht is gebaseerd op een exacte definitie van het probleem (bijvoorbeeld de regels van een spel als schaken).

**Recursiviteit** Het proces van het definiëren of uitdrukken van een functie of procedure in zijn voorwaarden. Karakteristiek is dat iedere herhaling van een procedure van de recursiviteitsoplossing een eenvoudigere (of mogelijk kortere) versie van het probleem oplevert dan de vorige herhaling. Dit proces gaat door totdat een sub-probleem waarvan het antwoord al bekend is (of dat makkelijk berekend kan worden zonder herhaling) wordt verkregen. Een verrassend aantal symbolische en numerieke problemen leent zich goed voor recursieve formuleringen. Recursiviteit wordt vaak gebruikt bij spelletjessoftware, bijvoorbeeld het schaakprogramma Deep Blue.

**Relativiteit** Een theorie die is gebaseerd op twee hypothesen: (1) dat de lichtsnelheid in een vacuüm constant is en onafhankelijk van de bron of van de waarnemer, en (2) dat de wiskundige vormen van de natuurkundige wetten niet variëren in alle inerte systemen. Onder de gevolgen van de relativiteitstheorie vallen ook de gelijkwaardigheid van massa en energie, en de verandering in massa, dimensie en tijd als de snelheid toeneemt. Zie ook Einsteins Relativiteitstheorie.

**Relaxation Response (Ontspanningsreactie)** Een neurologisch mechanisme ontdekt door Dr. Herbert Benson en andere wetenschappelijk onderzoekers aan de Harvard Medical School en het Beth Israel-ziekenhuis in Boston. In tegenstelling tot de 'vecht of vlucht'- of stressreactie wordt de ontspanningsreactie geassocieerd met afgenomen niveaus van adrenaline en noradrenaline, bloeddruk, bloedsuiker, ademhaling en hartritme.

**Reverse engineering** Het onderzoeken van een product, programma of een proces om het te begrijpen en om de methoden en algoritmen ervan vast te stellen. Het scannen en kopiëren van de saillante computingmethoden van de menselijke hersenen in een neurale computer met voldoende capaciteit is een toekomstig voorbeeld van reverse engineering.

**Risicokapitaal** Verwijst naar de fondsen die beschikbaar worden gesteld voor investeringen door organisaties die een grote kapitaalvoorziening bij elkaar hebben gebracht met als doel te investeren in bedrijven, vooral nieuwe, risicovolle ondernemingen.

**RKCP** Zie Ray Kurzweils Cybernetische Dichter.

**Robinson** 's Werelds eerste werkende computer, gemaakt van telefoonrelais en vernoemd naar een populaire striptekenaar, die de 'Rube Goldberg'-machines (zeer sierlijke machines met vele interactieve mechanieken) tekende. Gedurende de Tweede Wereldoorlog voorzag Robinson de Britten van een transcriptie van bijna alle belangrijke gecodeerde boodschappen van de nazi's totdat hij werd vervangen door Colossus. Zie *Colossus.*

**Robot** Een programmeerbaar apparaat dat is aangesloten op een computer en dat bestaat uit mechanische manipulatoren en sensoren. Een robot zou een fysieke taak die normaal door mensen wordt uitgevoerd waarschijnlijk sneller, beter en/of preciezer kunnen uitvoeren.

**Robotica** De wetenschap en technologie voor het ontwerpen en produceren van robots. Robotica wordt gecombineerd met kunstmatige intelligentie en mechanica.

**ROM** Zie *Read-Only Memory.*

**Ruis** Een willekeurige volgorde van gegevens. Omdat de volgorde willekeurig is en zonder betekenis draagt ruis geen informatie. Het tegenovergestelde van informatie.

**Russell, paradox van** De ambiguïteit die door de volgende vraag wordt gecreëerd: 'Rekent een verzameling die gedefinieerd wordt als "alle verzamelingen die zichzelf uitsluiten" zichzelf mee als een deel van de verzameling?' Russells paradox heeft Bertrand Russell gemotiveerd tot het ontwerpen van een nieuwe theorie over verzamelingen.

**Tweede hoofdwet van de thermodynamica** Ook bekend als de wet van de toenemende entropie. Deze wet beweert dat de chaos (de hoeveelheid willekeurige beweging) van deeltjes in het heelal kan toenemen maar niet afnemen. Wanneer de chaos in het heelal toeneemt dan wordt de energie omgezet in een minder bruikbare vorm. De efficiëntie van een proces zal dus altijd minder dan 100 procent zijn (vandaar de onmogelijkheid van perpetuüm mobiles).

**Tweede Industriële Revolutie** De automatisering van verstandelijke processen in plaats van de automatisering van fysieke taken.

**Scheikunde** De samenstelling en eigenschappen van stoffen die zijn opgebouwd uit moleculen.

**Sensorium** De productnaam uit 2019 voor een totaal sensorische virtuele werkelijkheid die in een algehele tactiele omgeving voorziet.

**Seriële computer** Een computer die een enkele berekening op één moment uit kan voeren. Twee of meer berekeningen worden dus achtereenvolgend uitgevoerd, niet gelijktijdig (zelfs niet wanneer de berekeningen niets met elkaar te maken hebben). Het tegenovergestelde is een computer die parallel verwerkt.

**Silicon Valley** Een streek in Californië, ten zuiden van San Francisco, die het hoofdkwartier vormt van de hightech-vernieuwing, waaronder het ontwerpen van software, communicatie, geïntegreerde schakelingen en andere daaraan verwante technologieën.

**Simulator** Een programma dat een activiteit of omgeving op een computersysteem modelleert of weergeeft. Voorbeelden zijn onder andere: de simulatie van chemische reacties en het stromen van een vloeibare stof. Andere voorbeelden zijn onder andere: een vluchtsimulator gebruikt voor het opleiden van piloten en gesimuleerde patiënten om artsen te laten oefenen. Simulatoren worden ook vaak gebruikt voor amusement.

**Society of mind** Een theorie over de hersenen voorgesteld door Marvin Minsky waarin intelligentie wordt gezien als het resultaat van een juiste organisatie van een groot aantal (*society*) andere hersenen die op hun beurt weer bestaan uit nog eenvoudigere hersenen. Aan de basis van deze hiërarchie staan simpele mechanieken die ieder op zich niet intelligent zijn.

**Software** Informatie en kennis die worden gebruikt om computers en gecomputeriseerde apparaten nuttige taken te laten verrichten. Hieronder vallen computerprogramma's en hun gegevens, maar meer in het algemeen vallen er ook kennisproducten zoals boeken, muziek, foto's, films en video's onder.

**Spreker-onafhankelijk** Verwijst naar het vermogen van een systeem voor spraakherkenning om iedere spreker te begrijpen, ongeacht of het systeem de spraak van de spreker wel of niet eerder heeft gehoord.

**Subjectieve ervaring** De ervaring van een entiteit zoals die door die entiteit wordt ervaren, in tegenstelling tot de observaties van die entiteit (inclusief haar interne processen) door een andere entiteit of metingen van een apparaat.

**Substraat** Computingmedium of -schakeling. Zie *Computingmedium*.

**Supercomputer** De snelste computer met het grootste vermogen beschikbaar op elk willekeurig moment. Supercomputers worden gebruikt voor berekeningen die een hoge snelheid en een groot geheugen vereisen (bijvoorbeeld het analyseren van weerkundige gegevens).

**Supergeleiding** Het natuurkundige fenomeen waarbij sommige materialen op een lage temperatuur een elektrische weerstand van nul vertonen. Supergeleiding wijst naar de mogelijkheid van een groot berekeningsvermogen met weinig of geen warmteverlies (vandaag de dag een belemmerende factor). Warmteverlies is een belangrijke reden waarom driedimensionale circuits moeilijk zijn te produceren.

**Synthesizer** Een apparaat dat gegevens verwerkt in real time. In een muziekcontext is het een instrument (meestal op een computer gebaseerd) dat geluiden en muziek op een elektronische wijze creëert.

**Tactiele virtualiteit** Tegen het jaar 2029 maakt de technologie het mogelijk voor de mens om een virtueel lichaam te gebruiken om virtuele-werkelijkheidservaringen te beleven zonder virtuele-werkelijkheidsapparatuur anders dan het gebruik van neurale implantaten (waarin inbegrepen de communicatiekanalen met een grote bandbreedte en zonder kabels). De zenuwimplantaten creëren het patroon van neurale signalen die samenhangen met een vergelijkbare 'echte' ervaring.

**Technologie** Een evoluerend proces van het creëren van hulpmiddelen om vorm te geven aan de omgeving en om haar te beheersen. Technologie gaat verder dan alleen maar het maken en gebruiken van hulpmiddelen. Er dient een verslaggeving over het vervaardigen van deze hulpmiddelen aan gepaard te gaan, en er moet sprake zijn van een vooruitgang in de verfijning van deze hulpmiddelen. Technologie vereist inventiviteit en is zelf een voortzetting van evolutie met andere middelen. De 'genetische code' van het evolutieproces van de technologie is de kennisbasis die in stand wordt gehouden door de soorten die gereedschap maken.

**Totale-tastomgeving** In 2019 zal er een virtuele-werkelijkheidsomgeving zijn die voorziet in een allesomvattende tastomgeving.

**Transistor** Een schakelend en/of versterkend apparaat dat gebruikmaakt van halfgeleiders en dat voor het eerst in 1948 werd gebouwd door John Bardeen, Walter Brattain en William Shockley in de laboratoria van Bell.

**Tunneling** Deze term wordt gebruikt in de kwantummechanica. Het vermogen van elektronen (negatief geladen deeltjes die om de kern van een atoom cirkelen) om op twee plaatsen tegelijkertijd te kunnen bestaan, in het bijzonder aan beide kanten van een barrière. Door tunneling kunnen sommige elektronen zich op een effectieve manier door de barrière verplaatsen en dat verklaart de 'semi'-geleidende eigenschappen van een transistor.

**Turingmachine** Een eenvoudig abstract model van een computingmachine, ontwikkeld door Alan Turing en beschreven in 1936 in zijn artikel 'On Computable Numbers'. De Turingmachine is een fundamenteel concept in de automatiseringstheorie.

**Turingtest** Een procedure, in 1950 voorgesteld door Alan Turing, om vast te stellen of een machine (meestal een computer) al dan niet het niveau van menselijke intelligentie heeft bereikt en dat erop is gebaseerd om een menselijke interviewer te laten geloven dat de machine een mens is. Een menselijke 'rechter' ondervraagt het (computer)systeem en één of meer mensen 'achter de schermen' van de terminals (door het typen van vragen). Zowel de computer als de mensen achter de schermen proberen de rechter te overtuigen van hun mens-zijn. Als de rechter niet in staat is om de computer van de echte mensen te onderscheiden dan wordt de computer geacht over een menselijk intelligentieniveau te beschikken. Turing heeft vele belangrijke details niet gespecificeerd, zoals de duur van de ondervraging en de intelligentie van de menselijke rechter en de mensen achter de schermen. Rond 2029 zullen computers slagen voor de test, maar de geldigheid van de test blijft vooralsnog een onderwerp van een controversiële filosofische discussie.

**Vacuümbuis** De vroegste vorm van een elektronische schakelaar (of versterker) gebaseerd op vacuümgevulde glazen buizen. Gebruikt in radio's en andere communicatieapparatuur en in vroege computers; vervangen door de transistor.

**Verbindingsleer** Een benaderingsmethode om intelligentie te bestuderen en om intelligente probleemoplossingen te creëren. Verbindingsleer is gebaseerd op het opslaan van probleemoplossende kennis als een verbindingsvorm tussen een groot aantal eenvoudige verwerkingseenheden die parallel opereren.

**'Vernietig-alle-kopieën'-beweging** Een beweging in 2099 die ernaar streeft dat een individu de toestemming krijgt om zijn geestesbestand en alle back-upkopieën van dat bestand te vernietigen.

**Vertalende telefoon** Een telefoon die voorziet in real-time spraakvertaling van een mensentaal naar een andere.

**Verwerking van afbeeldingen** De manipulatie van data van afbeeldingen of tekeningen op een scherm samengesteld uit pixels. Een computerprogramma kan gebruikt worden om een afbeelding te verbeteren of te veranderen.

**Virtueel lichaam** In de virtuele werkelijkheid wordt iemands eigen lichaam zo veranderd dat het anders lijkt te zijn (en uiteindelijk anders voelt) dan het in de 'echte' werkelijkheid is.

**Virtueel tactiele omgeving** Een virtuele-werkelijkheidssysteem dat de gebruiker toelaat om een realistische en allesomvattende tastbare omgeving te ervaren.

**Virtuele seks** Seks in een virtuele realiteit die een visuele, auditieve en tactiele omgeving verenigt. De sekspartner kan een echte of een gesimuleerde persoon zijn.

**Virtuele werkelijkheid** Een gesimuleerde omgeving waarin je jezelf kunt verdiepen. Een virtuele-werkelijkheidsomgeving voorziet in een overtuigende vervanging van de visuele en auditieve zintuigen, en (tegen het jaar 2019) van de tastzin. In latere decennia wordt de reukzin hier ook bij inbegrepen. De sleutel tot een realistische visuele ervaring in een virtuele werkelijkheid is dat de locatie, als je je hoofd beweegt, zich direct verplaatst zodat je nu kijkt naar een ander gebied van de driedimensionale omgeving. De bedoeling is om na te bootsen wat er in de werkelijke wereld gebeurt wanneer je je hoofd beweegt. De plaatjes die door je netvlies worden opgenomen veranderen snel. Je hersenen echter begrijpen dat de wereld hetzelfde gebleven is en dat de gewaarwording alleen maar langs je netvlies schiet, omdat je je hoofd beweegt. In eerste instantie heeft de virtuele werkelijkheid (waaronder ook primitieve huidige systemen) het gebruik van speciale helmen nodig om in de visuele en auditieve omgeving te voorzien. Rond 2019 zal de virtuele werkelijkheid uitgerust zijn met alomtegenwoordige, op contactlensgebaseerde systemen en ingeplante netvliesweergaveapparatuur (en ook vergelijkbare apparaten voor auditieve 'weergave'). Later in de eenentwintigste eeuw zullen virtuele realiteit (alle zintuigen inbegrepen) uitgerust zijn met directe stimulatie van zenuwkanalen door het gebruik van zenuwimplantaten.

**Voorstel voor het verzamelen van computervermogens op het Internet** Een voorstel om het ongebruikte vermogen van persoonlijke computers te verzamelen om daarmee virtuele, parallelle supercomputers te creëren. Er zijn voldoende ongebruikte computervermogens op het Internet in 1998 om supercomputers met de capaciteit van het menselijke brein te bouwen, in ieder geval wat betreft de hardwarecapaciteit.

**Vrije wil** Doelbewust gedrag en besluitneming. Vanaf de tijd van Plato hebben filosofen de paradox van de vrije wil onderzocht, in het bijzonder wanneer die wordt toegepast op machines. In de loop van de volgende eeuw zal het thema van het ontwikkelen van machines tot wezens met een bewustzijn en met een vrije wil een belangrijke rol spelen. Een fundamentele filosofische kwestie is hoe het hebben van vrije wil mogelijk is wanneer gebeurtenissen het resultaat zijn van de voorspelbare – of onvoorspelbare – interactie van deeltjes. Als de interactie van deeltjes als onvoorspelbaar wordt gezien dan wordt de paradox van de vrije wil niet opgelost omdat er niets doelbewust is aan willekeurig gedrag.

**World Wide Web (WWW)** Een zeer verspreid (niet gecentraliseerd) communicatienetwerk dat het mogelijk maakt voor individuen en organisaties over de hele wereld met elkaar te communiceren. Communicatie houdt ook het delen in van teksten, beelden, geluiden, video, software en andere vormen van informatie. Het eerste gebruikersinterfaceparadigma van het 'Web' is gebaseerd op hypertekst die uit documenten (die elk type van gegevens kunnen bevatten) bestaat die verbonden zijn door 'links' die de gebruiker selecteert met een aanwijsvoorwerp, bijvoorbeeld een muis. Het Web is een systeem van gegevens-en-boodschap-servers die met elkaar worden verbonden door communicatieverbindingen met een hoge capaciteit en die aan iedere computergebruiker met behulp van een 'webbrowser' en een Internetaansluiting toegang biedt. Met de introductie van Windows98 is de toegang tot het Web ingebouwd in het besturingssysteem. Aan het eind van de eenentwintigste eeuw zal het Web het gedistribueerde automatiseringsmedium leveren voor softwaregebaseerde mensen.

**Wet van chaos en tijd** In een proces waarin het tijdsinterval tussen saillante gebeurtenissen (bijvoorbeeld gebeurtenissen die de aard van het proces veranderen of die de uitkomst van het proces opmerkelijk beïnvloeden) uitzet of samentrekt als een functie van de hoeveelheid chaos.

**Wet van de toenemende chaos** Terwijl orde exponentieel toeneemt, vertraagt tijd exponentieel (bijvoorbeeld het tijdsinterval tussen saillante gebeurtenissen neemt toe in de loop van de tijd).

**Wet van de versnellende opbrengsten** Terwijl chaos exponentieel toeneemt, versnelt tijd exponentieel (bijvoorbeeld het tijdsinterval tussen saillante gebeurtenissen wordt kleiner in de loop van de tijd).

**Zelfreproductie** Een proces of apparaat dat in staat is om een exacte kopie van zichzelf te maken. Nanobots zijn zelfreproducerend wanneer zij kopieën van zichzelf kunnen maken. Zelfreproductie wordt gezien als een noodzakelijke manier om nanobots te produceren aangezien er grote aantallen (biljoenen) van dergelijke apparaten nodig zijn om ze nuttig werk te kunnen laten doen.

**Zenuwimplantaat** Een hersenimplantaat dat iemands zintuiglijke vermogen, geheugen of intelligentie vergroot. Zenuwimplantaten zullen alomtegenwoordig zijn in de eenentwintigste eeuw.

**Zoeken** Een recursieve procedure waarbij een automatische probleemoplosser een oplossing zoekt door herhalend reeksen te onderzoeken op mogelijke alternatieven.

**ZOSM** Een acroniem uit 2099 voor Zeer Oorspronkelijke SubstraatMensen. In de laatste helft van de eenentwintigste eeuw wordt een mens die nog steeds conventionele, op koolstof gebaseerde neuronen gebruikt en die nog steeds niet wordt verbeterd door middel van neurale implantaten een ZOSM genoemd. In 2099 noemt Mollie de schrijver een ZOSM.

**ZOSMisme** In 2099 een archaïsche term die is geworteld in de ZOSM-levensstijl van vóór de komst van de door neurale implantaten verbeterde mens en het porten van het menselijke brein naar de nieuwe computingsubstraten. Een voorbeeld van een ZOSMisme: het woord *essays* met betrekking tot kennisstructuren die een grote hoeveelheid intellectueel werk vertegenwoordigen.

**ZOSM-kunst** In 2099 een vorm van kunst (meestal geproduceerd door verbeterde mensen) die een ZOSM theoretisch gesproken moet kunnen waarderen, maar die niet altijd wordt gedeeld met een ZOSM.

**ZOSM-muziek** ZOSM-kunst in de vorm van muziek in 2099.

# Noten

## INLEIDING: EEN ONVERBIDDELIJK UITVLOEISEL

1. Mijn herinneringen aan de aflevering van *Twilight Zone* kloppen over het algemeen wel, hoewel de gokker in werkelijkheid een kruimeldief is die Rocky Valentine heet. Aflevering 28, 'A Nice Place to Visit' (ik hoorde pas hoe die aflevering heette nadat ik de inleiding had geschreven), werd op 15 april 1960 uitgezonden, tijdens het eerste seizoen van *The Twilight Zone.*
   De aflevering begint met een stem die zegt: 'Het portret van een man tijdens zijn werk, het enige werk dat hij ooit heeft gedaan, het enige werk dat hij kent. Hij heet Henry Francis Valentine, maar hij noemt zich Rocky omdat zijn levenspad altijd hobbelig is geweest en hij constant tegen de stroom in moest zwemmen,'
   Bij het beroven van een pandjeshuis wordt Valentine door een politieman doodgeschoten. Als hij ontwaakt, ziet hij zijn gids voor het hiernamaals, Pip. Pip legt uit dat hij Valentine alles zal verschaffen wat hij maar wil. Valentine vertrouwt het niet, maar hij vraagt en krijgt een miljoen dollar en een mooi meisje. Hij slaat dan aan het gokken en wint aan de roulette, bij de gokmachines en later aan de pooltafel. Hij wordt ook omringd door mooie vrouwen, die hem overladen met aandacht.
   Na verloop van tijd krijgt Valentine genoeg van het gokken, van het winnen en van de mooie vrouwen. Hij zegt tegen Pip dat het vervelend wordt als je altijd wint en dat hij niet in de hemel thuishoort. Hij smeekt Pip hem naar 'die andere plaats' te brengen Met een boosaardige fonkeling in zijn ogen zegt Pip dan dat dit 'die andere plaats' is. Bewerking van de tekst uit *The Twilight Zone Companion* van Marc Scott Zicree: (Toronto Bantam Books, 1982, 113-115).
2. Wat waren de voornaamste politieke en filosofische kwesties van de twintigste eeuw? Een daarvan was ideologisch - totalitaire systemen van rechts (fascisme) en links (communisme) werden geconfronteerd met en grotendeels verslagen door het kapitalisme (weliswaar met een grote publieke sector) en de democratie. Een tweede was de opkomst van de technologie, die in de negentiende eeuw al begon en die een van de belangrijkste drijfveren van de twintigste eeuw werd. Maar de kwestie 'wat is een mens', is nog niet het belangrijkste vraagstuk (behalve voorzover het invloed heeft op het abortusdebat), hoewel de vorige eeuw getuige is geweest van de voortzetting van de oude strijd om alle leden van de soort dezelfde rechten te geven.

3 Voor een uitstekend overzicht en technische details, zie de homepage voor 'Neural Network Frequently Asked Questions' onder redactie van W.S. Sarle: ftp://ftp.sas.com/pub/neural/FAQ.html. In een artikel van Charles Arthur, 'Computers Learn to See en Smell Us', in de *Independent* van 16 januari 1996 wordt beschreven dat neurale netwerken een onderscheid kunnen maken tussen unieke kenmerken.

4. Zoals we zullen bespreken in hoofdstuk 6, 'Nieuwe hersenen bouwen...' zal vernietigend scannen aan het begin van deze eeuw haalbaar zijn. Niet-binnendringend

scannen met voldoende resolutie en bandbreedte zal iets langer duren, maar zal haalbaar zijn aan het einde van de eerste helft van de eenentwintigste eeuw.

## HOOFDSTUK 1: DE WET VAN CHAOS EN TIJD

1. Voor een uitgebreid overzicht en gedetailleerde verwijzingen omtrent de oerknaltheorie, zie 'Introduction to Big Bang Theory', Bowdoin College Department of Physics and Astronomy:
http://www.bowdoin.edu/dept/physics/astro.1997/astro4/bigbang.html.
Gedrukte naslagwerken over de Ooerknaltheorie zijn onder andere: Joseph Silk, *A Short History of The Universe* (New York: Scientific American Library, 1994), Joseph Silk, *The Big Bang* (San Francisco: W. H. Freeman and Company, 1980); Robert M. Wald, *Space, Time & Gravity* (Chicago: The University of Chicago Press, 1977); en Stephen W. Hawking, *A Brief History of Time* (New York: Bantam Books, 1988)
2. De sterke wisselwerking houdt een atoomkern bij elkaar. Deze wordt sterk genoemd omdat de krachtige afstoting tussen de protonen in een kern met meer dan een proton overwonnen moet worden.
3. De elektrozwakke wisselwerking combineert elektromagnetisme met de zwakke wisselwerking die verantwoordelijk is voor bètaverval. In 1968 slaagden de Amerikaanse fysicus Steven Weinberg en de Pakistaanse fysicus Abdus Salam erin de zwakke wisselwerking en de elektromagnetische wisselwerking te verenigen door middel van een wiskundige methode, boogsymmetrie genoemd.
4. De zwakke wisselwerking is verantwoordelijk voor bètaverval en andere langzame nucleaire processen die zich geleidelijk voltrekken.
5. Albert Einstein, *Relativity: The Special and the General Theory* (New York: Crown Publishers, 1961).
6. De wetten van de thermodynamica regeren hoe en waarom energie wordt omgezet. De eerste hoofdwet van de thermodynamica (zoals opgesteld door Hermann von Helmholtz in 1847), ook wel genoemd de wet van behoud van energie, verklaart dat de totale hoeveelheid aan energie in het heelal constant is.
De tweede hoofdwet van de thermodynamica (opgesteld door Rudolf Clausias in 1850), ook wel bekend als de wet van de toenemende chaos, verklaart dat de entropie, of wanorde, in het heelal nooit afneemt (en, daarom, gewoonlijk toeneemt). Naarmate de wanorde in het heelal toeneemt, wordt de energie omgezet in minder bruikbare vormen. Zo zal de efficiëntie van elk proces altijd minder zijn dan 100 procent.
De derde hoofdwet van de thermodynamica (beschreven door Walter Hermann Nernst in 1906, gebaseerd op het idee van een absolute nultemperatuur, eerst uitgesproken door baron Kelvin in 1848), ook wel bekend als de wet van het absolute nulpunt, zegt ons dat alle moleculaire bewegingen ophouden bij een temperatuur die het absolute nulpunt wordt genoemd, of 0 °Kelvin (-273 °C). Aangezien temperatuur een mate van moleculaire beweging is, kan de absolute nultemperatuur wel worden benaderd, maar nooit bereikt.
7. 'Evolution and Behavior', http://ccp.uchicago.edu/~jyin/evolution.html bevat een uitstekende collectie artikelen en weblinks die nader ingaan op de evolutietheorieën. Gedrukte naslagwerken zijn o.a.: Edward O. Wilson, *The Diversity of Life* (New York: W. W. Norton & Company, 1993); en Stephen Jay Gould, *The Book of Life* (New York: W. W. Norton & Company, 1993).
8. Vierhonderd miljoen jaar geleden verbreidde de vegetatie zich vanaf de laaggelegen moerassen en zo ontstonden de eerste planten op het land. Dankzij deze ontwikkeling konden de gewervelde herbivoren ook het land opgaan, waardoor de eerste

amfibieën werden geschapen. Tegelijk met de amfibieën gingen ook de geleedpotigen aan land, waarvan sommige zich ontwikkelden tot insecten. Ongeveer 200 miljoen jaar geleden deelden dinosaurussen en zoogdieren hetzelfde milieu. De dinosaurussen waren veel opvallender. De zoogdieren gingen de dinosaurussen meestal uit de weg. Vele zoogdieren waren nachtdieren.

9. Zoogdieren werden dominant in het leefmilieu van landdieren na het uitsterven van de dinosaurussen, 65 miljoen jaar geleden. Zoogdieren zijn de intelligentere diersoort, onderscheiden zich door warmbloedigheid, het voeden van hun nageslacht met moedermelk, een behaarde huid, geslachtelijke voortplanting, vier ledematen (meestal) en, het meest opvallend, een hoog ontwikkeld zenuwstelsel.
10. Primaten, de meest ontwikkelde orde van zoogdieren, worden gekenmerkt door naar voren gerichte ogen, stereoscopisch zicht, grote hersenen met een gekronkelde hersenstam, waardoor meer geavanceerde redeneervermogens en gecompliceerde sociale patronen mogelijk waren. Primaten waren niet de enige intelligente dieren, maar zij hadden een extra kenmerk waardoor het tijdperk van het rekenwerk versneld zou worden: de opponeerbare duim. De twee eigenschappen die nodig waren voor de daaropvolgende opkomst van de technologie waren nu aanwezig: intelligentie en de mogelijkheid om het milieu te manipuleren. Het is niet toevallig dat vingers in het Engels nog steeds 'digits' heten. De oorsprong van het woord 'digit', zoals het nu in het Engels wordt gebruikt en dat voor het eerst in het Middel-Engels voorkwam, ligt in het Latijnse woord voor vinger of teen, *digitus*. Misschien is het verwant aan het Griekse *deiknynai*, 'laten zien'.
11. Ongeveer 50 miljoen jaar geleden scheidde de antropoïde onderorde van de primaten zich af. In tegenstelling tot hun familieleden, de halfapen, ondergingen de antropoïden een snelle evolutie, die ongeveer 30 miljoen jaar geleden leidde tot het ontstaan van ontwikkelde primaten als apen en mensapen. Deze ontwikkelde primaten staan bekend om hun subtiele communicatiemiddelen door middel van geluid, gebaren en gezichtsuitdrukkingen, waardoor de ontwikkeling van ingewikkelde sociale groepen mogelijk werd. Ongeveer 15 miljoen jaar geleden kwamen de eerste mensachtigen tevoorschijn. Hoewel zij al op hun achterpoten liepen, gebruikten zij de knokkels van hun voorpoten voor hun evenwicht.
12. Hoewel het de moeite van het vermelden waard is dat een verandering van 2% in een computerprogramma zeer veel effect kan hebben.
13. *Homo sapiens* is heden ten dage de enige diersoort op aarde die technologie creëert, maar zij was niet de eerste. Ongeveer vijf miljoen jaar geleden verscheen de *Homo habilis* (d.w.z. 'handige' mens), bekend om zijn verticale lichaamshouding en grote hersenen. Hij werd handig genoemd omdat hij gereedschap maakte en gebruikte. Onze meest directe voorouder, de *Homo erectus*, verscheen ongeveer twee miljoen jaar geleden in Afrika. De *Homo erectus* was ook verantwoordelijk voor de bevordering van de technologie, inclusief de domesticatie van vuur, de ontwikkeling van taal en het gebruik van wapens.
14. De technologie kwam tevoorschijn uit de nevelen van de geschiedenis der mensachtigen en is zich sindsdien steeds sneller gaan ontwikkelen. Technologieën, uitgevonden door andere mensachtige soorten en ondersoorten, hield de domesticatie van vuur in, van stenen gereedschappen, aardewerk, kleding en andere middelen ter bevrediging van elementaire menselijke behoeften. De vroege mensachtigen waren ook degenen die begonnen met het ontwikkelen van taal, beeldende kunsten, muziek en andere middelen voor menselijke communicatie.
Ongeveer tienduizend jaar geleden begonnen de mensen ook planten te domesticeren, en snel daarna ook dieren. Nomadische jagersstammen gingen zich vestigen, waardoor stabielere vormen van sociale organisatie mogelijk werden. Er werden

gebouwen neergezet om zowel de mensen te beschermen als hun agrarische producten. Er ontstonden meer effectieve middelen van transport, waardoor de handel en grootschalige menselijke maatschappijen gemakkelijk konden ontstaan. Het wiel lijkt een vrij recente uitvinding te zijn. De oudste opgegraven wielen in Mesopotamië dateren van ongeveer 5500 jaar geleden. In ongeveer dezelfde periode ontstonden in datzelfde gebied vlotten, boten, en een systeem van spijkervormige inscripties, de eerste vorm van geschreven taal, voor zover wij weten.
Deze technologie maakte het mogelijk dat de mensen in grote groepen samen konden wonen en de beschaving zich kon ontwikkelen. Ongeveer 6000 jaar geleden ontstonden in Mesopotamië de eerste steden. De Egyptische steden uit de oudheid ontstonden ongeveer een millennium later, inclusief Memphis en Thebe, culminerend in de heerschappij van de grote Egyptische koningen. Deze steden werden ontworpen als oorlogsmachines met verdedigingsmuren die door legers werden beschermd. Deze gebruikten wapens die waren ontwikkeld met behulp van de meest geavanceerde technologieën uit die tijd, inclusief strijdwagens, speren, wapenrusting en pijl en boog. De beschaving zorgde andersom ook voor menselijke specialisatie van arbeid door een kastesysteem en voor georganiseerde inspanningen tot het verbeteren van de technologie. Er ontstond een intellectuele klasse van onderwijzers, ingenieurs, artsen en schriftgeleerden. De vroege Egyptische beschaving leverde nog meer bijdragen, zoals het op papier gelijkende materiaal dat werd vervaardigd van papyrusplanten, de standaardisering van maten, ingewikkelde metaalbewerking, waterbeheersing en een kalender.
Meer dan 2000 jaar geleden vonden de Grieken ingewikkelde mechanismen uit met diverse inwendige toestanden. Archimedes, Ptolemeus en anderen beschreven hefbomen, kamwielen, tandraderen, kleppen, tandwielen en andere ingewikkelde mechanismen die een revolutie teweegbrachten in tijdmeting, navigatie, cartografie en de constructie van gebouwen en schepen. De Grieken zijn misschien het best bekend om hun bijdrage aan de kunst, vooral de literatuur, het theater en beeldhouwwerk.
De Grieken werden opgevolgd door de superieure militaire technologie van de Romeinen. Het Romeinse Rijk had zoveel succes dat het de eerste stedelijke beschaving produceerde waar gedurende een lange tijd vrede en stabiliteit heerste. Romeinse ingenieurs legden tienduizenden kilometers weg aan en bouwden duizenden constructies van openbaar nut zoals regeringsgebouwen, bruggen, sportstadions, baden en rioleringen. De Romeinen maakten vooral opvallende vorderingen in de militaire technologie, inclusief geavanceerde strijdwagens en wapenrusting, de katapult en de werpspies en ander effectief oorlogsgereedschap.
De val van het Romeinse Rijk omstreeks 500 A.D. luidde de aanvang van de ten onrechte zo genoemde Duistere Middeleeuwen in. Terwijl gedurende de daaropvolgende duizend jaar de vooruitgang naar huidige maatstaven maar langzaam verliep, kwam de steeds strakker wordende spiraal van de technologische vooruitgang in een steeds grotere versnelling. Wetenschap, technologie, religie, kunst, literatuur en filosofie zetten zich alle voort in de Byzantijnse, islamitische, Chinese en andere maatschappijen. De wereldwijde handel maakte een kruisbestuiving tussen technologieën onderling mogelijk. In Europa werden bijvoorbeeld de kruisboog en het buskruit van China geleend, en het spinnewiel van India. Papier en de boekdrukkunst ontwikkelden zich ongeveer 2000 jaar geleden in China en verhuisden vele eeuwen later naar Europa. In verschillende delen van de wereld verschenen windmolens, waardoor men steeds meer verstand kreeg van ingewikkelde machines met tandwieloverbrenging die vervolgens de basis zouden vormen voor de eerste rekenmachines.
De uitvinding van een door een gewicht aangedreven klok in de dertiende eeuw,

waarbij de tandwieltechnologie werd gebruikt die was geperfectioneerd voor de windmolen en het waterrad, bevrijdde de maatschappij van de noodzaak om het leven rondom de zon te organiseren. Misschien was Johan Gutenbergs uitvinding van de boekdrukkunst met losse letters wel de belangrijkste in de late Middeleeuwen, want hierdoor lag een intellectueel leven ook open voor mensen die niet tot de door de kerk en de staat beheerste elite behoorden.

Tegen de zeventiende eeuw had de technologie het middel ontworpen waarmee keizerrijken de aardbol konden omspannen. Verscheidene Europese landen, waaronder Engeland, Frankrijk en Spanje, ontwikkelden een economie die gebaseerd was op ver weg gelegen koloniën. Deze kolonisatie schonk het leven aan een opkomende klasse van kooplieden, een wereldwijd banksysteem en vroege vormen van bescherming van intellectueel eigendom, waaronder ook het patent.

Op 26 mei 1733 gaf het Engelse Patent Office een patent uit aan John Kay voor zijn 'Nieuwe machine voor het openleggen en prepareren van wol'. Dit was goed nieuws, want hij was van plan zijn 'vliegende schietspoel' te gaan produceren en die te verkopen aan de bloeiende Engelse textielindustrie. Kays uitvinding was een groot succes, maar hij besteedde al zijn winst aan rechtszaken in een poging om naleving van zijn patent af te dwingen. Hij stierf in armoede, zonder ooit te hebben beseft dat zijn vernieuwing in het weven van stof aanleiding had gegeven tot de Industriële Revolutie.

De wijdverbreide toepassing van Kays vernieuwing legde een grote druk op de ontwikkeling van een efficiëntere manier om garen te spinnen, die leidde tot de Cotton Jenny van Sir Richard Arkwright, die in 1770 werd gepatenteerd. In de jaren tachtig van de 18de eeuw werden er machines uitgevonden om de wol te kaarden en te kammen om haar op die manier in de nieuwe geautomatiseerde spinmachines te kunnen invoeren. Tegen het einde van de 18de eeuw werd de Engelse huisindustrie voor textiel vervangen door steeds efficiëntere gecentraliseerde machines. De geboorte van de Industriële Revolutie leidde in het begin van de 19de eeuw tot de oprichting van de Ludditebeweging, de eerste georganiseerde beweging tegen de technologie.

15. Primatoloog Carl van Schaik merkte op dat de orang-oetans van het Suaq Balimbingmoeras op Sumatra allemaal gereedschap maken en gebruiken om er insecten, honing en fruit mee te pakken. Hoewel het orang-oetans in gevangenschap gemakkelijk geleerd kan worden om gereedschap te gebruiken, zijn de primaten op Sumatra de eerste wilde populatie waarvan is waargenomen dat ze gereedschap gebruiken Het gebruik van gereedschap kan door de nood geboren zijn. Van orang-oetans in andere delen van de wereld is nog nooit waargenomen dat ze gereedschap gebruiken, vooral omdat hun voedselaanvoer gemakkelijker toegankelijk is.

Carl Zimmer, 'Tooling Through the Trees.' *Discover* 16, nr. 11 (november 1995): 46-47.

Kraaien gebruiken stokken en bladeren als gereedschap. Dat gereedschap wordt voor verschillende doeleinden gebruikt, het is ook qua constructie zeer voorspelbaar en het vertoont zelfs haken en andere mechanismen voor het vinden en manipuleren van prooi-insecten. Vaak dragen ze deze hulpmiddelen al vliegend met zich mee en bergen ze ze in de buurt van hun nest op.

Tina Adler, 'Crows Rely on Tools to Get Their Work Done.' *Science News* 149, nr. 3 (20 januari, 1996): 37.

Krokodillen kunnen hun prooi niet vasthouden en daarom zetten ze hun prooi soms vast tussen stenen en/of wortels. De boomwortel dient dan als verankering van het dode prooidier, terwijl de krokodil zijn maaltijd verorbert. Sommigen hebben het gebruik van stenen en wortels door krokodillen als gereedschapsgebruik aangemerkt.

Uit de 'Animal Diversity Web Site' van de University of Michigan's Museum of Zoology, http://www.oit.itd.umich.edu/projects/ADW/.

16. Een dier communiceert om verschillende redenen: verdediging (om aan andere leden van zijn soort duidelijk te maken dat er gevaar nadert), voedselvergaring (om soortgenoten te attenderen op een voedselbron), hofmakerij en dekking (om soortgenoten attent te maken op zijn begeerlijkheid en om eventuele concurrenten uit de buurt te houden), en instandhouding van het territorium. De essentiële motivatie voor communicatie is het overleven van de soort. Sommige dieren gebruiken communicatie niet alleen om te overleven, maar ook voor het uitdrukken van emoties.
Er bestaan vele fascinerende voorbeelden van communicatie tussen dieren.
• Een vrouwtjesboomkikker uit Maleisië tikt met haar tenen op de planten om eventuele kandidaten te attenderen op haar beschikbaarheid. Lori Oliwenstein, Fenella Saunders en Rachel Preiser, 'Animals 1995.' *Discover* 17, nr. 1 (januari 1996): 54-57.
• Mannelijke woelmuizen (een knaagdiertje) bewerken hun vacht om een lichaamsgeur te produceren die hun partners aantrekt. Tina Adler, 'Voles Appreciate the Value of Good Grooming.' *Science News* 149, nr. 16 (20 april 1996): 247.
• Walvissen communiceren door middel van een serie uitroepen en schreeuwen. Mark Higgins, 'Deep Sea Dialogue.' *Nature Canada* 26, nr. 3 (zomer 1997): 29-34.
• Primaten gebruiken natuurlijk hun stem voor het overbrengen van allerlei boodschappen. Een groep onderzoekers bestudeerde kapucijnapen, doodshoofdaapjes en zijdeaapjes (gouden leeuwtamari) in Midden- en Zuid-Amerika. Deze dieren kunnen elkaar door de dichte begroeiing vaak niet zien. Om die reden hebben ze een serie kreten of trilgeluiden ontwikkeld waarmee de aandacht van de andere leden op voedselbronnen kan worden gevestigd. Bruce Bower, 'Monkeys Sound Off, Move Out.' *Science News* 149, nr. 17 (27 april 1996): 269.

17. Aan Washoe en Koko (resp. een mannetjes- en vrouwtjesgorilla) wordt toegeschreven dat zij ASL hebben geleerd (de Amerikaanse gebarentaal voor doven). Ze zijn de beroemdste onder de communicerende primaten. Viki, een chimpansee, werd geleerd hoe zij drie woorden moest uitspreken: *mama, papa*, en *kop*. Aan Lana en Kanzi (vrouwtjeschimpansees) werd geleerd hoe zij op knoppen met symbolen moesten drukken.
Steven Pinker heeft bedenkingen over de beweringen van onderzoekers dat apen de gebarentaal volkomen begrijpen. In *The Language Instinct: How the Mind Creates Language* (New York: Morrow, 1994) merkt hij op dat de apen slecht een zeer primitieve vorm van ASL leerden, en niet alle nuances van deze taal. De gebaren die zij leerden waren ruwe nabootsingen van 'de echte taal'. Bovendien legden de onderzoekers volgens Pinker vaak de natuurlijke handgebaren van de apen uit als gebarentaal. Een van de onderzoekers uit Washoe's team was doof en hij merkte op dat de andere onderzoekers een lange lijst van gebaren opschreven, terwijl de lijst van de dove onderzoeker kort bleef.

18. David E. Kalish. 'Chip Makers and U.S. Unveil Project.' *New York Times*, 12 september, 1997.

19. Exponentiële groei van de computertechnologie, 1900-1998 is gebaseerd op de volgende gegevens:

| Datum | Machine | Opteltijd (sec) | Berekeningen per seconde (Cps) | Prijs in dollars van toen | Prijs in dollars van 1998 | Cps/$ 1000 |
|---|---|---|---|---|---|---|
| 1900 | Analytical Engine | 9,00E-00 | 1,11E-01 | $ 1.000.000 | $ 19.087.000 | 5,821E-06 |
| 1908 | Hollerith Tabulator | 5,00E+01 | 2,00E-02 | $ 9.000 | $ 154.000 | 1,299E-04 |
| 1911 | Monroe Calculator | 3,00E+01 | 3.33E-02 | $ 35.000 | $ 576.000 | 5,787E-05 |
| 1919 | IBM Tabulator | 5,00E-00 | 2,00E-01 | $ 20.000 | $ 188.000 | 1,064E-03 |
| 1928 | National Ellis 3000 | 1,00E+01 | 1,00E-01 | $ 15.000 | $ 143.000 | 6,993E-04 |
| 1939 | Zuse | 21.00E-00 | 1,00E-00 | $ 10.000 | $ 117.000 | 8,547E-03 |
| 1940 | Colossus | 3,00E-01 | 3,33E-00 | $ 20.000 | $ 233.000 | 1.431E-02 |
| 1941 | Bell Calculator Model | 13,00E-01 | 3,33E-00 | $ 6.500 | $ 72.000 | 4,630E-02 |
| 1943 | Zuse | 32,00E-04 | 5,00E+03 | $ 100.000 | $ 942.000 | 5.308E-00 |
| 1946 | ENIAC | 2,00E-04 | 5,00E+03 | $ 750.000 | $ 6.265.000 | 7.981E-01 |
| 1948 | EBMSSEC | 8,00E-04 | 1,25E+03 | $ 500.000 | $ 3.380.000 | 3,698E-01 |
| 1949 | BINAC | 2,86E-04 | 3,50E+03 | $ 278.000 | $ 1.903.000 | 1,837E-00 |
| 1949 | EDSAC | 1,40E-03 | 7,14E+02 | $ 100.000 | $ 684.000 | 1,044E-00 |
| 1951 | Univac | 11,20E-04 | 8,33E+03 | $ 930.000 | $ 5.827.000 | 1,430E-00 |
| 1953 | Univac 1103 | 3,00E-05 | 3,33E+04 | $ 895.000 | $ 5.461.000 | 6,104E-00 |
| 1953 | IBM 701 | 6,00E-05 | 1,67E+04 | $ 230.000 | $ 1.403.000 | 1,188E+01 |
| 1954 | EDVAC | 9,00E-04 | 1,11E+03 | $ 500.000 | $ 3.028.000 | 3,669E-01 |
| 1955 | Whirlwind | 5,00E-05 | 2,00E+04 | $ 200.000 | $ 1.216.000 | 1,645E+01 |
| 1955 | IBM 704 | 2,40E-05 | 4,17E+04 | $ 1.994.000 | $ 12.120.000 | 3,438E-00 |
| 1958 | Datamatic 1000 | 2,50E-04 | 4,00E+03 | $ 2.179.000 | $ 12.283.000 | 3,257E-01 |
| 1958 | Univac II | 2,00E-04 | 5,00E+03 | $ 970.000 | $ 5.468.000 | 9,144E-01 |
| 1959 | Mobidic | 1,60E-05 | 6,25E+04 | $ 1.340.000 | $ 7.501.000 | 8,332E-00 |
| 1959 | IBM 7090 | 4,00E-06 | 2,50E+05 | $ 3.000.000 | $ 16.794.000 | 1,489E+01 |
| 1960 | IBM 1620 | 6,00E-04 | 1,67E+03 | $ 200.000 | $ 1.101.000 | 1,514E-00 |
| 1960 | DEC PDP-1 | 1,00E-05 | 1,00E+05 | $ 120.000 | $ 660.000 | 1,515E+02 |
| 1961 | DEC PDP-4 | 1,00E-05 | 1,00E+05 | $ 65.000 | $ 354.000 | 2,825E+02 |
| 1962 | Univac III | 9,00E-06 | 1,11E+05 | $ 700.000 | $ 3.776.000 | 2,943E+01 |
| 1964 | CDC 6600 | 2,00E-07 | 5,00E+06 | $ 6.000.000 | $ 31.529.000 | 1,586E+02 |
| 1965 | IBM 1130 | 8,00E-06 | 1,25E+05 | $ 50.000 | $ 259.000 | 4,823E+02 |
| 1965 | DEC PDP-8 | 6,00E-06 | 1,67E+05 | $ 18.000 | $ 93.000 | 1,792E+03 |
| 1966 | IBM 360 Model 75 | 8,00E-07 | 1,25E+06 | $ 5.000.000 | $ 25.139.000 | 4,972E+01 |
| 1968 | DEC PDP-10 | 2,00E-06 | 5,00E+05 | $ 500.000 | $ 2.341.000 | 2,136E+02 |
| 1973 | Intellec-8 | 1,56E-04 | 6,41E+03 | $ 2.398 | $ 8.798 | 7,286E+02 |
| 1973 | Data General Nova | 2,00E-05 | 5,00E+04 | $ 4.000 | $ 14.700 | 3,401E+03 |
| 1975 | Altair 8800 | 1,56E-04 | 6,41E+03 | $ 2.000 | $ 6.056 | 1,058E+04 |
| 1976 | DEC PDP-11 Model 70 | 3,00E-06 | 3,33E+05 | $ 150.000 | $ 429.000 | 7,770E+02 |
| 1977 | Cray I | 1,00E-08 | 1,00E+08 | $ 10.000.000 | $ 26.881.000 | 3,720E+03 |
| 1977 | Apple II | 1,00E-05 | 1,00E+05 | $ 1.300 | $ 3.722 | 2,687E+04 |
| 1979 | DEC VAX 11 Model 780 | 2,00E-06 | 5,00E+05 | $ 200.000 | $ 449.000 | 1,114E+03 |
| 1980 | Sun-1 | 3,00E-06 | 3,33E+05 | $ 30.000 | $ 59.300 | 5,621E+03 |
| 1982 | IBM PC | 1,56E-06 | 6,41E+05 | $ 3.000 | $ 5.064 | 1,266E+05 |
| 1982 | Compaq Portable | 1,56E-06 | 6,41E+05 | $ 3.000 | $ 5.064 | 1,266E+05 |
| 1983 | IBM AT-80286 | 1,25E-06 | 8,00E+05 | $ 5.669 | $ 9.272 | 8,628E+04 |
| 1984 | Apple Macintosh | 3,00E-06 | 3,33E+05 | $ 2.500 | $ 3.920 | 8,503E+04 |
| 1986 | Compaq Deskpro 386 | 2,50E-07 | 4,00E+06 | $ 5.000 | $ 7.432 | 5,382E+05 |
| 1987 | Apple Mac II | 1,00E-06 | 1,00E+06 | $ 3.000 | $ 4.300 | 2,326E+05 |
| 1993 | Pentium PC | 1,00E-07 | 1,00E+07 | $ 2.500 | $ 2.818 | 3,549E+06 |
| 1996 | Pentium PC | 1,00E-08 | 1,00E+08 | $ 2.000 | $ 2.080 | 4,808E+07 |
| 1998 | Pentium II PC | 5,00E-09 | 2,00E+08 | $ 1.500 | $ 1.500 | 1,333E+08 |

De kosten in dollars voor elk jaar zijn omgerekend naar dollars uit 1998 met behulp van de verhouding tot de consumentenprijsindex (CPI), zoals genoteerd door de Woodrow Federal Reserve Bank in Minneapolis. Zie hun website: http://woodrow.mpls.frb.fed.us/economy/calc/cpihome.html.

Charles Babbage ontwierp in de jaren dertig van de 19de eeuw de Analytical Engine en tot aan zijn dood in 1871 bleef hij aan het concept werken. Babbage heeft zijn uitvinding nooit voltooid. Ik heb het jaar 1900 aangehouden voor de Analytical Engine als het jaar dat de mechanische technologie ervan haalbaar werd, gebaseerd op de beschikbaarheid van andere mechanische rekentechnologie die in die periode beschikbaar was.

Bronnen voor de tabel 'De exponentiële groei van de computertechnologie, 1900-1998' zijn onder andere:
*25 jaar computergeschiedenis*
http://www.compros.com/timeline.html
*BYTE Magazine 'Birth of a Chip'*
http://www.byte.com/art/9612/sec6/art2.htm
*cdc.html@www.citybeach.wa.edu (Stretch)*
http://www.citybeach.wa.edu.au/lessons/history/video/sunedu/compurer/cdc.html
*Chronologie van de digitale computingmachines*
http://www.best.com/~wilson/faq/chrono.html
*Chronologie van de gebeurtenissen in de geschiedenis van microcomputers*
http://www3.islandnet.com/~kpolsson/comphist/comp1977.htm
*Het Computer Museum History Center*
http://www.tcm.org/html/history/index.html
*delan, infopad.eecs.berkeley.edu*
http://infopad.eecs.berkeley.edu/C1C/summary/delan
*Elektronische computers in de logistieke afdeling van het Amerikaanse leger*
http://ftp.arl.mil/~mike/comphist/61orDNAnce/index.html
*Algemene informatie over processors*
http://infopad.eecs.berkeley.edu/CIC/summary/local/
*De geschiedenis van de computer bij Los Alamos*
http://bang.lanl.gov/video/sunedu/computer/comphist.html
*The Machine Room*
http://www.tardis.ed.ac.uk/~alexios/MACHINE-ROOM/
*Mind Machine Web Museum*
http://userwww.sfsu.edu/~hl/mmm.html
*Hans Moravec, Carnegie Mellon University: Computer Data*
http://www. frc.ri.cmu.edu/~hpm/book97/ch3/processor.list
*PC Magazine Online: Vijftien jaar PC Magazine*
http://www. zdnet.com/pcmag/special/anniversary/
*PC Museum*
http://www.microtec.net/~dlessard/index.html
*PDP-8 Emulatie*
http://csbh.mhv.net/~mgraffam/emu/pdp8.html
*Website-persbericht van Silicon Graphics*
http://www.pathfinder.com/money/latest/press/PW/1998Jun16/270.html
Stan Augarten, *Bit by Bit: An Illustrated History of Computers* (New York: Ticknor & Fields, 1984).
International Association of Electrical and Electronics Engineers (IEEE), 'Annals of the History of the Computer,' vol. 9, nr. 2, pp. 150-153 (1987). IEEE, vol. 16, nr. 3, blz. 20 (1994).
Hans Moravec, *Mind Children. The Future of Robot en Human Intelligence* (Cambridge, MA: Harvard University Press, 1988).
Rene Moreau, *The Computer Comes of Age* (Cambridge, MA: M17 Press, 1984).

20. Voor meer inzicht over de toekomst van computercapaciteit, zie: Hans Moravec, *Mind Children: The Future of Robot and Human Intelligence* (Cambridge, MA: Harvard University Press, 1988); en 'An Interview with David Waltz, Vice President, Computer Science Research, NEC Research Institute' op de website van Think Quest, http://tqd.advanced.org/2705/waltz.html. Ik bespreek het onderwerp ook in mijn

boek *The Age of Intelligent Machines* (Cambridge, MA: MIT Press, 1990), 401-419. In deze drie bronnen wordt de exponentiële groei van rekenmachines besproken.

21. Een wiskundige theorie betreffende het verschil tussen informatie en ruis, en de mogelijkheid dat een communicatiekanaal informatie kan overbrengen.

22. Het Santa Fe Institute heeft een pioniersrol gespeeld in de ontwikkeling van concepten en technologieën met betrekking tot complexiteit en nieuwe systemen. Een van de belangrijkste ontwikkelaars van paradigma's in verband met chaos en complexiteit is Stuart Kauffman. Kauffmans *At Home in The Universe: The Search for the Laws of Self-Organization en Complexity* (Oxford: Oxford University Press, 1995) kijkt naar 'de krachten voor orde die op de rand van de chaos liggen' (van de beschrijving op de cataloguskaart).
In zijn boek *Evolution of Complexity by Means of Natural Selection* (Princeton, NJ: Princeton University Press, 1988) stelt John Tyler Bonner de vraag: 'Hoe is het mogelijk dat een ei zich ontwikkelt tot een gecompliceerd volgroeid schepsel? Hoe is het mogelijk dat een bacterie in een paar miljoen jaar tijd zich zou kunnen ontwikkelen tot een olifant?'
John Holland is ook een geleerde aan het Sante Fe Institute in het opkomende vakgebied complexiteit; zijn boek *Hidden Order: How Adaptation Builds Complexity* (Reading, MA: Addison-Wesley, 1996) is een presentatie van een serie lezingen die Holland in 1994 aan het Santa Fe Institute heeft gehouden.
Zie ook John H. Holland, *Emergence: From Chaos to Order* (Reading, MA: Addison-Wesley 1998) en M. Mitchell Waldrop, *Complexity: The Emerging Science at the Edge of Order and Chaos* (New York: Simon and Schuster, 1992).

## HOOFDSTUK 2: DE INTELLIGENTIE VAN DE EVOLUTIE

1. In het begin van de jaren vijftig was de chemische samenstelling van DNA al bekend. In die tijd waren de belangrijke vragen: Hoe is de molecule van DNA opgebouwd? Hoe werkt DNA? Deze vragen zouden in 1953 worden beantwoord door James D. Watson en Francis H. C. Crick.
Watson en Crick schreven 'The Molecular Structure of Nucleic Acid: A Structure for Deoxyribose Nucleic Acid' gepubliceerd in *Nature* van 25 april 1953. Voor meer informatie over de race door de verschillende onderzoeksgroepen die de moleculestructuur van DNA wilden ontdekken, zie het boek van Watson, *The Double Helix* (New York: Atheneum Publishers, 1968).

2. De vertaling begint door het loswinden van een gedeelte van het DNA om de code bloot te leggen. Een streng boodschapper-RNA's (mRNA) wordt gecreëerd door het kopiëren van de blootgelegde DNA-basispaarcodes. Het zo toepasselijk genoemde boodschapper-RNA legt een kopie vast van een gedeelte van de DNA-letterreeks en gaat vanuit de kern het cellichaam in. Daar ontmoet het mRNA een ribosoommolecule, die de in de mRNA-moleculen vastgelegde letters leest en vervolgens met behulp van een extra stel moleculen (tRNA, transport-RNA genoemd) inderdaad met één aminozuur tegelijk proteïneketens bouwt. Deze proteïnen zijn de werkmoleculen die de celfuncties uitvoeren. Hemoglobine bijvoorbeeld, in het bloed verantwoordelijk voor het transport van zuurstof vanaf de longen naar de lichaamsweefsels, is een reeks van 500 aminozuren. Aangezien elk aminozuur drie nucleotideletters nodig heeft, neemt de code voor hemoglobine 1500 posities in op de DNA-molecule. Hemoglobinemoleculen worden in het menselijk lichaam trouwens 500 triljoen keer per seconde gemaakt. De machinerie is dus behoorlijk efficiënt.

3. Het doel van het Human Genome Project (menselijk genoomproject) is het construeren van gedetailleerde kaarten van de genetische reeksen van de 50.000 tot

100.000 genen in het menselijk genoom, en het verschaffen van informatie over de gehele structuur en volgorde van het DNA van de mens en andere diersoorten. Het project begon halverwege de jaren tachtig van de twintigste eeuw. De website van het Human Genome Project, http://www.nhgri.nih.gov/HGP/, geeft informatie over de achtergrond van het project, huidige en toekomstige doelen, en een gedetailleerde uitleg over de structuur van DNA.

4. Het werk van Thomas Ray wordt beschreven in een artikel van Joe Flower, 'A Life in Silicon.' *New Scientist* 150, nr. 2034 (15 juni 1996): 32-36. Dr. Ray heeft ook een website met updates van zijn op software gebaseerde evolutie: http://www.hip.atr.co.jp/~ray/.
5. Hieronder volgt een selectie van boeken die ingaan op de aard van intelligentie: H. Gardner, *Frames of Mind* (New York: Basic Books, 1983); Stephen Jay Gould, *The Mismeasure of Man* (New York: Basic Books, 1983); R. J. Herrnstein en C. Murray, *The Bell Curve* (New York: The Free Press, 1994); R. Jacoby en N. Glauberman, red., *The Bell Curve Debate* (New York: Times Books, 1995).
6. Voor een diepergaande studie van de theorieën over de expansie en contractie van het heelal, zie: Stephen W. Hawking, *A Brief History of Time* (New York: Bantam Books, 1988); en Eric L. Lerner, *The Big Bang Never Happened* (New York: Random House, 1991). Raadpleeg voor de nieuwste updates de website van de International Astronomical Union (IAU): http://www.intastun.org/, evenals de hierboven genoemde 'Introduction to Big Bang Theory' op http://www.bowdoin.edu/dept/physic/astro.1997/astro4/bigbang.html.
7. Zie hoofdstuk 3, 'Over de geest en machines', inclusief het kader 'Het standpunt gezien vanuit de kwantummechanica'.
8. Peter Lewis, 'Can Intelligent Life Be Found? Gorilla Will Go Looking.' *New York Times*, 16 april 1998.
9. Voice Xpress Plus van Lernout & Hauspie Speech Products (voorheen Kurzweil Applied Intelligence) geeft de gebruiker de mogelijkheid om in 'natuurlijke taal' commando's aan Microsoft Word te geven. Het voorziet ook in de mogelijkheid om te dicteren door een uitgebreide vocabulaire. Het programma is 'modusloos', dus hoeft de gebruiker niet aan te geven wanneer hij of zij een commando geeft. Als de gebruiker bijvoorbeeld zegt: 'Ik heb vorige week genoten van mijn reis naar België. Maak deze alinea vier punten groter. Verander het lettertype in Arial. Ik hoop dat ik snel weer eens naar België kan.' stelt Voice Xpress Plus automatisch vast dat de tweede en derde zin commando's zijn en voert deze dan ook uit (in plaats van ze op te schrijven). Het stelt ook vast dat de eerste en de vierde zin geen commando's zijn en schrijft deze dan in het document.

## HOOFDSTUK 3: OVER DE GEEST EN MACHINES

1. Als u meer wilt weten over de huidige staat van de wetenschap en het onderzoek van hersenscans, is het artikel 'Brains at Work: Researchers Use New Techniques to Study How Humans Think' door Vincent Kiernan een goed beginpunt. Dit artikel in de *Chronicle of Higher Education* (23 januari 1998, vol. 44, nr. 20, pp. A16-17), bespreekt het gebruik van MRI voor het in kaart brengen van de hersenactiviteit tijdens gecompliceerde denkprocessen.
   'Visualizing the Mind' door Marcus E. Raichle in het aprilnummer van 1994 van de *Scientific American* geeft achtergrondinformatie over verschillende hersen-beeldvormingstechnologieën: MRI, positronemissietomografie (PET), magneto-encefalografie (MEG), en elektro-encefalografie (EEG).
   'Unlocking the Secrets of the Brain' door Tabitha M. Powledge is een uit twee

gedeelten bestaand artikel in het juli/augustusnummer van *Bioscience* 47 (pp. 330-334 en 403-409), 1997.

2. Bloedvormende cellen in het beenmerg en bepaalde huidlagen groeien en reproduceren zich doorlopend, waardoor zij zich over een periode van maanden vernieuwen. Spiercellen daarentegen reproduceren zich gedurende verscheidene jaren niet. Men heeft nooit gedacht dat neuronen zich na de geboorte reproduceren, maar recente ontdekkingen wijzen op de mogelijkheid van neuronreproductie bij primaten. Dr. Elizabeth Gould van de Princeton University en Dr. Bruce S. McEwen van de Rockefeller University in New York ontdekten dat volwassen zijdeaapjes in staat zijn tot productie van hersencellen in de hippocampus, een hersengedeelte dat in verband wordt gebracht met leren en geheugen. Als de dieren zich in een stresssituatie bevinden zijn zij echter minder goed in staat tot het produceren van nieuwe hersencellen in de hippocampus. Dit onderzoek wordt beschreven in een artikel door Gina Kolata, 'Studies Find Brain Grows New Cells', *The New York Times*, 17 maart 1998.
   Andere celsoorten zullen indien nodig groeien en zich reproduceren. Als bijvoorbeeld zevenachtste deel van de lever wordt verwijderd dan zullen de overblijvende cellen gaan groeien en zich reproduceren totdat de meeste cellen aangevuld zijn. Arthur Guyton, *Physiology of the Human Body*, vijfde druk (Phila., PA: W B. Saunders, 1979): 42-43.
3. De onderdrukking van menselijke rassen, nationaliteiten en andere groepen werd vaak op dezelfde wijze gerechtvaardigd.
4. Een gedetailleerd verslag van Plato's filosofie wordt gepresenteerd in J. N. Findlay, *Plato and Platonism: An Introduction*. Over de dialoog als de door Plato verkozen vorm, zie D. Hyland's 'Why Plato Wrote Dialogues.' *Philosophy and Rhetoric* 1 (1968): 38-50.
5. Een korte geschiedenis van het neopositivisme kunt u vinden in A. J. Ayer, *Logical Positivism* (New York: Macmillan, 1959): 3-28.
6. David J. Chalmers maakt een onderscheid tussen 'de gemakkelijke en de moeilijke problemen van het bewustzijn' en beweert dat 'het moeilijke probleem de conventionele uitlegmethodes volledig te boven gaat' in de verhandeling 'Facing Up to the Problem of Consciousness'. Stuart R. Hameroff, red., *Toward a Science of Consciousness: The First Tucson Discussions and Debates (Complex Adaptive Systems)* (Cambridge, MA: MIT Press, 1996).
7. Dit objectieve gezichtspunt werd in het begin van de twintigste eeuw door Ludwig Wittgenstein systematisch gedefinieerd in een taalanalyse, die logisch positivisme werd genoemd. Deze filosofische school, die vervolgens invloed zou uitoefenen op het ontstaan van de computertheorie en -linguïstiek, was geïnspireerd door Wittgensteins eerste belangrijke werk, de *Tractatus Logico-Philosophicus*. Het boek had niet onmiddellijk succes en alleen dankzij de invloed van zijn vroegere leraar, Bertrand Russell, werd er een uitgever gevonden.
   In een voorbode van de vroege computerprogrammeertalen, nummerde Wittgenstein alle beweringen in zijn *Tractatus* en gaf daarmee aan welke positie zij innamen in de hiërarchie van zijn denkwijze. Hij begint met bewering 1: 'De wereld is alles, wat het geval is', waarmee hij zijn ambitieuze doel voor het boek aanduidde. Nummer 4.0.0.3.1 is een kenmerkende bewering: 'Alle filosofie is taalkritiek'. Zijn laatste bewering, nr.7, is 'Van dat, waarover niet kan worden gesproken, moet men zwijgen.' Degenen die hun filosofische wortels op de vroege Wittgenstein terugvoeren, beschouwen dit korte werk nog steeds als het meest invloedrijke filosofische werk van de afgelopen eeuw.
8. In het voorwoord van *Philosophical Investigations*, vertaald door G. E. M. Anscombe, 'erkent' Wittgenstein dat hij 'ernstige fouten' had gemaakt in zijn vroegere werk, de

*Tractatus*.

9. Voor een nuttig overzicht van het leven en werk van Descartes, zie *The Dictionary of Scientific Biography*, vol. 4, pp. 55-65. Het boek *Descartes* van Jonathan Rees presenteert eveneens een gebundeld overzicht van de filosofie van Descartes in relatie tot andere denkstromingen.
10. Geciteerd uit Douglas R. Hofstadter, *Gödel, Escher, Bach: An Eternal Golden Braid* (New York: Basic Books, 1979).
11. 'Computing Machinery and Intelligence', *Mind* 59 (1950): 433-460, herdrukt in E. Feigenbaum en J. Feldman, red., *Computers and Thought* (New York: McGrawHill, 1963).
12. Voor een beschrijving van kwantummechanica kunt u George Johnson lezen, 'Quantum Theorists Try to Surpass Digital Computing', *New York Times*, 18 februari 1997.

## HOOFDSTUK 4: EEN NIEUWE VORM VAN INTELLIGENTIE OP AARDE

1. Al ongeveer twee eeuwen voor Babbage waren er al eenvoudige rekenmachines geperfectioneerd. Dit begon met de Pascaline van Pascal in 1642, die getallen kon optellen, en enkele tientallen jaren daarna een vermenigvuldigingsmachine, ontwikkeld door Gottfried Wilhelm Leibniz. Maar het automatiseren van logaritmen was veel ambitieuzer dan elke eerdere poging.
   Babbage kwam niet zo ver, hij had zijn financiële bronnen uitgeput, raakte verwikkeld in een dispuut met de Engelse regering over het eigendomsrecht, had problemen met het laten vervaardigen van de ongewone precisie-onderdelen, en zag hoe zijn hoofdingenieur alle werknemers ontsloeg en vervolgens zelf ook vertrok. Hij werd ook gekweld door persoonlijke tragedies, waaronder de dood van zijn vader, zijn vrouw en twee van zijn kinderen.
   Het enige dat hij nog kon doen was volgens Babbage, zijn 'Difference Engine' laten voor wat die was en te beginnen aan iets dat nog veel ambitieuzer was: de eerste volledig programmeerbare computer ter wereld. Babbage's nieuwe concept, de 'Analytical Engine' (Analytische machine) zou geprogrammeerd kunnen worden voor het oplossen van alle mogelijke logische of rekenproblemen.
   De analytische machine had een random-access memory (RAM) van 1.000 'woorden' van elk 50 decimale digits, gelijk aan ongeveer 175.000 bits. Een aantal kon vanaf elke plaats worden opgehaald, gewijzigd en op een andere plaats worden opgeslagen. Er was een ponskaartlezer bij en zelfs een printer, hoewel het nog een halve eeuw zou duren voordat letterzet- of schrijfmachines zouden worden uitgevonden. De machine had een centrale verwerkingseenheid (CPU) die dezelfde logische en rekenbewerkingen kon uitvoeren die CPUs tegenwoordig doen. Het belangrijkste was echter dat de machine een speciale opslageenheid had voor software in een machinetaal die zeer veel lijkt op de taal die we tegenwoordig in computers vinden. Een decimaal veld specificeerde het soort bewerking en een ander veld specificeerde het adres in het geheugen waar de operand zich bevond. Stan Augarten, *Bit by Bit: An Illustrated History of Computers* (New York: Ticknor and Fields, 1984): 63-64.
   Babbage beschreef de functies van zijn machine in 'On the Mathematical Powers of the Calculating Engine', geschreven in 1837 en als bijlage B herdrukt in Anthony Hymans *Charles Babbage: Pioneer of the Computer* (Oxford: Oxford University Press, 1982). Voor biografische informatie over Charles Babbage en Ada Lovelace, zie Hymans biografie en Dorothy Steins boek *Ada: A Life and a Legacy* (Cambridge, MA: MIT Press, 1985).
2. Stan Augarten, *Bit by Bit*, 63-64. Babbage beschref de Analytische machine in 'On the Mathematical Powers of the Calculating Engine', geschreven in 1837, en herdrukt als

bijlage B in Anthony Hymans *Charles Babbage: Pioneer of the Computer* (Oxford: Oxford University Press, 1982).

3. Joel Shurkin, in *Engines of the Mind*, blz. 104, beschrijft Aikens machine als 'een elektromechanische machine die IBM-kaarten kan verwerken.' Voor een korte beschrijving van de ontwikkeling van de Mark I, zie Augartens *Bit by Bit*, 103-107. I. Bernard Cohen verschaft een nieuw perspectief op het verband tussen Aiken en Babbage in zijn artikel 'Babbage and Aiken', *Annals of the History of Computing* 10 (1988): 171-193.
4. Het idee van de ponskaart, door Babbage ontleend aan de Jacquard-weefgetouwen (automatische weefmachines die door geponste metalen kaarten gestuurd werden), overleefde het ook en vormde de basis voor het automatiseren van de steeds populairder wordende rekenmachines in de negentiende eeuw. Dit leidde in de Verenigde Staten tot de volkstelling van 1890, de eerste gelegenheid waarbij elektriciteit werd gebruikt voor een groot gegevensverwerkingsproject. De ponskaart zelf overleefde het als een belangrijk onderdeel van het computerwezen tot de jaren zeventig van de twintigste eeuw.
5. De Robinson van Turing was geen programmeerbare computer. Dat hoefde ook niet, de machine hoefde slechts één ding te kunnen. De eerste programmeerbare computer werd door de Duitsers ontwikkeld. Konrad Zuse, Duits ingenieur en knutselaar, was gemotiveerd om zoals hij later zei, die 'afschuwelijke berekeningen' te vergemakkelijken 'die ingenieurs moeten maken'. Net als bij Babbage was zijn eerste apparaat, de Z-1, helemaal mechanisch - in de woonkamer van zijn ouders gebouwd van een montageset. De Z-2 maakte gebruik van elektromechanische relais en kon gecompliceerde simultane vergelijkingen oplossen. De derde versie, zijn Z-3, zou het meest geschiedenis maken. Deze is bekend geworden als de eerste *programmeerbare* computer ter wereld. Zoals achteraf kan worden voorspeld aan de hand van de wet van versnellende opbrengsten zoals deze op berekeningen wordt toegepast, was de Z-3 van Zuse vrij langzaam; een vermenigvuldiging kostte meer dan drie seconden.
   Terwijl Zuse af en toe enige steun van de Duitse regering kreeg, en zijn machines een geringe militaire rol speelden, waren de Duitse leiders zich weinig of geheel niet bewust van computers en de militaire betekenis daarvan. Dit verklaart waarom zij kennelijk zoveel vertrouwen hadden in hun Enigma-code. In plaats van aan computers gaven de Duitse militairen een hoge prioriteit aan verschillende andere geavanceerde technologieën, zoals raketten en atoomwapens.
   Het zou Zuses noodlot zijn dat niemand veel aandacht zou schenken aan hem of zijn uitvindingen; zelfs de geallieerden negeerden hem toen de oorlog was afgelopen. De eerste programmeerbare computer wordt vaak aan Howard Aiken toegeschreven, ondanks het feit dat zijn Mark I pas bijna drie jaar na de Z-3 klaar was. Toen Zuses financiering in het midden van de oorlog door het Derde Rijk werd ingetrokken, legde een Duitse officier aan hem uit dat 'de Duitse vliegtuigen de beste van de wereld zijn. Ik zie niet in wat daar nog aan te verbeteren is.'
   Zuses claim dat hij de eerste volledig programmeerbare en bruikbare digitale computer ter wereld had gebouwd, wordt ondersteund door de patentaanvraag die hij had ingediend. Zie bijvoorbeeld K. Zuse, 'Verfahren zur Selbst Atigen Durchfurung von Rechnungen mit Hilfe von Rechenmaschinen', Duitse Patentaanvraag Z23624, 11 april 1936. Vertaalde uittreksels met de titel 'Methods for Automatic Execution of Calculations with the Aid of Computers', komen voor in Brian Randell, red., *The Origins of Digital Computers*, pp. 159-166.
6. 'Computing Machinery and Intelligence', *Mind* 59 (1950): 433-460, herdrukt in E. Feigenbaum en J. Feldman, red., *Computers and Thought* (New York: McGraw-Hill, 1963).

7. Zie A. Newell, J. C. Shaw, en H. A. Simon, 'Programming the Logic Theory Machine', *Proceedings of the Western Joint Computer Conference*, 1957, pp. 230-240.
8. Russell en Whiteheads *Principia Mathematica* (zie de verwijzing aan het einde van deze noot), voor het eerst gepubliceerd in 1910-1913, was een vruchtbaar blijkend werk dat, gebaseerd op Russells nieuwe opvattingen van de verzamelingenleer de wiskunde opnieuw formuleerde. Russells doorbraak in de verzamelingenleer bereidde de weg voor Turings daaropvolgende ontwikkeling van de computertheorie, gebaseerd op de Turingmachine (zie noot 16 hierna). Hieronder volgt mijn versie van 'Russells paradox', die tot Russells ontdekking bijdroeg:

   Voordat hij in 'die andere plaats' terechtkwam, had onze vriend de gokker een ruig leven geleid. Hij was ongeduldig en had een hekel aan verliezen. In ons verhaal beoefent hij ook enigszins de logica. Deze keer heeft hij echter de verkeerde uitgezocht om het hoekje om te helpen. Als hij maar had geweten dat die kerel een neef van de rechter was.

   De magistraat staat sowieso bekend als iemand die graag 'laat hangen' en nu hij woedend is, wil hij de strengste straf uitdelen die hij maar kan bedenken. Hij vertelt de gokker dus dat hij niet alleen ter dood wordt veroordeeld, maar dat het vonnis op een unieke manier zal worden uitgevoerd. 'In de eerste plaats zullen we het snel doen, net zoals jij met het slachtoffer hebt gedaan. Deze straf moet niet later worden uitgevoerd dan zaterdag. Verder wil ik niet dat je je voorbereidt op de dag van het vonnis. Op de ochtend van je terechtstelling zul je niet zeker weten dat die dag is aangebroken. Als we je komen halen, zul je verbaasd zijn.'

   Waarop de gokker antwoordt: 'Nou edelachtbare, dat is geweldig, wat een opluchting.'

   Waarop de rechter uitroept: 'Dat begrijp ik niet, hoe kun je nu opgelucht zijn? Ik heb je tot de dood veroordeeld. Ik heb bevolen dat de straf spoedig zal worden uitgevoerd, maar dat je je niet zult kunnen voorbereiden, omdat je, op de morgen dat we de straf ten uitvoer zullen brengen, niet zeker zult weten dat je die dag zult sterven.'

   'Nou, Edelachtbare,' zegt de gokker, 'als u de straf goed wilt uitvoeren, kunt u me niet op zaterdag ter dood laten brengen.'

   'Waarom niet?' vraagt de rechter.

   'Omdat, als de straf voor zaterdag moet zijn uitgevoerd, als we inderdaad zo ver komen als de zaterdag, dan zal ik zeker weten dat ik die dag zal worden terechtgesteld, en dan zou ik niet verbaasd meer zijn.'

   'Ik geloof dat je gelijk hebt,' antwoordt de rechter. 'Je kunt niet op zaterdag terechtgesteld worden. Maar ik begrijp nog steeds niet waarom dat een opluchting voor je is.'

   'Nou, als we zaterdag definitief geschrapt hebben, kan ik ook niet op vrijdag terechtgesteld worden.'

   'Waarom niet!' vraagt de rechter, die een beetje traag van begrip is.

   'We zijn het erover eens dat ik niet op zaterdag ter dood gebracht kan worden. Daarom is vrijdag de laatste dag dat ik terechtgesteld kan worden. Maar als het vrijdag wordt weet ik zeker dat ik op die dag terechtgesteld zal worden, dus zou het geen verrassing meer zijn. En dus kan ik niet op vrijdag terechtgesteld worden.'

   'Ik begrijp het,' zegt de rechter.

   'De laatste dag dat ik terechtgesteld kan worden, zou dus donderdag zijn. Maar als het donderdag wordt weet ik zeker dat ik op die dag terechtgesteld zal worden, en dan zou het geen verrassing meer zijn. Dus donderdag kan ook niet. Met dezelfde redenering kunnen we woensdag, dinsdag, maandag en vandaag schrappen.'

De rechter krabt zich op zijn hoofd terwijl de zelfverzekerde gokker wordt teruggebracht naar zijn gevangeniscel.

Dit verhaal heeft een epiloog. Op donderdag wordt de gokker opgehaald voor zijn terechtstelling. En hij is heel verbaasd. Het vonnis van de rechter wordt dus met succes ten uitvoer gebracht.

Dit is mijn versie van wat bekend is geworden als 'Russells paradox' naar Bertrand Russell, misschien wel de laatste persoon die belangrijke prestaties zou bewerkstelligen op zowel het gebied van de wiskunde als van de filosofie. Als we dit verhaal analyseren dan zien we dat de voorwaarden die de rechter had gesteld leiden tot de conclusie dat geen enkele dag de goede zou zijn, omdat, zoals de gevangene zo handig naar voren brengt, geen van de dagen voor een verrassing zou zorgen. Maar de *conclusie zelf* verandert de situatie en nu is een verrassing weer mogelijk. Dit brengt ons terug naar de oorspronkelijke situatie waarin de gevangene (in theorie) kon aantonen dat elke dag onmogelijk zou zijn, tot in het oneindige. De rechter past 'Alexanders oplossing' toe, waarmee Alexander de Grote de hopeloos verwarde Gordiaanse knoop doorhakte.

Een eenvoudiger voorbeeld, en de kwestie waarmee Russell in werkelijkheid worstelde, is de volgende vraag over verzamelingen. Een verzameling is een wiskundige constructie waarin, zoals de naam al inhoudt, een aantal zaken verzameld zijn. Een verzameling kan stoelen bevatten, boeken, schrijvers, gokkers, getallen, andere verzamelingen, zichzelf, wat dan ook. Stel u nu een verzameling A voor, die gedefinieerd is als de verzameling van alle verzamelingen die geen deel uitmaken van zichzelf. Bevat verzameling A zichzelf?

Als we dit beroemde vraagstuk overdenken, beseffen we dat er slechts twee antwoorden mogelijk zijn: Ja en Nee. Daarom kunnen we deze allebei proberen (dat is niet het geval bij de meeste wiskundevraagstukken). Laten we dus aannemen dat het Ja is. Als het antwoord Ja is, bevat verzameling A zichzelf. Maar als verzameling A zichzelf bevat, dan zou verzameling A, volgens de definitie, niet tot verzameling A behoren en dus niet tot zichzelf. Aangezien het antwoord Ja tot een tegenstrijdigheid leidt, moet het verkeerd zijn.

Laten we Nee dus eens proberen. Als het antwoord Nee is, bevat verzameling A zichzelf niet. Maar, wederom volgens de definitie, als verzameling A zichzelf niet bevat, dan zou hij bij verzameling A horen, ook een tegenstrijdigheid. Net als bij het verhaal van de gevangene, hebben we hier incomplete voorstellen die elkaar inhouden. Ja houdt Nee in, wat tot Ja leidt, enzovoorts.

Dit lijkt misschien niet erg belangrijk, maar voor Russell vormde het een bedreiging voor de basis van de wiskunde. Wiskunde is gebaseerd op het concept van verzamelingen, en de kwestie van insluiting (d.w.z. wat hoort er bij een verzameling) vormt de basis van het idee. De definitie van verzameling A lijkt heel redelijk te zijn. De kwestie of verzameling A bij zichzelf hoort, lijkt ook redelijk te zijn. Toch is het moeilijk om een redelijk antwoord te vinden op deze redelijke vraag. De wiskunde was in grote moeilijkheden.

Russell dacht meer dan tien jaar na over dit probleem, waardoor hij zichzelf aan de rand van de uitputting bracht en tenminste één huwelijk kapotmaakte. Maar hij vond een antwoord. Hiervoor vond hij het equivalent van een theoretische computer uit (hoewel hij het anders noemde). Russells 'computer' is een logische machine, die per keer één logische transformatie uitvoert, die elk een kwantum tijd vereist – de dingen gebeuren dus niet gelijktijdig. Onze vraag over verzameling A wordt op een ordelijke manier onderzocht. Russel zet zijn theoretische computer aan (die, bij gebrek aan een echte computer, alleen in zijn hoofd werkte) en de logische operaties worden elk op hun beurt 'uitgevoerd'. Op een gegeven punt is het antwoord dus ja, maar het programma blijft lopen en enkele kwanta tijd later wordt het antwoord nee. Het programma loopt in een oneindige lus en wisselt voortdurend tussen ja en nee.

Maar het antwoord is nooit ja en nee tegelijk!

Onder de indruk? Russell was er in ieder geval wel erg blij mee. Het uitsluiten van de mogelijkheid dat het antwoord *gelijktijdig* ja en nee *kon zijn* was voldoende om de wiskunde te redden. Met de hulp van zijn vriend en vroegere leraar Alfred North Whitehead, goot Russell de hele wiskunde over in de termen van zijn nieuwe theorie van verzamelingen en logica, die zij in 1910-1913 publiceerden in hun *Principia Mathematica*. Het is de moeite waard erop te wijzen dat het concept van een computer, theoretisch of anderszins, in die tijd niet alom begrepen werd. De negentiende-eeuwse pogingen van Charles Babbage, die in dit hoofdstuk worden besproken, waren in die tijd vrij onbekend. Het is niet duidelijk of Russell op de hoogte was van de inspanningen van Babbage. Het bijzonder invloedrijke en revolutionaire werk van Russell mondde uit in een logische berekeningstheorie en goot de wiskunde in zijn nieuwe vorm uit als een van zijn vertakkingen. Wiskunde was nu een deel van de computingwetenschap.

Russell en Whitehead spraken niet met zoveel woorden over computers, maar goten hun ideeën in de wiskundige terminologie van de verzamelingenleer. Het werd aan Alan Turing overgelaten om in 1936 de eerste theoretische computer te bouwen, zijn Turingmachine (zie noot 16 hieronder).

Alfred N. Whitehead en Bertrand Russell, *Principia Mathematica*, 3 delen, tweede druk (Cambridge: Cambridge University Press, 1925-1927). (De eerste druk werd uitgegeven in 1910, 1912 en 1913.)

Russells paradox werd voor het eerst geïntroduceerd in Bertrand Russell, *Principles of Mathematics* (Reprint, New York: W.W. Norton & Company, 1996), 2de druk, 79-81. Russells paradox is een subtiele variant van de leugenaarsparadox. Zie E.W. Beth, *Foundations of Mathematics* (Amsterdam, North-Holland, 1959), blz. 485.

9. 'Heuristic Problem Solving: The Next Advance in Operations Research', *Journal of the Operations Research Society of America* 6, nr. 1 (1958), herdrukt in Herbert Simon, *Models of Bounded Rationality*, deel 1, Economic Analysis and Public Policy (Cambridge, MA: MIT Press, 1982).
10. 'A Mean Chess-Playing Computer Tears at the Meaning of Thought', *New York Times*, 19 februari 1996, bevat de reacties van Gary Kasparov en een aantal bekende geleerden betreffende de implicaties van het feit dat Deep Blue de wereldkampioen schaken versloeg.
11. Daniel Bobrow, 'Natural Language Input for a Computer Problem Solving System' in Marvin Minsky, *Semantic Information Processing*, pp. 146-226.
12. Thomas Evans, 'A Program for the Solution of Geometric-Analogy Intelligence Test Questions.' in Marvin Minsky, red., *Semantic Information Processing* (Cambridge, MA: MIT Press, 1968), pp. 271-353.
13. Robert Lindsay, Bruce Buchanan, Edward Feigenbaum en Joshua Lederberg beschrijven DENDRAL in *Applications of Artificial Intelligence for Chemical Inference: The DENDRAL Project* (New York: McGraw-Hill, 1980). Zie voor een korte en duidelijke uitleg van de essentiële mechanismen achter DENDRAL: Patrick Winston, *Artificial Intelligence* (1984), pp. 163-164, 195-197.
14. Gedurende vele jaren werd SHRDLU beschouwd als een van de belangrijkste prestaties van kunstmatige intelligentie. Winograd beschrijft zijn onderzoek in zijn thesis *Understanding Natural Language* (New York: Academic Press, 1972). Een korte versie hiervan verschijnt als 'A Procedural Model of Thought and Language' in

Roger Schank en Kenneth Colby, red., *Computer Models of Thought and Language* (San Francisco: W. H. Freeman, 1973).

15. Haneef A. Fatmi en R. W. Young, 'A Definition of Intelligence', *Nature* 228 (1970): 97.

16. Alan Turing toonde aan dat met behulp van een zeer eenvoudige theoretische machine vorm gegeven kon worden aan de essentiële basis van de computerwetenschap. Hij bouwde in 1936 de eerste theoretische computer (voor het eerst geïntroduceerd in Alan M. Turing, 'On Computable Numbers with an Application to the Entscheinungs Problem', *Proc. London Math. Soc.* 42 (1936): 230-265, de Turingmachine. Net als met een aantal andere doorbraken van Turing zou hij zowel het eerste als het laatste woord hebben. Zijn machine vertegenwoordigt het fundament van de moderne computerwetenschap en heeft het ook overleefd als onze eerste theoretische model van een computer, vanwege de combinatie van eenvoud en vermogen.
De Turingmachine is een voorbeeld van de eenvoud van de fundamenten van intelligentie. Een Turing-machine bestaat uit twee primaire (theoretische) units: een bandrecorder en een rekeneenheid. De bandrecorder heeft een band van oneindige lengte waar de machine een serie van twee symbolen op kan schrijven en (vervolgens) ervan kan aflezen: nul en een. De rekeneenheid bevat een programma, dat bestaat uit een reeks commando's, met als basis slechts zeven mogelijke bewerkingen:
    - Lees de band af.
    - Beweeg de band een symbool naar links.
    - Beweeg de band een symbool naar rechts.
    - Schrijf 0 op de band.
    - Schrijf 1 op de band.
    - Spring naar een ander commando.
    - Stop.

    Turing kon aantonen dat deze uiterst eenvoudige machine alles kan berekenen wat welke machine dan ook kan berekenen, hoe ingewikkeld ook. Als een probleem niet door de Turingmachine kan worden opgelost, dan kan geen enkele machine het oplossen. Af en toe wordt deze stelling aangevochten, maar over het algemeen heeft hij de tand des tijds doorstaan.
    In hetzelfde artikel meldt Turing nog een onverwachte ontdekking, die van de onoplosbare problemen. Dit zijn problemen die goed gedefinieerd zijn en waarvan kan worden aangetoond dat er unieke antwoorden op bestaan, maar waarvan we ook kunnen bewijzen dat ze nooit door een Turingmachine kunnen worden berekend – dat wil dus zeggen door geen enkele machine, weer in tegenstelling met het idee dat in de negentiende eeuw door iedereen vol vertrouwen werd aanvaard dat problemen die konden worden gedefinieerd, uiteindelijk altijd kunnen worden opgelost. Turing liet zien dat er evenveel onoplosbare als oplosbare problemen bestaan.
    Turing en Alonzo Church, zijn vroegere professor, verdedigden vervolgens wat bekend zou worden als de Church-Turingthesis: Als een probleem dat aan een Turingmachine kan worden gepresenteerd, niet door zo'n machine kan worden opgelost, dan is het ook niet op te lossen door menselijk denken. 'Sterke' interpretaties van de Church-Turingthesis stellen een essentiële equivalentie voor tussen wat een mens kan denken of weten en wat door een machine berekend kan worden. De Church-Turingthesis kan worden beschouwd als een herformulering in wiskundige termen van een van Wittgensteins primaire theses in zijn *Tractatus*. Het basisidee is dat het menselijk brein onderworpen is aan natuurwetten en dat het daarom nooit meer gegevensverwerkingscapaciteit kan hebben dan een machine. Zo bevinden we ons dus in de verbijsterende situatie dat we in staat zijn een probleem te definiëren en te bewijzen dat er een uniek antwoord op bestaat, maar toch weten dat het antwoord nooit bekend zal worden.

Elke Turingmachine heeft een bepaald aantal commando's in zijn programma. Als we uitgaan van een positieve integere n, bouwen we alle Turingmachines die n fases hebben (oftewel n opdrachten). Vervolgens elimineren we alle Turingmachines met een n-fase die in een oneindige lus komen (d.w.z. nooit stoppen). Tenslotte selecteren we de machine (een die stopt), die het grootste aantal enen op de band schrijft. Het aantal enen dat deze Turingmachine schrijft, wordt de 'bezige bij' van n genoemd. Tibor Rado, een wiskundige en bewonderaar van Turing, toonde aan dat er geen algoritme bestaat (dat wil zeggen geen Turingmachine) die de bezige-bijfunctie voor alle n's kan berekenen. Het kernpunt van het probleem is het uitzoeken welke Turingmachines met n-fase in een oneindige lus raken. Als we een Turingmachine programmeren voor het produceren en simuleren van elke mogelijke Turingmachine met n-fases, dan gaat deze simulator zelf in een oneindige lus als hij probeert een van de Turingmachines met n-fases te simuleren die in een oneindige lus komt. De 'bezige bij' kan worden berekend voor een paar n's en het is interessant dat het ook een onoplosbaar probleem is om deze n's, waarvoor we de 'bezige bij' kunnen bepalen, apart te houden van de n's waarvoor we dat niet kunnen.
De 'bezige bij' is een 'intelligente functie'. Exacter gesteld, het is een functie die een toenemende intelligentie vereist om toenemende argumenten te berekenen. Naarmate we n groter maken, worden ook de processen die nodig zijn om de 'bezige bij' van n te berekenen steeds ingewikkelder.
Als n = 6, hebben we te maken met optellen en is de 'bezige bij' van 6 gelijk aan 35. Met andere woorden, optellen is de ingewikkeldste berekening die een Turingmachine met slechts 6 stappen in zijn programma zal kunnen uitvoeren. Bij 7, leert de 'bezige bij' te vermenigvuldigen en de 'bezige bij' van 7 is gelijk aan 22.961. Bij 8 kan de 'bezige bij' machtsverheffen en het aantal enen dat onze achtste 'bezige bij' op de band schrijft, is ongeveer $10^{43}$. U ziet dat deze groei nog sneller is dan die uit de wet van Moore. Tegen de tijd dat we bij 10 komen, hebben we een of andere exotische notatie nodig waarin we een stapel exponenten kunnen opbergen (10 tot de 10^de^ tot de 10^de^ enz.), die zo hoog is dat we de hoogte alleen kunnen bepalen door nog een stapel exponenten, waarvan we de hoogte alleen kunnen bepalen door een andere stapel exponenten, enzovoorts. Voor de twaalfde 'bezige bij' hebben we zelfs een nog exotischer notatie nodig. De menselijke intelligentie (uitgedrukt in termen van complexiteit van wiskundige bewerkingen die we kunnen begrijpen) wordt gepasseerd, lang voor dat de 'bezige bij' bij 100 is. De computers van de eenentwintigste eeuw zullen het een beetje beter doen.
Het vraagstuk van de 'bezige bij' is een voorbeeld van een grote klasse niet-berekenbare functies, zoals men kan zien in Tibor Rado, 'On Noncomputable Functions', *Bell System Technical Journal* 41, nr 3(1962): 877-884.

17. Raymond Kurzweil, *The Age of Intelligent Machines* (Cambridge, MA: MIT Press, 1990), pp. 132-133.
18. H. J. Berliner, 'Backgammon Computer Program Beats World Champion', *Artificial Intelligence* 14, nr. 1 (1980). Zie ook Hans Berliner, 'Computer Backgammon', *Scientific American*, Juni 1980.
19. Als u Ray Kurzweils Cybernetic Poet (RKCP) wilt downloaden, ga dan naar: http://www.kurzweiltech.com. RKCP wordt verder besproken in de paragraaf *De creatieve machine* in hoofdstuk 8, '1999' van dit boek.
20. Zie de bespreking van deze componeerprogramma's in de paragraaf *De creatieve machine* in hoofdstuk 8, '1999' van dit boek.
21. Zie W. S. Sarle, red., 'Neural Network Frequently Asked Questions', ftp://ftp.sas.com/pub/neural/FAQ.html. Deze website heeft talloze artikelen over vroeger en huidig onderzoek van neurale netwerken. G. E. Hintons 'How Neural

Networks Learn from Experience', in de september-uitgave van 1992 van *Scientific American* (144-151), geeft ook een goede introductie tot neurale netwerken.

22. Onderzoekers aan het Productivity from Information Technology (PROFIT)-initiatief aan het MIT hebben de effectiviteit bestudeerd van neurale netwerken wat betreft het begrijpen van handgeschreven teksten.
Het PROFIT-initiatief is gevestigd in de Sloan School of Management aan het MIT. De missie van het initiatief is bestuderen hoe de particuliere en de openbare sector informatietechnologie gebruiken. Uittreksels van werkdocumenten hierover en ander onderzoek omtrent neurale netwerken en dataontginning kunt u vinden op http://scanner-group.mit.edu/papers.html.
23. Miros Inc. is gevestigd in Wellesley, Massachusetts, en is gespecialiseerd in het leveren van gezichtsherkenningssoftware. Een van de producten van Miros is TrueFace PC, het eerste gezichtsherkenningsprogramma voor computer-, netwerk- en databeveiliging en TrueFace GateWatch, een compleet hardware/softwarebeveiligingsprogramma waarmee door middel van automatische herkenning van iemands gezicht, dat wordt opgenomen door een videocamera, toegang kan worden verleend of geweigerd tot gebouwen en vertrekken. Uit Miros Company Information op http://www.miros.com/About_Miros.htm.
24. Zie voor meer informatie over het talent van BrainMaker voor het diagnosticeren van ziekten en het voorspellen van de Standard and Poor's 500 voor LBS Management, de homepage van California Scientific op http://www.calsci.com.
25. De hier gegeven reset-tijd is een geschat gemiddelde voor het berekenen van zenuwverbindingen. Vadim Gerasimov schat bijvoorbeeld de piekactiviteit van neuronen (die veel hoger is dan het gemiddelde) op 250-2.000 Hz (intervallen van 0,5-4 ms) in 'Information Processing in the Human Body' op
http://vadim.www.media.mit.edu/MAS862/Project.html. De hersteltijd wordt beïnvloed door een aantal variabelen, onder meer het niveau en de duur van een geluid, zoals besproken in Jos. J. Eggermont, 'Firing Rate and Firing Synchrony Distinguish Dynamic from Steady State Sound', *NeuroReport 8*, issue 12, 2709-2713.
26. Hugo de Garis houdt een website bij over zijn onderzoek voor de Brain Builder Group van ATR: http://www. hip.atr.co.jp/~degaris/
27. Voor een fascinerend verslag van dit onderzoek kunt u Carver Mead lezen, *Analog VSLI and Neural Systems* (Reading, MA: Addison-Wesley, 1989), 257-278. Zinsbouw wordt kort belicht in Carol Levin, 'Here's Looking at You', *PC Magazine* (20 december 1994): 31. De website van Carver Mead verschaft u ook gedetailleerde informatie over dit onderzoek van de 'Physics of Computation-Carver Mead's Group' op http://www.pcmp.caltech.edu/.
28. Het SETI (Search for Extraterrestrial Intelligence = onderzoek naar buitenaardse intelligentie) Institute zoekt naar andere levenstekens uit het heelal, waarbij hun eerste doel het onderzoek naar buitenaardse intelligentie is. Het instituut is een nonprofitorganisatie, gesticht door de regering, particuliere stichtingen en personen, die op haar beurt enkele tientallen projecten financiert. Zie voor meer informatie de website van het SETI Institute, http://www.seti.org.
29. De schrijver dicteert gedeelten van dit boek aan zijn computer met behulp van het spraakherkenningsprogramma Voice Xpress Plus van Lernout & Hauspie Speech Products (voorheen Kurzweil Applied Intelligence). Zie noot 9 over Voice Xpress Plus in hoofdstuk 2 voor meer informatie.
30. Om meer te weten te komen over de aankoop door State Street Global Advisor van een meerderheidsbelang in Advanced Investment Technology, zie Frank Byrt, 'State Street Global Invests in Artificial Intelligence', *Dow Jones Newswires*, 29 oktober 1997. Het genetische-algoritmesysteem dat door de AIT Vision-beleggingsmaatschappij

wordt gebruikt, is beschreven in S. Mahfoud en G. Mani, 'Financial Forecasting Using Genetic Algorithms', *Applied Artificial Intelligence* 10 (1996): 543-565. De AIT Vision-beleggingsmaatschappij ging in het begin van 1996 van start en de opbrengstcijfers zijn openbaar. In het eerste volledige kalenderjaar (1996) ging de beleggingsmaatschappij 27,2 procent in netto activa omhoog, vergeleken met 21,2 procent voor haar referentiepunt, de Russell 3000-index.

We moeten hierbij opmerken dat het overschrijden van het referentiepunt op zichzelf geen bewijs is van een superieur niveau van besluitvorming. Het algoritme kan investeringen hebben gedaan met een (gemiddeld) hogere risicofactor dan het gemiddelde in de index.

31. Er bestaan vele Internetbronnen over evolutionaire berekeningen en evolutionaire en genetische algoritmen. Een van de beste is 'The Hitchhiker's Guide to Evolutionary Computation: A List of Frequently Asked Questions (FAQ)', geredigeerd door Jorg Heitkotter en David Beasley op http://www.cs.purdue.edu/coast/archive/clife/FAQ/www/. Deze gids bevat alles van een overzicht van koppelingen tot verschillende onderzoeksgroepen.

    Ook de website van het Santa Fe Institute is een nuttige hulpbron op het Internet. De website van het instituut kunt u vinden op http://www.santafe.edu.

    Voor een introductie tot genetische algoritmen buiten het Internet kunt u het artikel van John Holland lezen, 'Genetic Algorithms', *Scientific American* 267, nr. 1 (1992): 66-72. Zoals vermeld in noot 22 van hoofdstuk 1, ontwikkelden Holland en zijn collega's aan de University of Michigan genetische algoritmen in de jaren zeventig van de twintigste eeuw.

    Zie voor meer informatie over het gebruik van de genetische algoritmetechnologie voor het leiden van de ontwikkeling en de fabricage van Volvo-vrachtauto's Srikumar S. Rao, 'Evolution at Warp Speed', *Forbes* 161, nr. 1 (12 januari, 1998): 82-83.

    Zie ook noot 22 over complexiteit in hoofdstuk 1.
32. Zie 'Information Processing in the Human Body', van Vadim Gerasimov, op http://vadim.www.media.mit.edu/MAS862/Project.html.
33. Zie 'Information Processing in the Human Body' door Vadim Gerasimov, op http://vadim.www.media.mit.edu/MAS862/Project.html.
34. Ik heb Kurzweil Applied Intelligence (Kurzweil AI) in 1982 opgericht. Het bedrijf is nu onderdeel van Lernout & Hauspie Speech Products (L&H), een internationaal vooraanstaand bedrijf in de ontwikkeling van spraak- en taaltechnologie en daaraan verbonden toepassingen en producten. Zie voor meer informatie over deze spraakherkenningsproducten http://www.lhs.com/dictation/.

## HOOFDSTUK 5: CONTEXT EN KENNIS

1. Victor L. Yu, Lawrence M. Fagan, S. M. Wraith, William Clancey, A. Carlisle Scott, John Hannigan, Robert Blum, Bruce Buchanan en Stanley Cohen, 'Antimicrobial Selection by Computer: A Blinded Evaluation by Infectious Disease Experts', *Journal of the American Medical Association* 242, nr. 12 (1979): 1279-1282.
2. Lees voor een introductie tot de ontwikkeling van expertsystemen en het gebruik daarvan in verschillende bedrijven: Edward Feigenbaum, Pamela McCorduck en Penny Nii, *The Rise of the Expert Company* (Reading, MA: Addison-Wesley, 1983).
3. William Martin, Kenneth Church en Ramesh Patil, 'Preliminary Analysis of a Breadth-First Parsing Algorithm: Theoretical and Experiential Results'. MIT Laboratory for Computer Science, Cambridge MA, 1981. In dit document citeert Church de synthetische zin:

    'Het was het aantal producten van producten van producten van producten van producten van producten van producten van producten?' als een zin met 1 430 syntactisch correcte interpretaties.

Hij citeert de volgende zin:

'Hoeveel producten van producten van producten van producten van producten van producten van producten van producten was het aantal producten van producten van producten van producten van producten van producten van producten van producten?' als een zin met 1 430 x 1 430 = 2 044 900 interpretaties.

4. Deze en andere theoretische aspecten van computerlinguïstiek worden behandeld in Mary D. Harris, *Introduction to Natural Language Processing* (Reston, VA: Reston Publishing Co., 1985).

## HOOFDSTUK 6: NIEUWE HERSENEN BOUWEN...

1. Hans Moravec zal in zijn boek waarschijnlijk dit argument naar voren brengen *Robot: Mere Machine to Transcendent Mind* (Oxford University Press; op het moment dat ik dit schrijf is het nog niet verschenen).
2. Honderdvijftig miljoen berekeningen per seconde voor een pc uit 1998 zal tegen 2025 zevenentwintig maal verdubbeld zijn (dan nemen we aan dat zowel het aantal componenten als de snelheid van elke component iedere twee jaar verdubbeld worden), wat gelijk is aan 20 miljoen miljard berekeningen per seconde. In 1998 zijn er op een conventionele computer veelvoudige berekeningen nodig om een neuraalverbindingsberekening te simuleren. Tegen 2020 zullen computers echter geoptimaliseerd zijn voor de neuraalverbindingsberekening (en andere sterk repeterende berekeningen die nodig zijn voor het simuleren van neurale functies). We zien dat de neuraalverbindingsberekeningen eenvoudiger en regelmatiger zijn dan algemene berekeningen op een pc.
3. Vijf miljard bits per 1000 dollar in 1998 zal tegen 2023 zeventien maal verdubbeld zijn, wat betekent dat een miljoen miljard bits in 2023 ongeveer 1000 dollar zal kosten.
4. NECs doelstelling om een supercomputer te bouwen met een maximale prestatie van meer dan 32 teraflops wordt verhaald in 'NEC Begins Designing World's Fastest Computer', *Newsbytes News Network*, 21 januari 1998, op het Internet te vinden op http://www.nb-pacifica.com/headline/necbeginsdesigningwo_1208.shtml.
   In 1998 was IBM een van de vier bedrijven die waren uitgekozen voor deelname in PathForward, een initiatief van het Amerikaanse Ministerie van Energie om een supercomputer voor de eenentwintigste eeuw te ontwikkelen. De andere bedrijven die in het project werden betrokken zijn Digital Equipment Corporation; Sun Microsystems, Inc. en Silicon Graphics/Cray Computer Systems (SGI/ Cray). PathForward maakt deel uit van het Accelerated Strategic Computing Initiative (ASCI). Zie voor meer informatie over dit initiatief http://www.llnl.gov/asci.
5. Als we uitgaan van de steeds sneller gaande ontwikkeling in zowel de dichtheid als de snelheid van de componenten, zal het computervermogen elke twaalf maanden verdubbelen, of toenemen met een factor van duizend per tien jaar. Gebaseerd op de projectie van 1000 dollar aan computers, wat gelijk is aan het geschatte verwerkingsvermogen van het menselijke verstand (20 miljoen miljard berekeningen per seconde) tegen het jaar 2020, krijgen we een projectie van 1000 dollar aan computers wat gelijk is aan een miljoen menselijke breinen in 2040, een miljard menselijke breinen in 2050 en een biljoen menselijke breinen in 2060.
6. Tegen 2099 zal $1000 aan computervermogen gelijk staan aan $10^{24}$ maal het verwerkingsvermogen van het menselijk brein. Gebaseerd op een schatting van 10 miljard

mensen, is dat $10^{14}$ maal het verwerkingsvermogen van alle menselijke breinen bij elkaar. Een cent aan computervermogen is zodoende gelijk aan $10^{9}$ (een miljard) maal het verwerkingsvermogen van alle menselijke breinen bij elkaar.

7. In de theorieën over het onderbroken evenwicht wordt evolutie beschouwd als ontstaan door plotselinge sprongen vooruit, gevolgd door perioden van relatieve stabiliteit. Het is interessant dat we vaak soortgelijk gedrag zien in de werking van evolutionaire algoritmen (zie hoofdstuk 4).
8. Dean Takahashi, 'Small Firms Jockeying for Position in 3D Chip Market', *Knight Ridder/Tribune News Service*, 21 september 1994, 0921K4365.
9. Het gehele februarinummer (1998) van *Computer* (31, nr. 2) gaat in op de status van optische computerverrichtingen en optische opslagmethoden.
   Sunny Bains schrijft over bedrijven die optische computerbewerkingen gebruiken voor het herkennen van vingerafdrukken en andere toepassingen in 'Small, Hybrid Digital/Electronic Optical Correlators Ready to Power Commercial Products: Optical Computing Comes into Focus', *EE Times*, 26 januari 1998, uitgave 990. Dit artikel is op het Internet te lezen op
   http://www.techweb.com/se/directlink.cgi?EET19980126S0019.
10. Lees, voor een niet-technische introductie van computerberekeningen door DNA, Vincent Kiernan, 'DNA-Based Computers Could Race Past Supercomputers, Researchers Predict', in de *Chronicle of Higher Education* (28 november 1997). Kiernan bespreekt het onderzoek van dr. Robert Corn van de University of Wisconsin evenals het onderzoek van dr. Leonard Adleman. U kunt het artikel bekijken op
   http://chronlcle.com/data/articles.dir/art-44.dir/issue-14.dir/14a02301.htm.
   Onderzoek van de University of Wisconsin kan op het Internet bekeken worden op
   http ://corninfo.chem.wisc.edu/ writings/ DNAcomputing.html.
   Leonard Adlemans 'Molecular Computation of Solutions to Combinatorial Problems' uit het nummer van 11 november 1994 van *Science* (deel 266, blz. 1021) verschaft een technisch overzicht van zijn ontwerp voor een DNA-softwareprogramma voor computers.
11. Het onderzoek van Lambertus Hesselink wordt genoemd door Phillip F. Schewe en Ben Stein in *Physics News Update* (nr. 219; 28 maart 1995). De beschrijving is op het Internet beschikbaar op
   http://www.aip.org/enews/physnews/ l995/split/pnu219-2.htm.
12. Lees voor informatie over nanobuisjes en buckyballs het artikel van Janet Rae-Dupree, 'Nanotechnology Could Be Foundation for Next Mechanical Revolution', *Knight-Ridder Tribune News* Service, 17 december 1997, 1217K1133.
13. Dr. Sumio Iljima's onderzoek over nanobuisjes wordt samengevat in het volgende artikel op de website van NEC:
   http://www.labs.nec.co.jp/rdletter/letter01/index1.html.
14. Het onderzoek van Isaac Chuang en Neil Gershenfeld wordt vermeld in 'Cue the Qubits: Quantum Computing', *The Economist* 342, nr. 8005 (22 februari 1997): 91-92; en in een artikel door Dan Vergano, 'Brewing a Quantum Computer in a Coffee Cup', *Science News* 151, nr. 3 (18 januari 1997): 37. Meer technische details en een lijst van publicaties door Chuang en Gershenfeld kunt u vinden op
   http://physics.www.media.mit.edu/publication/ van de Physics and Media Group/ MIT Media Lab en op http://qso.lanl.gov/ qc/ van Los Alamos National Laboratory. Ook andere groepen werken aan de kwantumcomputerbewerkingen, zoals de Information Mechanics-groep aan het Lab for Computer Science van MIT, op http://www-im.lcs.mit.edu/ en de Quantum Computation Group van IBM http://www.research.ibm.com/quantuminfo/.
15. 'Student Cracks Encryption Code', *USA Today Tech Report*, 2 september 1997.

16. Mark Buchanan, 'Light's Spooky Connections Set Distance Record', *New Scientist*, 28 juni 1997.
17. Roger Penrose, *The Emperor's New Mind* (New York: Penguin USA, 1990).
18. Om het begrip 'tunneling' te kunnen begrijpen, is het belangrijk om te begrijpen hoe transistors op een geïntegreerde schakelchip werken. Een geïntegreerde chip is gegraveerd met circuits die bestaan uit duizenden miljoenen transistors, die door elektronische apparaten worden gebruikt voor het besturen van de elektrische stroom. Transistors zijn gemaakt uit een klein blokje halfgeleidend materiaal, dat elektriciteit zowel isoleert als geleidt. De eerste transistors bestonden uit germanium en werden later vervangen door silicium.
Transistors werken door het vasthouden van een patroon van elektrische lading, waarbij dat ladingspatroon elke seconde miljoenen keren verandert. 'Tunneling' wijst erop dat elektronen (kleine deeltjes die rondom de kern van een atoom cirkelen) zich door het silicium kunnen voortbewegen of 'tunnelen'. Men zegt dat elektronen door de barrière kunnen tunnelen als resultaat van de kwantumonzekerheid over de kant van de barrière waar ze zich nu eigenlijk bevinden.
19. Geciteerd uit Douglas R. Hofstadter, *Gödel, Escher, Bach: An Eternal Golden Braid* (New York: Basic Books, 1979).
20. Michael Winerip, 'Schizophrenia's Most Zealous Foe', *New York Sunday Times*, 22 februari 1998.
21. Het doel van het Visible Human Project is het scheppen van een sterk gedetailleerd driedimensionaal beeld van het mannelijke en vrouwelijke lichaam. Het project verzamelt transverse CT-, MRI- en cryosectiebeelden. De website bevindt zich op http://www.nlm.nih.gov/research/visible/visible_human.html.
22. Klompjes kennis zouden groter zijn dan het aantal onderscheiden woorden omdat woorden op meer dan één manier worden gebruikt en meer dan één betekenis hebben. Elk verschillend gebruik of andere betekenis van een woord wordt vaak de 'strekking' van een woord genoemd. Waarschijnlijk gebruikte Shakespeare meer dan 100.000 woord-'strekkingen,'
23. De wetenschappelijk onderzoekers Mark Hübener, Doron Shoham, Amiram Grinvald en Tobias Bonhoeffer hebben hun experimenten met optische beeldvorming gepubliceerd in 'Spatial Relationships among Three Columnar Systems in Cat Area 17', *Journal of Neuroscience* 17 (1997): 9270-9284. Meer informatie hierover en over andere hersenbeeldvormende onderzoeken bevindt zich op de website van het Weizmann Institute http://www.weizmann.ac.il/ en op Amiram Grinvalds website http://www.weizmann.ac.il/brain/grinval.htm.
24. Het werk van dr. Benebid en andere onderzoekers wordt samengevat in een internetartikel, 'Neural Prosthetics Come of Age as Research Continues', door Robert Finn, *The Scientist* 11, nr. 19 (29 september 1997): 13, 16. Dit artikel kunt u vinden op http://www.the-scientist.library.upenn.edu/yr1997/sept/ _970929.html.
25. Uit een telefonisch interview in april 1998 van de schrijver met dr. Trosch.
26. Dr. Rizzo's onderzoek wordt ook besproken in het artikel van Finn: 'Neural Prosthetics Come of Age as Research Continues'.
27. Indien u meer wilt lezen over de 'neurontransistor,' dient u de website van het Membrane and Neurophysics Department van het Max Planck Institute for Biochemistry te bezoeken op http://mnphys.biochem.mpg.de/.
28. Robert Finn, 'Neural Prosthetics Come of Age as Research Continues'.
29. Het onderzoek van Carver Mead wordt beschreven op http://www.pcmp.caltech.edu/.
30. W. B. Yeats, 'Sailing to Byzantium', uit *Selected Poems and Two Plays of William Butler Yeats*, geredigeerd door M. L. Rosenthal (New York: Macmillan, 1966).

## HOOFDSTUK 7: ...EN LICHAMEN

1. Herbert Dreyfus is welbekend om zijn kritiek op kunstmatige intelligentie in zijn boek *What Computers Can't Do: The Limits of Artificial Intelligence* (New York: Harper and Row, 1979). Andere theoretici die beschouwd kunnen worden als aanhangers van het 'de geest gaat boven de machine'-perspectief zijn o.a. J. R. Lucas en John Searle. Zie J. R. Lucas, 'Minds, Machines and Gödel', *Philosophy* 36 (1961): 120-124; en John Searle, 'Mind, Brains and Programs', *The Behavioral and Brain Sciences* 3 (1980): 417-424. Zie ook het recentere boek van Searle, *The Rediscovery of the Mind* (Cambridge, MA: MIT Press, 1992).
2. 'Onderzoekers onder leiding van dr. Clifford Steer van de medische faculteit van de University of Minnesota vermelden in de laatste uitgave van *Nature Medicine* dat zij de behoefte aan virussen hebben geëlimineerd door de eigen genetische herstelprocessen van het lichaam aan te wenden. In hun historisch geworden experiment om hun ideeën te bewijzen, bracht het team uit Minnesota permanente verandering aan in het bloedstollende gen in 40% van de levercellen in een groep ratten. De onderzoekers begonnen met het splijten van een stukje van hun DNA tot een reepje RNA. Toen omhulden zij de moleculehybride met een beschermlaag, brachten die op smaak met suikers die de levercellen opzoeken en injecteerden dat in laboratoriumratten. Zoals het plan was, spoedden de moleculehybriden zich naar het gen dat het doelwit was en stelden zich er in een rij op. Een enzym in de levercellen van de ratten zelf deed de rest. Elke keer dat het een DNA tegenkwam dat niet op zijn plaats leek te zitten verwijderde dat enzym dat aanstootgevende DNA en naaide er een vervanging op. Nu is het de kunst om aan te tonen dat dit ook met andere weefsels en bij andere soorten werkt.' Uit 'DNA Therapy: The New, Virus-Free Way to Make Genetic Repairs.' *Time*, 16 maart 1998.
3. Hans Moravec, *Mind Children: The Future of Robot and Human Intelligence* (Cambridge, MA: Harvard University Press, 1988), blz. 108.
4. Ralph Merkle's commentaar op de nanotechnologie kunt u vinden in een overzicht op zijn website bij het Xerox Palo Alto Research Center http://sandbox.xerox.com/nano. Zijn website bevat koppelingen naar belangrijke publicaties over nanotechnologie zoals de lezing van Richard Feynman uit 1959 en de dissertatie van Eric Drexler, evenals koppelingen naar verschillende onderzoekscentra die zich concentreren op nanotechnologie.
5. Richard Feynman presenteerde deze ideeën op 29 december 1959 op de jaarlijkse bijeenkomst van de American Physical Society in het Institute of Technology of California (Cal Tech). Zijn lezing werd voor het eerst gepubliceerd in het februarinummer van 1960 van Cal Tech's *Engineering and Science*. Dit artikel is op het Internet te lezen op http://nano.xerox.com/nanotech/feynman.html.
6. Eric Drexler, *Engines of Creation* (New York: Anchor Press/Doubleday, 1986). Het boek is op het Internet ook te lezen op de website van Xerox nanotechnologie, http://sandbox.xerox.com/nano en ook op Drexlers website van het Foresight Institute http://www.foresight.org/EOC/index.html.
7. Eric Drexler, *Nanosystems: Molecular Machinery, Manufacturing, and Computation* (New York: John Wiley and Sons, 1992).
8. De website van Nanothinc verklaart op http://www.nanothinc.com/: 'De nanotechnologie bevat, breed gedefinieerd, een aantal op nanoschaal verwante activiteiten en disciplines en is een wereldindustrie waarin meer dan 300 bedrijven tegenwoordig meer dan 5 miljard dollar aan jaaropbrengsten produceert - en over 4 jaar is dat 24 miljard dollar.' Nanothinc voegt een lijst bij van bedrijven met opbrengsten waarop dat cijfer is gebaseerd. Sommige winstopleverende nanotoepassingen zijn microma-

chines, micro-elektromechanische systemen, autofabricage, nanolithografie, gereedschap voor de nanotechnologie, de microscopie met scansondes, software, materialen op nanoschaal en nanofasematerialen.

9. De publicaties en het werk op het gebied van nanotechnologie van Richard Smalley zijn te vinden op de website van het Center for Nanoscale Science and Technology van de Rice University http://cnst.rice.edu/.
10. Zie voor informatie over het gebruik van nanotechnologie bij het creëren van het bedrijfslogo van IBM, Faye Flam, 'Tiny Instrument Has Big Implications.' *Knight-Ridder/Tribute News Service*, 11 augustus 1997, 811K7204.
11. Dr. Jeffrey Sampsell van Texas Instruments heeft een witboek geschreven waarin hij een samenvatting geeft van onderzoek over microspiegels, dat beschikbaar is op http://www.ti.com/dlp/docs/it/resources/white/overview/over.shtml.
12. Een beschrijving van de vliegende machines is te vinden op de website van de MEMS (MicroElectroMechanical Systems) en de Fluid Thermodynamica Research Group van de University of California at Los Angeles (UCLA), http://ho.seas.ucla.edu/new/main.htm.
13. Het nanotechnologie-onderzoek van Xerox wordt beschreven in Brian Santo, 'Smart Matter Program Embeds Intelligence by Combining Sensing, Actuation, Computation–Xerox Builds on Sensor Theory for Smart Materials.', *EETimes* (23 maart 1998):129. Meer informatie over dit onderzoek vindt u op de website voor de Smart Matter Research Group van het Research Center van Xerox in Palo Alto op http://www.parc.xerox.com/spl/projects/smart-matter/ .
14. Lees voor informatie over het gebruik van nanotechnologie voor het scheppen van de nanogitaar, Faye Flam, 'Tiny Instrument Has Big Implications.' *Knight-Ridder/Tribune News Service.*
15. Leer meer over het gebied om Tsjeljabinsk door de website te bezoeken die draait rond hulpverlening aan de mensen die daar wonen: http://www.logtv.com/chelya/chel.html.
16. Zie voor meer over het verhaal achter Space War 'A History of Computer Games', *Computer Gaming World* (november 1991): 16-26; en Eric S. Raymond, red., *New Hacker's Dictionary* (Cambridge, MA: MIT Press, 1992). Space War werd in 1961 ontwikkeld door Steve Russell en een jaar later bracht hij het op de PDP-1 van de MIT in praktijk.
17. Medical Learning Company is een gezamenlijk project van de American Board of Family Practice (een organisatie die de bevoegdheid regelt voor de zestigduizend huisartsen in Amerika) en Kurzweil Technology. Het doel van het bedrijf is de ontwikkeling van educatieve software voor voortdurende bijscholing van artsen en andere werkterreinen. Een belangrijk aspect van deze technologie houdt onder meer in dat een interactieve gesimuleerde patiënt wordt onderzocht, ondervraagd en behandeld.
18. Hall's Bruikbaarheidsnevelconcept wordt beschreven in J. Storrs Hall, 'Utility Fog Part 1', *Extropy*, uitgave nr. 13 (deel 6, nr. 2), derde kwartaal 1994; en J. Storrs Hall, 'Utility Fog Part 2', *Extropy*, uitgave nr. 14 (deel 7, nr. 1), eerste kwartaal 1995. Zie ook Jim Wilson, 'Shrinking Micromachines: A New Generation of Tools Will Make Molecule-Size Machines a Reality.' *Popular Mechanics* 174, nr. 11 (november 1997): 55-58
19. Mark Yim, 'Locomotion with a Unit-Modular Reconfigurable Robot', Stanford University Technical Report STAN-CS-TR-95-1536.
20. Joseph Michael, UK Patent #94004227.2 .
21. Zie voor voorbeelden van vroege 'pornografische' tekstpublicaties, *A History of Erotic Literature* door Patrick J. Kearney (Hong Kong, 1982); en *History Laid Bare* door Richard Zachs (New York: HarperCollins, 1994).

22. *Upside Magazine*, april 1998.
23. Bijvoorbeeld de 'TFUI' (Touch-and-Feel User Interface) van Pixis, zoals gebruikt in hun Diva- en Space Sirens-serie cd-roms.
24. Uit 'Who Needs Jokes? Brain Has a Ticklish Spot', Malcolme W. Browne, *New York Times*, 10 maart 1998. Zie ook I. Fried met C. L. Wilson, K. A. MacDonald en E. J. Behnke, 'Electric Current Stimulates Laughter', *Scientific Correspondence* 391: 650, 1998.
25. K. Blum et al., 'Reward Deficiency Syndrome', *American Scientist*, maart-april 1996.
26. Brain Generated Music is een gepatenteerde technologie van NeuroSonics, een klein bedrijf in Baltimore, Maryland. De oprichter, directeur en voornaamste ontwikkelaar van de technologie is dr. Geoff Wright, hoofd van computermuziek aan het Peabody Conservatory.
27. Zie voor details over het werk van dr. Benson zijn boek *The Relaxation Response* (New York: Avon, 1990).
28. "God Spot' Is Found in Brain', *Sunday Times* (Britain), 2 november 1997.

## HOOFDSTUK 8: 1999

1. David Cope spreekt over zijn EMI-programma in zijn boek *Experiments in Musical Intelligence* (Madison, WI: A-R Editions, 1996). EMI wordt ook besproken in Margaret Boden, 'Artificial Genius', *Discover magazine*, oktober 1996.
2. Zie voor meer informatie over het Improviser-programma Margaret Boden, 'Artificial Genius', *Discover* magazine, oktober 1996. Het artikel gaat in op de vraag wie de eigenlijke schepper is van de oorspronkelijke kunst die door computerprogramma's wordt geproduceerd – de ontwikkelaar van het programma of het programma zelf?
3. Laurie Flynn, 'Program Proves Bad Puns Not Limited to Humans', *New York Times*, 3 januari 1998.
4. 'ParaMind kopieert alle tekst die u typt of plakt naar het scherm en voegt uw tekst automatisch samen met nieuwe woorden. Alle woorden zijn aan elkaar verwant, zoals bijvoeglijke naamwoorden die verband houden met zien, of bijwoorden die verband houden met lopen. In de tekst die u typt of plakt worden een paar woorden geselecteerd, waar deze nieuwe woorden zullen passen, op de door u gewenste manier. Het resultaat is een nieuwe opsomming van uw ideeën, op verschillende fascinerende manieren veranderd.' Uit de ParaMind Brainstorming Software website op http://www.paramind.net/. Zie voor meer informatie over andere computerschrijfprogramma's Computer Generated Writing, de website van Marius Watz op http://www.notam.uio.no/~mariusw/c-g.writing/.
5. Meer informatie over de BRUTUS.1-verhalenmaker en de uitvinders daarvan is te vinden op http://www rpi.edu/dept/ppcs/BRUTUS/brutus.html.
6. Ray Kurzweils Cybernetic Poet (RKCP) is een softwareprogramma dat door Ray Kurzweil is ontworpen en door Kurzweil Technologies is ontwikkeld. U kunt een kopie van het programma ophalen op http://www.kurzweiltech.com.
7. Bezoek voor voorbeelden van kunstcreaties van Mutator de website van Computer Artworks op http://www.artworks.co.uk/welcome.htm.
   Karl Sims heeft verscheidene artikelen geschreven over zijn werk, inclusief 'Artificial Evolution for Computer Graphics', *Computer Graphics* 25, nr. 4 (juli 1991): 319-328.
8. Tekeningen en schilderijen gemaakt door Aaron, Harold Cohens cyberkunstenaar zijn tentoongesteld in de Tate Gallery in Londen, het Stedelijk Museum in Amsterdam, het Brooklyn Museum, het San Francisco Museum of Modern Art en het Children's Museum in het Capitool in Washington en elders.
9. Harold Cohen, 'How to Draw Three People in a Botanical Garden', AAAI-88,

*Proceedings of the Seventh National Conference on Artificial Intelligence*, 1988, pp. 846-855. Sommige implicaties die Aaron teweegbrengt worden besproken in Pamela McCorduck, 'Artificial Intelligence: An Aperçu', *Daedalus*, winter 1988, pp. 65-83.

10. Een lijst met websites over de Aaron van Cohen is te vinden op http://www.umcs.maine.edu/~larry/latour/aaron.html. Zie ook Harold Cohens artikel in 'Constructions of the Mind' op http://shr.stanford.edu/shreview/4-2/text/cohen.html.
11. Raymond Kurzweil, *The Age of Intelligent Machines* (Cambridge, MA: MIT Press, 1990). Zie ook het onderdeel publicaties op de website van Kurzweil Technologies op http://www.kurzweiltech.com en het onderdeel publicaties op de website van Kurzweil Educational Systems op http://www.kurzweiledu.com.
12. Durfkapitaal slaat op geldmiddelen die beschikbaar zijn voor investering door organisaties die speciaal geld bij elkaar hebben gebracht om dat in bedrijven, voornamelijk nieuwe ondernemingen, te investeren. Privee-risicokapitaal slaat op geld dat beschikbaar is voor investering door netwerken van rijke investeerders die in beginnende bedrijven investeren. In de Verenigde Staten hebben zowel durf- als privee-risicokapitaal de nadruk gelegd op investeringen in 'high-technology'.
13. Ga voor een uitgebreide lijst van beschikbare spraak- en gezichtsherkenningsproducten en onderzoeksprojecten naar de homepage van Face Recognition op http://cherry.kist.re.kr/center/html/sites.html.
14. Zie voor een uitstekend overzicht van dit onderwerp 'The Intelligent Vehicle Initiative: Advancing 'Human-Centered' Smart Vehicles', door Cheryl Little van het Volpe National Transportation Systems Center. Dit artikel is beschikbaar via de website van het Turner-Fairbank Highway Research Center op http://www.tfhrc.gov/pubrds/pr97-l0/ pl8.htm. Ga voor details over de tests op de Interstate 15 in Californië naar de homepage van het National AHS Consortium op http://monolith-mis.com/ahs/default.htm.
15. Voice Xpress Plus van Lernout & Hauspie Speech Products (voorheen Kurzweil Applied Intelligence) combineert bijvoorbeeld een grote woordenschat, continue-spraakherkenning bij dicteren met het begrip van natuurlijke taal voor commando's. Continue-spraakherkenning zonder begrip van natuurlijke taal is (sinds 1998) ook verkrijgbaar als Naturally Speaking van Dragon System en ViaVoice van IBM
16. Voorbeelden van vertaalproducten zijn ook Langenscheidts T1 Professional van het Gesellschaft für Multilinguale Systeme, een divisie van Lernout & Hauspie Speech Products; Globalink Power Translator; en SYSTRAN Classic for Windows.
17. Duncan Bythell, *The Handloom Weavers: A Study in the English Cotton Industry During the Industrial Revolution*, blz. 70. Er is ook een aantal websites dat ingaat op de oorspronkelijke Ludditegeschiedenis en de hedendaagse neo-Ludditenbeweging. Zie voor een voorbeeld de website van Luddites On-Line op http://www.luddites.com/index2.html.
18. Ben J. Wattenberg, red., *The Statistical History of the United States from Colonial Times to the Present*; U.S. Department of Commerce, Bureau of the Census, Statistical Abstract of the United States, 1997.
19. Ben J. Wattenberg, red., *The Statistical History of the United States from Colonial Times to the Present*.
20. U.S. Department of Commerce, Bureau of the Census, *Statistical Abstract of the United States*, 1997.
21. Ted Kaczynski's Unabomber Manifesto werd in september 1995 gepubliceerd in de *New York Times* en de *Washington Post*. De volledige tekst is op talloze websites te lezen, onder andere: http://www.soci.niu.edu/~critcrim/uni/uni.txt.

## HOOFDSTUK 9: 2009

1. Een consortium van achttien fabrikanten van gsm's en andere draagbare elektronische apparatuur is bezig met de ontwikkeling van een technologie die Bluetooth wordt genoemd en draadloze communicatie verschaft binnen een straal van ongeveer tien meter, met een datasnelheid van 700 tot 900 kilobits per seconde. Men verwacht dat Bluetooth eind 1999 geïntroduceerd zal worden en aanvankelijk ongeveer 20 dollar per eenheid zal kosten. Men verwacht dat deze prijs na de introductie snel omlaag zal gaan. Met Bluetooth zullen persoonlijke communicatiemiddelen en elektronische apparaten met elkaar kunnen communiceren.
2. Technologieën zoals Bluetooth (zie noot 1) zullen het mogelijk maken dat computercomponenten zoals computerunits, toetsenborden, muizen, printers enz. met elkaar communiceren zonder kabels.
3. Microvision uit Seattle heeft een product, een Virtual Retina Display (VRD) (virtueel netvliesbeeld) dat rechtstreeks beelden op het netvlies van de gebruiker projecteert, terwijl deze tegelijk de gewone omgeving kan zien. De VRD van Microvision is op dit ogenblik nog erg duur en wordt voornamelijk aan het leger verkocht voor piloten. De directeur van Microvision, Richard Rutkowski, voorziet voor het jaar 2000 een consumentenuitvoering die op een enkele chip wordt gebouwd.
4. Als we projecteren vanuit de snelheid van de huidige pc's, kost een pc die ongeveer 150 miljoen instructies per seconde kan verwerken ongeveer 1000 dollar. Door jaarlijkse verdubbeling krijgen we een projectie van 150 miljoen vermenigvuldigd met 211 (2.048) = 300 miljard instructies per seconde in 2009. Instructies zijn minder krachtig dan berekeningen, dus het aantal berekeningen per seconde zal ongeveer 100 miljard bedragen. Projectie vanuit de snelheid van neurale computers geeft echter aan dat een neurale computer uit 1997 voor ongeveer 2000 dollar ongeveer 2 miljard neurale-verbindingsberekeningen uitvoerde per seconde, wat per 1000 dollar neerkomt op ongeveer 1 miljard berekeningen. Door de verdubbeling per twaalf maanden krijgen we een projectie van 1 miljard maal $2^{11}$ (4.096) = 4 biljoen berekeningen per seconde in 2009. Tegen 2009 zullen computers routinematig beide typen bewerkingen combineren, dus, zelfs indien 25% van de bewerkingen van het type neurale-verbindingsberekeningen zijn, is 1 biljoen berekeningen per seconde voor 1000 dollar aan computerwaarde een redelijke schatting.
5. De krachtigste supercomputers zijn twintigduizend keer zo krachtig als een pc van 1000 dollar. Terwijl een pc van 1000 dollarin 2009 ongeveer 1 biljoen berekeningen per seconde kan doen (in het bijzonder de neurale-verbindingsberekeningen), zal de krachtigere supercomputer ongeveer 20 miljoen miljard berekening per seconde kunnen uitvoeren, ongeveer evenveel als het geschatte verwerkingsvermogen van het menselijk brein.
6. Op het moment dat ik dit schrijf, is er veel publiciteit geweest over het werk van dr. Judah Folkman van het Children's Hospital in Boston, Massachusetts, over de effecten van angiogenese-remmers. Vooral de combinatie van Endostatine en Angiostatine, d.m.v. biotechniek ontworpen geneesmiddelen die de reproductie van haarvaten remmen, is in muizen bijzonder effectief gebleken. Hoewel er veel commentaar op is gekomen, dat erop wees dat geneesmiddelen die bij muizen werken vaak niet werken bij mensen, was het opmerkelijk hoe sterk deze combinatie in de laboratoriumdieren werkzaam was. Geneesmiddelen die in muizen zo goed werken, werken vaak ook bij mensen. Zie 'HOPE IN THE LAB: A Special Report. A Cautious Awe Greets Drugs That Eradicate Tumors in Mice.' *New York Times*, 3 mei 1998.

## HOOFDSTUK 10: 2019

1. Zie noot 3 van hoofdstuk 3, '2009', over de Virtual Retina Display van Microvision.
2. Een neurale computer uit 1997 leverde ongeveer 2 miljard neurale-verbindingsberekeningen per seconde voor 2000 dollar. Door tweeëntwintig verdubbelingen tot het jaar 2019, komt dat neer op ongeveer 8 miljoen miljard berekeningen per seconde voor 2000 dollar en 16 miljoen miljard berekeningen per seconde voor 4000 dollar. In 2020 krijgen we 16 miljoen miljard berekeningen per seconde voor 2000 dollar.
3. Terwijl elk menselijk brein ongeveer $10^{16}$ berekeningen per seconde levert krijgen we voor een geschat aantal mensen van 10 miljard ($10^{10}$) een geschat aantal van $10^{26}$ berekeningen per seconden voor alle menselijke breinen op aarde. In 1998 zijn er ongeveer 100 miljoen computers in de hele wereld. Een voorzichtige schatting voor 2019 zou dan resulteren in een miljard computers die gelijk zijn aan de dan meest geavanceerde machines van $1000. Zodoende is het totale verwerkingsvermogen van de computers gelijk aan een miljard ($10^9$) maal $10^{16} = 10^{25}$ berekeningen per seconde en dat is 10 procent van $10^{26}$.

## HOOFDSTUK 11: 2029

1. Als elk menselijk brein ongeveer $10^{16}$ berekeningen per seconde levert en het geschatte aantal mensen 10 miljard is ($10^{10}$), krijgen we een geschat aantal van $10^{26}$ berekeningen per seconde voor alle menselijke breinen op aarde. In 1998 zijn er ongeveer 100 miljoen computers in de hele wereld. Een (zeer) voorzichtige schatting voor 2029 bedraagt een miljard computers die gelijk zijn aan dan zeer geavanceerde machines voor 1000 dollar. Deze schatting is in werkelijkheid te voorzichtig, maar voldoet voor ons doel. Zodoende zal het totale verwerkingsvermogen van de computers gelijk zijn aan een miljard ($10^9$) maal $10^{19} = 10^{28}$ berekeningen per seconde, honderd maal het verwerkingsvermogen van alle menselijke breinen (dat $10^{26}$ berekeningen per seconde bedraagt).
2. Zie Raymond Kurzweil, *The 10% Solution for a Healthy Life: How to Eliminate Virtually All Risk of Heart Disease and Cancer* (New York: Crown Publishers, 1993).

## HOOFDSTUK 12: 2099

1. Zoals besproken in hoofdstuk 6, 'Nieuwe hersenen bouwen...' en hoofdstuk 10, '2019,' zal rond het jaar 2020 een menselijke capaciteit van een geschat aantal van $2 \times 10^{16}$ (neurale-verbindings-) berekeningen per seconde worden bereikt in een computer van 1000 dollar. Ook zal, zoals reeds opgemerkt, de capaciteit van computerbewerkingen elke twaalf maanden verdubbelen, wat een factor van duizend ($2^{10}$) is per tien jaar. Zodoende zal tegen het jaar 2099 1000 dollar aan computerwaarde ongeveer gelijk zijn aan $10^{24}$ maal de gegevensverwerkingscapaciteit van het menselijke brein, of $10^{40}$ berekeningen per seconde. Uitgaande van een geschat aantal van een biljoen virtuele personen (honderd keer zoveel als de ongeveer 10 miljard personen in het begin van de eenentwintigste eeuw) en een geschat aantal van 1 miljoen dollar aan computers toegewezen aan elk mens, krijgen we een geschat aantal van $10^{55}$ berekeningen per seconde.
2. Duizend qubits zouden het mogelijk maken dat $2^{1000}$ (ongeveer $10^{300}$) berekeningen tegelijk worden uitgevoerd. Indien $10^{42}$ van berekeningen per seconde dergelijke kwantumberekeningen zijn, dan is dat gelijk aan $10^{42} \times 10^{300} = 10^{342}$ berekeningen per seconde. $10^{55} + 10^{342}$ is nog steeds gelijk aan ongeveer $10^{342}$.

3. En dan vraag je je af wat er met de picotechniek is gebeurd! De picotechniek verwijst naar een techniek op de schaal van een picometer, een biljoenste deel van een meter. Vergeet niet dat de schrijver gedurende zeventig jaar niet met Mollie heeft gesproken. De nanotechnologie (technologie op de schaal van een miljardste deel van een meter) wordt in de praktijk haalbaar in de decade tussen 2019 en 2029. We zien dat in de twintigste eeuw de wet van de versnellende opbrengsten zoals toegepast op computers is bereikt door middel van technologie in steeds kleinere afmetingen van werkelijke grootte. De wet van Moore is hier een goed voorbeeld van: de afmetingen van een transistor (in twee dimensies) is elke twee jaar met 50% afgenomen. Dit betekent dat transistors in de loop van tien jaar met een factor $2^5 = 32$ kleiner zijn geworden. De karakteristieke afmetingen van een transistor zijn dus elke tien jaar in elke dimensie met een factor van de vierkantswortel uit 32 = 5,6 gekrompen. Daarom maken we dus de karakteristieke afmetingen van elke dimensie van componenten elke tien jaar kleiner met een factor van ongeveer 5,6.
   Indien de picotechniek op de nanometerschaal (nanotechnologie) in het jaar 2032 praktisch uitvoerbaar is, dan moet picotechniek op de picometerschaal ongeveer veertig jaar later praktisch uitvoerbaar zijn (omdat $5{,}6^4$ = ongeveer 1000), dat wil zeggen in het jaar 2072. Technologie op femtometerschaal (een duizendste van een miljardste van een meter, ook wel genoemd een quadriljoenste meter) zou dan rond het jaar 2112 haalbaar zijn. Ik ben dus enigszins voorzichtig met mijn schatting dat femtotechnologie in 2099 controversieel zou zijn.
   Nanotechniek houdt het manipuleren van individuele atomen in. Picotechniek zal techniek zijn op het niveau van subatomaire deeltjes (b.v. elektronen). Femtotechniek zal zich afspelen op quarkniveau. Dit zou u niet bijzonder moeten verbazen, aangezien hedendaagse theorieën al uitgaan van het bestaan van ingewikkelde mechanismen in quarks.

## EPILOOG: DE REST VAN HET HEELAL OPNIEUW BEKEKEN

1. We kunnen de 'bezige bij'-functie (zie noot 16 over de Turingmachine in hoofdstuk 4) gebruiken als een kwantitatieve maat voor intelligente software.

## TIJDLIJN

Bronnen voor de tijdlijn zijn o.a. Raymond Kurzweil, *The Age of Intelligent Machines* (Cambridge, MA: MIT Press, 1990).
Een introductie op de oerknal-theorie op http://wwwbowdoin.edu/dept/physics/astro.1997/astro4/bigbang.html; Joseph Silk, *A Short History of The Universe* (New York: Scientific American Library, 1994); Joseph Silk, *The Big Bang* (San Francisco: W. H. Freeman and Company, 1980); Robert M. Wald, *Space, Time and Gravity* (Chicago: The University of Chicago Press, 1977); Stephen W. Hawking, *A Brief History of Time* (New York: Bantam Books, 1988).
Evolutie en gedrag op http://ccp.uchicago.edu/~jyin/evolution.html; Edward O. Wilson, *The Diversity of Life* (New York: W. W. Norton and Company, 1993); Stephen Jay Gould, *The Book of Life* (New York: W. W. Norton and Company, 1993); Alexander Hellemans en Bryan Bunch, *The Timetable of Science* (Simon and Schuster, 1988).
'CBN History: Radio/ Broadcasting Timeline' op
http://www.wcbn.org/history/wcbntime.html.
'Chronology of Events in the History of Microcomputers' op
http://www3.islandnet.com/~kpolsson/comphist.htm.
'The Computer Museum History Center' op

http://www.tcm.org/history/index.html.

1. Picotechniek is techniek op het niveau van subatomaire deeltjes (b.v. elektronen). Zie noot 3 over picotechniek en femtotechniek in hoofdstuk 12.
2. Femtotechniek zal met zich meebrengen dat picotechniek wordt toegepast voor het gebruik van mechanismen binnen een quark. Zie noot 3 over picotechniek en femtotechniek in hoofdstuk 12.

## HOE BOUW JE EEN INTELLIGENTE MACHINE IN DRIE EENVOUDIGE PARADIGMA'S

1. Zie 'Information Processing in the Human Body' door Vadim Gerasimov, op http://vadim.www.media.mit.edu/MAS862/Project.html.
2. Marvin Minsky en Seymour A. Papert, *Perceptrons: An Introduction to Computational Geometry* (Cambridge, MA: MIT Press, 1988).
3. De geciteerde tekst over 'two daughter sciences' (twee dochterwetenschappen) is van Seymour Papert, 'One AI or Many,' *Daedalus*, winter 1988.
   'Dr. Seymour Papert is een wiskundige en een van de eerste pioniers op het gebied van kunstmatige intelligentie. Hij wordt bovendien internationaal erkend als een geleerde met oorspronkelijke ideeën over manieren waarop computers het leren kunnen veranderen. Dr. Papert was geboren en getogen in Zuid-Afrika, waar hij actief deelnam in de anti-apartheidsbeweging. Van 1954 tot 1958 voerde hij wiskundig onderzoek uit aan de universiteit van Cambridge. Vervolgens werkte hij van 1958 tot 1963 met Jean Piaget aan de universiteit van Genève. Als gevolg van deze samenwerking nam hij in overweging om wiskunde als middel te gebruiken om beter te begrijpen hoe kinderen kunnen leren en denken. In het begin van de jaren zestig van de twintigste eeuw kwam Papert naar het MIT, waar hij samen met Marvin Minsky het Artificial Intelligence Laboratory oprichtte en samen met hem het baanbrekende werk *Perceptions* schreef.' Van de website 'Seymour Papert' op http://papert.www.media.mit.edu/people/papert/.
4. '[Marvin] Minsky was... een van de pioniers op het gebied van op intelligentie gebaseerde mechanische robots en tele-persoonlijkheden. In 1951 bouwde hij de eerste leermachine met een neuraal netwerk met willekeurige bedrading (die de SNARC werd genoemd, van Stochastic Neural-Analog Reinforcement Computer), die gebaseerd was op de versterking van gesimuleerde synaptische transmissiecoëfficienten. In het begin van de jaren vijftig van de twintigste eeuw heeft Marvin Minsky gewerkt aan het gebruik van computerideeën voor het karakteriseren van menselijke psychologische processen en aan het uitrusten van machines met intelligentie.' Uit de korte academische biografie van Marvin Minsky op http://minsky.www.media.mit.edu/people/minsky/minskybiog.html.
5. Dr. Raj Reddy is faculteitsvoorzitter aan de School of Computer Science van de Carnegie Mellon University en hoogleraar computerwetenschappen en robotica aan de Herbert A. Simon University. Dr. Reddy is een vooraanstaande onderzoeker van kunstmatige intelligentie wiens onderzoek onder andere de studie van de interactie tussen de mens en de computer en kunstmatige intelligentie bestrijkt.

# Aanbevolen literatuur

Abbott, E. A. *Flatland: A Romance in Many Dimensions*. Herdruk. Oxford: Blackwell, 1962.
Abelson, Harold en Andrea diSessa. *Turtle Geometry: The Computer as a Medium for Exploring Mathematics*. Cambridge, MA: MIT Press, 1980.
Abrams, Malcolm en Harriet Bernstein. *Future Stuff*. New York: Viking Penguin, 1989.
Adams, James L. *Conceptual Blockbusting: A Guide to Better Ideas*. Reading, MA: Addison-Wesley, 1986.
—. *The Care and Feeding of Ideas: A Guide to Encouraging Creativity*. Reading, MA: Addison-Wesley, 1986.
Adams, Scott. *The Dilbert Future. Thriving on Stupidity in the 21st Century*. New York: Harper Business, 1997.
Alexander, S. *Art and Instinct*. Herdruk. Oxford: Folcroft Press, 1970.
Allen, Peter K. *Robotic Object Recognition Using Vision and Touch*. Boston: Kluwer Academic, 1987.
Allman, William F. *Apprentices of Wonder: Inside the Neural Network Revolution*. New York: Bantam Books, 1989.
Amit, Daniel J. *Modeling Brain Function: The World of Attractor Neural Networks*. Cambridge: Cambridge University Press, 1989.
Anderson, James A. *An Introduction to Neural Networks*. Cambridge, MA: MIT Press, 1997.
Andriole, Stephen, red. *The Future of Information Processing Technology*. Princeton, NJ: Petrocelli Books, 1985.
Antebi, Elizabeth en David Fishlock. *Biotechnology: Strategies for Life*. Cambridge, MA: MIT Press, 1986.
Anton, John P. *Science and the Sciences in Plato*. New York: EIDOS, 1980.
Ashby, W. Ross. *Design for a Brain*. New York: John Wiley and Sons, 1960.
—. *An Introduction to Cybernetics*. New York: John Wiley and Sons, 1963.
Asimov, Isaac. *Asimov on Numbers*. New York: Bell Publishing Company, 1977.
—. *I, Robot*. New York: Doubleday, 1950.
—. *Robot Dreams*. New York: Berkley Books, 1986.
—. *Robots of Dawn*. New York: Doubleday and Company 1983.
Asimov, Isaac en Karen A. Frenkel. *Robots. Machines in Man's Image*. New York: Harmony Books, 1985.
Atkins, P. W. *The Second Law*. New York: Scientific American Books, 1984.
Augarten, Stan. *Bit by Bit: An Illustrated History of Computers*. New York: Ticknor and Fields, 1984.
Austrian, Geoffrey D. *Herman Hollerith: Forgotten Giant of Information Processing*. New York: Columbia University Press, 1982.
Axelrod, Robert. *The Evolution of Cooperation*. New York: Basic Books, 1984.
Ayache, Nicholas and Peter T. Sander. *Artificial Vision for Mobile Robots: Stereo Vision and Multisensory Perception*. Cambridge, MA: MIT Press, 1991.

Ayer, Alfred J. *The Foundations of Empirical Knowledge*. Londen: Macmillan and Company, 1964.

—. *Language, Truth and Logic*. New York: Dover Publications, 1936.

—, red. *Logical Positivism*. New York: Macmillan, 1959.

Ayers, M. *The Refutation of Determinism: An Essay in Philosophical Logic*. Londen: Methuen,1968.

Ayres, Robert U., et al. *Robotics and Flexible Manufacturing Technologies: Assessment, Impacts, and Forecast*. Park Ridge, NJ: Noyes Publications, 1985.

Babbage, Charles. *Charles Babbage and His Calculating Engines*. Onder redactie van Philip Morrison en Emily Morrison. New York: Dover Publications, 1961.

—. *Ninth Bridgewater Treatise: A Fragment*. Londen: Murray, 1838.

Babbage, Henry Prevost. *Babbage's Calculating Engines: A Collection of Papers by Henry Prevost Babbage (Editor)*. Deel 2. Los Angeles: Tomash, 1982.

Bailey, James. *After Thought: The Computer Challenge to Human Intelligence*. New York: Basic Books, 1996.

Bara, Bnuno G. en Giovanni Guida. *Computational Models of Natural Language Processing*. Amsterdam: Noord-Holland, 1984.

Barnsley, Michael F. *Fractals Everywhere*. Boston: Academic Press Professional, 1993.

Baron, Jonathan. *Rationality and Intelligence*. Cambridge: Cambridge University Press, 1985.

Barrett, Paul H., red. *The Collected Papers of Charles Darwin*. Deel 1 en 2. Chicago: University of Chicago Press, 1977.

Barrow, John. *Theories of Everything*. Oxford: Oxford University Press, 1991.

Barrow, John D. en Frank J. Tipler. *The Anthropic Cosmological Principle*. Oxford: Oxford University Press, 1986.

Bartee, Thomas C., red. *Digital Communications*. Indianapolis, IN: Howard W. Sams en Company, 1986.

Basalla, George. *The Evolution of Technology*. Cambridge: Cambridge University Press, 1988.

Bashe, Charles J., Lyle R. Johnson, John H. Palmer en Emerson W. Pugh. *IBM's Early Computers*. Cambridge, MA: MIT Press, 1986.

Bateman, Wayne. *Introduction to Computer Music*. New York: John Wiley and Sons, 1980.

Baxandall, D. *Calculating Machines and Instruments*. Herziene editie Londen: Science Museum, 1975. Oorspronkelijk, 1926.

Bell, C. Gordon i.s.m. John E. McNamara. *High-Tech Ventures: The Guide for Entrepreneurial Success*. Reading, MA: Addison-Wesley, 1991.

Bell, Gordon. 'Ultracomputers: A Teraflop Before Its Time.' *Science 256* (April 3, 1992).

Benedikt, Michael, red. *Cyberspace: First Steps*. Cambridge, MA: MIT Press, 1992.

Bernstein, Jeremy *The Analytical Engine: Computers-Past, Present and Future*. Herziene editie New York: William Morrow, 1981.

Bertin, Jacques. *Semiology of Graphics: Diagrams, Networks, Maps*. Madison: University of Wisconsin Press, 1983.

Beth, E. W. *Foundations of Mathematics*. Amsterdam: Noord-Holland, 1959.

Block, Irving, red. *Perspectives on the Philosophy of Wittgenstein*. Cambridge, MA: MIT Press, 1981.

Block, Ned, Owen Flanagan, Guven Guzeldere, red. *The Nature of Consciousness: Philosophical Debates*. Cambridge, MA: MIT Press, 1997.

Bobrow, Daniel G. en A. Collins, red. *Representation and Understanding*. New York: Academic Press, 1975.

Boden, Margaret. *Artificial Intelligence and Natural Man*. New York: Basic Books, 1977.

—. *The Creative Mind: Myths & Mechanisms*. New York: Basic Books, 1991.

Bolter, J. David. *Turing's Man: Western Culture in the Computer Age*. Chapel Hill: The University of North Carolina Press, 1984.

Boole, George. *An Investigation of the Laws of Thought on Which Are Founded the Mathematical Theories of Logic and Probabilities*. 1854. Herdruk. Peru, IL: Open Court Publishing, 1952.

Botvinnik, M. M. *Computers in Chess: Solving Inexact Search Problems*. New York: Springer-Verlag, 1984.

Bowden, B. W, red. *Faster Than Thought*. Londen: Pittman, 1953.

Brachman, Ronald J. en Hector J. Levesque. *Readings and Knowledge Representation*. Los Altos, CA: Morgan Kaufmann, 1985.

Brady, M., L. A. Gerhardt en H. F. Davidson. *Robotics and Artificial Intelligence*. Berlijn: Springer-Verlag, 1984.

Brand, Stewart. *The Media Lab: Inventing the Future at MIT*. New York: Viking Penguin, 1987.

Briggs, John. *Fractals: The Patterns of Chaos*. New York: Simon and Schuster, 1992.

Brittan, Gordon G. *Kant's Theory of Science*. Princeton, NJ: Princeton University Press, 1978.

Bronowski, J. *The Ascent of Man*. Boston: Little, Brown and Company, 1973.

Brooks, Rodney A. 'Elephants Don't Play Chess.' *Robotics and Autonomous Systems 6* (1990).

— 'Intelligence Without Representation.' *Artificial Intelligence 47* (1991).

— 'New Approaches to Robotics.' *Science 253* (1991).

Brooks, Rodney A. en Anita Flynn. 'Fast, Cheap and Out of Control: A Robot Invasion of the Solar System.' *Journal of the British Interplanetary Society 42* (1989).

Brooks, Rodney A., Pattie Maes, Maja J. Mataric en Grinell More. 'Lunar Base Construction Robots.' *IROS*, IEEE International Workshop on Intelligence Robots and Systems, 1990.

Brown, John Seeley. *Seeing Differently: Insights on Innovation*. Cambridge, MA: Harvard Business School Press, 1997.

Brown, Kenneth A. *Inventors at Work: Interviews with 16 Notable American Inventors*. Redmond, WA: Tempus Books of Microsoft Press, 1988.

Brumbaugh, R. S. *Plato's Mathematical Imagination*. Bloomington: Indiana University Press, 1954.

Bruner, Jerome S., Jacqueline J. Goodnow en George A. Austin. *A Study of Thinking*. 1956. Herdruk. New York: Science Editions, 1965.

Buderi, Robert. *The Invention That Changed the World: How a Small Group of Radar Pioneers Won the Second World War and Launched a Technological Revolution*. New York: Simon and Schuster, 1996.

Burger, Peter en Duncan Gillies. *Interactive Computer Graphics: Functional, Procedural and Device-Level Methods*. Workingham, VK: Addison-Wesley Publishing Company, 1989.

Burke, James. *The Day the Universe Changed*. Boston: Little, Brown and Company, 1985.

Butler, Samuel. 'Darwin Among the Machines.' *Canterbury Settlement*. AMS Press, 1923. (geschreven in 1863 door de schrijver van *Erewhon*.)

Buxton, H. W. *Memoir of the Life and Labours of the Late Charles Babbage*, Esq. F.R.S. Onder redactie van A. Hyman. Los Angeles: Tomash, 1988.

Byrd, Donald. 'Music Notation by Computer.' proefschrift, Indiana University Computer Science Department, 1984.

Bythell, Duncan. *The Handloom Weavers: A Study in the English Cotton Industry During the Industrial Revolution*. Cambridge: Cambridge University Press, 1969.

Cairns-Smith, A. G. *Seven Clues to the Origin of Life*. Cambridge: Cambridge University Press, 1985.

Calvin, William H. *The Cerebral Code: Thinking a Thought in the Mosaics of the Mind*. Cambridge, MA: MIT Press, 1996.
Campbell, Jeremy. *The Improbable Machine*. New York: Simon and Schuster, 1989.
Carpenter, Gail A. en Stephen Grossberg. *Pattern Recognition by Self-Organizing Neural Networks*. Cambridge, MA: MIT Press, 1991.
Carroll, Lewis. *Through the Looking Glass*. Londen: Macmillan, 1871.
Cassirer, Ernst. *The Philosophy of the Enlightenment*. Princeton, NJ: Princeton University Press, 1951.
Casti, John L. *Complexification: Explaining the Paradoxical World Through the Science of Surprise*. New York: HarperCollins, 1994.
Cater, John P. *Electronically Hearing: Computer Speech Recognition*. Indianapolis, IN: Howard W. Sams and Company, 1984.
—. *Electronically Speaking: Computer Speech Generation*. Indianapolis, IN: Howard W. Sams and Company, 1983.
Caudill, Maureen en Charles Butler. *Naturally Intelligent Systems*. Cambridge, MA: MIT Press, 1990.
Chaitin, Gregory J. *Algorithmic Information Theory*. Cambridge: Cambridge University Press, 1987.
Chalmers, D. J. *The Conscious Mind*. New York: Oxford University Press, 1996.
Chamberlin, Hal. *Musical Applications of Microprocessors*. Indianapolis, IN: Hayden Books, 1985.
Chapuis, Alfred en Edmond Droz. *Automata: A Historical and Technological Study*. New York: Griffon, 1958.
Cherniak, Christopher. *Minimal Rationality*. Cambridge, MA: MIT Press, 1986.
Chomsky, Noam. *Cartesian Linguistics*. New York: Harper and Row, 1966.
—. *Language and Mind*. Uitgebreide editie. New York: Harcourt Brace Jovanovich, 1972.
—. *Language and Problems of Knowledge: The Managua Lectures*. Cambridge, MA: MIT Press, 1988.
—. *Language and Thought*. Wakefield, RI en Londen: Moyer Bell, 1993.
—. *Reflections on Language*. New York: Pantheon, 1975.
—. *Rules and Representation*. Cambridge, MA: MIT Press, 1980.
—. *Syntactic Structures*. Den Haag: Mouton, 1957.
Choudhary, Alok N. en Janak H. Pattl. *Parallel Architectures and Parallel Algorithms for Integrated Vision Systems*. Boston: Kluwer Academic, 1990.
Christensen, Clayton. *The Innovator's Dilemma: When New Technologies Cause Great Firms to Fail*. Cambridge, MA: Harvard Business School Press, 1997.
Church, Alonzo. *Introduction to Mathematical Logic*. Deel 1. Princeton, NJ: Princeton University Press, 1956.
Church, Kenneth W. *Phonological Parsing in Speech Recognition*. Nonwell, MA: Kluwer Academic, 1987.
Churchland, P. S. en T. J. Sejnowski. *The Computational Brain*. Cambridge, MA: MIT Press. 1992.
Churchland, Paul. *The Engine of Reason, the Seat of the Soul*. Cambridge, MA: MIT Press, 1995.
—. *Matters and Consciousness: A Contemporary Introduction to the Philosophy of Mind*. Cambridge, MA: MIT Press, 1984.
—. *A Neurocomputational Perspective: The Nature of Mind and the Structure of Science*. Cambridge, MA: MIT Press, 1989.
Clark, Andy. *Being There: Putting Brain, Body, and World Together Again*. Cambridge, MA: MIT Press, 1997.
Clarke, Arthur C. *3001: The Final Odyssey*. New York: Ballantine Books, 1997.

Coates, Joseph F., John B. Mahaffie en Andy Hines. *2025: Scenarios of U.S. and Global Society Reshaped by Science and Technology*. Greensboro, NC: Oak Hill Press, 1997.
Cohen, I. Bernard. *The Newtonian Revolution*. Cambridge: Cambridge University Press, 1980.
Cohen, John. *Human Robots in Myth and Science*. Londen: Allen and Unwin, 1966.
Cohen, Paul R. *Empirical Methods for Artificial Intelligence*. Cambridge, MA: MIT Press, 1995.
Cohen, Paul R. en Edward A. Feigenbaum. *The Handbook of Artificial Intelligence*, Deel 3 en 4. Los Altos, CA: Wllliam Kaufmann, 1982.
Connell, Jonathan H. *Minimalist Mobile Robotics: A Colony-Style Architecture for an Artificial Creature*. Boston: Academic Press, 1990.
Conrad, Michael en H. H. Pattee. 'Evolution Experiments with an Artificial Ecosystem.' *Journal of Theoretical Biology* 28 (1970).
Conrad, Michael et al. 'Towards an Artificial Brain.' *BioSystems* 23 (1989).
Cornford, Francis M. *Plato's Cosmology*. Londen: Routledge and Kegan Paul, 1937.
Crandall, B. C., red. *Nanotechnology: Molecular Speculations on Global Abundance*. Cambridge, MA: MIT Press, 1997.
Crease, Robert P en Charles C. Mann. *The Second Creation*. New York: Macmillan, 1986.
Crick, Francis. *The Astonishing Hypothesis: The Scientific Search for the Soul*. New York: Charles Scribner's Sons, 1994.
—. *Life Itself*. Londen: Mcdonald, 1981.
Critchlow, Arthur J. *Introduction to Robotics*. New York: Macmillan Publishing Company, 1985.
Cullinane, John J. *The Entrepreneur's Survival Guide: 101 Tips for Managing in Good Times and Bad*. Homewood, IL: Business One Irwin, 1993.
*Daedalus: Journal of the American Academy of Arts and Sciences. Artificial Intelligence*. Winter 1998. Deel 117.
Darwin, Charles. *The Descent of Man, and Selection in Relation to Sex*. Tweede editie. New York: Hurst and Company, 1874.
—. *The Expression of the Emotions in Man and Animals*. 1872. Herdruk. Chicago: University of Chicago Press, 1965.
—. *Origin of Species*. Herdruk. Londen: Penguin, 1859.
Davies, Paul. *Are We Alone? Implications of the Discovery of Extraterrestrial Life*. New York: Basic Books, 1995.
—. *The Cosmic Blueprint*. New York: Simon and Schuster, 1988.
—. *God and the New Physics*. New York: Simon and Schuster, 1983.
—. *The Mind of God*. New York: Simon and Schuster, 1992.
—. 'A New Science of Complexity.' *New Scientist 26* (November 1988).
Davis, Philip J. en David Park, red. *No Way: The Nature of the Impossible*. New York: W H. Freeman, 1988.
Davis, Philip J. en Reben Hersh. *Descartes' Dream: The World According to Mathematics*. San Diego, CA: Harcourt Brace Jovanovich, 1986.
Davis, R. en D. B. Lenat. *Knowledge-Based Systems in Artificial Intelligence*. New York: McGraw-Hill, 1980.
Dawkins, Richard. *The Blind Watchmaker: Why the Evidence of Evolution Reveals a Universe Without Design* New York: W.W Norton and Company, 1986.
—. 'The Evolution of Evolvability.' *Artificial Life*, Onder redactie van Christopher G. Langton. Reading, MA: Addison-Wesley, 1988.
—. *The Extended Phenotype*. San Francisco: Freeman, 1982.
—. *River out of Eden: A Darwinian View of Life*. New York: Basic Books, 1995.

—. 'Universal Darwinism.' *Evolution from Molecules to Men*, Onder redactie van D. S. Bendall. Cambridge: Cambridge University Press, 1983.
—. *The Selfish Gene*. Oxford: Oxford University Press, 1976.
Dechert, Charles R., red. *The Social Impact of Cybernetics*. New York: Simon and Schuster, 1966.
Denes, Peter B. en Elliot N. Pinson. *The Speech Chain: The Physics and Biology of Spoken Language*. Bell Telephone Laboratories, 1963.
Dennett, Daniel C. *Brainstorms: Philosophical Essays on Mind and Psychology*. Cambridge, MA: MIT Press, 1981.
—. *Consciousness Explained*. Boston: Little, Brown and Company, 1991.
—. *Content and Consciousness*. Londen: Routledge and Kegan Paul, 1969
—. *Darwin's Dangerous Idea: Evolution and the Meanings of Life*. New York: Simon and Schuster, 1995.
—. *Elbow Room: The Varieties of Free Will Worth Wanting*. Cambridge, MA: MIT Press,1985.
—. *The Intentional Stance*. Cambridge, MA: MIT Press, 1987.
—. *Kinds of Minds: Toward an Understanding of Consciousness*. New York: Basic Books, 1996.
Denning, Peter J. en Robert M. Metcalfe. *Beyond Calculation: The Next Fifty Years of Computing*. New York: Copernicus, 1997.
Depew, David J. en Bruce H. Weber, red. *Evolution at a Crossroads*. Cambridge, MA: MIT Press, 1985.
Dertouzos, Michael. *What Will Be: How the New World of Information Will Change Our Lives.* New York: HarperCollins, 1997.
Dertouzos, Michael L. en Joel Moses Dertouzos. *The Computer Age: A Twenty Year View*. Cambridge, MA: MIT Press, 1979.
Descartes, R. *Discourse on Method, Optics, Geometry, and Meteorology.* 1637. Herdruk. Indianapolis, IN: Bobbs-Merrill, 1956.
—. *Meditations on First Philosophy*. Parijs: Michel Soly, 1641.
—. *Treatise on Man*. Parijs, 1664.
Devlin, Keith. *Mathematics: The Science of Patterns*. New York: Scientific American Library, 1994.
Dewdney, A. K. *The Armchair Universe: An Exploration of Computer Worlds*. New York: W. H. Freeman, 1988.
De Witt, Bryce en R. D. Graham, red. *The Many-Worlds Interpretation of Quantum Mechanics*. Princeton, NJ: Princeton University Press, 1974.
Diebold, John. *Man and the Computer: Technology as an Agent of Social Change.* New York: Avon Books, 1969.
Dixit, Avinash en Robert S. Pindyck. *Investment Under Uncertainty*. Princeton, NJ: Princeton University Press, 1994.
Dobzhansky, Theodosius. *Mankind Evolving: The Evolution of the Human Species*. New Haven, CT: Yale University Press, 1962.
Dodds, E. R. *Greeks and the Irrational*. Berkeley: University of California Press, 1951.
Downes, Larry, Chunka Mui en Nicholas Negroponte. *Unleashing the Killer App: Digital Strategies for Market Dominance*. Cambridge, MA: Harvard Business School Press, 1998.
Drachmann, A. G. *The Mechanical Technology of Greek and Roman* Antiquity. Madison: University of Wisconsin Press, 1963.
Drexler, K. Eric. *Engines of Creation*. New York: Doubleday, 1986.
—. 'Hypertext Publishing and the Evolution of Knowledge.' *Social Intelligence 1:2* (1991).
Dreyfus, Hubert. 'Alchemy and Artificial Intelligence.' *Rand Technical Report,* December 1965.
—. *Philosophic Issues in Artificial Intelligence*. Chicago: Quadrangle Books, 1967.

—. *What Computers Can't Do: The Limits of Artificial Intelligence.* New York: Harper and Row, 1979.
—. *What Computers Still Can't Do: A Critique of Artificial Reason.* Cambridge, MA: MIT Press, 1992.
—, red. *Husserl, Intentionality & Cognitive Science.* Cambridge, MA: MIT Press, 1982.
Dreyfus, Hubert L. en Stuart E. Dreyfus. *Mind over Machine: The Power of Human Intuition and Expertise in the Era of the Computer.* New York: The Free Press, 1986.
Drucker, Peter F. *Innovation and Entrepreneurship: Practice and Principles.* New York: Harper and Row, 1985.
Durrett, H. John, red. *Color and the Computer.* Boston: Academic Press, 1987.
Dyson, Esther. *Release 2.0: A Design for Living in the Digital Age.* New York: Broadway Books, 1997.
Dyson, Freeman. *Disturbing the Universe.* New York: Harper and Row, 1979.
—. *From Eros to Gaia.* New York: HarperCollins, 1990.
—. *Infinite in All Directions.* New York: Harper and Row, 1988.
—. *Origins of Life.* Cambridge: Cambridge University Press, 1985.
Dyson, George B. *Darwin Among the Machines: The Evolution of Global Intelligence.* Reading, MA: Addison-Wesley, 1997.
Eames, Charles en Ray Eames. *A Computer Perspective.* Cambridge, MA: Harvard University Press, 1973.
Ebeling, Carl. *All the Right Moves: A VLSI Architecture for Chess.* Cambridge, MA: MIT Press, 1987.
Edelman, G. M. *Neural Darwinism: The Theory of Neuronal Group Selection.* New York: Basic Books, 1987.
Einstein, Albert. *Relativity: The Special and the General Theory.* New York: Crown, 1961.
Elithorn, Alick en Ranan Banerji. *Artfiticial and Human Intelligence.* Amsterdam: North-Holland, 1991.
Enderle, G. *Computer Graphics Programming.* Berlijn: Springer-Verlag, 1984.
Fadiman, Clifton, red. *Fantasia Mathematica: Being a Set of Stories, Together with a Group of Oddments and Diversion, All Drawn from the Universe of Mathematics.* New York: Simon and Schuster, 1958.
Fahlman, Scott E. *NETL: A System for Representing and Using Real-World Knowledge.* Cambridge, MA: MIT Press, 1979.
Fant, Gunnar. *Speech Sounds and Features.* Cambridge, MA: MIT Press, 1973.
Feigenbaum, E. en Avron Barr, red. *The Handbook of Artificial Intelligence.* Deel 1. Los Altos, CA: William Kaufmann, 1981.
Feigenbaum, Edward A. en Julian Feldman, red. *Computers and Thought.* New York: McGraw-Hill, 1963.
Feigenbaum, Edward A. en Pamela McCorduck. *The Fifth Generation: Artificial Intelligence and Japan's Computer Challenge to the World.* Reading, MA: Addison-Wesley, 1983.
Feynman, Richard. 'There's Plenty of Room at the Bottom.' *Miniaturization,* onder redactie van H. D. Gilbert. New York: Reinhold, 1961.
Feynman, Richard P. *Surely You're Joking, Mr: Feynman!* New York: Norton, 1985.
—. *What Do You Care What Other People Think!* New York: Bantam, 1988.
Feynman, Richard P., Robert B. Leighton en Matthew Sands. *The Feynman Lectures in Physics.* Reading, MA: Addison-Wesley, 1965.
Findlay, J. N. *Plato and Platonism: An Introduction.* New York: Times Books, 1978.
Finkelstein, Joseph, red. *Windows on a New World: The Third Industrial Revolution.* New York: Greenwood Press, 1989.
Fischler, Martin A. en Oscar Firschein. *Intelligence: The Eye, the Brain and the Computer.* Reading, MA: Addison-Wesley, 1987.

—, red., *Readings in Computer Vision: Issues, Problems, Principles, and Paradigms*. Los Altos, CA: Morgan Kaufmann, 1987.

Fjermedal, Grant. *The Tomorrow Makers: A Brave New World of Living Brain Machines.* New York: Macmillan Publishing Company, 1986.

Flanagan, Owen. *Consciousness Reconsidered*. Cambridge, MA: MIT Press, 1992.

Flynn, Anita, Rodney A. Brooks en Lee S. Tavrow. 'Twilight Zones and Cornerstones: A Gnat Robot Double Feature.' *A.I. Memo 1126*. MIT Artificial Intelligence Laboratory, 1989.

Fodor, Jerry A. *The Language of Thought*. Hassocks, VK: Harvester, 1975.

—. 'Methodological Solipsism Considered as a Research Strategy in Cognitive Psychology.' *Behavioral and Brain Sciences*. Deel 3, 1980.

—. *The Modularity of Mind*. Cambridge, MA: MIT Press, 1983.

—. *Psychosemantics*. Cambridge, MA: MIT Press, 1987.

—. *Representations: Philosophical Essays on the Foundations of Cognitive Science*. Cambridge, MA: MIT Press, 1982.

—. *A Theory of Content and Other Essays*. Cambridge, MA: MIT Press, 1990.

Fogel, Lawrence J., Alvin J. Owens en Michael J. Walsh. *Artificial Evolution Through Simulated Evolution*. New York: John Wiley and Sons, 1966.

Foley, James, Andries van Dam, Steven Feiner en John Hughes. *Computer Graphics: Principles and Practice*. Reading, MA: Addison-Wesley, 1990.

Forbes, R. J. *Studies in Ancient Technology*. 9 delen. Leiden, Nederland: E. J. Brill, 1955-1965.

Ford, Kenneth M., Clark Glymour en Patrick J. Hayes. *Android Epistemology*. Cambridge, MA: MIT Press, 1995.

Forester, Tom. *Computers in the Human Context*. Cambridge, MA: MIT Press, 1989.

—. *High-Tech Society: The Story of the Information Technology Revolution*. Cambridge, MA: MIT Press, 1987.

—. *The Information Technology Revolution*. Cambridge, MA: MIT Press, 1985.

—. *The Materials Revolution*. Cambridge, MA: MIT Press, 1988.

Forrest, Stephanie, red. *Emergent Computation*. Amsterdam: Noord-Holland, 1990.

Foster, Richard. *Innovation: The Attacker's Advantage*. New York: Summit Books, 1986.

Fowler, D. H. *The Mathematics of Plato's Academy*. Oxford: Clarendon Press, 1987.

Franke, Herbert W. *Computer Graphics-Computer Art*. Berlijn: Springer-Verlag, 1985.

Franklin, Stan. *Artificial Minds*. Cambridge, MA: MIT Press, 1997.

Frauenfelder, Uli H. en Lorraine Komisarjevsky Tyler. *Spoken Word Recognition*. Cambridge, MA: MIT Press, 1987.

Freedman, David H. *Brainmakers: How Scientists Are Moving Beyond Computers to Create a Rival to the Human Brain*. New York: Simon and Schuster, 1994.

Freeman, Herbert, red. *Machine Vision for Three-Dimensional Scenes.* Boston: Academic Press, 1990.

Freud, Sigmund. *The Interpretation of Dreams*. Herdruk. Londen: Hogarth Press, 1955.

—. *Jokes and Their Relation to the Unconscious*. Deel 8 van *Standard Edition of the Complete Psychological Works of Sigmund Freud*. 1905. Herdruk. Londen: Hogarth Press, 1957.

Freudenthal, Hans. *Mathematics Observed*. Vert. Stephen Rudolfer en I. N. Baker. New York: McGraw-Hill, 1967.

Frey, Peter W., red. *Chess Skill in Man and Machine*. New York: Springer-Verlag, 1983.

Friend, David, Alan R. Pearlman en Thomas D. Piggott. *Learning Music with Synthesizers*. Lexington, MA: Hal Leonard, 1974.

Gamow, George. *One Two Three... Infinity*. Toronto: Bantam Books, 1961.

Gardner, Howard. *The Mind's New Science: A History of the Cognitive Revolution*. New York: Basic Books, 1985.

Gardner, Martin. *Time Travel and Other Mathematical Bewilderments*. New York: W. H. Freeman, 1988.
Garey, Michael R. en David S. Johnson. *Computers and Intractability*. San Francisco: W.H. Freeman, 1979.
Gates, Bill. *The Road Ahead*. New York: Viking Penguin, 1995.
Gay, Peter. *The Enlightenment: An Interpretation*. Deel 1, *The Rise of Modern Paganism*. New York, W.W. Norton, 1966.
—. *The Enlightenment: An Interpretation*. Deel 2, *The Science of Freedom*. New York, W.W. Norton, 1969.
Gazzaniga, Michael S. *Mind Matters: How Mind and Brain Interact to Create Our Conscious Lives*. Boston: Houghton-Mifflin Company, 1988.
Geissler, H. G. et al. *Advances in Psychology*. Amsterdam: Elsevier Science B.V, 1983.
Geissler, Hans-George, et al. *Modern Issues in Perception*. Amsterdam: North-Holland, 1983.
Gelernter, David. *Mirror Worlds: Or the Day Software Puts the Universe in a Shoebox ... How It Will Happen and What It Will Mean*. New York: Oxford University Press, 1991.
—. *The Muse in the Machine: Computerizing the Poetry of Human Thought*. New York: The Free Press, 1994.
Gell-Mann, Murray. *The Quark and the Jaguar: Adventures in the Simple and the Complex*. New York: W. H. Freeman, 1994.
—. 'Simplicity and Complexity in the Description of Nature.' *Engineering & Science* 3, Lente 1988.
Ghiselin, Brewster. *The Creative Process: A Symposium*. New York: New American Library, 1952.
Gilder, George. *Life After Television*. New York: W. W. Norton and Company, 1994.
—. *The Meaning of Microcosm*. Washington, D.C.: The Progress and Freedom Foundation, 1997.
—. *Microcosm: The Quantum Revolution in Economics and Technology*. New York: Simon and Schuster, 1989.
—. *Telecosm*. New York: American Heritage Custom Publishing, 1996.
Gillispie, Charles. *The Edge of Objectivity*. Princeton, NJ: Princeton University Press, 1960.
Glass, Robert L. *Computing Catastrophes*. Seattle, WA: Computing Trends, 1983.
Gleick, James. *Chaos: Making a New Science*. New York: Viking Penguin, 1987.
Glenn, Jerome Clayton. *Future Mind: Artificial Intelligence: The Merging of the Mystical and the Technological in the 21st Century*. Washington, D.C.: Acropolis Books, 1989.
Gödel, Kurt. *On Formally Undecidable Propositions in 'Principia Mathematica' and Related Systems*. New York: Basic Books, 1962.
Goldberg, David E. *Genetic Algorithms in Search, Optimization, and Machine Learning*. Reading, MA: Addison-Wesley, 1989.
Goldstine, Herman. *The Computer from Pascal to von Neumann*. Princeton, NJ: Princeton University Press, 1972.
Goleman, Daniel. *Emotional Intelligence: Why It Can Matter More Than IQ*. New York: Bantam Books, 1995.
Good, I. J. 'Speculations Concerning the First Ultraintelligent Machine.' *Advances in Computers*. Deel 6. Onder redactie van Franz L. Alt en Morris Rubinoff. Academic Press, 1965.
Goodman, Cynthia. *Digital Visions: Computers and Art*. New York: Harry N. Abrams, 1987.
Gould, Stephen J. *Ever Since Darwin*. New York: Norton, 1977.
—. *Full House: The Spread of Excellence from Plato to Darwin*. New York: Crown, 1995.
—. *Hen's Teeth and Horse's Toes*. New York: Norton, 1983.
—. *The Mismeasure of Man*. New York: Norton, 1981.

—. *Ontogeny and Phylogeny*. Cambridge, MA: Harvard University Press, 1977.
—. 'Opus 200.' *Natural History*, August 1991.
—. *The Panda's Thumb*. New York: Norton, 1980.
—. *Wonderful Life: The Burgess Shale and the Nature of History*. New York: Norton, 1989.
Gould, Stephen J. en Elisabeth S. Vrba. 'Exaptation-A Missing Term in the Science of Form.' *Paleobiology* 8:1, 1982.
Gould, Stephen J. en R. C. Lewontin. 'The Spandrels of San Marco and the Panglossian Paradigm: A Critique of the Adaptationist Programme.' *Proceedings of the Royal Society of London*, B 205 (1979).
Graubart, Steven R., red. *The Artificial Intelligence Debate: False Starts, Real Foundations*. Cambridge, MA: MIT Press, 1990.
Greenberg, Donald, Aaron Marcus, Alan H. Schmidt en Vernon Gorter. *The Computer Image: Applications of Computer Graphics*. Reading, MA: Addison-Wesley, 1982.
Greenberger, Martin, red. *Computers and the World of the Future*. Cambridge, MA: MIT Press, 1962.
Greenblatt, R. D. et al. *The Greenblatt Chess Program*. *Proceedings of the Fall Joint Computer Conference*. ACM, 1967.
Gribbin, J. *In Search of Schrodinger's Cat: Quantum Physics and Reality*. New York: Bantam Books, 1984.
Grimson, W. Eric L. *Object Recognition by Computer. The Role of Geometric Constraints*. Cambridge, MA: MIT Press, 1990.
Grimson, W. Eric L. en Ramesh S. Patil, red. *AI in the 1980s and Beyond: An MIT Survey*. Cambridge, MA: MIT Press, 1987.
Grimson, William Eric Leifur. *From Images to Surfaces: A Computational Study of the Human Early Visual System*. Cambridge, MA: MIT Press, 1981.
Grossberg, Stephen, red. *Neural Networks and Natural Intelligence*. Cambridge, MA: MIT Press, 1988.
Grossman, Reinhardt. *Phenomenology and Existentialism: An Introduction*. Londen: Routledge and Kegan Paul, 1984.
Guillen, Michael. *Bridges to Infinity: The Human Side of Mathematics*. Los Angeles: Jeremy P. Tarcher, 1983.
Guthrie, W K. C. *A History of Greek Philosophy*. 6 delen, Cambridge: Cambridge University Press, 1962-1981.
Hafner, Katie en John Markoff. *Cyberpunk: Outlaws and Hackers on the Computer Frontier*. New York: Simon and Schuster, 1991.
Halberstam, David. *The Next Century*. New York: William Morrow, 1991.
Hameroff, Stuart R., Alfred W Kaszniak en Alwyn C. Scott, red. *Toward a Science of Consciousness: The First Tucson Discussions and Debates*. Cambridge, MA: MIT Press, 1996.
Hamming, R. W. *Introduction to Applied Numerical Analysis*. New York: McGraw-Hill, 1971.
Hankins, Thomas L. *Science and the Enlightenment*. Cambridge: Cambridge University Press, 1985.
Harel, David. *Algorithmics: The Spirit of Computing*. Menlo Park, CA: Addison-Wesley, 1987.
Harman, Willis. *Global Mind Change: The New Age Revolution in the Way We Think*. New York: Warner Books, 1988.
Harmon, Paul en David King. *Expert Systems: Artificial Intelligence in Business*. New York: John Wiley and Sons, 1985.
Harre, Rom, red. *American Behaviorial Scientist: Computation and the Mind*. Deel 40, nr. 6, mei 1997.
Harrington, Steven. *Computer Graphics: A Programming Approach*. New York: McGraw-Hill, 1987.

Harris, Mary Dee. *Introduction to Natural Language Processing*. Reston, VA: Reston, 1985.
Haugeland, John. *Artificial Intelligence: The Very Idea*. Cambridge, MA: MIT Press, 1985.
—. red. *Mind Design: Philosophy, Psychology, Artificial Intelligence*. Cambridge, MA: MIT Press, 1981.
—. red. *Mind Design II: Philosophy, Psychology, Artificial Intelligence*. Cambridge, MA: MIT Press, 1997.
Hawking, Stephen W.: *A Brief History of Time: From the Big Bang to Black Holes*. Toronto: Bantam Books, 1988.
Hayes-Roth, Frederick, D. A. Waterman en D. B. Lenat, red. *Building Expert Systems*. Reading, MA: Addison-Wesley, 1983.
Heisenberg, Werner. *Physics and Beyond: Encounters and Conversations*. New York: Harper and Row, 1971.
Hellemans, Alexander en Bryan Bunch. *The Timetables of Science*. New York: Simon and Schuster, 1988.
Herbert, Nick. *Quantum Reality*. Garden City, NY: Anchor Press, 1985.
Hildebrandt, Stefan en Anthony Tromba. *Mathematics and Optimal Form*. New York: Scientific American Books, 1985.
Hillis, W. Daniel. *The Connection Machine*. Cambridge, MA: MIT Press, 1985.
—. 'Intelligence as an Emergent Behavior; Or: The Songs of Eden,' in S. R. Graubard, red. *The Artificial Debate: False Starts and Real Foundations*. Cambridge, MA: MIT Press, 1988.
Hindle, Brooke en Steven Lubar. *Engines of Change: The American Industrial Revolution, 1790-1860*. Washington, D.C.: Smithsonian Institution Press, 1986.
Hoage, R. J. en Larry Goldman. *Animal Intelligence: Insights into the Animal Mind*. Washington, D.C.: Smithsonian Institution Press, 1986.
Hodges, Andrew. *Alan Turing: The Enigma*. New York: Simon and Schuster, 1983.
Hoel, Paul G., Sidney C. Port en Charles J. Stone. *Introduction to Stochastic Processes*. Boston: Houghton-Mifflin, 1972.
Hofstadter, Douglas R. *Gödel, Escher, Bach: An Eternal Golden Braid*. New York: Basic Books, 1979.
—. *Metamagical Themas: Questing for the Essence of Mind and Pattern*. New York: Basic Books, 1985
Hofstadter, Douglas R. en Daniel C. Dennett. *The Mind's I: Fantasies and Reflections on Self and Soul*. New York: Basic Books, 1981.
Hofstadter, Douglas R., Gray Clossman en Marsha Meredith. 'Shakespeare's Plays Weren't Written by Him, but by Someone Else of the Same Name.' Bloomington: Indiana University Computer Science Department Technical Report 96, 1980.
Holland, J. H., K. I. Holyoke, R. E. Nisbett en P. R. Thagard. *Induction: Processes of Inference, Learning, and Discovery*. Cambridge, MA: MIT Press, 1986.
Hookway, Christopher, red. *Minds, Machines, and Evolution: Philosophical Studies*. Cambridge: Cambridge University Press, 1984.
Hopper, Grace Murray en Steven L. Mandell. *Understanding Computers*. Tweede editie. St. Paul, MN: West Publishing Co., 1987.
Horn, Berthold Klaus Paul. *Robot Vision*. Cambridge, MA: MIT Press, 1986.
Horn, Berthold K. P. en Michael J. Brooks. *Shape from Shading*. Cambridge, MA: MIT Press, 1989.
Hsu, F. *Two Designs of Functional Units for VLSI Based Chess Machines*. Technical Report. Computer Science Department, Carnegie Mellon University, 1986.
Hubel, David H. *Eye, Brain, and Vision*. New York: Scientific American Library, 1988.
Hume, D. *Inquiry Concerning Human Understanding*. 1748. Herdruk. Indianapolis, IN: Bobbs-Merrill, 1955.
Hunt, V. Daniel. *Understanding Robotics*. San Diego, CA: Academic Press, 1990.

Huxley, Aldous. *Brave New World*. New York: Harper, 1946.
Hyman, Anthony. *Charles Babbage: Pioneer of the Computer*. Oxford: Oxford University Press, 1982.
Inose, Hiroshi en John R. Pierce. *Information Technology and Civilization*. New York: W H. Freeman, 1984.
Jacobs, François. *The Logic of Life*. New York: Pantheon Books, 1973.
James, Mike. *Pattern Recognition*. New York: John Wiley and Sons, 1988.
James, William. *The Varieties of Religious Experience*. New York: Collier Books, 1961.
Jamieson, Leah H., Dennis Gannon en Robert J. Douglas. *The Characteristics of Parallel Algorithms*. Cambridge, MA: MIT Press, 1987.
Johnson, Mark en George Lakoff. *Metaphors We Live By*. Chicago: University of Chicago Press, 1980.
Jones, Steve. *The Language of Genes: Solving the Mysteries of Our Genetic Past, Present, and Future*. New York: Anchor Books, 1993.
Jones, W. T. *Kant and the Nineteenth Century*. Deel 4 van *A History of Western Philosophy*. Tweede editie. New York: Harcourt Brace Jovanovich, 1975.
—. *The Twentieth Century to Wittgenstein and Sartre*. Deel 5 of *A History of Western Philosophy*. Tweede editie. New York: Harcourt Brace Jovanovich, 1975.
Joy, Kenneth I., Charles W. Grant, Nelson L. Max en Lansing Hatfield. *Tutorial: Computer Graphics: Image Synthesis*. Washington, D.C.: Computer Society Press, 1988.
Judson, Horace E. *The Eighth Day of Creation*. New York: Simon and Schuster, 1979.
Jung, Carl. *Memories, Dreams, Reflections*. Herziene editie. Onder redactie van Aniela Jaffé en vertaald door Richard en Clara Winston. New York: Pantheon Books, 1961.
Jung, Carl, et al. *Man and His Symbols*. Garden City, NY: Doubleday, 1964.
Kaku, Michio. *Hyperspace: A Scientific Odyssey Through Parallel Universes, Time Warps, and the 10th Dimension*. New York: Anchor Books, 1995.
—. *Visions: How Science Will Revolutionize the 21st Century*. New York: Doubleday, 1997.
Kant, Immanuel. *Prolegomena to Any Future Metaphysics*. Indianapolis, IN: Bobbs-Merrill, 1950.
Kasner, Edward en James Newman. *Mathematics and the Imagination*. New York: Simon and Schuster, 1940.
Kauffman, Stuart A. 'Antichaos and Adaptation.' *Scientific American*, augustus 1991.
—. *At Home in the Universe: The Search for the Laws of Self-Organization and Complexity*. New York: Oxford University Press, 1995.
—. The Origins of Order: *Self-Organization and Selection in Evolution*. Oxford: Oxford University Press, 1993.
—. 'The Sciences of Complexity and 'Origins of Order." Santa Fe Institute, 1991, technisch rapport 91-04-021.
Kaufmann, William J. en Larry L. Smarr. *Supercomputing and the Transformation of Science*. New York: Scientific American Library, 1993.
Kay, Alan C. 'Computers, Networks and Education.' *Scientific American*, September 1991.
Kelly, Kevin. *Out of Control: The New Biology of Machines, Social Systems and the Economic World*. Reading, MA: Addison-Wesley, 1994.
Kent, Ernest W. *The Brains of Men and Machines*. Peterborough, NH: BYTe/McGraw-Hill, 1981.
Kidder, Tracy. *The Soul of a New Machine*. Londen: Allen Lane. 1982.
Kirk, G. S., J. E. Raven en M. Schofield. *The Presocratic Philosophers*. Cambridge: Cambridge University Press, 1983.
Kleene, Stephen Cole. *Introduction to Metamathematics*. New York: D. Van Nostrand, 1952.
Kline, Morris. *Mathematics and the Search for Knowledge*. Oxford: Oxford University Press, 1985.

Klivington, Kenneth A. *The Science of Mind*. Cambridge, MA: MIT Press, 1989.
Klix, Friedhart, red. *Human and Artificial Intelligence*. Amsterdam: Noord-Holland, 1979.
Knorr, Wilbur Richard. *The Ancient Tradition of Geometric Problems*. Boston: Birkhauser, 1986.
Kobayashi, Koji. *Computers and Communications: A Vision of C & C*. Cambridge, MA: MIT Press, 1986.
Kohonen, Teuvo. *Self-Organization and Associative Memory*. Berlijn: Springer-Verlag, 1984.
Kosslyn, Stephen M. *Image and Brain: The Resolution of the Imagery Debate*. Cambridge, MA: MIT Press, 1996.
Koza, John R. *Genetic Programming: On the Programming of Computers by Means of Natural Selection*. Cambridge, MA: MIT Press, 1992.
Krauss, Lawrence N. *The Physics of Star Trek*. New York: Basic Books, 1995.
Kullander, Sven en Borje Larsson. *Out of Sight! From Quarks to Living Cells*. Cambridge: Cambridge University Press, 1994.
Kuno, Susumu. *Functional Syntax: Anaphora, Discourse, and Empathy*. Chicago: University of Chicago Press, 1987.
Kurzweil, Raymond. *The Age of Intelligent Machines*. Cambridge, MA: MIT Press, 1990.
—. *The Age of Spiritual Machines: When Computers Exceed Human Intelligence*. New York: Viking Penguin, 1999.
—. 'When Will HAL Understand What We Are Saying? Computer Speech Recognition and Understanding.' Chapter in *HAL's Legacy: 2001's Computer as Dream & Reality*. Onder redactie van David G. Stork. Cambridge, MA: MIT Press, 1996.
—. *The 10% Solution for a Healthy Life: How to Eliminate Virtually All Risk of Heart Disease and Cancer*. New York: Crown Publishers, 1993.
Lammers, Susan. *Programmers at Work: Interviews*. Redmond, WA: Microsoft Press, 1986.
Landes, David S. *Revolution in Time: Clocks and the Making of the Modern World*. Cambridge, MA: Harvard University Press, 1983.
Landreth, Bill. *Out of the Inner Circle: A Hacher's Guide to Computer Security*. Bellevue, WA: Microsoft Press, 1985.
Langley, Pat, Herbert A. Simon, Gary L. Bradshaw en Jan M. Zytkow. *Scientific Discovery: Computational Explorations of the Creative Process*. Cambridge, MA: MIT Press, 1987.
Langton, Christopher G., red. *Artificial Life: An Overview*. Cambridge, MA: MIT Press, 1997.
Lasserre, François. *The Birth of Mathematics in the Age of Plato*. New York: World Publishing Co., 1964.
Latil, Pierre de. *Thinking by Machine: A Study of Cybernetics*. Boston: Houghton-Mifflin, 1956.
Laver, Murray. *Computers and Social Change*. Cambridge: Cambridge University Press, 1980.
Lea, Wayne A., red. *Trends in Speech Recognition*. Englewood Cliffs, NJ: Prentice-Hall, 1980.
Leavitt, Ruth, red. *Artist and Computer*. Morristown, NJ: Creative Computing Press, 1976.
Lee, Kai-Fu en Raj Reddy. *Automatic Speech Recognition: The Development of the SPHINX Recognition System*. Boston: Kluwer, 1989.
Lee, Thomas F. *The Human Genome Project: Cracking the Genetic Code of Life*. New York: Plenum Press, 1991.
Leebaert, Derek, red. *Technology 2001: The Future of Computing and Communications*. Cambridge, MA: MIT Press, 1991.
Leibniz, Gottfried Wilhelm. *Philosophical Writings*. red. G. H. R. Parkinson. Londen en Toronto: J. M. Dent and Sons, 1973.

Leibniz, Gottfried Wilhelm en Samuel Clarke. *The Leibniz-Clarke Correspondence*. red. H. G. Alexander. Manchester, VK: Manchester University Press, 1956.

Lenat, Douglas B. 'The Heuristics of Nature: The Plausible Mutation of DNA.' Stanford Heuristic Programming Project, 1980, technisch rapport HPP-80-27.

Lenat, Douglas B. en R.V. Guha. *Building Large Knowledge-Based Systems: Representation and Inference in the CYC Project*. Reading, MA: Addison-Wesley, 1990.

Leontief, Wassily W. *The Impact of Automation on Employment, 1963-2000*, Institute for Economic Analysis, New York University, 1984.

Leontief, Wassily W. en Faye Duchin, red. *The Future Impact ofAutomation on Workers*. Oxford: Oxford University Press, 1986.

Lettvin, J.Y., U. Maturana, W. McCulloch en W. Pitts. 'What the Frog's Eye Tells the Frog's Brain.' *Proceedings of the IRE,* 47 (1959).

Levy, Steven. *Artificial Life: The Quest for a New Creation*. New York: Pantheon Books, 1992.

—. *Hackers: Heroes of the Computer Revolution*. Garden City, NY: Anchor Press/ Doubleday, 1968.

Lewin, Roger. *Complexity: Life at the Edge of Chaos*. New York: Macmillan, 1992.

—. *In the Age of Mankind: A Smithsonian Book of Human Evolution*. Washington, D.C.: Smithsonian Books, 1988.

—. *Thread of Life: The Smithsonian Looks at Evolution*. Washington, D.C.: Smithsonian Books, 1982.

Lieff, Jonathan D. (M.D.) *Computer Applications in Psychiatry*. Washington, D.C.: American Psychiatric Press, 1987.

Lloyd, G. E. R. *Aristotle: The Growth and Structure of His Thought*. Cambridge: Cambridge University Press, 1968.

—. *Early Greek Science: Thales to Aristotle*. New York: W.W Norton, 1970.

Locke, John. *Essay Concerning Human Understanding*. Londen, 1690.

Lord, Norman W. en Paul A. Guagosian. *Advanced Computers: Parallel and Biochip Processors*. Ann Arbor, MI: Ann Arbor Science, Butterworth Group, 1983.

Lowe, David G. *Perceptual Organization and Visual Recognition*. Boston: Kluwer Academic, 1985.

Lubar, Steven. *InfoCulture: The Smithsonian Book of Information Age Inventions*. Boston: Houghton-Mifflin Company, 1993.

Luce, R. D. en H. Raiffa. *Games and Decisions*. New York: John Wlley and Sons, 1957.

Lucky, Robert W. *Silicon Dreams: Information, Man, and Machine*. New York: St. Martin's Press, 1989.

MacEy, Samuel L. *Clocks and the Cosmos: Time in Western Life and Thought*. Hamden: Archon Books, 1980.

Maes, Pattie. *Designing Autonomous Agents*. Cambridge, MA: MIT Press, 1991.

Magnenat-Thalmann, Nadia en Daniel Thalmann. *Computer Animation: Theory and Practice*. Tokyo: Springer-Verlag, 1985.

Malcolm, Norman. *Ludwig Wittgenstein: A Memoir, with a Biographical Sketch by Georg Henrik Von Wright*. Oxford: Oxford University Press, 1958.

Mamdani, E. H. en B. R. Gaines. *Fuzzy Reasoning and Its Applications*. Londen: Academic Press, 1981.

Mandelbrot, Benoit B. *The Fractal Geometry of Nature*. New York: W. H. Freeman, 1988.

—. *Fractals: Form, Chance, and Dimension*. San Francisco: W H. Freeman, 1977.

Mander, Jerry. *In the Absence of the Sacred: The Failure of Technology and the Survival of the Indian Nations*. San Francisco: Sierra Club Books, 1992.

Margulis, Lynn en Dorion Sagan. *Microcosmos: Four Billion Years of Evolution from Our Microbial Ancestors*. New York: Summit Books, 1986.

Markle, Sandra en William Markle. *In Search of Graphics: Adventures in Computer Art.* New York: Lothrop, Lee and Shepard Books, 1985.

Markoff, John. 'The Creature That Lives in Pittsburgh.' New York Times, April 21, 1991.

Markov, A. *The Theory of Algorithms.* Moskou: Nationale Academie van Wetenschappen, USSR, 1954.

Marr, D. *Vision.* New York: W. H. Freeman, 1982.

Martin, James en Steven Oxman. *Building Expert Systems: A Tutorial.* Englewood Cliffs, NJ: Prentice-Hall, 1988.

Martin, William A., K. W. Church en R. S. Patil. 'Preliminary Analysis of a Breadth-First Parsing Algorithm: Theoretical and Experiential Results.' Cambridge, MA: MIT Laboratory for Computer Science, 1981.

Marx, Leo. *The Machine in the Garden: Technology and the Pastoral Ideal in America.* Londen: Oxford University Press, 1964.

Mason, Matthew T. en Kenneth Salisbury, Jr. *Robot Hands and the Mechanics of Manipulation.* Cambridge, MA: MIT Press, 1985.

Massaro, D. W., et al. *Letter and Word Perception: Orthographic Structure and Visual Processing in Reading.* Amsterdam: Noord-Holland, 1980.

Mathews, Max V. *The Technology of Computer Music.* Cambridge, MA: MIT Press, 1969.

Mayr, Ernst. *Animal Species and Evolution.* Cambridge, MA: Harvard University Press, 1963.

—. *Toward a New Philosophy of Biology.* Cambridge, MA: Harvard University Press, 1988.

Mayr, Otto. *Authority, Liberty, and Automatic Machinery in Early Modern Europe.* Baltimore, MD: Johns Hopkins University Press, 1986.

Mazlish, Bruce. *The Fourth Discontinuity: The Co-Evolution of Humans and Machines.* New Haven, C7: Yale University Press, 1993.

McClelland, James L. en David E. Rumelhart. *Parallel Distributed Processing: Explorations in the Microstructure of Cognition Volume 1.* Cambridge, MA: MIT Press, 1986.

—. *Parallel Distributed Processing: Explorations in the Microstructure of Cognition Volume 2.* Cambridge, MA: MIT Press, 1986.

McCorduck, Pamela. *Aaron's Code: MetaArt, Artificial Intelligence, and the Work of Harold Cohen.* New York: W. H. Freeman, 1991.

—. *Machines Who Think: A Personal Inquiry into the History and Prospects of Artificial Intelligence.* San Francisco: W. H. Freeman, 1979.

McCulloch, Warren S. *An Account of the First Three Conferences of Teleological Mechanisms.* Josiah Macy, Jr. Foundation, 1947.

—. *Embodiments of Mind.* Cambridge, MA: MIT Press, 1965.

McLuhan, Marshall. *The Medium Is the Message.* New York: Bantam Books, 1967.

—. *Understanding Media: The Extension of Man.* New York: McGraw-Hill, 1964.

McRae, Hamish. *The World in 2020: Power, Culture, and Prosperity.* Cambridge, MA: Harvard Business School Press, 1994.

Mead, Carver. *Analog VLSI Implementation of Neural Systems.* Reading, MA: Addison-Wesley, 1989.

Mead, Carver en Lynn Conway *Introduction to VLSI Systems.* Reading, MA: Addison-Wesley, 1980.

Meisel, William S. *Computer-Oriented Approaches to Pattern Recognition.* New York: Academic Press, 1972.

Mel, Bartlett W. *Connectionist Robot Motion Planning: A Neurally-Inspired Approach to Visually-Guided Reaching.* Boston: Academic Press, 1990.

Metropolis, N., J. Howlett en Gian-Carlo Rota, red. *A History of Computing in the Twentieth Century.* New York: Academic Press, 1980.

Miller, Eric, red. *Future Vision: The 189 Most Important Trends of the 1990s.* Naperville, IL: Sourcebooks Trade, 1991.

Minsky, Marvin. *Computation: Finite and Infinite Machines*. Englewood Cliffs, NJ: Prentice Hall, 1967.

—. 'A Framework for Representing Knowledge.' In *The Psychology of Computer Vision*, Onder redactie van P H. Winston New York: McGraw-Hill, 1975.

—. *The Society of Mind*. New York: Simon and Schuster, 1985.

—. red. *Robotics*. New York: Doubleday, 1985.

—. red. *Semantic Information Processing*. Cambridge, MA: MIT Press, 1968.

Minsky, Marvin en Seymour A. Papert. *Perceptrons: An Introduction to Computational Geometry*. Cambridge, MA: MIT Press, 1969 (herziene editie, 1988).

Mitchell, Melanie. *An Introduction to Genetic Algorithms*. Cambridge, MA: MIT Press, 1996.

Mohr, Richard R. *The Platonic Cosmolity*. Leiden, Nederland: E. J. Brill, 1985.

Moore, Thomas J. *Lifespan: New Perspectives on Extending Human Longevity*. New York: Simon and Schuster, 1993.

Moore, Walter. *Schrodinger: Life and Thought*. Cambridge: Cambridge University Press, 1989.

Moravec, Hans. *Mind Children: The Future of Robot and Human Intelligence*. Cambridge, MA: Harvard University Press, 1988.

Morgan, Christopher P., red. *The 'Byte' Book of Computer Music*. Peterborough, NH: Byte Books, 1979.

Morowitz, Harold j. en Jerome L. Singer. *The Mind, the Brain, and Complex Adaptive Systems*. Reading, MA: Addison-Wesley, 1995.

Morris, Desmond. *The Naked Ape: A Zoologist's Study of the Human Animal*. New York: McGraw-Hill, 1967.

Morse, Stephen S., red. *Emerging Viruses*. Oxford: Oxford University Press, 1997.

Mumford, Lewis. *The Myth of the Machine: Technics und Human Development*. New York: Harcourt Brace and World, 1967.

Murphy, Pat. *By Nature's Design*. San Francisco: Chronicle Books, 1997.

Murray, David W. en Bernard E Buxton. *Experiments in the Machine Interpretation of Visual Motion*. Cambridge, MA: MIT Press, 1990.

Myers, Terry, John Laver en John Anderson, red. *The Cognitive Representation of Speech*. Amsterdam: Noord-Holland. 1981.

Naisbitt, John. *Global Paradox: The Bigger the World Economy, the More Powerful Its Smallest Players*. New York: William Morrow, 1994.

Naisbitt, John en Patricia Aburdene. *Megatrends 2000: Ten New Directions for the 1990's*. New York: William Morrow, 1990.

—. *Re-Inventing the Corporation: Transforming Your Job and Your Company for the New Information Society*. New York: Warner Books, 1985.

Nayak, P. Ranganath en John M. Ketteringham. *Breakthroughs! How the Vision and Drive of Innovators in Sixteen Companies Created Commercial Breakthroughs That Swept the World*. New York: Arthur D. Little, 1986.

Negroponte, Nicholas. *Being Digital*. New York: Alfred A. Knopf, 1995.

—. 'Products and Services for Computer Networks.' *Scientific American*, September 1991.

Neuberger, A. P. *The Technical Arts and Sciences of the Ancients*. Londen: Methuen, 1930.

Newell, Allen. *Intellectual Issues in the History of Artificial Intelligence*. Pittsburgh, PA: Carnegie Mellon University, 1982.

—. *The Unified Theories of Cognition*. Cambridge, MA: Harvard University Press, 1990.

Newell, Allen en Herbert A. Simon. *Human Problem Solving*. Englewood Cliffs, NJ: Prentice-Hall, 1972.

Newell, Allen, et al. 'Speech Understanding Systems: Final Report of a Study Group.' Computer Science Department, Carnegie Mellon University, Pittsburgh, May 1971.

Newmeyer, Frederick J. *Linguistic Theory in America*. Tweede editie. Orlando, FL: Academic Press, 1986.

Newton, Isaac. *Philosophiae Naturalis Principia Mathematica*. Derde editie. Cambridge, MA: Harvard University Press, 1972. Oorspronkelijke uitgave, 1726.

Nierenberg, Gerard. *The Art of Creative Thinking*. New York: Simon and Schuster, 1982.

Nilsson, Lennart. *The Body Victorious: The Illustrated Story of Our Immune System and Other Defenses of the Human Body*. Vert. Clare James. New York: Delacorte Press, 1985.

Nilsson, Nils J. *Principles of Artificial Intelligence*. Los Altos, CA: Morgan Kaufmann, 1980.

Nilsson, Nils J. en Bonnie Lynn Webber. *Readings in Artificial Intelligence*. Los Altos, CA: Morgan Kaufmann, 1985.

Nocera, Joseph. *A Piece of the Action: How the Middle Class Joined the Money Class*. New York: Simon and Schuster, 1994.

Norretranders, Tor. *The User Illusion: Cutting Consciousness Down to Size*. New York: Viking, 1998.

O'Keefe, Bernard J. *Nuclear Hostages*. Boston: Houghton-Mifflin Company, 1983.

Oakley, D. A., red. *Brain and Mind*. Londen en New York: Methuen, 1985.

Oliver, Dick. *Fracta Vision: Put Fractals to Work for You*. Carmel, IN: Sams Publishing, 1992.

Ornstein, Robert. *The Evolution of Consciousness: Of Darwin, Freud, and Cranial Fire; the Origins of the Way We Think*. New York: Prentice-Hall Press, 1991.

—. *The Mind Field*. Londen: Octagon Press, 1976.

—. *Multimind: A New Way of Looking at Human Behavior*. Boston: Houghton-Mifflin, 1986.

—. *On the Experience of Time*. Londen: Penguin Books, 1969.

—. *The Psychology of Consciousness*. Tweede editie. New York: Harcourt Brace Jovanovich, 1972.

—. red. *The Nature of Human Consciousness: A Book of Readings*. New York: Viking, 1973.

Ornstein, Robert en Paul Ehrlich. *New World, New Mind: Moving Toward Conscious Evolution*. New York: Doubleday, 1989.

Ornstein, Robert en D. S. Sobel. *The Healing Brain*. New York: Simon and Schuster, 1987.

Ornstein, Robert en Richard F. Thompson. *The Amazing Brain*. Boston: Houghton Mifflin, 1984.

Osherson, Daniel N., Michael Stob en Scott Weinstein. *Systems That Learn: An Introduction to Learning Theory for Cognitive and Computer Scientists*. Cambridge, MA: MIT Press, 1986.

Ouellette, Pierre. *The Deus Machine*. New York: Villard Books, 1994.

Owen, G. *The Universe of the Mind*. Baltimore, MD: Johns Hopkins University Press, 1971.

Pagels, Heinz R. *The Cosmic Code: Quantum Physics as the Language of Nature*. New York: Bantam Books, 1983.

—. *The Dreams of Reason: The Computer and the Rise of the Sciences of Complexity*. New York: Bantam Books, 1988.

—. *Perfect Symmetry: The Search for the Beginning of Time*. New York: Bantam Books, 1986.

Papert, Seymour. *The Children's Machine: Rethinking School in the Age of the Computer*. New York: Basic Books, 1993.

—. *Mindstorms: Children, Computers, and Powerful Ideas*. New York: Basic Books, 1980.

Pascal, Blaise. *Pensées*. New York: E. P. Dutton, 1932. Oorspronkelijke uitgave, 1670.

Paul, Gregory S. en Earl D. Cox. *Beyond Humanity: CyberEvolution and Future Minds*. Rockland, MA: Charles River Media, 1996.

Paul, Richard P. *Robot Manipulators: Mathematics, Programming, and Control*. Cambridge, MA: MIT Press, 1981.

Paulos, John Allen. *Beyond Numeracy: Ruminations of a Number Man*. New York: Alfred A. Knopf, 1991.
Pavlov, I. P. *Conditioned Reflexes*. Londen: Oxford University Press, 1927.
Peat, F: David. *Artificial Intelligence: How Machines Think*. New York: Baen Enterprises, 1985.
—. *Synchronicity: The Bridge Between Matter and Mind*. Toronto: Bantam Books, 1987.
Peitgen, H. O., D. Saupe, et al. *The Science of Fractal Images*. New York: Springer-Verlag, 1988.
Peitgen, H. O en P. H. Richter. *The Beauty of Fractals: Images of Complex Dynamical Systems*. Berlijn: Springer-Verlag, 1986.
Penfield, W. *The Mystery of the Mind*. Princeton, NJ: Princeton University Press, 1975.
Penrose, R. en C. J. Isham, red. *Quantum Concepts in Space and Time*. Oxford: Oxford University Press: 1986.
Penrose, Roger. *The Emperor's New Mind: Concerning Computers, Minds, and the Laws of Physics*. New York: Oxford University Press, 1989.
—. *Shadows of the Mind*. Oxford: Oxford University Press, 1994.
Pentland, Alex P., red. *From Pixels to Predicates: Recent Advances in Computational and Robotic Vision*. Norwood, NJ: Ablex Publishing Corporation, 1986.
Peterson, Dale. *Genesis II: Creation and Recreation with Computers*. Reston, VA: Reston Publishing Co., 1983.
Petroski, Henry. *To Engineer Is Human: The Role of Failure in Successful Design*. New York: St. Martin's Press, 1985.
Piaget, Jean. *The Psychology of Intelligence*. Londen: Routledge and Kegan Paul, 1967.
Pickover, Clifford A. *Computers and the Imagination: Visual Adventures Beyond the Edge*. New York: St. Martin's Press, 1991.
Pierce, John R. *The Science of Musical Sound*. New York: Scientific American Books, 1983.
Pines, David, red. *Emerging Syntheses in Science*. Reading, MA: Addison-Wesley, 1988.
Pinker, Steven. *How the Mind Works*. New York: W. W. Norton and Company, 1997.
—. *The Language Instinct*. New York: William Morrow, 1994.
—. *Language Learnability and Language Development*. Cambridge, MA: Harvard University Press, 1984.
—. *Learnability and Cognition: The Acquisition of Argument Structure*. Cambridge, MA: MIT Press, 1989.
—. red. *Visual Cognition*. Cambridge, MA: MIT Press, 1984.
Pinker, Steven en J. Mehler, red. *Connections and Symbols*. Cambridge, MA: MIT Press, 1988.
Plato. *Epinomis*. The Loeb Classical Library. red. W. R. M. Lamb. Deel 8. New York: G. P. Putnam's Sons, 1927.
—. *Protagoras and Meno*. Baltimore, MD: Penguin Books, 1956.
—. *Timaeus*. Indianapolis, IN: Bobbs-Merrill, 1959.
Pollock, John. *How to Build a Person: A Prolegomenon*. Cambridge, MA: MIT Press, 1989.
Poole, Robert M. *The Incredible Machine*. Washington, D.C.: The National Geographic Society, 1986.
Poppel, Ernst. *Mindworks: Time and Conscious Experience*. Boston: Harcourt Brace Jovanovich, 1988.
Popper, Karl en John Eccles. *The Self and Its Brain*. Berlijn, Londen: Springer-Verlag, 1977.
Posner, Michael I. en Marcus E. Raichle. *Images of Mind*. New York: Scientific American Library, 1994.
Potter, Jerry L., red. *The Massively Parallel Processor*. Cambridge, MA: MIT Press, 1985.
Poundstone, William. *Prisoner's Dilemma*. New York: Doubleday, 1992.

—. *The Recursive Universe: Cosmic Complexity and the Limits of Scientific Knowledge.* New York: William Morrow, 1985.
Pratt, Vernon. *Thinking Machines: The Evolution of Artificial Intelligence.* New York: Basil Blackwell, 1987.
Pratt, William K. *Digital Image Processing.* New York: John Wiley and Sons, 1978.
Price, Derek J. de Solla. *Gears from the Greeks: The Antikythera Mechanism—A Calendar Computer from Circa 80 B.C.* New York: Science History Publications, 1975.
Prigogine, Ilya. *The End of Certainty. Time's Flow and the Laws of Nature.* New York: Simon and Schuster, 1997.
Prueitt, Melvin L. *Art and the Computer.* New York: McGraw-Hill, 1984.
Prusinkiewicz, Przemyslaw en Aristid Lindenmayer. *The Algorithmic Beauty of Plants.* New York: Springer-Verlag, 1990.
Rabiner, Lawrence R. en Ronald W. Schafer. *Digital Processing of Speech Signals.* Englewood Cliffs, NJ: Prentice-Hall, 1978.
RACTER. *The Policeman's Beard Is Half Constructed: Computer Prose and Poetry by RACTER.* [William Chamberlain en Joan Hall.] New York: Warner Books, 1984.
Radford, Andrew. *Transformational Syntax: A Student's Guide to Chomsky's Extended Standard Theory.* Cambridge: Cambridge University Press, 1981.
Raibert, Marc H. *Legged Robots That Balance.* Cambridge, MA: MIT Press, 1986.
Randell, Brian, red. *The Origins of Digital Computers. Selected Papers.* New York: Springer-Verlag, 1975.
Raphael, Bertram. *The Thinking Computer: Mind Inside Matter.* San Francisco: W. H. Freeman, 1976.
Rasmussen, S., et al. 'Computational Connectionism Within Neurons: A Model of Cytoskeletal Automata Subserving Neural Networks,' *Emergent Computation.* Onder redactie van Stephanie Forrest. Cambridge, MA: MIT Press, 1991.
Raup, David M. *Extinction: Bad Genes or Bad Luck?* New York: W. W. Norton, 1991.
Rawlings, Gregory J. E. *Moths to the Flame: The Seductions of Computer Technology.* Cambridge. MA: MIT Press, 1996.
Rée, Jonathan. *Descartes.* New York: Pica Press, 1974.
Reichardt, Jasia. Robots: *Fact, Fiction and Prediction.* Middlesex, VK: Penguin Books, 1978.
Reid, Robert H. *Architects of the Web: 1,000 Days That Built the Future of Business.* New York: John Wiley and Sons, 1997.
Restak, Richard M (M.D.) *The Brain.* Toronto: Bantam Books, 1984.
Rheingold, Howard. *Virtual Reality.* New York: Summit Books, 1991.
Rich, Elaine. *Artificial Intelligence.* New York: McGraw-Hill, 1983.
Rich, Elaine en Kevin Knight. *Artificial Intelligence.* Tweede editie. New York: McCraw-Hill, 1991.
Ringle, Martin D., red. *Philosophical Perspectives in Artificial Intelligence.* Brighton, Sussex: Harvester Press, 1979.
Roads, Curtis, red. *Composers and the Computer.* Los Altos, CA: William Kaufmann, 1985.
—. red. *The Music Machine: Selected Readings from 'Computer Music Journal.'* Cambridge, MA: MIT Press, 1988.
Roads, Curtis en John Strawn. *Foundations of Computer Music.* Cambridge, MA: MIT Press, 1989.
Robin, Harry en Daniel J. Kevles. *The Scientific Image: From Cave to Computer.* New York: Harry N. Abrams, 1992.
Rock, Irvin. *Perception.* New York: Scientific American Books, 1984.
Rogers, David E en Rae A. Ernshaw, red. *Computer Graphics Techniques: Theory and Practice.* New York: Springer-Verlag, 1990.

Rose, Frank. *Into the Heart of the Mind: An American Quest for Artificial Intelligence*. New York:Vintage Books, 1984.
Rosenberg, Jerry M. *Dictionary of Artificial Intelligence and Robotics*. New York: John Wiley and Sons, 1986.
Rosenblatt, Frank. *Principles of Neurodynamics*. New York: Spartan, 1962.
Rosenfield, Israel. *The Invention of Memory: A New View of the Brain*. New York: Basic Books, 1988.
Rothchild, Joan, red. *Machina ex Dea: Feminist Perspectives on Technology*. New York: Pergamon Press, 1982.
Rothschild, Michael. *Bionomics: The Inevitability of Capitalism*. New York: Henry Holt and Company, 1990.
Rucker, Rudy. *Infinity and the Mind*. Boston: Birkhauser, 1982.
—. *Mind Tools: The Five Levels of Mathematical Reality*. Boston: Houghton-Mifflin Company, 1987.
—. *Software*. Middlesex, VK: Penguin Books, 1983.
Rumelhart, D. E., J. L. McClelland en the PDP Research Group. *Parallel Distributed Processing*. Deel 1 en 2. Cambridge, MA: MIT Press, 1982.
Russell, Bertrand. *The ABC of Relativity*. Vierde editie. 1925. Herdruk. Londen: Allen and Unwin, 1985.
—. *The Autobiography of Bertrand Russell: 1872-1914*. Toronto: Bantam Books, 1967.
—. *The Autobiogoaphy of Bertrand Russell: 1914-1944*. Toronto: Bantam Books, 1968.
—. *A History of Western Philosophy*. New York: Simon and Schuster, 1945.
—. *Introduction to Mathematical Philosophy*. New York: Macmillan, 1919.
—. *Mysticism and Logic*. New York: Doubleday Anchor Books, 1957.
—. *The Principles of Mathematics*. Herdruk. New York: W. W. Norton & Company, 1996.
—. *The Problems of Philosophy*. New York: Oxford University Press, 1959.
Russell, Peter. *The Global Brain: Speculations on the Evolutionary Leap to Planetary Consciousness*. Los Angeles: J. P. Tarcher, 1976.
Sabbagh, Karl. *The Living Body*. Londen: Macdonald & Company, 1984.
Sacks. Oliver. *The Man Who Mistook His Wife for a Hat and Other Clinical Tales*. New York: Harper and Row, 1985.
Sagan, Carl. *Contact*. New York: Simon and Schuster, 1985.
—. *The Dragons of Eden: Speculations on the Evolution of Human Intelligence*. New York: Ballantine Books, 1977.
—. red. *Communication with Extraterrestrial Intelligence*. Cambridge, MA: MIT Press, 1973.
Sambursky, S. *The Physical World of the Greeks*. Londen: Routledge and Kegan Paul, 1963. Oorspronkelijke uitgave, 1956.
Sanderson, George en Frank Mcdonald, red. *Marshall McLuhan: The Man and His Message*. Golden, CO: Fulcrum, 1989.
Saunders, Peter T. 'The Complexity of Organisms.' *Evolutionary Theory: Paths into the Future*, Onder redactie van J. W. Pollard. New York: John Wiley and Sons, 1984.
Savage, John E., Susan Magidson en Alex M. Stein. *The Mystical Machine: Issues and Ideas in Computing*. Reading, MA: Addison-Wesley, 1986.
Saxby, Graham. *Holograms: How to Make and Display Them*. Londen: Focal Press, 1980.
Sayre, Kenneth M. en Frederick J. Crosson. *The Modeling of Mind: Computers and Intelligence*. New York: Simon and Schuster, 1963.
Schank, Roger. *The Creative Attitude: Learning to Ask and Answer the Right Questions*. New York: Macmillan Publishing Company, 1988.
—. *Dynamic Memory: A Theory of Reminding and Learning in Computers and People*. Cambridge: Cambridge University Press, 1982.

—. *Tell Me a Story: A New Look at Real and Artificial Memory*. New York: Charles Scribner's Sons, 1990.
Schank, Roger C. en Kenneth Mark Colby., red. *Computer Models of Thought and Language*. San Francisco: W. H. Freeman, 1973.
Schank, Roger [met Peter G. Childers]. *The Cognitive Computer: On Language, Learning, and Artificial Intelligence*. Reading, MA: Addison-Wesley, 1984.
Schilpp, P. A., red. *The Philosophy of Bertrand Russell*. Chicago: Chicago University Press, 1944.
Schon, Donald A. *Educating the Reflective Practitioner: Toward a New Design for Teaching and Learning in the Professions*. San Francisco: Jossey-Bass, 1987.
Schorr, Herbert en Alain Rappaport, red. *Innovative Applications of Artificial Intelligence*. Menlo Park, CA: AAAI Press, 1989.
Schrodinger, Erwin. *What Is Life?* Cambridge: Cambridge University Press, 1967.
Schull, Jonathan. 'Are Species Intelligent?' Behavioral and Brain Sciences 13:1 (1990).
Schulmeyer, G. Gordon. *Zero Defect Software*. New York: McGraw-Hill, 1990.
Schwartz, Lillian F. *The Computer Artist's Handbook: Concepts, Techniques, and Applications*. New York: W. W. Norton and Company, 1992.
Searle, John R. 'Minds, Brains, and Programs.' *The Behavioral and Brain Sciences*. Deel 3. Cambridge: Cambridge University Press, 1980.
—. *Minds, Brains and Science*. Cambridge, MA: Harvard University Press, 1985.
—. *The Rediscovery of the Mind*. Cambridge, MA: MIT Press, 1992.
Sejnowski, T. en C. Rosenberg. 'Parallel Networks That Learn to Pronounce English Text.' *Complex Systems* 1 (1987).
Serra, Jean, red. *Image Analysis and Mathematical Morphology*. Deel 1. Londen: Academic Press, 1988.
—. red. *Image Analysis and Mathematical Morphology*. Deel 2: Theoretical Advances. Londen: Academic Press, 1988.
Shapiro, Stuart D., red. *Encyclopedia of Artificial Intelligence*. 2 Delen, New York: John Wiley and Sons, 1987.
Sharples, M. D., et al. *Computers and Thought: A Practical Introduction to Artificial Intelligence*. Cambridge, MA: MIT Press, 1989.
Shear, Jonathan, red. *Explaining Consciousness-The 'Hard' Problem*. Cambridge, MA: MIT Press, 1995-1997.
Shortliffe, E. *MYCIN: Computer-Based Medical Consultations*. New York: American Elsevier, 1976.
Shurkin, Joel. *Engines of the Mind: A History of the Computer*. New York: W. W. Norton, 1984.
Siekmann, Jorg en Graham Wrightson. *Automation of Reasoning 1: Classical Papers on Computational Logic 1957-1966*. Berlijn: Springer-Verlag, 1983.
—. *Automation of Reasoning 2: Classical Papers on Computational Logic 1967-1970*. Berlijn: Springer-Verlag, 1983.
Simon, Herbert A. *Models of My Life*. New York: Basic Books, 1991.
—. *The Sciences of the Artificial*. Cambridge, MA: MIT Press, 1969.
Simon, Herbert A. en Allen Newell. 'Heuristic Problem Solving: The Next Advance in Operations Research.' *Operations Research*. Deel 6. 1958.
Simon, Herbert A. en L. Siklossy, red. *Representation and Meaning: Experiments with Information Processing Systems*. Englewood Cliffs, NJ: Prentice-Hall, 1972.
Simpson, George Gaylord. *The Meaning of Evolution*. The New American Library of World Literature. New York: A Mentor Book, 1951.
Singer, C., E. J. Holmyard, A. R. Hall en T. I. Wllliams, red. *A History of Technology*. 5 Delen Oxford: Oxford University Press, 1954-1958.

Singer, Michael A. *The Search for Truth*. Alachua, FL: Shanti Publications, 1974.

Slater, Robert. *Portraits in Silicon*. Cambridge, MA: MIT Press, 1987.

Smith, John Maynard. *Did Darwin Get It Right? Essays on Games, Sex and Evolution*. New York: Chapman and Hall. 1989.

Smullyan, Raymond. *Forever Undecided: A Puzzle Guide to Gödel*. New York: Alfred A. Knopf, 1987.

Solso, Robert L. *Mind and Brain Sciences in the 21st Century*. Cambridge, MA: MIT Press, 1997.

Soltzberg, Leonard J. *Sing a Song of Software: Verse and Images for the Computer-Literate*. Los Altos, CA: William Kaufmann, 1984.

Soucek, Branko en Marina Soucek. *Neural and Massively Parallel Computers: The Sixth Generation*. New York: John Wiley and Sons, 1988.

Spacks, Barry *The Company of Children*. Garden City, NY: Doubleday and Company, 1969.

Spinosa, Charles, Hubert L. Dreyfus en Fernando Flores. *Disclosing New Worlds: Entrepreneurship, Democratic Action, and the Cultivation of Solidarity*. Cambridge, MA: MIT Press, 1997.

Stahl, Franklin W. *The Mechanics of Inheritance*. Englewood Cliffs, NJ: Prentice-Hall, 1964, 1969.

Stein, Dorothy. *Ada: A Life and a Legacy*. Cambridge, MA: MIT Press, 1985.

Sternberg, Robert J., red. *Handbook of Human Intelligence*. Cambridge: Cambridge University Press, 1982.

Sternberg, Robert J. en Douglas K. Detterman, red. *What Is Intelligence? Contemporary Viewpoints on its Nature and Definition*. Norwood, NJ: Ablex Publishing Corporation, 1986.

Stewart, Ian. *Does God Play Dice?* New York: Basil Blackwell, 1989.

Stock, Gregory. *Metaman: The Merging of Humans and Machines into a Global Superorganism*. New York: Simon and Schuster, 1993.

Stork, David G. *HAL's Legacy: 2001's Computer as Dream and Reality*. Cambridge, MA: MIT Press, 1996.

Strassmann, Paul A. *Information Payoff: The Transformation of Work in the Electronic Age*. New York: The Free Press, 1985.

Talbot, Michael. *The Holographic Universe*. New York: HarperCollins, 1991.

Tanimoto, Steven L. *The Elements of Artificial Intelligence: An Introduction Using LISP*. Rockville, MD: Computer Science Press, 1987.

Taylor, E. Sherwood. *A Short History of Science and Scientific Thought*. New York: W. W. Norton and Company, 1949.

Taylor, Philip A., red. *The Industrial Revolution in Britain: Triumph or Disaster?* Lexington, MA: Heath, 1970.

Thearling, Kurt. 'How We Will Build a Machine That Thinks.' A Workshop at Thinking Machines Corporation, August 24-26, 1992.

Thomas, Abraham. *The Intuitive Algorithm*. New Delhi: Affiliated East-West PVT, 1991.

Thomis, Malcolm I. *The Luddites: Machine Breaking in Regency England*. Hamden, CT: Archon Books, 1970.

Thorpe, Charles E. *Vision and Navigation: The Carnegie Mellon Navlab*. Nonvell, MA: Kluwer Academic, 1990.

Thurow, Lester C. *The Future of Capitalism: How Today's Economic Forces Shape Tomorrow's World*. New York: William Morrow, 1996.

Time-Life Books. *Computer Images*. Alexandria, VA: Time-Life Books, 1986.

Tjepkema, Sandra L. *A Bibliography of Computer Music: A Reference for Composers*. Iowa City: University of Iowa Press, 1981.

Toeppenwein, L. L., et al. *Robotics Applications for Industry: A Practical Guide*. Park Ridge: Noyes Data Corporation, 1983.

Toffler, Alvin. *Powershift*. New York: Bantam Books, 1990.

—. *The Third Wave: The Classic Study of Tomorrow*. New York: Bantam Books, 1980.

Toffoli, Tommaso en Norman Margolis. *Cellular Automata Machines: A New Environment for Modeling*. Cambridge, MA: MIT Press, 1987.

Torrance, Stephen B., red. *The Mind and the Machine: Philosophical Aspects of Artificial Intelligence*. Chichester, VK: Ellis Horwood, 1986.

Traub, Joseph E, red. *Cohabiting with Computers*. Los Altos, CA: William Kaufmann, 1985.

Truesdell, L. E. *The Development of Punch Card Tabulation in the Bureau of the Census*, 1890-1940. Washington, D.C.: Government Printing Office, 1965.

Tufte, Edward R. *The Visual Display of Quantitative Information*. Cheshire, CT: Graphics Press, 1983.

—. *Visual Explanations: Images and Quantities, Evidence and Narrative*. Cheshire, CT: Graphics Press, 1997.

Turing, Alan. 'Computing Machinery and Intelligence.' Herdrukt in *Minds and Machines*, Onder redactie van Alan Ross Anderson. Englewood Cliffs, NJ: Prentice-Hall, 1964.

—. 'On Computable Numbers, with an Application to the *Entscheidungsproblem*' Proceedings, Londen Mathematical Society, 2, nr. 42 (1936).

Turkle, Sherry. *The Second Self Computers and the Human Spirit*. New York: Simon and Schuster, 1984.

Tye, Michael. *Ten Problems of Consciousness: A Representational Theory of the Phenomenal Mind*. Cambridge, MA: MIT Press, 1995.

Ullman, Shimon. *The Interpretation of Visual Motion*. Cambridge, MA: MIT Press, 1982.

Usher, A. P. *A History of Mechanical Inventions*. Tweede editie. Cambridge, MA: Harvard University Press, 1958.

Vaina, Lucia en Jaakko Hintikka, red. *Cognitive Constraints on Communication*. Dordrecht, Nederland: Reidel, 1985.

Van Heijenoort, Jean, red. *From Frege to Gödel*. Cambridge, MA: Harvard University Press, 1967.

Varela, Francisco J., Evan Thompson en Eleanor Rosch. *The Embodied Mind: Cognitive Science and Human Experience*. Cambridge, MA: MIT Press, 1991.

Vigne, V. 'Technological Singularity.' *Whole Earth Review*, winter 1993.

von Neumann, John. *The Computer and the Brain*. New Haven, CT: Yale University Press, 1958.

Waddington, C. H. *The Strategy of the Genes*. Londen: George Allen and Unwin, 1957.

Waldrop, M. Mitchell. *Complexity: The Emerging Science at the Edge of Order and Chaos*. New York: Simon and Schuster, 1992.

—. *Man-Made Minds: The Promise of Artificial Intelligence*. New York: Walker and Company, 1987.

Waltz, D. 'Massively Parallel AI.' Paper presented at the American Association of Artificial Intelligence (AAAI) conference, augustus 1990.

Waltz, David. *Connectionist Models and Their Implications: Readings from Cognitive Science*. Norwood, NJ: Ablex, 1987.

Wang, Dr. An. *Lessons: An Autobiography*. Reading, MA: Addison-Wesley, 1986.

Wang, Hao. *A Logical Journey: From Gödel to Philosophy*. Cambridge, MA: MIT Press, 1996.

Warrick, Patricia S. *The Cybernetic Imagination in Science Fiction*. Cambridge, MA: MIT Press, 1980.

Watanabe, Satoshi. *Pattern Recognition: Human and Mechanical*. New York: John Wiley and Sons, 1985.

Waterman, D. A. en F. Hayes-Roth, red. *Pattern-Directed Inference Systems*. Uitverkocht.
Watson, J. B. *Behaviorism*. New York: Norton, 1925.
Watson, J. D. *The Double Helix*. New York: Atheneum, 1968.
Watt, Roger. *Understanding: Vision*. Londen: Academic Press, 1991.
Webber, Bonnie Lynn en Nils J. Nilsson, red. *Readings in Artificial Intelligence*. Los Altos, CA: Morgan Kaufmann, 1981.
Weinberg, Steven. *Dreams of a Final Theory*. New York: Pantheon Books, 1992.
—. *The First Three Minutes: A Modern View of the Origin of the Universe*. New York: Pantheon Books, 1977.
Weiner, Jonathan. *The Next One Hunderd Years*. New York: Bantam Books, 1990.
Weinstock, Neal. *Computer Animation*. Reading, MA: Addison-Wesley, 1986.
Weiss, Sholom M. en Casimir A. Kulikowski. *A Practical Guide to Designing Expert Systems*. Totowa, NJ: Rowman and Allanheld, 1984.
Weizenbaum, Joseph. *Computer Power und Human Reason*. San Francisco: W. H. Freeman, 1976.
Werner, Gerhard. 'Cognition as Self-Organizing Process.' *Behavioral and Brain Sciences* 10, 2: 183.
Westfall, Richard. *Never at Rest: A Biography of Isaac Newton*. Cambridge: Cambridge University Press, 1980.
White, K. D. *Greek and Roman Technology*. Londen: Thames and Hudson, 1984.
Whitehead, Alfred N. en Bertrand Russell. *Principia Mathematica*. 3 Delen. Tweede editie. Cambridge: Cambridge University Press, 1925-1927.
Wick, David. *The Infamous Boundary: Seven Decades of Heresy in Quantum Physics*. Boston: Birkhauser, 1995.
Wiener. Norbert. *Cybernetics: or Control and Communication in the Animal and the Machine*. Cambridge, MA: MIT Press, 1965.
—. *God and Golem, Inc.: A Comment on Certain Points Where Cybernetics Impinges on Religion*. Cambridge, MA: MIT Press, 1985.
Wills, Christopher. *The Runaway Brain: The Evolution of Human Uniqueness*. New York: Basic Books, 1993.
Winkless, Nels en Iben Browning. *Robots on Your Doorstep: A Book About Thinking Machines*. Portland, OR: Robotics Press, 1978.
Winner, Langdon. *Autonomous Technology: Technics-Out-of-Control as a Theme in Political Thought*. Cambridge, MA: MIT Press, 1977.
Winograd, Terry. *Understanding Computers and Cognition*. Norwood, NJ: Ablex, 1986.
—. *Understanding Natural Language*. New York: Academic Press, 1972.
Winston, Patrick Henry. *Artificial Intelligence*. Reading, MA: Addison-Wesley, 1984.
—. *The Psychology of Computer Vision*. New York: McGraw-Hill, 1975.
Winston, Patrick Henry en Richard Henry Brown, red. *Artificial Intelligence: An MIT Perspective*. Deel 1. Cambridge, MA: MIT Press, 1979.
—. red. *Artificial Intelligence: An M1T Perspective*. Deel 2. Cambridge, MA: MIT Press, 1979.
Winston, Patrick Henry en Karen A. Prendergast. *The AI Business: Commercial Uses of Artificial Intelligence*. Cambridge, MA: MIT Press, 1984.
Wittgenstein, Ludwig. *Philosophical Investigations*. Oxford: Blackwell, 1953.
—. *Tractatus Logico-Philosophicus*. Londen: Routledge and Kegan Paul, 1961.
Yavelow, Christopher. *MacWorld Music and Sound Bible*. San Mateo, CA: IDG Books Worldwide, 1992.
Yazdani, M. en A. Narayanan, red. *Artificial Intelligence: Human Effects*. Chichester, VK: Ellis Horwood, 1984.
Yovits, M. C. en S. Cameron, red. *Self-Organizing Systems*. New York: Pergamon Press, 1960.

Zadeh, Lofti. *Information and Control.* Deel 8. New York: Academic Press, 1974.
Zeller, Eduard. *Plato and the Older Academy.* Herdruk. New York: Russell and Russell, 1962.
Zue, Victor W., Francine R. Chen en Lori Lamel. *Speech Spectrogram Reading: An Acoustic Study of English Words and Sentences.* Cambridge, MA: MIT Press. Lecture Notes and Spectrograms, July 26-30, 1982.

# Weblinks

Nu volgt een catalogus op onderwerp van Internetsites die relevant zijn voor de onderwerpen van dit boek.Vergeet niet dat, in vergelijking met boeken, websites zeker niet zo lang meegaan. Deze sites zijn allemaal gecontroleerd toen dit boek ter perse ging, maar onvermijdelijk zal een aantal sites niet meer actief zijn. Helaas is het Internet bezaaid met sites die niet meer functioneren.

## SITES MET BETREKKING TOT DIT BOEK

**De website van dit boek:**
http://www.penguinputnam.com/kurzweil
**Het e-mailadres van de schrijver:**
Raymond@kurzweiltech.com
**De site waar je Ray Kurzweils Cybernetic Poet kunt downloaden:**
http://www.kurzweiltech.com
**De oorspronkelijke uitgever van dit boek:**
http://www.penguinputnam.com
**De Nederlandstalige uitgever van dit boek:**
http://www.lannoo.be
**De site voor publicaties van Ray Kurzweil:**
Ga naar http://wwwkurzweiltech.com of http://www.kurzweiledu.com en kies vervolgens 'Publications'

**WEBSITES VAN BEDRIJVEN DIE RAY KURZWEIL HEEFT OPGERICHT**
**Kurzweil Educational Systems, Inc. (de maker van tekst-naar-spraak-leessystemen voor mensen met leeshandicaps en slechte ogen):**
http://www.kurzweiledu.com
**Kurzweil Technologies, Inc. (de maker van Ray Kurzweils Cybernetic Poet en andere softwareprojecten):**
http://www.kurzweiltech.com
**De dicteerdivisie van Lernout & Hauspie Speech Products (voorheen Kurzweil Applied Intelligence, Inc.), de maker van spraakherkennings- en natuurlijke-taalsoftwaresystemen:**
http://www.lhs.com/dictation/
**De algemene website van Lernout & Hauspie:**
http://www.lhs.com
**Kurzweil Music Systems, Inc., de maker van muzieksynthesizers die op computers zijn gebaseerd, verkocht aan Young Chang in 1990:**
http://www.youngchang.com/kurzweil/index.html

**TextBridge Optical Character Recognition (OCR). Voorheen Kurzweil OCR van Kurzweil Computer Products, Inc. (verkocht aan Xerox Corp.in 1980):**
http://www.xerox.com/scansoft/textbridge/

## RESEARCH OP HET GEBIED VAN KUNSTMATIG LEVEN EN KUNSTMATIGE INTELLIGENTIE

**Het Artificial Intelligence Laboratory van het Massachusetts Institute of Technology (MIT):**
http://www.ai.mit.edu/
**Artificial Life Online:**
http://alife.santafe.edu
**Contemporary Philosophy of Mind: An Annotated Bibliography:**
http://ling.ucsc.edu/~chalmers/biblio.html
**Machine Learning Laboratory, de University of Massachusetts, Amherst:**
http://www-ml.cs.umass.edu/
**Het MIT Media Lab:**
http://www.media.mit.edu/
**SSIE 580B: Evolutionary Systems and Artificial Life, van Luis M. Rocha, Los Alamos National Laboratory:**
http://www.c3.lanl.gov/~rocha/ss504_02.html
**Guide to Artificial Life van Stewart Dean:**
http://www.webslave.dircon.co.uk/alife/intro.html

## ASTRONOMIE / NATUURKUNDE

**American Institute of Physics:**
http://www.aip.org/history/einstein/
**International Astronomical Union (IAU):**
http://www.intastun.org
**Introductie tot de Oerknal-theorie:**
http://www.bowdoin.edu/dept/physics/astro.1997/astro4/bigbang.html

## BIOLOGIE EN EVOLUTIE

**Artikel uit American Scientist: Reward Deficiency Syndrome:**
http://www.amsci.org/amsci/Articles/96Articles/Blum-full.html
**Animal Diversity Web Site, het Museum of Zoology van de University of Michigan:**
http://www.oit.itd.umich.edu/projects/ADW/
**Charles Darwin's *Origin of Species*:**
http://www.literature.org/Works/Charles-Darwin/origin/
**Evolutie en gedrag:**
http://ccp.uchicago.edu/~jyin/evolution.html
**Het Human Genome Project:**
http://www.nhgri.nih.gov/HGP/
**Informatieverwerking in het menselijk lichaam:**
http://vadim.www.media.mit.edu/MAS862/Project.html
**Thomas Ray/Tierra:**
http://www.hip.atr.co.jp/~ray/
**Het Visible Human Project:**
http://www.nlm.nih.gov/research/visible/visible_human.html

## HERSENSCANONDERZOEK

**De website over hersenonderzoek, Jeffrey H.Lake Research:**
http://www.brainresearch.com/
**Toepassingen van hersenonderzoek:**
http://www.brainresearch.com/apps.html
**Amiram Grinvalds website: Imaging the Brain in Action:**
http://www.weizmann.ac.il/brain/grinvald/grinvald.htm
**Het Harvard Brain Tissue Resource Center:**
http://www.brainbank.mclean.org:8080
**Het McLean Hospital Brain Imaging Center:**
http://www.mclean.org:8080
**Optical Imaging, Inc., Homepage:**
http://opt-imaging.com/
**Research Imaging Center: De mysteries van de geest oplossen, University of Texas Health Science Center in San Antonio:**
http://biad63.uthscsa.edu/
**Visualizatie en analyse van 3D functionele hersenscans, door Finn Å rup Nielsen, Institute of Mathematical Modeling, afdeling Digital Signal Processing, voorheen Electronics Institute, Technical University van Denemarken:**
http://hendrix.ei.dtu.dk/staff/students/fnielsen/thesis/finn/finn.html
**Weizmann Institute of Science:**
http://www.weizmann.ac.il/
**De atlas van de gehele hersenen:**
http://www.med.harvard.edu/AANLIB/home.html

## COMPUTERBEDRIJVEN/MEDISCHE TOEPASSINGEN

**Automated Highway System DEMO; National AHS Consortium Homepage:**
http://monolith-mis.com/ahs/de fault.htm
**Biometrie (De homepage over gezichtsherkenning):**
http://cherry.kist.re.kr/center/html/sites.html
**De homepage over gezichtsherkenning:**
http://www.cs.rug.nl/~peterkr/FACE/face.html
**Het Intelligent Vehicle Initiative: Promoot 'Human-Centered' slimme motorvoertuigen:**
http://www.tfhrc.gov/pubrds/pr97-l0/pl8.htm
**Kurzweil Educational Systems, Inc.:**
http://www.kurzweiledu.com/
**Kurzweil Music (Welcome to Kurzweil Music Systems):**
http://www.youngchang.com/kurzweil/index.html
**Laboratory for Financial Engineering at MIT:**
http://web.mit.edu/lfe/www/
**Lernout & Hauspie Speech Products:**
http://www.lhs.com/
**Medical Symptoms Matching Software:**
http://www.ozemail.com.au/~lisadev/sftdocpu.htm
**Miros bedrijfsinformatie:**
http://www.miros.com/About_Miros.htm
**Synaptics, Inc.:**
http://www.synaptics.com/
**Systran:**
http://www.systransoft.com/

## COMPUTERS EN KUNST/CREATIVITEIT

**Arachnaut's Lair - Electronic Music Links:**
http://www.arachnaut.org/music/links.html
**ArtSpace: Computer Generated Art:**
http://www.uni.uiuc.edu/~artspace/compgen.html
**BRUTUS.1 Story Generator:**
http://www.rpi.edu/dept/ppcs/BRUTUS/brutus.html
**But Is It Computer Art?:**
http://www.cs.swarthmore.edu/~binde/art/index.html
**Computer Artworks, Ltd.:**
http://www.artworks.co.uk/welcome.htm
**Computer Generated Writing:**
http://www.notam.uio.no/~mariusw/c-g.writing/
**Northwest Cyberartists: Time Warp of Past Events:**
http://www.nwlink.com/cyberartists/timewarp.html
**Music Software:**
http://www.yahoo.com/Entertainment/Music/Software/
**An OBS Cyberspace Extension of *Being Digital*, by Nicholas Negroponte:**
http://www.obs-us.com/obs/english/books/nn/bdintro.htm
**Ray Kurzweil's Cybernetic Poet:**
http://www.kurzweiltech.com
**Aanbevolen literatuur, Computerkunst:**
http://ananke.advanced.org/3543/resourcessites.html
**Virtual Muse: Experiments in Computer Poetry:**
http://camel.conncoll.edu/ccother/cohar/programs/index.html

## COMPUTERS EN BEWUSTZIJN/SPIRITUALITEIT

**Beschouwingen over het menselijk bewustzijn:**
http://www.mediacom.it/~v colaciuri/consc.htm
**Extropy Online, Arterati on Ideas, door Natasha Vita More; Vinge's View of the Singularity:**
http://www.extropy.com/~exi/eo/articles/vinge.htm
**God en Computers:**
http://web.mit.edu/bpadams/www/gac
**Kasparov versus Deep Blue: The Rematch:**
http://www.nytimes.com/partners/microsites/chess/archive8.html
**On-line-essays over bewustzijn, samenstelling: David Chalmers:**
http://ling.ucsc.edu/~chalmers/mind.html
**Toward a Science of Consciousness 1998 'Tucson III', Conference, The University of Arizona, Tucson, Arizona. Met hulp van het Fetzer Institute en het Institute of Noetic Sciences:**
http://www.zynet.co.uk/imprint/Tucson/

## COMPUTINGWETENSCHAPSONDERZOEK

**Virtuele werkelijkheid definiëren, Industry Consortium in the Institute for Communication Research, Department of Communication, Stanford University:**
http://www.cyborganic.com/people/jonathan/Academia/PapersWeb/defining-vr.html
**Computergames: Verleden, heden en toekomst:**
http://www.bluetongue.com/~pang/DRAFT.html

**De Haptics Community Web Page:**
http://haptic.mech.nwu.edu
**Modeling and Simulation: Linking Entertainment and Defense:**
http://www.nap.edu/readingroom/books/modeling/index.html
**Physics News Update Number 219-The Density of Data. Een link naar het onderzoek van Lambertus Hesselink over kristalcomputing:**
http://www.aip.org/enews/physnews/1995/split/pnu219-2.htm
**Student cracks encryption code. Een link naar een artikel in *USA Today* over hoe Ian Goldberg, afgestudeerd aan de University of California, een 40-bit-code heeft gekraakt:**
http://www.usatoday.com/life/cyber/tech/ct718.htm

**Autonome agenten**
**Agent weblinks:**
http://www.cs.bham ac.uk/~amw/agents/links/index.html

**Computervision**
Computer Vision Research Groups:
http://www.cs.cmu.edu/~cil/v-groups.html

**DNA-computing**
**'Op DNA-gebaseerde computers kunnen supercomputers vermoedelijk snel voorbijstreven, voorspellen onderzoekers.' Een link naar een artikel in de *Chronicle of Higher Education* over DNA-computing van Vincent Kieman:**
http://chronicle.com/data/articles.dir/art-44.dir/issue-14.dir/14a02301.htm
**Uitleg over moleculair computing met DNA, van Fred Hapgood, moderator van de Nanosystems Interest Group aan het MIT:**
http://www.mitre.org/research/nanoteck/hapgood_on_dna.html
**De University of Wisconsin: DNA-computing:**
http://corninfo.chem.wisc.edu/writings/DNAcomputing.html

**Expertsystemen/Kennisengineering**
**Kennisengineering, Engineering Management Graduate Program aan de Christian Brothers University: On-line-bronnen naar een reeks links:**
http://www.cbu.edu/~pong/engm624.htm

**Genetische algoritmen/Evolutiecomputing**
**Het Genetic Algorithms Archive van het Navy Center for Applied Research in Artificial Intelligence:**
http://www.aic.nrl.navy.mil/galist/
**The Hitchhiker's Guide to Evolutionary Computation, Issue 6.2: A List of Frequently Asked Questions (FAQ), onder redactie van Jorg Heitkötter en David Beasley:**
ftp://ftp.cs.wayne.edu/pub/EC/FAQ/www/top.htm
**Het Santa Fe Institute:**
http://www.santafe.edu

**Kennismanagement**
**ATM-links (Asynchronous Transfer Mode):**
http://www.ee.cityu.edu.hk/~splam/html/atmlinks.html

**Knowledge Management Network:**
http://kmn.cibit.hvu.nl/index.html
**Enkele lopende KBS/Ontologieprojecten en -groepen:**
http://www.cs.utexas.edu/users/mfkb/related.html

**Nanotechnologie**
**De website van Eric Drexler op het Foresight Institute (met de complete tekst van *Engines of Creation*):**
http://www.foresight.org/EOC/index.html
**De lezing van Richard Feynman, 'There's Plenty of Room at the Bottom':**
http://nano.xerox.com/nanotech/feynman.html
**Nanotechnology: Ralph Merkle's website bij het Xerox Palo Alto Research Center:**
http://sandbox.xerox.com/nano
**MicroElectroMechanical Systems and Fluid Dynamics Research Group Professor Chih-Ming Ho's Laboratory, University of California in Los Angeles:**
http://ho.seas.ucla.edu/new/main.htm
**Nanolink: Key Nanotechnology Sites on the Web:**
http://sunsite.nus.sg/MEMEX/nanolink.html
**Nanothinc:**
http://www.nanothinc.com/
**NEC Research and Development Letter: A summary of Dr. Sumio Iijima's research on nanotubes:**
http://www.labs.nec.co.ip/rdletter/letter0l/indexl.html
**An Overview of the Performance Envelope of Digital Micromirror Device (DMD) Based Projection Display System by Dr. Jeffrey Sampsell of Texas Instruments. Een link naar een essay over het maken van microspiegels in een minuscule hoge-resolutieprojector:**
http://www.ti.com/dlp/docs/it/resources/white/overview/over.shtml
**Small Is Beautiful: Een collectie nanotechnologielinks:**
http://science.nas.nasa.gov/Groups/Nanotechnology/nanotech.html
**Center for Nanoscale Science and Technology aan de Rice University:**
http://cnst.rice.edu/
**The Smart Matter Research Group, Xerox Palo Alto Research Center:**
http://www.parc.xerox.com/spl/projects/smart-matter/
**De homepage van Richard Smalley:**
http://cnst.rice.edu/reshome.html

**Zenuwimplantaten/Neurale prothetische geneeskunde**
**Membrane and Neurophysics Department, het Max Planck Institute for Biochemistry:**
http://mnphys.biochem.mpg.de/
**'Neural Prosthetics Come of Age as Research Continues' van Robert Finn, in de *Scientist*. Een link naar een artikel over het gebruik van neurale prothetische geneeskunde om patiënten te helpen met neurologische klachten:**
http://www.the-scientist.library.upenn.edu/yr1997/sept/research_970929.html
**De natuurkunde van computing - Carver Mead's Group:**
http://www.pcmp.caltech.edu/

**Neurale netwerken**
**Brainmaker/California Scientific's home page:**
http://www.calsci.com/
**De website van Hugo de Garis over de Brain Builder Group:**
http://www.hip.atr.co.jp/~degaris
**IEEE Neural Network Council Home Page:**
http://www.ewh.ieee.org/tc/nnc/
**Neural Network Frequently Asked Questions:**
ftp://ftp.sas.com/pub/neural/FAQ.html
**PROFIT Initiative at MIT's Sloan School of Management:**
http://scanner-group.mit.edu/

**Kwantumcomputing**
**The Information Mechanics Group/Lab for Computer Science at MIT:**
http://www-im.Ics.mit.edu/
**Quantum computation/cryptography at Los Alamos National Laboratory:**
http://qso.lanl.gov/qc/
**Physics and Media Group aan het MIT Media Lab:**
http://physics.www.media.mit.edu/home.html
**Quantum Computation at IBM:**
http://www.research.ibm.com/quantuminfo/

**Supercomputers**
**Accelerated Strategic Computing Initiative:**
http://www.Ilnl.gov/asci
**Lawrence Livermore National Laboratory/University of California for the U.S.Department of Energy:**
http://www.llnl.gov/
**NEC Begins Designing World's Fastest Computer:**
http://www.nb-pacifica.com/headline/necbeginsdesigningwo_1208.shtml

## KIJK OP DE TOEKOMST

**ACM 97 'The Next 50 Years' (Association for Computing Machinery):**
http://research.microsoft.com/acm97/
**The Extropy Site (een website en on-line-tijdschrift dat een grote reeks geavanceerde en toekomstige technologieën bestrijkt)**
http://www.extropy.org
**SETI Institute website:**
http://www.seti.org
**WTA: The World Transhumanist Association:**
http://www.transhumanism.com/

## DE GESCHIEDENIS VAN COMPUTERS

**Vooruitgang in de jaren zestig:**
http://www.inwap.com/reboot/alliance/1960s.txt
***BYTE Magazine*-December 1996:**
http://www.byte.com/art/9612/sec6/art3.htm
**History of Computing: IEEE Computer Society:**
http://www.computer.or/50/
**The Historical Collection, the Computer Museum History Center:**
http://www.tcm.org/html/history/index.html

**Intel Museum Home Page: What is Moore's Law?:**
http://www.pentium.com/inte/museum/25anniv/hof/moore.htm
**SPACEWAR: Fanatic Life and Symbolic Death Among the Computer Bums, by Stewart Brand:**
http://www.baumgart.com/rolling-stone/spacewar.html
**Tijdlijn van de gebeurtenissen in de geschiedenis van de computer, van de Virtual History Museum Group:**
http://video.cs.vt.edu:90/cgi-bin/ShowMap
**Chronologie van gebeurtenissen in de geschiedenis van computers:**
http://www3.islandnet.com/~kpolsson/comphist.htm
**Unisys History Newsletter:**
http //www.cc.gatech.edu/services/unisys-folklore/

## INDUSTRIËLE REVOLUTIE EN DE LUDDITEN/ NEO-LUDDITENBEWEGING

**Anarcho-Primitivist, anticivilization en artikelen over neo-ludditen:**
http://elaine.teleport.com/~jaheriot/anarprim.htm
**Wat is een Luddite?:**
http://www.bigeastern.com/ludd/nl_whats.htm
**Luddites On-Line:**
http://www.luddites.com/index2.html
**The Unabomber Manifesto door Ted Kaczynski:**
http://www.soci.niu.edu/~critcrim/uni/uni.txt

# Register